# 新・明解 Java入門 第2版

3色刷

柴田望洋
BohYoh Shibata

SB Creative

# はじめに

こんにちは。

この『新・明解 Java 入門 第２版』は、世界中でたくさんの人々によって、幅広い用途で使われている、プログラミング言語 Java の入門書です。

**プログラミングの基礎**から始まって、オブジェクト指向プログラミングをマスターするところまでを、じっくりと確実に学習していきます。

その過程では、次の二点をバランスよく学習できるように工夫しています。

- Java という言語の基礎
- プログラミングの基礎

これらを語学の学習にたとえると、前者は『基礎的な文法や単語』に相当して、後者は『簡単な文書を書くことや会話をすること』に相当します。それらの本質を、深く、かつ、鋭く解説していますので、Java プログラミングの初学者だけでなく、他のプログラミング言語の経験者の方にも満足いただけるでしょう。

さて、どんな学習でもそうですが、**基礎**といえども、決して**簡単**ではありません。難解な概念や文法を視覚的に理解して学習できるように、本書では 268 点もの図表を示していますので、安心して学習に取り組めるでしょう。

例題として示すプログラムリストは、302 編にもおよびます。プログラム数が多いことを語学のテキストにたとえると、会話文や例文が数多く示されていることに相当します。数多くのプログラムに触れて Java のプログラムになじみましょう。

本書は、全編がやさしく語りかける口調です。特殊な印刷技術を用いた《３色**刷**》ですから、難しい概念なども、スッキリまとめられたプログラムリストや図表で学べます。

私の講義を受講しているような感じで、全 16 章をおつきあいいただければ幸いです。

令和２年７月
柴田 望洋

# 本書を読み進めるために

本書は、プログラミング言語Javaと、そのJavaを用いたプログラミングを学習するための入門書です。章の構成は、次のようになっています。



第1章から第7章までは、**基礎的なプログラミング**を中心に学習し、第8章以降は、**オブジェクト指向プログラミング**を中心に学習します。順に一つずつマスターしていきましょう。

ただし、補足的なこと・応用的なことなどをまとめた"**Column**"は、高度な内容が含まれていますので、いったん飛ばしておいて、後から読んでも構いません。

なお、本書は、ひととおり学習が終わった後も、マニュアル的に（辞書的に）利用できるように配慮したものとなっています。

**本書を日頃から手の届くところに置いて、ご愛用いただけると幸いです。**

＊

本書を読み進める上で、知っておくべき点や注意すべき点などは、次のとおりです。

#### ■ 逆斜線記号\と円記号¥の表記について

Javaのプログラムで頻繁に使われる逆斜線記号\は、**環境によっては**円記号¥に置きかえられます。みなさんの環境にあわせて読みかえるようにしましょう。

なお、この点については、p.18でも改めて学習します。

### ■ 数字文字ゼロの表記について

数字のゼロは、中に斜線が入った文字 "Ø" で表記して、アルファベット大文字の "O" と区別しやすくしています。ただし、章・節・図表・ページなどの番号や、年月の表記などのゼロには、斜線のない 0 を使っています。

また、数字の 1（いち）、小文字の l（エル）、大文字の I（アイ）、記号文字の |（たてせん）も、識別しやすい文字を使って表記しています。

### ■ コンピュータ関連の基礎用語について

本書では、たとえば『メモリ』や『記憶域』といった、一般的なコンピュータの基礎用語についての解説は行っていません。というのも、それらの用語を解説すると、その分だけ分量が増えてしまいますし、用語をご存知の読者の方には無駄なものとなってしまうからです。

基礎的な用語については、他の書籍や、インターネット上の情報などで学習しましょう。

### ■ ソースプログラムについて

本書に示すソースプログラムは、次のサイトでダウンロードできます。

柴田望洋後援会オフィシャルホームページ　　http://www.bohyoh.com/

ダウンロードできるファイルには、本書で学習する 302 編のソースプログラムが含まれています。

本書では、掲載プログラムの別解や、少し変更を加えただけのプログラムなどは、一部あるいはすべてを割愛しています。具体的には、本書に（リスト番号を与えて）示しているソースプログラムは 225 編で、**77 編**は一部あるいはすべてを割愛しています。

なお、掲載を割愛しているプログラムリストに関しては、（**"chap99/****.java"**）という形式で、フォルダ名を含むファイル名を、本文中に示しています。

学習を進める際は、302 編のプログラムを、飛ばすことなく、すべてを実行しましょう。

### ■ 索引について

私の他の本と同様に、とても充実した索引を用意しています（索引をご覧いただくだけで、本書で解説している内容の、深さや網羅性がお分かりいただけるかと思います）。

たとえば、**クラス型変数**という用語は、『**クラス**』の見出し、『**型**』の見出し、『**変数**』の見出しのいずれからでも引けるようにしています。また、演算子などは、記号と名称の両方で引けるようにしています。

▶ 前項に示したサイトでは、本書の『**目次**』と『**索引**』の PDF もダウンロードできます。
おもちのプリンタで印刷しておけば、本書内の調べものがスムーズに行えるようになります（目次や索引と、本文とを行き来するためにページをめくらなくてすみます）。

# 目次

## 第３章　プログラムの流れの分岐　49



## 第４章　プログラムの流れの繰返し　87

## 第6章 配　列 159



## 第7章 メソッド 191

## 第8章 クラスの基本 231



## 第9章 単純なクラスの作成 261

## 第 10 章　クラス変数とクラスメソッド　293



## 第 11 章　パッケージ　317



## 第 12 章　クラスの派生と多相性　341

# 第 1 章

# 画面に文字を表示しよう

画面に文字を表示するプログラムを通じて、Java に慣れましょう。

□ Java の歴史と特徴
□ Java プログラムの作成
□ Java プログラムのコンパイルと実行
□ コメント（注釈）
□ 文
□ 画面への表示とストリーム
□ 文字列リテラル
□ 文字列の連結
□ 改行と \n
□ 自由形式記述とインデント
□ Java 実行環境（JRE）と Java 開発キット（JDK）

# 1-1 Javaについて

Javaを使ったプログラムの学習に入る前に、Javaの歴史や特徴などを学習します。

## Javaの誕生と発展

コンピュータを動かしているのは、**プログラム**であり、そのプログラムを記述するために考案されたのが、**プログラミング言語**です。日本語や英語などの、数多くの自然言語があるのと同様に、プログラミング言語にも、数多くの種類があります。

本書で学習するJavaは、1990年代の初頭に作られ始めたプログラミング言語です。米国のSun Microsystems社が、家電製品用ソフトウェア開発のために作ったものをベースに改良が重ねられ、1995年5月のSunWorldで発表されました。

Javaは、頻繁にバージョンアップ（改訂）を重ね続けています。本書執筆時点でのJavaのバージョンは14です。

▶ Sun Microsystems社が2010年にOracle社に買収された際に、Javaに関する権利がOracle社に移りました。

## Javaの特徴

それでは、Javaの特徴を、ひとめぐりしましょう。

▶ 難しい用語を使っていますので、他のプログラミング言語の経験がない方は、いったん読み飛ばして、本書の学習がある程度進んでから、お読みいただくとよいでしょう。

### ▪ いったん作れば、どこでも実行できる … Write Once, Run Anywhere.

プログラミング言語によっては、作成したプログラムが、特定の機器や環境でしか動作しないことがあります。ところが、Javaで作成したプログラムは、Javaが動作する環境であれば、基本的にはどこででも動きます。MS-Windows用、Mac用、Linux用に別々にプログラムを作る、といったことは不要です（**Column 1-5**：p.19）。

### ▪ C言語やC++に似た構文

プログラミングで利用する語句や文の構造などの文法体系は、各言語で独自に決められています。Javaの文法体系は、C言語やC++を参考にして作られていますので、それらの言語の経験者は、比較的容易にJavaへ移行できます。

### ▪ 強い型付け

プログラムでは、整数・実数（浮動小数点数）・文字・文字列など、数多くのデータ型を扱います。各種の演算などの際、許されないものや曖昧なものが、Javaの開発ツールによって厳密にチェックされますので、信頼性の高いプログラムを作りやすくなります。

### ▪ オブジェクト指向プログラミングのサポート

クラスによるカプセル化、継承、多相性といった、オブジェクト指向プログラミングを実現するための技術がサポートされています。

そのため、品質の高いソフトウェアを、効率よく開発できます。

### ▪ 無数のライブラリ

画面への文字表示・図形の描画・ネットワークの制御などのプログラムのすべてを自分で作ることは、現実的に不可能です。

Java では、そのような機能の基本部分が、API（プログラムの部品の形態の一種）のライブラリ（部品の集まり）として提供されています。API を利用すれば、目的とする処理を行うのは、簡単です。多方面にわたる多機能なライブラリが、数多く提供されます。

### ▪ ガーベジコレクションによる記憶管理

多くのプログラミング言語では、オブジェクト（値を表すための“変数”のようなもの）を必要になった時点で生成できるようになっています。その一方で、『不要になってしまったオブジェクトの解放』の管理には、細心の注意が要求されます。

Java では、オブジェクトの解放処理が自動的に行われるため、オブジェクトの管理が楽です。

### ▪ 例外処理

予期せぬエラーなどの例外的な状況に遭遇したときの対処を、スマートに行えるようになっています。頑丈なプログラムの開発が容易です。

### ▪ 並行処理

一つのプログラム内で、複数の処理を同時並行的に実行できます。たとえば、画面への表示を行いながら別の計算を行う、といったことができます。

### ▪ パッケージによるクラスの分類

私たちが利用するディスク上のファイルは、ディレクトリ（フォルダ）ごとに分類して管理します。

それと同じような感じで、Java のクラス（データと手続きをまとめたプログラムの部品）は、パッケージごとに分類できるようになっています。膨大な数におよぶクラスを効率よく管理できます。

▶ Javaは、有名なC言語より遥（はる）かに大きく複雑な言語です。本書で学習するのは、Javaの基礎であって、上記の特徴のすべてを学習するわけではありません（すべてを丁寧に解説しようとすると、数千ページになってしまいますので）。

## 学習のための準備

Javaを使ったプログラム開発に必要なツールがあります。それが、

Java開発キット＝JDK（Java Development Kit）

と呼ばれるツールです。Java開発キットは、インターネット上のサイトからダウンロードできます。

▶ Java開発キットは、ソフトウェア開発キット＝SDK（Software Development Kit）と呼ばれていた時期もありました。

まずは、次のサイトにアクセスしましょう。

http://jdk.java.net/　　jdk.java.net

このサイトでは、Oracle社が提供するJava開発キットが、過去のバージョンを含めてダウンロードできるようになっています。**Fig.1-1** に示すように、極めてシンプルなページです。

Java開発キットは、zip形式の書庫ファイルで提供されます。ダウンロードして展開（解凍）するだけで、使えるようになっています。

**Fig.1-1**　jdk.java.netのサイト

ただし、ツール内の各コマンドを実行できるようにするには、パスの設定などの作業が必要となります。

その方法を含め、次のサイトで、Javaに関する多くの情報を公開していますので、ぜひご覧ください。

http://www.bohyoh.com/　　柴田望洋後援会オフィシャルホームページ

Java開発キットの設定方法を解説したPDFファイルや、本書のすべてのプログラムもダウンロードできます。

また、Java用語辞典やJavaに関するFAQ（よく聞かれる質問と回答を集めたもの）など、豊富なコンテンツを提供しています。

▶ 提供している情報はJavaだけではありません。C言語やC++言語、情報処理技術者試験や中国武術など、たくさんの情報を提供しています。

### Column 1-1　Java開発キットとOpenJDK

Javaを発表したSun Microsystems社がOracle社に買収されたことや、Javaの取扱いに関するOracle社の方針が数回にわたって変更されたこと（オープンソース化、リリースサイクル・サポート方針の変更）など、Javaをとりまく環境は変化し続けています。

現在、Javaの仕様策定は、**JCP**（Java Community Process）で行われています。

`https://jcp.org/en/home/index`　　Java Community Process

そして、Javaの中核ともいえるJava SEの基準となる実装の開発は、多数の団体や個人が参加している、オープンソースの**OpenJDKプロジェクト**で行われています（SEは、標準版を意味するStandard Editionの略です）。

`https://openjdk.java.net/`　　Open JDK Project

そのOpenJDKプロジェクトで提供される**Java開発キット＝JDK**は、**OpenJDK**と呼ばれます。

Oracle社は、**Oracle OpenJDK**とは別に、有償版の**Oracle JDK**を提供しています。

また、Oracle以外からも、OpenJDKをもとにした、AdoptOpenJDK、Amazon Corretto、Red Hat OpenJDK、Liberica JDKなどのJDKが提供されています。

＊

なお、Java開発キットに加えて、**統合開発環境＝IDE**（Integrated Development Environment）を導入すると、プログラムの開発効率を高めることが可能です。代表的なIDEとしては、Eclipse、IntelliJ、NetBeansなどがあります。

# 1-2 画面に文字を表示しよう

もし電卓が計算するだけで結果を表示しなければ、どんなに高速で多機能であっても、おそらく誰も使わないでしょう。文字や数字によって人間に情報を伝えることは、コンピュータにとって重要な仕事の一つです。本節では、コンソール画面に文字を表示する方法を学習します。

## プログラムの作成と実行

まずは、コンソール画面に文字を表示するプログラムを作りましょう。なお、表示するのは、右に示している2行分の文字とします。

```
はじめてのJavaプログラム。
画面に出力しています。
```

それでは、テキストエディタなどを使って、**List 1-1** を打ち込みます。プログラムの大文字と小文字は区別されますので、ここに示すとおりにします。

**List 1-1** chap01/Hello.java

```
// 画面への出力を行うプログラム

class Hello {

  public static void main(String[] args) {
    System.out.println("はじめてのJavaプログラム。");
    System.out.println("画面に出力しています。");
  }
}
```

注意!! 数字の“イチ”ではなく小文字の“エル”です

実行結果

```
はじめてのJavaプログラム。
画面に出力しています。
```

▶ 余白や " などの記号を、全角文字で打ち込まないよう、注意が必要です。余白は、スペースキーあるいはタブキーを使って打ち込みます。
本プログラムでは、{ } [ ] ( ) " / . ; と、数多くの記号文字が使われています。これらの文字の読み方は、**Table 1-1** (p.18) でまとめて学習します。

### ソースプログラムとソースファイル

みなさんが打ち込んだプログラムは、**文字の並び**です。このような、私たち人間の読み書きに都合のよいプログラムは、**ソースプログラム** (source program) と呼ばれます。そして、ソースプログラムを格納したファイルが、**ソースファイル** (source file) です。

▶ source は、『もとになるもの』という意味です。

ソースファイルのファイル名は、`class` の後ろに書かれている**クラス** (class) の名前に `.java` の拡張子を加えたものとするのが原則です。本プログラムは、クラスの名前が *`Hello`* ですから、ソースファイルの名前は `Hello.java` となります。

さて、本書で学習する数多くのソースファイルを、単一のディレクトリ（フォルダ）で管理するのは、現実的ではありません。そこで、ファイルとディレクトリは、右ページの **Fig.1-2** に示す構成とします。

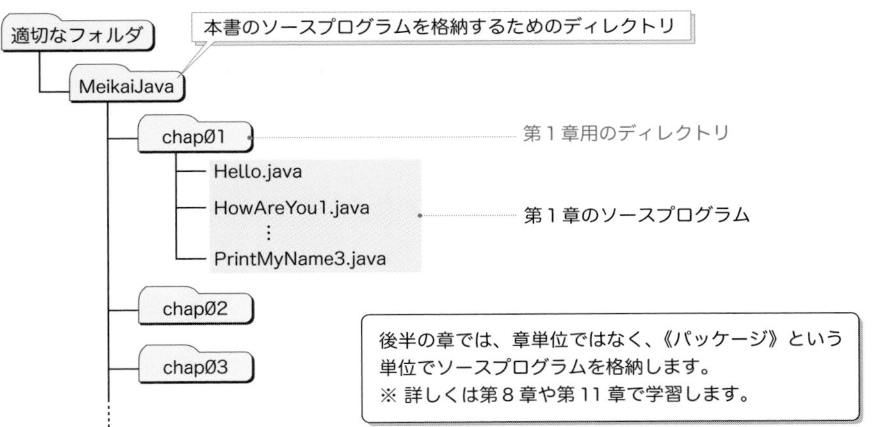


**Fig.1-2　ソースプログラムのディレクトリ構成の一例**

もしお使いのシステムが MS-Windows であれば、適切な（みなさんの都合のよい）ディレクトリの中に **MeikaiJava** ディレクトリを作り、さらに、その中に各章用のディレクトリ **chap01**、**chap02**、… を作ります。

ファイル **Hello.java** の保存先は、ディレクトリ **chap01** です。

▶　本書のプログラムは、インターネットのサイトからダウンロードできます（p.v）。

## Column 1-2　カレントディレクトリ

膨大な数のファイルを一元的に管理するのは困難なため、ほとんどのOS（オペレーティングシステム）では、階層構造の**ディレクトリ＝フォルダ**でファイルを管理します。現在作業をしているディレクトリは、**カレントディレクトリ**（あるいは**ワーキングディレクトリ**）と呼ばれます。

＊

Java プログラムのコンパイル・実行を行う際は、対象とするファイルが置かれているディレクトリをカレントディレクトリとするのが基本です。

カレントディレクトリの移動に利用するのが、**cd** コマンドです。たとえば、**MeikaiJava** をルートディレクトリの直下に置いているのであれば、移動は次のように行います。

```
▶ cd /MeikaiJava/chap01 ⏎
```

なお、MS-Windows で複数台のディスクドライブがある場合は、ドライブの移動も必要です。もし **MeikaiJava** ディレクトリを D ドライブに作成しているのであれば、上のコマンドを実行する前に、次のコマンドを実行してカレントドライブを移動します。

```
▶ d: ⏎
```

※ディレクトリとファイルを区切る記号は OS によって異なります。本書は **/** で表記しています。
先頭の▶は、オペレーティングシステムが表示するプロンプトであり、タイプは不要です（UNIX では **%** などと表示されて、MS-Windows では **C:\>** や **C:¥>** などと表示されます）。

## プログラムのコンパイルと実行

ソースプログラムが完成しても、そのままでは実行できません。プログラム実行のためには、大きく二つのステップが必要です。

ⓐ ソースプログラムをコンパイルしてバイトコード（bytecode）を生成する。
ⓑ 生成されたバイトコードを実行する。

今回の流れは、**Fig.1-3** に示すとおりです。それでは、二つの手順を理解していきましょう。

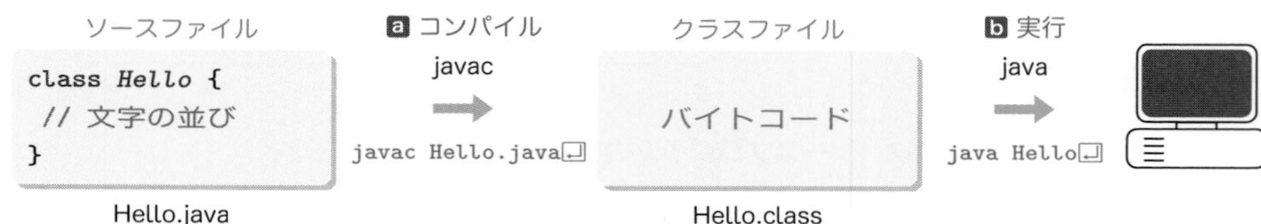


**Fig.1-3　プログラムの作成から実行までの流れ**

### ⓐ コンパイル

最初に行う**コンパイル**（compile）は、そのままでは実行できないソースプログラムを、実行できる形式へと変換する作業です。そのために使うのが `javac` **コマンド**です。

`Hello.java` のコンパイルは、次のように行います。

```
▶ javac Hello.java⏎
```

`javac` に与えるのは、**ソースファイルの名前**です。拡張子の `.java` は省略できません。

▶ 先頭の▶は、オペレーティングシステムが表示するプロンプトですから、タイプは不要です（**Column 1-2**：前ページ）。

コンパイルが完了すると、右ページの **Fig.1-4** に示すように、`Hello.class` というファイルが生成されます。これは、**クラスファイル**（class file）と呼ばれ、その中身は、（人間が容易に読み書きできない）コンピュータ向けの**バイトコード**という形式です。

なお、ソースプログラムに綴り間違いなどがあると、**コンパイル時エラー**が発生して、その旨のメッセージが表示されます。その際は、プログラムをよく読み直して、ミスを取り除いた上で、再度コンパイルの作業を試みましょう。

### ⓑ 実行

コンパイルに成功したら実行します。クラスファイルから**クラス**を読み込んで実行するために使うのが `java` **コマンド**です。クラス `Hello` の実行は、次のように行います。

```
▶ java Hello⏎
```

今回は、**拡張子 .class を付けてはいけません**。というのも、**java** コマンドに与えるのは、クラスファイルの名前ではなく、**クラスの名前**だからです。

**重要** ソースプログラムは、javac コマンドでコンパイルする。コンパイルによって作られたクラスファイルに収められたクラスは、java コマンドで実行する。

プログラムを実行すると、コンソール画面への出力が行われます。

**Fig.1-4 ソースファイルとクラスファイル**

## インデント

それでは、プログラムの中身を理解していきましょう。プログラムのほとんどの行の左側に余白がありますが、この余白は**インデント**と呼ばれます。なお、インデントを使った記述を、**インデンテーション**（段付け／字下げ）と呼びます。

インデントは、プログラムの構造を、見た目に分かりやすくするものです。

**Fig.1-5** に示すように、本書では、インデントを2文字分の幅としていますので、階層の深さに応じて、0、2、4、… 個分の空白を左側に入れます。

▶ 図に示しているのは、第4章で学習するプログラムの一部です。

```
public static void main(String[] args) {
→for (int i = 1; i <= 9; i++) {
→→for (int j = 1; j <= 9; j++) {
→→→System.out.printf("%3d", i * j);
→→}
→→System.out.println();
→}
}
```

**Fig.1-5 インデント**

**Column 1-3** java コマンドによるコンパイル・実行

Java 11 からは、**java** コマンドだけで、**コンパイル**に加えて**実行**も行えるようになっています。たとえば、次のコマンドで、コンパイルと実行の両方が行えます。

```
▶ java Test.java↵
```

ただし、この方法の対象は、単一ファイルで構成されたソースコードプログラム（Single-File Source-Code Program）であって、かつ、クラスが **public** でなければならない、などの制限があります。

## コメント（注釈）

プログラムの先頭行に着目します。冒頭の2個のスラッシュ記号 // の意味は、次のとおりです。

```
// 画面への出力を行うプログラム
```

**この行の、ここから先は、プログラムの《読み手》に伝えることです。**

つまり、人間である**読み手**に伝える**コメント**（comment）すなわち**注釈**（ちゅうしゃく）です。

コメントの有無や内容は、プログラムの動作に影響を与えません。作成者自身を含めたプログラムの読み手に伝えたいことがらを、日本語や英語などの簡潔な言葉で記述します。

**重要** ソースプログラムには、作成者自身を含めた**読み手**に伝えるべき**コメント**を簡潔に記入する。

他の人が作成したプログラムに適切なコメントが書かれていれば、読みやすく、理解しやすくなります。また、自分が作ったプログラムのすべてを記憶することは不可能ですので、コメントの記入は、作成者自身にとっても重要です。

コメントの記述法には3種類があり、自由に使い分けられるようになっています。

### a 伝統的コメント（traditional comment） /* … */

/* と */ とで囲んで記述するコメントです。開始を表す /* と終了を表す */ については、次の規則があります。

```
/*
  伝統的コメント
*/
```

- **好きな場所に置ける（行の先頭や末尾でなくてよい）。**
- **開始と終了は同一行になくてもよい。**

この形式のコメントの利用時は、終了の */ を、書き忘れたり、あるいは /* と書き間違えたりしないようにします（この点は、bも同じです）。

▶ “伝統的”の名称は、（1970 年代からの）C言語のコメントと同じ形式であることに由来します。
　コメントの開始と終了は、物理的な行の制約を受けません。行内の好きな場所に置けますし、同一行にも、異なる行にも置けます。そのため、本コメントのことを、**複数行コメント**といった、誤った用語で呼んではなりません。

### b 文書化コメント（documentation comment） /** … */

/** と */ で囲んで記述します。aと同様に、任意の位置での開始と終了ができますし、複数行にわたっての記述が行えます。

```
/**
  文書化コメント
*/
```

▶ プログラムの仕様書ともいうべき**ドキュメント**（**文書**）を生成できることが、aとの違いです。第 13 章で学習します。

### c 行末コメント（end of line comment） // …

// から、その行の終端までがコメントです。

```
// 行末コメント
```

開始の // は、行の先頭でなくてもよく、好きな場所に置けます。手短なコメントの記述に便利です。

```
int x;   // xはint型の変数
```

なお、右に示すのが、行末コメントの典型的な使い方の一例です（次章以降、頻繁に利用します）。

▶ 行内の好きな位置で開始できるため、行全体がコメントになるわけではありません。本コメントのことを、**単一行コメント**といった、誤った用語で呼んではなりません。

文書化コメントと伝統的コメントを入れ子にする（コメントの中にコメントを入れる）ことはできません。そのため、次の記述は、コンパイル時エラーとなります。

```
/**  /* このようなコメントは駄目!! */    */
```

コメントは矢印の範囲であって、最初の */ で終了しま。すなわち、後ろ側の ***/** は、コメントとみなされません。

なお、文書化コメントと伝統的コメントの中では // を使えますし、その逆もOKです。

▶ そのため、次に示す二つのコメントは、コンパイル時エラーとはなりません。

```
/* // このコメントはOK!! */
// /* このコメントもOK!! */
```

## Column 1-4 コメントアウト

プログラムの欠陥や誤りのことをバグ（bug）といいます。また、バグを見つけたり、その原因を究明したりする作業が、デバッグ（debug）です。

デバッグの際に、『この部分が間違っているかもしれない。この部分がなかったら、実行時の挙動はどう変化するだろうか。』と試しながらプログラムを修正することがあります。その際に、プログラムの該当部を削除してしまうと、もとに戻すのが大変です。そこで、使われるのがコメントアウトという手法です。**プログラムとして記述されている部分を、コメントにしてしまうのです。**

プログラムを次のように書きかえて実行してみましょう。色文字の部分がコメントとみなされますから、『はじめてのJavaプログラム。』は表示されなくなります。

```
class Hello {
  public static void main(String[] args) {
//  System.out.println("はじめてのJavaプログラム。");
    System.out.println("画面に出力しています。");
  }
}
```

**実行結果**

```
画面に出力しています。
```

行の先頭に2個のスラッシュ記号 // を書くだけで、その行全体をコメントアウト（コメント化）できるわけです。プログラムをもとに戻すのも簡単です。// を消すだけです。

なお、複数行にわたってコメントアウトする際は、次に示すように /* … */ 形式を使います。

```
class Hello {
  public static void main(String[] args) {
/*
    System.out.println("はじめてのJavaプログラム。");
    System.out.println("画面に出力しています。");
*/
  }
}
```

**実行結果**

（何も表示されません）

コメントアウトされたプログラムは、読み手に誤解されやすくなります（コメント化の根拠が、その部分が不要になったからなのか、何らかのテストを目的とするものなのか、などが不明だからです）。

コメントアウトの手法は、あくまでもその場しのぎのための一時的な手段と割り切って使いましょう。

## プログラムの構造

コメント以外の部分を理解していきましょう。プログラムは、**Fig.1-6** に示す構造です。

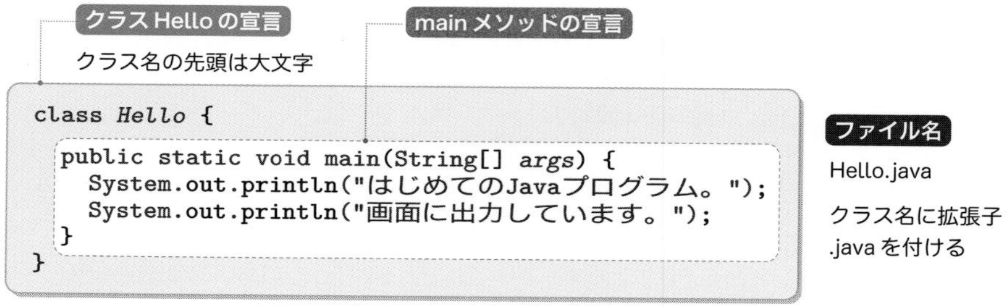

```
class Hello {
  public static void main(String[] args) {
    System.out.println("はじめてのJavaプログラム。");
    System.out.println("画面に出力しています。");
  }
}
```

**Fig.1-6 プログラムの構造**

### クラス宣言

図の水色の部分は、プログラム全体の《骨組み》です。専門用語で説明すると、

*Hello*という名前をもつ**クラス**（class）の**クラス宣言**（class declaration）

です。少しずつ学習しますので、現時点では、次の形式で書くものと覚えておきます。

```
class クラス名 {
  // mainメソッドなど
}
```

クラス宣言

本プログラムの**クラス名**は、*Hello*です。このように、クラス名の先頭文字は、**大文字**とするのが原則です。

なお、**ソースファイルの名前は、大文字・小文字の区別を含めてクラス名と同一にします。**

### mainメソッド

図中の白い部分は、main（メイン）**メソッド**（main method）の宣言です。

```
public static void main(String[] args) {
  // 行うべき処理
}
```

mainメソッドの宣言

public（パブリック） static（スタティック） void（ヴォイド）や(String（ストリング）[] *args*)の部分は、後の章で学習します。この部分も、当面は《決まり文句》として覚えておきましょう。

▶ メソッドについては、第7章以降で詳しく学習します。

### 文

**main** メソッドの部分を抜き出したのが **Fig.1-7** です。この図に示すように、プログラムを実行すると、**main** メソッドの中の文（statement）が、順次実行されます。

main メソッド内の文が順次実行される

```
public static void main(String[] args) {          ← main メソッド
  System.out.println("はじめてのJavaプログラム。"); ← 1
  System.out.println("画面に出力しています。");     ← 2
}
```

**Fig.1-7　プログラムの実行と main メソッド**

最初に実行される文は1で、次に実行されるのが2です。いずれの文も、コンソール画面への表示を行います（詳細は次ページで学習します）。

**重要** Java のプログラムを実行すると、main メソッド内の文が順次実行される。

文はプログラム実行の単位です。**式文**、**if 文**、**while 文**、… と数多くの種類の文がありますので、次章以降で少しずつ学習していきます。

＊

さて、**main** メソッド内の２個の文の終端は、いずれもセミコロン **;** です。文の末尾に置かれたセミコロン **;** は、日本語の文の末尾の句点 。に相当します。

**重要** 文は、原則としてセミコロン ; で終わる。

▶ 例外もあります。たとえば、第４章で学習する **while** 文は、セミコロンで終わりません。
　なお、コメントは文ではありませんので、**コメント文**といった文は Java にはありません（そもそもコメントは注釈ですから実行できません）。
　さて、**main** メソッドの本体部を囲む **{ }** は、**ブロック**と呼ばれる一種の**文**です (p.70)。その一方で、クラス宣言の本体部を囲む **{ }** は、ブロックではありません（すべての **{ }** が、ブロックというわけではありません。そのため、**クラスブロック**といった概念は、Java にはありません）。

1や2の末尾のセミコロンを削除してみましょう。コンパイル時エラーが発生して、コンパイルや実行ができなくなります。

▶ **main** メソッドの **()** の中の **String[] *args*** の部分は、**String *args*[]** あるいは **String...*args*** とすることもできます。
　さらに、***args*** を別の名前に変更することも可能です（詳細は、後の章で学習します）。

## 文字列リテラル

それでは、コンソール画面への出力を行う文を理解していきます。

```
System.out.println("はじめてのJavaプログラム。");
System.out.println("画面に出力しています。");
```

まずは、**"はじめてのJavaプログラム。"** と **"画面に出力しています。"** の部分に着目します。二重引用符 " で囲んだ文字の並びは、**文字列リテラル**（string literal）と呼ばれる式です。ちなみに、リテラルは、『文字どおりの』という意味です。

**Fig.1-8** に示すように、文字列リテラル **"ABC"** は、3個の文字 **A** と **B** と **C** の並びを表し、文字列リテラル **"はじめてのJavaプログラム。"** は、15 個の文字の並びを表します。

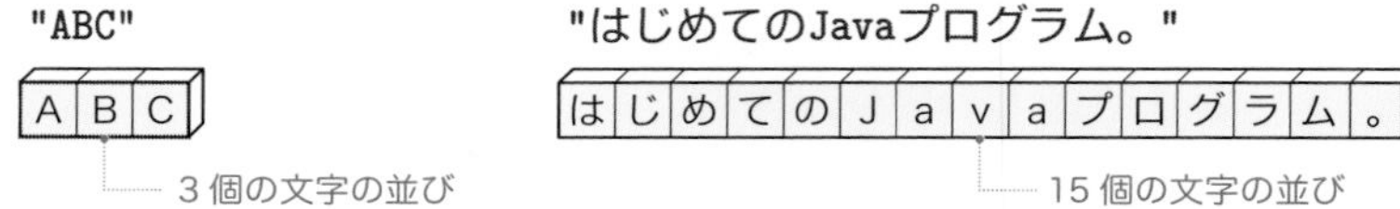


**Fig.1-8　文字列リテラル**

## コンソール画面への出力とストリーム

文字列リテラルの出力に使うのが、**ストリーム**（stream）です（**Fig.1-9**）。ストリームとは、入出力を行うための《文字が流れる川（かわ）》のようなものです。

コンソール画面と結び付いたストリームが**標準出力ストリーム**（standard output stream）であって、それに相当するのが、**System.out**（システム アウト）です。

**重要** 外部への入出力は、文字が流れる川ともいうべき**ストリーム**を経由して行う。

**System.out** に続く **println**（プリント エル エヌ）は、( ) 中の式（本図では、文字列リテラル **"ABC"**）をコンソール画面に表示した上で改行します（改行文字を出力します）。

▶ 二重引用符 " は、文字列リテラルの開始と終了を表す記号に過ぎませんので、プログラム実行時に " が表示されることはありません。

そのため、本プログラムでは、まず『はじめての **Java** プログラム。』が表示され、それから『画面に出力しています。』が次の行に表示されます。

**Fig.1-9　println メソッドによるコンソール画面への出力とストリーム**

### println メソッドと print メソッド

println の ln は、行(ぎょう)という意味の line に由来します。println から ln を取り除いた print(プリント) を使うと、表示の最後で改行されません。**List 1-2** のプログラムで検証しましょう。

▶ HowAreYou1.java というファイル名で保存して、コンパイル・実行します。

**List 1-2** chap01/HowAreYou1.java

```
// 『こんにちは！元気ですか？』と表示

class HowAreYou1 {

  public static void main(String[] args) {
    System.out.print("こんにちは！");
    System.out.println("元気ですか？");
  }
}
```

実行結果

こんにちは！元気ですか？

改行されない

「こんにちは!」の後で改行されないため、『こんにちは!元気ですか?』と表示されます。

＊

依頼に基づいて処理を行う print と println は、メソッド（method）と呼ばれるプログラムの**部品**です。

▶ もちろん、プログラムの本体である main メソッドも、一種の部品です。メソッドの作り方と使い方や ( ) の意味などは、第 7 章で学習します。

本プログラムで使っている二つのメソッドの概要は、次のとおりです。

- System.out.print(...)　… 標準出力ストリームに表示する（改行しない）。
- System.out.println(...) … 標準出力ストリームに表示して改行する。

▶ 単語を区切る . については、第 8 章以降で学習します。

なお、println を使うときは、( ) の中を空にすることも可能です。次の文を実行すると、文字が表示されずに、**改行だけが行われます（改行文字が出力されます）。**

```
System.out.println();        // 改行する（改行文字を出力する）
```

▶ () の中を空にできるのは、println のみです。print を使うときは、() の中を空にすることはできません（コンパイル時エラーが発生します）。

なお、**本書の解説では、次のように「」と『』を使い分けています。**

- 「ABC」と表示 … 画面に ABC と表示します。
- 『ABC』と表示 … 画面に ABC と表示した後に改行します（改行文字を出力します）。

## 文字列の連結

複数の文字列リテラルを + で結んだら、それらが連結されます。そのことを利用して、前のプログラムを書き直しましょう。それが **List 1-3** のプログラムです。

**List 1-3** chap01/HowAreYou2.java

```
// 『こんにちは！元気ですか？』と表示（文字列リテラルを連結）

class HowAreYou2 {

  public static void main(String[] args) {
    System.out.println("こんにちは！" + "元気ですか？");
  }
}
```

文字列を連結する

実行結果
こんにちは！元気ですか？

**"こんにちは！"** と **"元気ですか？"** の連結によって作られた文字列 **"こんにちは！元気ですか？"** が表示されます。ただし、これは、わざとらしいプログラム例です。

次のように、1行に収まらない文字列リテラルの表示の際などに + を使うようにします。

```
System.out.println("むかしむかし、あるところにお爺さんとお婆さんが" +
                   "住んでいました。二人は毎日毎日喧嘩していました。");
```

## 改行

文字列リテラルには、改行文字を表す特別な表記 \n を埋め込むことができます。これを利用して、『こんにちは！』『元気ですか？』と表示するのが、**List 1-4** のプログラムです。

**List 1-4** chap01/HowAreYou3.java

```
// 『こんにちは！』『元気ですか？』と表示（途中で改行）

class HowAreYou3 {

  public static void main(String[] args) {
    System.out.println("こんにちは！\n元気ですか？");
  }
}
```

改行文字

実行結果
こんにちは！
元気ですか？

改行を出力すると、それに続く表示は、**次の行の先頭**から行われます。そのため、『こんにちは！』が表示された後に、『元気ですか？』が、次の行の先頭に表示されます。

なお、画面に「**\n**」が表示されるわけではありませんので、注意しましょう。

▶ 二つの文字 \ と n で構成される \n が表すのは、**改行文字**という**単一の文字**です。改行文字やタブ文字などのように、目に見える文字としての表記が不可能あるいは困難な文字の表記に使うのが、逆斜線 \ で開始する**拡張表記**です。拡張表記の詳細は、5-3 節（p.152）で学習します。
　なお、本書では、拡張表記を**青文字**で表記します。

改行文字を連続出力すると、“１行あけた表示”が行えます。**List 1-5** で確認しましょう。

**List 1-5** chap01/PrintMyName1.java

```
// 姓と名のあいだを１行空けて表示

class PrintMyName1 {
  public static void main(String[] args) {
    System.out.println("福\n岡\n\n太\n郎");
  }
}
```

２個の改行文字

実行結果

```
福
岡

太
郎
```

▶ もちろん、右のようにも実現できます（main メソッドの中のみを示しています）。
クラス名を *PrintMyName2* として実現した、完全なプログラム "chap01/PrintMyName2.java" は、ダウンロードプログラムに含まれています。

```
System.out.println("福");
System.out.println("岡");
System.out.println();
System.out.println("太");
System.out.println("郎");
```

## 自由形式記述

**List 1-6** のプログラムを考えましょう。

クラス名以外は、**List 1-5** と実質的に同一で、実行結果も同じです。

一部のプログラミング言語は、『各行を、決められた桁位置から記述せねばならない。』などの記述上の制約を課します。

しかし、Java のプログラムは、そのような制約を受けません。自由な桁位置にプログラムを記述できる**自由形式**（free formatted）が許されているからです。

**List 1-6** chap01/PrintMyName3.java

```
/* 姓と名
  の
  あいだを１
  行空けて表示 */ class
      PrintMyName3
{  public static    void
   main(String
           [] args) {
  System.
    out.
println
    ("福\n岡\n\n太\n郎"
)              ;
 }                          }
```

読みにくいけれども正しいプログラム

実行結果

```
福
岡

太
郎
```

このプログラムは、かなり自由に（?）記述した例です。

もっとも、いくら自由であるとはいっても、若干の制限があります。

### ① 単語の途中にホワイトスペースを入れてはならない

class, public, void, System, out, //, /* などは、それぞれが『単語』です。これらの途中に**ホワイトスペース**（スペース文字・タブ文字・改行文字など）を入れた、右のような記述はできません。

✕
```
Sys
  tem
```

### ② 文字列リテラルの途中で改行してはならない

文字列リテラル " … " も単語の一種ですから、右のような途中での改行は行えません。

✕
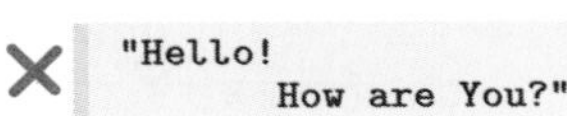

```
"Hello!
        How are You?"
```

## 記号文字の読み方

Javaのプログラムで利用する記号文字の読み方をまとめた表が、**Table 1-1** です。

**Table 1-1　記号文字の読み方**

| 記号 | 読み方 |
|---|---|
| + | プラス符号、正符号、プラス、たす |
| - | マイナス符号、負符号、ハイフン、マイナス、ひく |
| * | アステリスク、アスタリスク、アスター、かけ、こめ、ほし |
| / | スラッシュ、スラ、わる |
| \ | 逆斜線、バックスラッシュ、バックスラ、バック　※JISコードでは¥ |
| ¥ | 円記号、円、円マーク |
| % | パーセント |
| . | ピリオド、小数点文字、ドット、てん |
| , | コンマ、カンマ |
| : | コロン、ダブルドット |
| ; | セミコロン |
| ' | 単一引用符、一重引用符、引用符、シングルクォーテーション |
| " | 二重引用符、ダブルクォーテーション |
| ( | 左括弧、開き括弧、左丸括弧、始め丸括弧、左小括弧、始め小括弧、左パーレン |
| ) | 右括弧、閉じ括弧、右丸括弧、終り丸括弧、右小括弧、終り小括弧、右パーレン |
| { | 左波括弧、左中括弧、始め中括弧、左ブレイス、左カーリーブラケット、左カール |
| } | 右波括弧、右中括弧、終り中括弧、右ブレイス、右カーリーブラケット、右カール |
| [ | 左角括弧、始め角括弧、左大括弧、始め大括弧、左ブラケット |
| ] | 右角括弧、終り角括弧、右大括弧、終り大括弧、右ブラケット |
| < | 小なり、左アングル括弧、左向き不等号 |
| > | 大なり、右アングル括弧、右向き不等号 |
| ? | 疑問符、はてな、クエッション、クエスチョン |
| ! | 感嘆符、エクスクラメーション、びっくりマーク、びっくり、ノット |
| & | アンド、アンパサンド |
| ~ | チルダ、チルド、なみ、にょろ　※JISコードでは‾（オーバライン） |
| ‾ | オーバライン、上線、アッパライン |
| ^ | アクサンシルコンフレックス、ハット、カレット、キャレット |
| # | 番号記号、ナンバー、ハッシュ、スクエア、オクトソープ、ダブルクロス、井桁 |
| _ | 下線、アンダライン、アンダバー、アンダスコア |
| = | 等号、イクオール、イコール |
| \| | 縦線、バーチカルライン |

注意!!

▶ 注意：日本語版のMS-Windowsでは、逆斜線\の代わりに円記号¥を使います。たとえば、改行文字を表すエスケープシーケンス`\n`は、`¥n`となります。

お使いのシステムが¥を使う環境であれば、本書のすべての\を¥と読みかえてください。

## Column 1-5 JRE（Java 実行環境）と JVM（Java 仮想マシン）

JDK（Java 開発キット）は、Java プログラムを開発するツール群に加えて、Java で作られたプログラムを実行するための環境である JRE（Java 実行環境：Java Runtime Environment）を含んでいます。その関係の概略を示したのが、**Fig.1C-1** です。

JRE は、JVM（Java 仮想マシン：Java Virtual Machine）と、Java SE API を始めとする、各種のライブラリなどで構成されています。

コンピュータに JDK をインストールすると、JRE も同時にインストールされます。

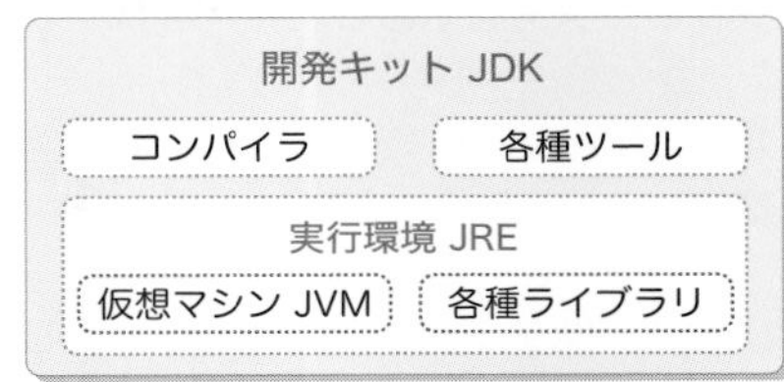


**Fig.1C-1 JDK と JRE の関係（概略）**

JRE は、MS-Windows 用、macOS 用、Linux 用など、プラットフォームごとに**専用のもの**が提供されます（**Fig.1C-2**）。

ただし、`javac` コマンドが生成するバイトコード形式のクラスファイルは、（基本的には）どのプラットフォームの JVM であっても実行できます。この原理によって、“Write Once, Run Anywhere.” が実現されています（p.2）。

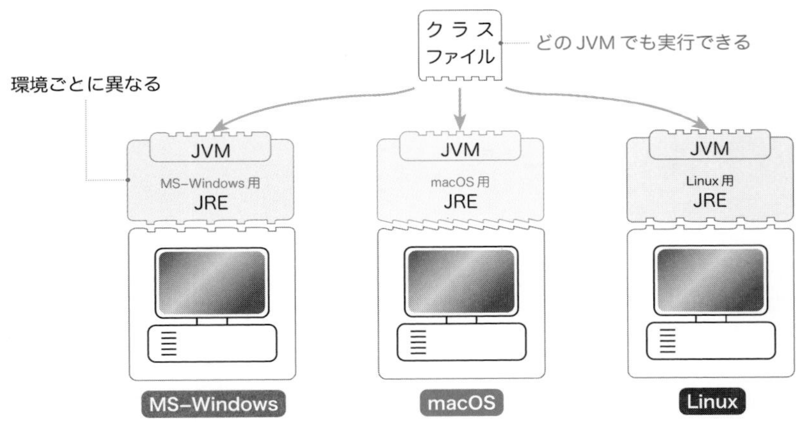


**Fig.1C-2 Java プログラムの実行と環境**

Java プログラムを実行するための仮想マシンである JVM は、クラスファイル中の命令を解釈しながら実行します。しかし、すべての命令を逐一解釈しながら実行していると、十分な実行速度が得られません。そのため、高速に実行できるように、クラスファイル中の命令の一部をもう一段階コンパイルします（環境に依存しないように作られたクラスファイルを、現在実行している環境に特化した高速な命令に置換する作業が行われます）。

したがって、Java プログラムの実行方式は、命令を逐一解釈しながら実行する**インタプリタ形式**を土台としながらも、機械語を直接実行する**コンパイラ形式**を利用するという、**ハイブリッド**な構成となっています。

なお、JRE は、Java 10 までは単独でも配布されていましたが、Java 11 からは JDK の同梱配布のみとなっています。

# まとめ

- Java は、多くの優れた特徴をもった**オブジェクト指向プログラミング**をサポートするプログラミング言語である。発表されて以降も、改訂が重ね続けられている。

- Java プログラムの開発には、**Java 開発キット**すなわち **JDK** が必要である。JDK は、Java プログラムを動かすための、**Java 実行環境**である **JRE** を含んでいる。

- **ソースプログラム**は、文字の並びとして作成する。それを保存する**ソースファイル**の名前は、**クラス**の名前に拡張子 `.java` を付けたものとする。

- ソースファイルを `javac` コマンドでコンパイルすると、拡張子 `.class` の**クラスファイル**が作成される。クラスファイルの中身は、**バイトコード**という形式である。

- クラスファイル中の**クラス**を実行するのが、`java` コマンドである。

- ソースプログラムは、**クラス宣言**の中に `main` **メソッド**が含まれており、その中に**文**が含まれる構造である。

- プログラムを起動すると、`main` メソッド内の文が順次実行される。

- 文は、原則としてセミコロン ; で終わる（ただし例外もある）。

- コンソール画面に表示を行う際は、**ストリーム**の一種である**標準出力ストリーム**を使う。

- 標準出力ストリームに対する文字の出力は、`System.out.print` と `System.out.println` の各**メソッド**で行える。後者のメソッドでは、出力の最後で自動的に改行される。

- 文字の並びは、二重引用符 " で文字の並びを囲んだ "…" 形式の**文字列リテラル**で表す。複数の文字列リテラルを + で結ぶと、自動的に連結される。

- 拡張表記 `\n` は、改行文字を表す。

- ソースプログラムには、作成者自身を含めた読み手に伝えるべき**コメント**を簡潔に記入すべきである。

- コメントの記述法には、**伝統的コメント**・**文書化コメント**・**行末コメント**の３種類がある。

- ソースプログラムは、**自由形式**の記述が許される。タブ文字もしくはスペース文字によって、適切な**インデント**を与えて読みやすくすべきである。

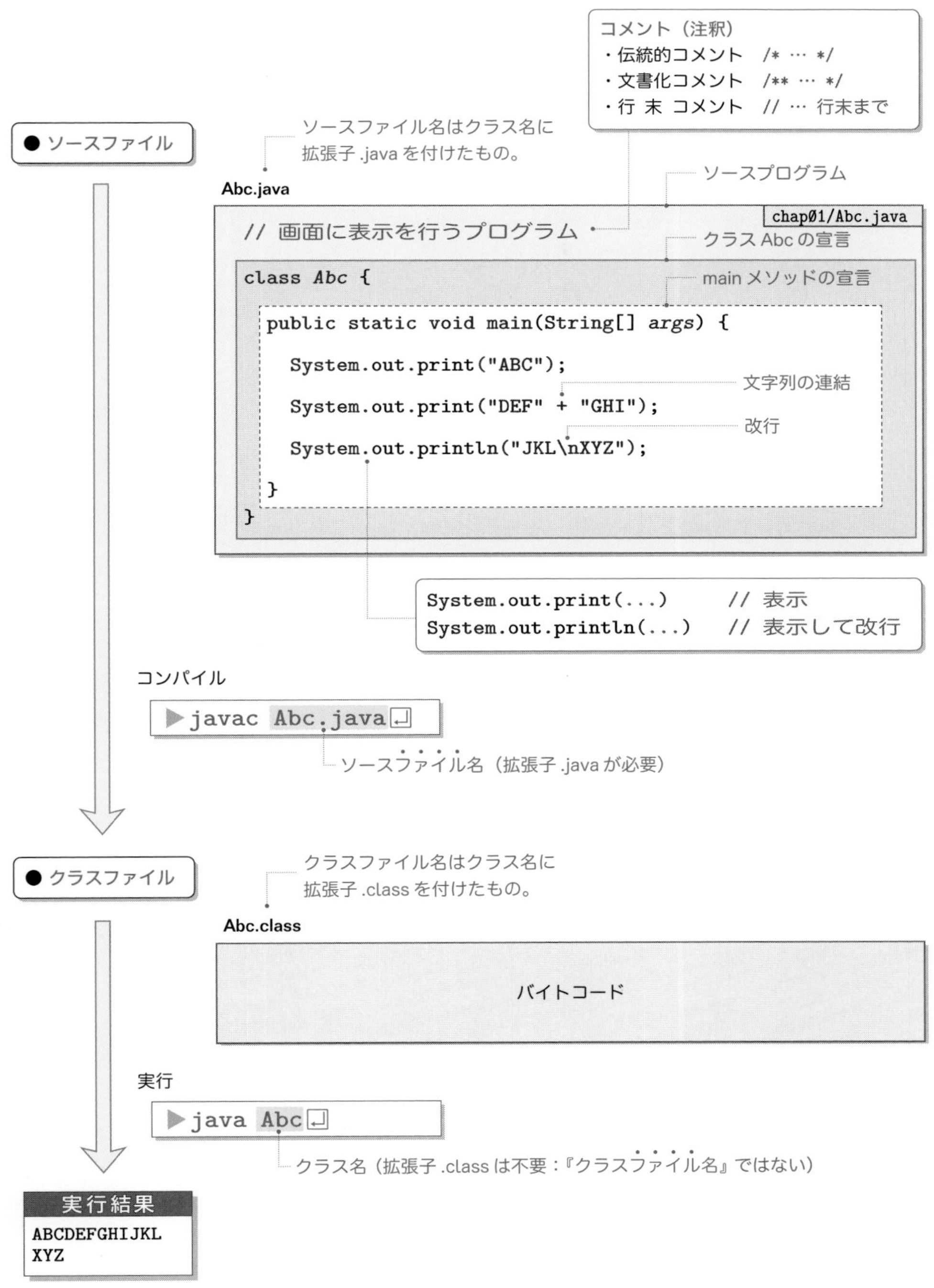


▶ ほとんどの章の“まとめ”にも、プログラムを示しています。“まとめ”に示すプログラムは、その章で学習した各種のエッセンスが盛り込まれていますので、しっかりと理解して実行しましょう。もちろん、ソースファイルは、ダウンロードファイルに含まれています。

# 第２章

# 変数を使おう

本章では、数値や文字列を格納するための変数を学習します。変数に対して演算を施したり、キーボードから値を読み込んだりするプログラムを作成します。

- □型
- □変数と final 変数
- □整数と浮動小数点数
- □文字列と String 型
- □文字列と数値の連結
- □初期化と代入
- □演算子とオペランド
- □キーボードからの読込み
- □乱数の生成

# 2-1 変数を使おう

本章では、足（た）し算や掛（か）け算などの計算を行って、その結果を表示するプログラムを作ります。その手始めとなる本節は、計算結果の格納に必要な《変数》の学習です。

## 文字列と数値の違い

単純な計算を行って、その結果を表示するプログラムを作りましょう。**List 2-1** は、二つの整数値 **57** と **32** の和を求めて表示するプログラムです。

**List 2-1** chap02/Sum1.java

```
// 二つの整数値57と32の和を求めて表示

class Sum1 {

  public static void main(String[] args) {
    System.out.println(57 + 32);
  }
}
```

整数 + 整数 は 整数：文字列ではない！

実行結果

```
89
```

### 数値の出力

まず、網かけ部に着目します。前章のプログラムでは、`System.out.println` に続く **( )** の中は**文字列**でしたが、本プログラムでは、**数値を加算する式**となっています。

いうまでもなく、**57 + 32** の加算結果は **89** です。プログラムを実行すると、みなさんの期待どおりに、『**89**』と表示されます（改行文字も出力されます）。

▶ `System.out.print` と `System.out.println` による表示は、文字列だけでなく、整数値も行えることが分かりました。この他に、実数値、論理型値（第 5 章）なども表示できます。

### 整数リテラル

**57** や **32** のような、整数値を表す式は、整数リテラル (integer literal) と呼ばれます。文字列リテラルとは、まったく異なりますので、混同しないようにしましょう。

- 57 … **整数リテラル** 57 という 1 個の**整数値**
- "57" … **文字列リテラル** 5 と 7 という 2 個の**文字の並び**

▶ 整数や整数リテラルの詳細は、第 5 章で学習します。また、文字列と文字列リテラルの詳細は、第 16 章で学習します。

＊

さて、プログラムを実行して、ただ『**89**』と表示されても、何のことだか分かりません。

▶ そもそも、次のようにすれば『**89**』と表示できます（"chap02/Print89.java"）。

```
System.out.println(89);
```

### 文字列と数値の連結

何の計算を行っているのかを、式として表示するよう改良しましょう。**List 2-2** に示すのが、そのプログラムです。実行すると『57 + 32 = 89』と表示されます。

**List 2-2** chap02/Sum2.java

```
// 二つの整数値57と32の和を求めて表示（式として表示）

class Sum2 {
  public static void main(String[] args) {
    System.out.println("57 + 32 = " + (57 + 32));
  }
}
```

実行結果

```
57 + 32 = 89
```

出力にいたるまでに、何段階もの処理が行われます。その過程を示した **Fig.2-1** を見ながら、その流れを理解していきましょう。

1 まず最初に、( ) で囲まれた 57 + 32 の加算が行われます。( ) で囲まれた演算が優先的に行われるのは、私たちの日常生活での計算と同じです。

**重要** 丸括弧 ( ) で囲まれた演算は、優先的に行われる。

2 整数値 89 が文字列 "89" に**変換**されます。というのも、次の規則があるからです。

**重要** 『文字列 + 数値』と『数値 + 文字列』の演算では、数値が文字列に変換された上で連結される。

3 文字列 "57 + 32 = " と "89" が**連結**された文字列は、"57 + 32 = 89" です。この文字列が Sysmte.out.println メソッドによって画面に表示されます。

▶ 『文字列 + 文字列』で、文字列が**連結**されることは、前章で学習しました（p.16）。

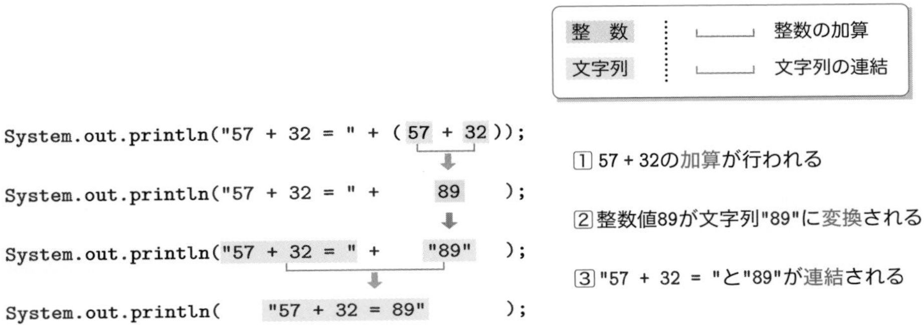

整数 ： 整数の加算
文字列 ： 文字列の連結

```
System.out.println("57 + 32 = " + (57 + 32));
System.out.println("57 + 32 = " +     89    );
System.out.println("57 + 32 = " +    "89"   );
System.out.println(   "57 + 32 = 89"        );
```

1 57 + 32の加算が行われる
2 整数値89が文字列"89"に変換される
3 "57 + 32 = "と"89"が連結される

**Fig.2-1 文字列連結の過程（List 2-2）**

それでは、式 57 + 32 を囲む ( ) を取り除いたらどうなるかを検証しましょう。**List 2-3** のプログラムを実行すると、57 と 32 の和が、なんと 5732 と表示されます。

**List 2-3** chap02/Sum3.java

```
// 二つの整数値57と32の和を求めて表示（式として表示：誤り）

class Sum3 {

  public static void main(String[] args) {
    System.out.println("57 + 32 = " + 57 + 32);
  }
}
```

実行結果

```
57 + 32 = 5732
```

文字列の連結や数値の加算を行う + の演算は、**左側**から順に行われます。これは、日常生活の足し算と同じです（a + b + c が、(a + b) + c とみなされるということです）。

本プログラムで 5732 と表示される理由を、**Fig.2-2** で理解しましょう。+ の演算が左側から順に行われる結果、57 と 32 が文字列として連結されることが分かります。

```
System.out.println("57 + 32 = " + 57 + 32 );
System.out.println("57 + 32 = " + "57" + 32 );
System.out.println( "57 + 32 = 57" + 32 );
System.out.println( "57 + 32 = 57" + "32");
System.out.println( "57 + 32 = 5732" );
```

1 整数値57が文字列"57"に変換される
2 "57 + 32 = "と"57"が連結される
3 整数値32が文字列"32"に変換される
4 "57 + 32 = 57"と"32"が連結される

**Fig.2-2 文字列連結の過程 (List 2-3)**

▶ 次節で学習する乗算 * であれば、うまくいきます（乗除算が、加減算より優先されるからです）。次のプログラムで確かめましょう（"chap02/Mul.java"）。

```
System.out.println("57 * 32 = " + 57 * 32)
```

```
57 * 32 = 1824
```

もちろん、最初に行われる演算は、57 * 32 の乗算です。

次は、加算の式を " 日本語で " 表現しましょう。そのプログラムが、**List 2-4** です。

**List 2-4** chap02/Sum4.java

```
// 二つの整数値57と32の和を求めて表示（日本語で表示）

class Sum4 {

  public static void main(String[] args) {
    System.out.println(57 + 32 + "は57と32の和です。");
  }
}
```

実行結果

```
89は57と32の和です。
```

今回は、加算の式を囲む ( ) がないにもかかわらず、うまくいきます。**Fig.2-3** に示すように、左側から順に演算が行われることで、期待どおりの結果が生み出される構造だからです。

```
System.out.println( 57 + 32 + "は57と32の和です。");
System.out.println(   89    + "は57と32の和です。");
System.out.println(  "89"   + "は57と32の和です。");
System.out.println(   "89は57と32の和です。"     );
```

1 57 + 32の加算が行われる
2 整数値89が文字列"89"に変換される
3 "89"と"は57と32の…"が連結される

**Fig.2-3　文字列連結の過程（List 2-4）**

冗長（じょうちょう）になってしまいますが、( ) で囲むとプログラムの見通しがよくなります。次のように記述したほうがよいでしょう（**"chap02/Sum4a.java"**）。

```
System.out.println((57 + 32) + "は57と32の和です。");
```

ただし、式を囲む ( ) は、多すぎても少なすぎても、読みづらくなります。臨機応変（りんきおうへん）に対応します。

**重要** 優先的に演算すべき式だけでなく、先に演算を行うことを見た目に分かりやすくしたい式は、( ) で囲むとよい。

## Column 2-1　文字列の連結と減算

本文では、**加算**の演算結果を表示するプログラムを考えました。ここでは減算を考えてみましょう。まずは、**List 2-2** の出力部を次のように書きかえます（**"chap02/Sub1.java"**）。

```
System.out.println("57 - 32 = " + (57 - 32));
```

実行すると、『57 - 32 = 25』と表示され、うまくいくことが確認できます。
それでは、**List 2-3** と同様に ( ) を省略してみましょう（**"chap02/Sub2.java"**）。

```
System.out.println("57 - 32 = " + 57 - 32);    // エラー
```

このプログラムは**コンパイル時エラー**となります。その理由は、次のとおりです。

- まず最初に左側の演算 "57 - 32 = " + 57 が行われます。これは『文字列 + 数値』ですから、57 が文字列 "57" に変換された上で連結されます。演算結果は、文字列 "57 - 32 = 57" です。
- 続いて右側の演算 "57 - 32 = 57" - 32 が行われます。これは『文字列 - 数値』です。**文字列から数値を引くことはできません**。これが、コンパイル時エラーとなる原因です。

## 変数

ここまで求めてきたのは、"57 と 32" の和でした。数値を変更しようとすると、プログラムに手を加え、さらに、コンパイルし直す作業が必要です。

値を自由に出し入れできる変数（variable）を使えば、そのような煩(わずら)わしさから解放されます。それでは、変数について学習していきましょう。

### 変数の宣言

変数は、数値を格納するための**箱**のようなものです。いったん**値**を入れておけば、その箱が存在する限り保持されます。また、値を取り出すのも、書きかえるのも自由です。

プログラム中に複数の箱があると、どれが何の箱なのかが分からなくなりますので、箱には**名前**が必要です。そのため、箱の使用にあたっては、変数を作るとともに、その変数に名前を与えるための宣言（declaration）が事前に必要です。

次に示すのが、*x* という名前の変数を作るための宣言文（declaration statement）です。

```
int x;        // xという名前をもつint型変数の宣言
```

この宣言によって、**Fig.2-4** に示すように、*x* という名前の変数が作られます。

▶ declaration は、『宣言』『発表』『布告』『告白』という意味です。

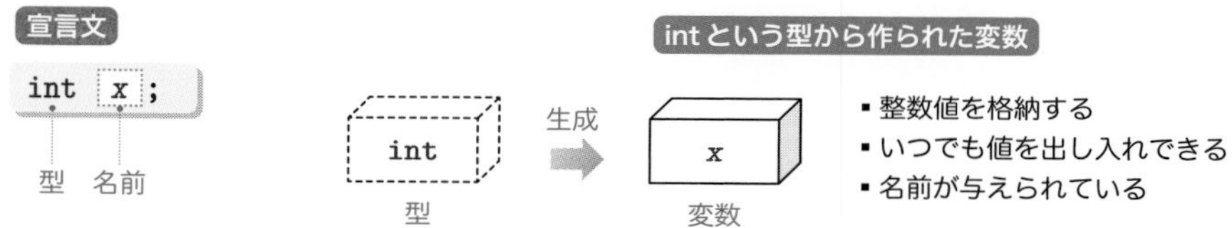


**Fig.2-4　変数と宣言**

最初の int(イント) は、『整数』という意味の integer に由来する語句であり、変数 *x* に出し入れできるのは、**整数**に限られます。そのため、たとえば 3.5 といった**実数値**や、"ABC" といった**文字列**の出し入れはできません。これは、int という型(かた)（type）の性質です。

int は《**型**》であって、変数 *x* が、その型から作られた《int 型の**実体**》です。

**重要** 変数は、宣言文によって、事前に（使う前に）型と名前を与える。整数を出し入れするための変数は、int 型として宣言する。

▶ 本書では、型名を含めたキーワード（p.80）を**青文字**で、変数名を*斜め文字*で表記しています。

変数に値を入れて、その値を表示するプログラムを作りましょう。それが **List 2-5** です。

**List 2-5** chap02/Variable.java

```
// 変数に値を代入して表示

class Variable {

  public static void main(String[] args) {
    int x;          // xはint型の変数          ←宣言文

    x = 63;         // xに63を代入              ←1

    System.out.println(x);    // xの値を表示  ←2
  }
}
```

実行結果

```
63
```

### 代入演算子

変数に値を入れるのが、1の箇所です。**Fig.2-5** に示すように、= は、右辺の値を、左辺の変数に**代入する**記号であって、代入演算子（assignment operator）と呼ばれます。

数学のように『x と 63 が等しい。』という意味ではありません。

▶ 演算子 = の正式な名称は、単純代入演算子（simple assignment operator）です（p.101 で学習する複合代入演算子と区別するための名称です）。
なお、int 型で表現できる値は有限であって、その範囲は -2,147,483,648 ～ 2,147,483,647 です（p.130）。この範囲外の値の出し入れはできません。

**Fig.2-5　変数への値の代入**

### 変数の値の表示

変数の値は、いつでも取り出せます。2では、**Fig.2-6** に示すように、変数 x の値を取り出した上で表示しています。

**重要** 変数は、値を格納する箱のようなものであり、いったん値を入れておけば、いつでも取り出せる。

表示されるのは、x の**値**であって、決して**変数名**ではありません。また、次の二つを混同しないようにしましょう。

```
System.out.println(x);       // 変数xの値を表示：整数値を表示
System.out.println("x");     // 『x』と表示     ：文字列を表示
```

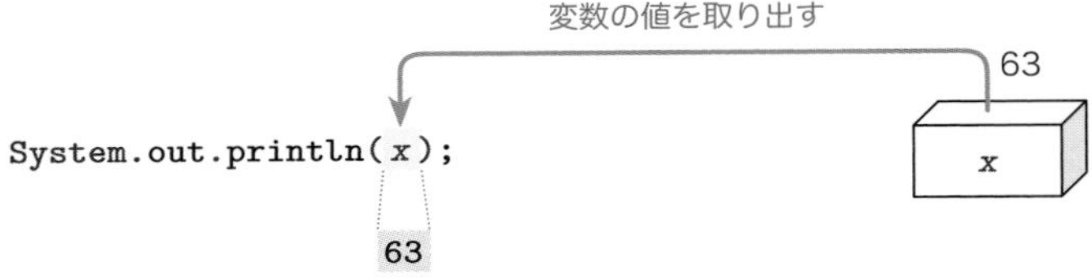


**Fig.2-6　変数の値の取出しと表示**

さて、二つの変数の加算を行うことを考えているのでした。そのプログラムを作りましょう。**List 2-6** に示すのが、二つの **int** 型の変数 **x** と **y** に値 63 と 18 を代入し、その合計だけでなく、平均値も求めて表示するプログラムです。



**List 2-6** chap02/SumAve1.java

```
// 二つの変数xとyの合計と平均を表示

class SumAve1 {

  public static void main(String[] args) {
    int x;      // xはint型の変数
    int y;      // yはint型の変数          ❶

    x = 63;     // xに63を代入
    y = 18;     // yに18を代入              ❷

    System.out.println("xの値は" + x + "です。");         // xの値を表示
    System.out.println("yの値は" + y + "です。");         // yの値を表示   ❸
    System.out.println("合計は" + (x + y) + "です。");      // 合計を表示
    System.out.println("平均は" + (x + y) / 2 + "です。");  // 平均を表示   ❹
  }
}
```

**実行結果**

```
xの値は63です。
yの値は18です。
合計は81です。
平均は40です。
```

二つの変数 **x** と **y** を宣言する❶は、理解できるでしょう。なお、次のように、コンマ文字 **,** で変数名を区切れば、二つの宣言文を一つにまとめられます。

```
int x, y;      // int型の変数xとyを一度に宣言
```

もっとも、本プログラムのように、変数を 1 行ずつ宣言したほうが、個々の宣言に対するコメント（注釈）が記入しやすくなるだけでなく、宣言自体の追加や削除も容易です。

▶ 1 行ずつ宣言することの欠点は、プログラムの行数が増えることです。なお、次のように、一つの宣言の中に、複数の型を記述することはできません。

```
int x, int y;     // エラー
```

続く❷では、変数 **x** と **y** に対して、整数値 63 と 18 を代入しています。

その値を表示しているのが❸です。文字列と数値を **+** 演算子で結ぶと、数値が文字列に変換された上で連結されることを利用しています（**Fig.2-7**）。

▶ まず最初に、文字列 **"xの値は"** と、変数 **x** の値 **63** が文字列に変換された **"63"** とが連結されます。それから、文字列 **"xの値は63"** と、文字列 **"です。"** とが連結されます。最後に、連結の最終的な結果である文字列 **"xの値は63です。"** が表示されます。

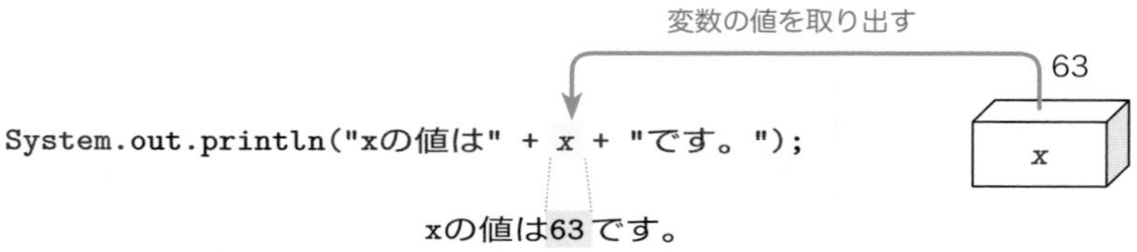


**Fig.2-7 標準出力ストリームへの変数の値の出力**

### 算術演算と演算のグループ化

4では、x と y の合計 (x + y) と、平均 (x + y) / 2 を表示しています。平均を求めるために使っているスラッシュ記号 / は、除算（じょさん）を行う記号です。

平均を求める過程を、Fig.2-8aに示しています。加算を行う x + y が ( ) で囲まれているため、まず x + y による加算が行われ、それから 2 で割る除算が行われます。

もしも図bのように、( ) がなくて x + y / 2 となっていたら、“x” と “y / 2” の和が求められます。日常の計算と同じで、加減算よりも乗除算のほうが優先されるからです。

▶ すべての演算子と、その優先度は、p.83 で学習します。

**Fig.2-8 ( ) による演算順序の変更**

なお、『整数 / 整数』の除算では、小数部（小数点以下の部分）が切り捨てられます。63 と 18 の平均値が 40.5 ではなく 40 となるのは、そのためです。

**重要** 『整数 / 整数』の演算結果は、小数部が切り捨てられた整数となる。

### 変数のコメント

プログラムに戻りましょう。変数 x と y を宣言する宣言文に対して、『x は int 型の変数』や『y は int 型の変数』といったコメントが与えられています。これは、学習用テキストだからこそのコメントです。

『x は int 型の変数』であることは、見た目で分かるため、実際のプログラムでは、このようなコメントを記述することはありません。本来は、“x が何のための変数なのか” といったことを簡潔に記述します。

### int 型の性質の確認

プログラムの2の箇所を、次のように書きかえてみましょう（"chap02/SumAve1x.java"）。

```
x = 63.5;    // xに63.5を代入
y = 18.6;    // yに18.6を代入
```

コンパイル時エラーが発生して、プログラムが実行できなくなります。整数を扱う int 型の変数に対しては、小数部をもつ実数値の代入を行えないことが確認できます。

## 変数と初期化

前のプログラムから、変数に値を代入する**2**の部分を削除するとどうなるかを検証します。**List 2-7** をコンパイルしてみましょう。

**List 2-7** chap02/SumAve2.java

```
// 二つの変数xとyの合計と平均を表示（誤り）

class SumAve2 {

  public static void main(String[] args) {
    int x;        // xはint型の変数
    int y;        // yはint型の変数

    System.out.println("xの値は" + x + "です。");            // xの値を表示
    System.out.println("yの値は" + y + "です。");            // yの値を表示
    System.out.println("合計は" + (x + y) + "です。");       // 合計を表示
    System.out.println("平均は" + (x + y) / 2 + "です。");   // 平均を表示
  }
}
```

値の入っていない変数の値を取り出そうとする

実行結果

コンパイル時エラーとなるため実行できません。

コンパイル時エラーが発生して、プログラムの実行は行えません。というのも、次の規則があるからです。

**重要** 値の入っていない変数からは、値は取り出せない。

### 初期化を伴う宣言

変数に入れる値が分かっているのであれば、その値を最初から変数に入れておくとよさそうです。そのように変更したプログラムを、**List 2-8** に示します。

**List 2-8** chap02/SumAve3.java

```
// 二つの変数xとyの合計と平均を表示（変数を初期化）

class SumAve3 {

  public static void main(String[] args) {
    int x = 63;       // xはint型の変数
    int y = 18;       // yはint型の変数

    System.out.println("xの値は" + x + "です。");            // xの値を表示
    System.out.println("yの値は" + y + "です。");            // yの値を表示
    System.out.println("合計は" + (x + y) + "です。");       // 合計を表示
    System.out.println("平均は" + (x + y) / 2 + "です。");   // 平均を表示
  }
}
```

初期化

実行結果

```
xの値は63です。
yの値は18です。
合計は81です。
平均は40です。
```

網かけ部の宣言によって、右ページの **Fig.2-9**ⓐに示すように、変数 **x** は、その生成時（作られるとき）に、整数値 **63** で初期化（initialize）されます。なお、**=** の右側に置かれた **63** は、変数に入れる値であって、初期化子（initializer）と呼ばれます。

### 初期化と代入

本プログラムの**初期化**と、**List 2-6**（p.30）の**代入**は、値を入れるという点では同じですが、そのタイミングが、次のようにまったく異なります。

- 初期化：**変数の生成時に値を入れる。**
- 代　入：**生成ずみの変数に値を入れる。**

▶　本書では、初期化を指定する記号 = を黒文字とし、代入演算子 = を**青文字**としています。

初期化を行うと、値の設定が確実に行えるうえに、プログラムが短く読みやすくなります。

**重要** 変数の宣言時には、初期化子を与えて確実な初期化を行うとよい。

さて、複数の変数をまとめて宣言する際は、各変数をコンマで区切るのでした（p.30）。だからといって、本プログラムの網かけ部を、次のようにまとめることはできません。

```
int x, y = 63, 18;          // エラー
```

1行にまとめるのであれば、次のように宣言します。

```
int x = 63, y = 18;         // ＯＫ（xを63で初期化して、yを18で初期化）
```

このように、一つ一つの変数に対して初期化子を与えた上で、それをコンマで区切ります。
次の宣言だったら、どうなるでしょうか。

```
int x, y = 18;              // xは初期化せず、yのみを18で初期化
```

コメントにも書いているように、x は初期化せず、y のみを 18 で初期化します。

▶　後半の章へと学習が進むと分かりますが、初期化と代入は、まったく異なる概念です。書籍やインターネットなどで、“int x = 63;”の宣言が、“**型 変数名 = 代入するデータ**”などと解説されていることがありますが、これは完全な誤りです。

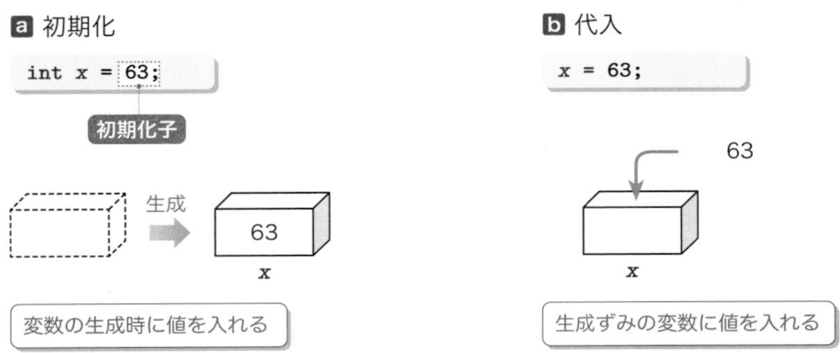


**Fig.2-9　初期化と代入**

# 2-2 キーボードからの入力

変数を使うことの最大のメリットは、自由に値を出し入れできることです。本節では、キーボードから読み込んだ値を変数に入れる方法を学習します。

## キーボードからの入力

キーボードから二つの整数値を読み込んで、それらに対して加算・減算・乗算・除算を行った結果を表示することにしましょう。**List 2-9** に示すのが、そのプログラムです。

**List 2-9** chap02/ArithInt.java

```
// 二つの整数値を読み込んで加減乗除した値を表示

import java.util.Scanner;

class ArithInt {

  public static void main(String[] args) {
    Scanner stdIn = new Scanner(System.in);

    System.out.println("xとyを加減乗除します。");

    System.out.print("xの値：");    // xの値の入力を促す
    int x = stdIn.nextInt();        // xに整数値を読み込む
 
    System.out.print("yの値：");    // yの値の入力を促す
    int y = stdIn.nextInt();        // yに整数値を読み込む

    System.out.println("x + y = " + (x + y));  // x + yの値を表示
    System.out.println("x - y = " + (x - y));  // x - yの値を表示
    System.out.println("x * y = " + (x * y));  // x * yの値を表示
    System.out.println("x / y = " + (x / y));  // x / yの値を表示（商）
    System.out.println("x % y = " + (x % y));  // x % yの値を表示（剰余）
  }
}
```

注意!! 大文字の“アイ”です（stdIn）

❶ xに整数値を読み込む　❷ yに整数値を読み込む

実行例

```
xとyを加減乗除します。
xの値：7⏎
yの値：5⏎
x + y = 12
x - y = 2
x * y = 35
x / y = 1
x % y = 2
```

キーボードからの読込みには、いくつかの手続きが必要です。高度なテクニックですので、現時点では、大まかに理解した上で、決まり文句として覚えます。

その要点を示したのが、右ページの **Fig.2-10** です。

**a** プログラムの先頭（クラス宣言より前）に置く `import` 宣言です。

▶ `import` 宣言については、第 11 章で詳しく学習します（この宣言では、`java` パッケージの中の `util` パッケージの中に含まれる *Scanner* クラスのインポートを行っています）。

**b** `main` メソッドの先頭（具体的には**c**よりも前）に置く宣言です。`System.in` は、キーボードと結び付いた標準入力ストリーム（standard input stream）です。

**c** `int` 型の整数値を読み込む部分です。この式 `stdIn.nextInt()` が、キーボードから読み込んだ値となります。

```
import java.util.Scanner;
class A {
  public static void main(String[] args) {
    Scanner stdIn = new Scanner(System.in);
    stdIn.nextInt()
  }
}
```

a プログラムの先頭（クラス宣言より前）に置く

b main メソッドの先頭（読込みを行う c より前）に置く

c キーボードから読み込んだ整数値が得られる

**Fig.2-10　キーボードからの読込みを行うプログラム**

**Fig.2-11** は、キーボードから読み込んだ整数値 123 を変数 *x* に代入するイメージです。なお、入力する値は、**int** 型の表現範囲 **-2,147,483,648** ～ **2,147,483,647** に収まっている必要があります。また、アルファベットや記号文字などを打ち込んではいけません。

▶ ストリームは《文字が流れる川》のようなものでした（p.14）。キーボードと結び付いた標準入力ストリーム **System.in** から文字や数値を取り出す《抽出装置》を表すのが、b で宣言されている変数 ***stdIn*** です。***stdIn*** は、他の名前でも構いません（ただし、別の名前にするのであれば、プログラム中のすべての ***stdIn*** の変更が必要です）。

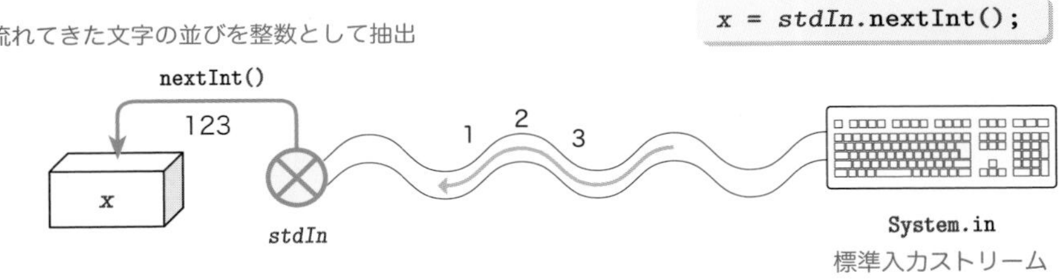


**Fig.2-11　キーボードからの整数値の入力**

本プログラムでは、宣言 1 と 2 の**初期化子**が、c の ***stdIn*.nextInt()** となっています。そのため、変数 *x* と変数 *y* は、キーボードから読み込まれた整数値で初期化されます。

さて、これら二つの宣言は、**main** メソッドの途中に置かれています。変数は、たとえメソッドの途中であっても、必要になった時点で宣言するのが原則です。

**重要** 変数は、必要になった時点で宣言する。

▶ 読込みを行う ***stdIn*.nextInt()** が初期化子として与えられて宣言されていますので、変数 *x* と *y* はキーボードから読み込んだ整数値で**初期化**されます。

次のように、いったん変数を宣言しておき、その後で、その変数に対して式 ***stdIn*.nextInt()** を**代入**することもできます（ただし、冗長になります）。

```
int x;                  // いったん宣言（変数を生成）
x = stdIn.nextInt();    // それから代入（生成ずみの変数に値を代入）
```

## 演算子とオペランド

本プログラムは、基本的な**算術演算**を、ひととおり行うプログラムです。

**加算**を+で、**減算**を-で、**乗算**を*で行っています。さらに、**除算**の**商**を/で求め、**剰余**（**余り**）を%で求めています。

演算を行うための+や-などの記号は、**演算子**（operator）と呼ばれ、その演算の対象となる式は、**オペランド**（operand）と呼ばれます。

たとえば、xとyの和を求める式x + yでは、演算子は+で、xとyのそれぞれがオペランドです（**Fig.2-12**）。

▶ 左側のオペランドは、**第1オペランド**あるいは**左オペランド**と呼ばれ、右側のオペランドは、**第2オペランド**あるいは**右オペランド**と呼ばれます。

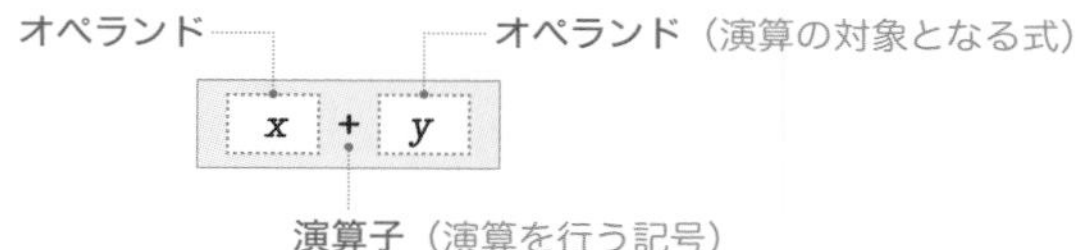


**Fig.2-12　演算子とオペランド**

**Table 2-1** と **Table 2-2** に示すのが、演算子+, -, *, /, %の概要です。

いずれも2個のオペランドをもつ演算子であり、このような演算子は、**2項演算子**（binary operator）と呼ばれます。その他に、オペランドが1個の**単項演算子**（unary operator）と、オペランドが3個の**3項演算子**（ternary operator）があります。

▶ Javaには4項以上の演算子はありません。

**Table 2-1　加減演算子（additive operator）**

| | |
|---|---|
| x + y | xにyを加えた結果を生成。 |
| x - y | xからyを減じた結果を生成。 |

**Table 2-2　乗除演算子（multiplicative operator）**

| | |
|---|---|
| x * y | xにyを乗じた値を生成。 |
| x / y | xをyで割った商を生成（x, yともに整数であれば小数点以下は切捨て）。 |
| x % y | xをyで割った剰余を生成。 |

**Table 2-3　単項符号演算子（unary plus operator and unary minus operator）**

| | |
|---|---|
| +x | xそのものの値を生成。 |
| -x | xの符号を反転した値を生成。 |

左ページの Table 2-3 に示すように、+ 演算子と - 演算子には、単項演算子版もあります。これらの単項符号演算子を利用したプログラムを作りましょう。

List 2-10 は、整数値を読み込んで、その符号を反転した値を表示するプログラムです。

List 2-10 chap02/Minus1.java

```
// 整数値を読み込んで符号を反転した値を表示

import java.util.Scanner;

class Minus1 {

  public static void main(String[] args) {
    Scanner stdIn = new Scanner(System.in);

    System.out.print("整数値：");
    int a = stdIn.nextInt();   // aに整数値を読み込む

    int b = -a;              // aの符号を反転した値でbを初期化                  ―1
    System.out.println(+a + "の符号を反転した値は" + b + "です。");            ―2
  }
}
```

実行例

```
1 整数値：7
  7の符号を反転した値は-7です。

2 整数値：-15
  -15の符号を反転した値は15です。
```

1の宣言では、変数 b を -a で初期化しています。単項 - 演算子は、オペランドの符号を反転した値を生成しますので、b が 7 であれば、a は -7 で初期化されます。

*

もう一つの単項 + 演算子は、あまり使われません。というのも、+a は、a の値そのものを表すからです。そのため、2の a の前に置かれた + は不要であって、次のように省略しても同じ結果が得られます（"chap02/Minus2.java"）。

```
System.out.println(a + "の符号を反転した値は" + b + "です。");
```

▶ 数多くの演算子を学習しました。演算子の優先順位や結合性などは、p.82 で学習します。

## Column 2-2 除算の演算結果

剰余を求める演算 a % b では、(a / b) * b + (a % b) が a と等しくなる結果が生成されます。その際、演算結果の大きさと符号は、次のようになります。

- 大きさ … 割る数の大きさより小さくなる。
- 符　号 … 割られる数が負であれば負となり、割られる数が正であれば正となる。

…という硬い表現での解説よりも、下に示す具体例を見たほうが分かりやすいでしょう。

| | | | | |
|---|---|---|---|---|
| 正÷正 | 5 / 3 | ⇨ 1 | 5 % 3 | ⇨ 2 |
| 正÷負 | 5 / (-3) | ⇨ -1 | 5 % (-3) | ⇨ 2 |
| 負÷正 | (-5) / 3 | ⇨ -1 | (-5) % 3 | ⇨ -2 |
| 負÷負 | (-5) / (-3) | ⇨ 1 | (-5) % (-3) | ⇨ -2 |

## 基本型

ここまでは、**int** 型の変数だけを使ってきました。Java では、**int** 以外にも、多くの型が提供されるとともに、自分で型を作ることもできます。

Java が言語として標準で提供する型は、**基本型**（primitive type）と呼ばれ、整数型や浮動小数点型などがあります。

### ■ 整数型

**整数型**は、整数を表す型です。代表的な型として、次の四つの型があります。

| | | | |
|---|---|---|---|
| byte | 1バイト整数 | -128 ～ 127 | |
| short | 短い整数 | -32,768 ～ 32,767 | およそ±3万2千 |
| int | 整数 | -2,147,483,648 ～ 2,147,483,647 | およそ±21億 |
| long | 長い整数 | -9,223,372,036,854,775,808 ～ 9,223,372,036,854,775,807 | ±922京 |

どの型も、表すのは、連続する整数値です。ただし、数値の範囲が型によって異なります。表したい数値の範囲によって、使い分けられるようになっているのです。

### ■ 浮動小数点型（ふどうしょうすうてん）

**浮動小数点型**は、実数を表す型であって、次の二つの型があります。

| | | | | |
|---|---|---|---|---|
| float | 単精度浮動小数点数 | ±3.4028235E+38 | ～ | ±1.40E-45 |
| double | 倍精度浮動小数点数 | ±1.7976931348623157E+308 | ～ | ±4.9E-324 |

そもそも**浮動小数点数**（floating point number）とは、コンピュータ内部での、実数値の表現法の用語です。現時点では、『実数を表す専門用語が、浮動小数点数である。』と理解しておきましょう。

なお、**3** や **5** などの整数値が**整数リテラル**と呼ばれるのとは異なり、**3.14** や **13.5** などの定数値は、**浮動小数点リテラル**（floating point literal）と呼ばれます。

＊

整数型と浮動小数点型の他に、**文字型**（**char** 型）と**論理型**（**boolean** 型）があります。基本型の詳細は、第5章で学習します。

## 実数値の読込み

それでは、加減乗除の対象を、**実数値**に変更したプログラムを作りましょう。整数のみを取り扱う **int** 型は使えませんので、実数を取り扱える **double** 型を使います。

右ページの **List 2-11** が、そのプログラムです。まずは、実行しましょう。

▶ 小数点以下の部分がない値をキーボードから打ち込む際は、その部分は省略可能です。たとえば **5.0** は、**5.0** と入力しても、**5** と入力しても、**5.** と入力してもよいことになっています。

**List 2-11** chap02/ArithDouble.java

```
// 二つの実数値を読み込んで加減乗除した値を表示

import java.util.Scanner;

class ArithDouble {

  public static void main(String[] args) {
    Scanner stdIn = new Scanner(System.in);

    System.out.println("xとyを加減乗除します。");

    System.out.print("xの値：");     // xの値の入力を促す
    double x = stdIn.nextDouble();  // xに実数値を読み込む

    System.out.print("yの値：");     // yの値の入力を促す
    double y = stdIn.nextDouble();  // yに実数値を読み込む

    System.out.println("x + y = " + (x + y));  // x + yの値を表示
    System.out.println("x - y = " + (x - y));  // x - yの値を表示
    System.out.println("x * y = " + (x * y));  // x * yの値を表示
    System.out.println("x / y = " + (x / y));  // x / yの値を表示（商）
    System.out.println("x % y = " + (x % y));  // x % yの値を表示（剰余）
  }
}
```

実行例

```
xとyを加減乗除します。
xの値：9.75↵
yの値：2.5↵
x + y = 12.25
x - y = 7.25
x * y = 24.375
x / y = 3.9
x % y = 2.25
```

プログラムは **List 2-9**（p.34）とほぼ同じです。変数 **x** と **y** の型が **double** 型となっている点が異なります。

もう一つ変更されているのが、キーボードから実数値を読み込むための式です。キーボードからの読込みを行うメソッドは、**Table 2-4** に示すように、型によって使い分けなければならないからです。

**Table 2-4　キーボードからの読込みを行うメソッド**

| | |
|---|---|
| nextBoolean() | boolean 型の論理値を読み込む。 |
| nextByte() | byte 型の整数値を読み込む。 |
| nextShort() | short 型の整数値を読み込む。 |
| nextInt() | int 型の整数値を読み込む。 |
| nextLong() | long 型の整数値を読み込む。 |
| nextDouble() | double 型の浮動小数点数値を読み込む。 |
| nextFloat() | float 型の浮動小数点数値を読み込む。 |
| next() | String 型の文字列を読み込む。 |
| nextLine() | String 型の１行分の文字列を読み込む。 |

本プログラムでは、**double** 型の実数値を読み込むための **nextDouble()** を使っています。

▶　**int** 型の整数値を読み込む **nextInt()** を使うと、整数値しか読み込めなくなってしまいます。

## 文字列の読込みとString型

次は、数値ではなく、文字列（文字の並び）を扱うプログラムを作ります。**List 2-12** は、名前を入力してもらって、挨拶を表示するプログラムです。

**List 2-12** chap02/HelloNext.java

```
// 名前を読み込んで挨拶する（その１：next()版）

import java.util.Scanner;

class HelloNext {

  public static void main(String[] args) {
    Scanner stdIn = new Scanner(System.in);

    System.out.print("お名前は：");
    String str = stdIn.next();  // 文字列を読み込む

    System.out.println("こんにちは" + str + "さん。");
  }
}
```

実行例

① お名前は：福岡太郎⏎
こんにちは福岡太郎さん。

② お名前は：福岡 太郎⏎
こんにちは福岡さん。

読み込んだ文字列を格納する変数 *str* は、String型として宣言されています。その String 型は、文字列を扱うための、特別な型（基本型ではない型）です（**Column 2-3**：右ページ）。

**重要** 文字列（文字の並び）は、String型で表す。

文字列の読込みに使っている next() は、前ページの **Table 2-4** に示していました。

なお、next() による読込みでは、空白文字やタブ文字が文字列の区切りとみなされます。そのため、実行例①は問題ないのですが、途中にスペース文字が入っている実行例②では、変数 *str* に読み込まれるのが **"福岡"** だけとなっています。

スペースも含めた１行分を文字列として読み込むのが、nextLine() です。このメソッドを使って書きかえましょう。**List 2-13** に示すのが、そのプログラムです。

**List 2-13** chap02/HelloNextLine.java

```
// 名前を読み込んで挨拶する（その２：nextLine()版）

import java.util.Scanner;

class HelloNextLine {

  public static void main(String[] args) {
    Scanner stdIn = new Scanner(System.in);

    System.out.print("お名前は：");
    String str = stdIn.nextLine();  // １行分の文字列を読み込む

    System.out.println("こんにちは" + str + "さん。");
  }
}
```

実行例

① お名前は：福岡太郎⏎
こんにちは福岡太郎さん。

② お名前は：福岡 太郎⏎
こんにちは福岡 太郎さん。

実行例②のように、途中にスペース文字を入れて入力しても、変数 s には、**"福岡　太郎"** がちゃんと読み込まれています。

＊

次は、String 型の変数に対して、**初期化**と**代入**を行ってみます。それが、**List 2-14** のプログラムです。

**List 2-14** chap02/StringInitAssign.java

```
// 文字列の初期化と代入

class StringInitAssign {

  public static void main(String[] args) {
    String str = "ABC";    // 初期化

    System.out.println("文字列strは" + str + "です。");

    str = "FBI";            // 代入（値を書きかえる）

    System.out.println("文字列strは" + str + "になりました。");
  }
}
```

実行結果

```
文字列strはABCです。
文字列strはFBIになりました。
```

文字列 str は生成時に **"ABC"** で初期化されていますが、その後で **"FBI"** が代入されています。str が **"ABC"** から **"FBI"** に変更されていることは、実行結果で確認できます。

## Column 2-3 String 型は特殊な型

文字列を扱うための String 型は、基本型ではなくて、第８章以降で学習する**クラス**で実現された型です（型名 String の先頭文字 S が大文字である点も、int や double などの基本型と異なります）。

この型の変数は、単独の箱ではなく、文字列を入れる本体の箱と、それを参照する箱が**セット**となっています。そのイメージを示したのが **Fig.2C-1** です。

**Fig.2C-1　String 型の変数と文字列**

実は、**List 2-14** のプログラムでの str への **"FBI"** の代入は、"文字列の中身の書きかえ" ではなく、"参照先の書きかえ" です。そのあたりのことを含め、文字列の詳細は、第 16 章で学習します。

## final 変数と constant 変数

実数を使った計算に戻りましょう。円の半径をキーボードから読み込んで、その円の“円周の長さ”と“面積”を求めて表示することにします。**List 2-15** が、そのプログラムです。

**List 2-15** chap02/Circle1.java

```
// 円周の長さと円の面積を求める（その１：円周率を浮動小数点リテラルで表す）

import java.util.Scanner;

class Circle1 {

  public static void main(String[] args) {
    Scanner stdIn = new Scanner(System.in);

    System.out.print("半径：");
    double r = stdIn.nextDouble();  // 半径

    System.out.println("円周の長さは" + 2 * 3.14 * r + "です。");
    System.out.println("面積は" + 3.14 * r * r + "です。");
  }
}
```

実行例

```
半径：7.2
円周の長さは45.216です。
面積は162.7776です。
```

円周と面積を求める公式を **Fig.2-13** に示しています。もちろん、式中の$\pi$（パイ）は、**円周率**です。

２箇所の網かけ部の浮動小数点リテラル **3.14** が、本プログラムでの円周率です。

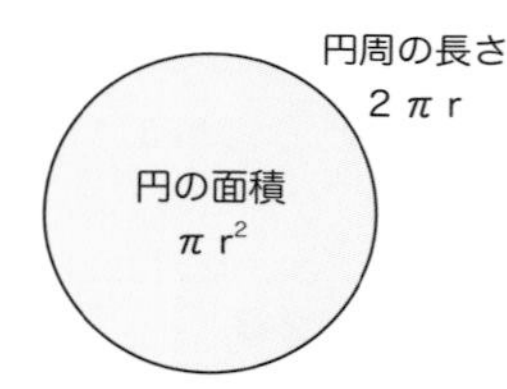


**Fig.2-13　円周の長さと面積**

＊

さて、円周率は、**3.14** ではなく、**3.1415926535**…と無限に続く値です。プログラム中の円周率を、たとえば **3.1416** に変更するのであれば、網かけ部を **3.1416** に書きかえることになります。

本プログラムの場合、変更は２箇所だけです。とはいえ、大規模な数値計算プログラムであれば、円周率を使うのが、数百箇所以上になることもあるでしょう。

エディタの置換機能を使えば、すべての **3.14** を **3.1416** に変更するのは容易です。しかし、円周率ではない別の値として、たまたま **3.14** を使っている箇所がプログラム中にあるかもしれません。当然、そのような箇所は、置換の対象から外す必要があります。

すなわち、**選択的な置換が要求されるわけです。**

＊

このようなときに効力を発揮するのが、**いったん入れた値を変更できない** final（ファイナル）変数です。右ページの **List 2-16** が、その **final** 変数を用いて書きかえたプログラムです。

宣言に **final** が付けられた *PI* が **final** 変数であり、**3.1416** で初期化されています。円周率が必要な箇所では、**final** 変数 *PI* を使っています。

なお、変数名を大文字のみとしているのは、**final** でない変数と見分けやすくするためです。

▶　名前の与え方については、p.256 でまとめて学習します。

List 2-16　chap02/Circle2.java

```
// 円周の長さと円の面積を求める（その２：円周率をfinal変数で表す）

import java.util.Scanner;

class Circle2 {

  public static void main(String[] args) {
    final double PI = 3.1416;       // 円周率
    Scanner stdIn = new Scanner(System.in);

    System.out.print("半径：");
    double r = stdIn.nextDouble();  // 半径

    System.out.println("円周の長さは" + 2 * PI * r + "です。");
    System.out.println("面積は" + PI * r * r + "です。");
  }
}
```

実行例

```
半径：7.2⏎
円周の長さは45.23904です。
面積は162.860544です。
```

final 変数を使うことには、次のようなメリットがあります。

① 保守性（maintainability）の向上

円周率の値 **3.1416** は、**final** 変数 ***PI*** の初期化子として与えられています。他の値（たとえば **3.14159265**）に変更するとしても、プログラムの変更は一箇所ですみます。

タイプミスや置換ミスなどによって、たとえば **3.1416** と **3.14159265** を混在させてしまう、あるいは、円周率以外の用途の数値を誤置換する、といったミスも防げます。

② 可読性（readability）の向上

プログラムの中で、数値ではなく、変数名 ***PI*** で円周率を参照できますので、プログラムが読みやすくなります。なお、プログラム中に直接埋め込まれた数値は、意図が分かりにくいことから、マジックナンバー（magic number）と呼ばれます。

**重要** プログラム中にマジックナンバーを埋め込むべきではない。大文字のみで構成される名前の final 変数に値を入れておき、その変数を使う。

＊

**final** 変数は初期化するのが原則です。なお、初期化されていない **final** 変数には、１回だけ値を代入できます。すなわち、初期化と代入のいずれか一方によって、１回だけ値を入れられます（２回目はエラーとなります）。

```
final int A = 1;   // １回目（初期化）

A = 2;             // ２回目：エラー
```

```
final int B;
B = 1;          // １回目（代入）
B = 2;          // ２回目：エラー
```

なお、基本型と **String** 型の **final** 変数に限り、**constant**（コンスタント）変数と呼ばれます。

▶ すなわち、基本型と **String** 型ではない型の **final** 変数は、**constant** 変数ではありません（すべての **final** 変数が **constant** 変数であると勘違いしないようにしましょう）。
　なお、final は『最終の』という意味で、constant は『一定の』『不変の』という意味です。

## 乱数の生成

キーボードから値を読み込むのではなく、コンピュータに値を作ってもらいましょう。

**List 2-17** に示すのが、そのプログラムです。0 から 9 までの数値を作って、ラッキーナンバーとして表示します。

**List 2-17** chap02/LuckyNo.java

```
// 0～9のラッキーナンバーを乱数で生成して表示

import java.util.Random;                    ← 1

class LuckyNo {

  public static void main(String[] args) {
    Random rand = new Random();             ← 2
                                              3
    int lucky = rand.nextInt(10);       // 0～9の乱数

    System.out.println("今日のラッキーナンバーは" + lucky + "です。");
  }
}
```

実行例

```
今日のラッキーナンバーは6です。
```

コンピュータが無作為に生成するランダムな値は、乱数（らんすう）と呼ばれます（**Column 2-4**：右ページ）。その生成を行う1～3については、現時点では《決まり文句》と理解しておきます。

▶ この《決まり文句》は、キーボードからの読込みを行うための《決まり文句》と似ています。注意すべき点も、ほぼ同じです。

- 1は、クラス宣言より前に置かなければならない。
- 2は、3より前に置かなければならない。

なお、2と3の変数名 *rand* は、他の名前に変更しても構いません。

さて、肝心なのは、3の箇所です。

**Fig.2-14** に示すように、式 ***rand*.nextInt(*n*)** が、0 以上 n 未満のランダムな整数値、すなわち、0 ～ n - 1 の値の中から無作為に選んだ整数値となります。

式 ***rand*.nextInt(10)** の値は、0, 1, 2, …, 9 のいずれかとなり、変数 *lucky* はその値で初期化されます。

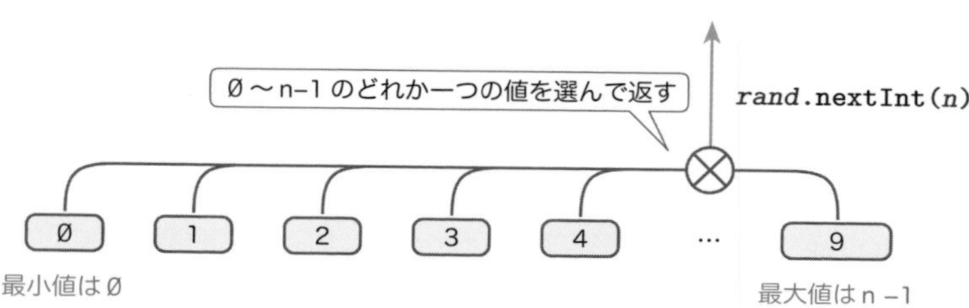


**Fig.2-14**　rand.nextInt() による乱数の生成

本プログラムでは、**int** 型整数の乱数を生成する **nextInt** メソッドを利用しました。この他にも **Table 2-5** に示すメソッドが提供されますので、用途や目的に応じて使い分けます。

**Table 2-5　Random クラスのメソッド**

| メソッド | 型 | | 生成される値の範囲 |
|---|---|---|---|
| nextBoolean() | boolean | 論理値 | true または false |
| nextInt() | int | 整数 | -2147483648 ～ +2147483647 |
| nextInt(*n*) | int | 整数 | Ø ～ *n* - 1 |
| nextLong() | long | 整数 | -9223372Ø368547758Ø8 ～ +9223372Ø36854775807 |
| nextDouble() | double | 浮動小数点数 | Ø.Ø 以上 1.Ø 未満 |
| nextFloat() | float | 浮動小数点数 | Ø.Ø 以上 1.Ø 未満 |



それでは、いろいろなパターンで乱数を生成してみましょう（**"chapØ2/RandomNo.java"**）。

```
 1 + rand.nextInt(9)            // １桁の正の整数（ 1 ～  9）
-1 - rand.nextInt(9)            // １桁の負の整数（-1 ～ -9）
1Ø + rand.nextInt(9Ø)           // ２桁の正の整数（1Ø ～ 99）

n - 5 + rand.nextInt(11)        //  n - 5 ～ n + 5

rand.nextDouble();              //  Ø.Ø以上 1.Ø未満
1Ø.Ø * rand.nextDouble()        //  Ø.Ø以上1Ø.Ø未満
-1 + 2 * rand.nextDouble()      // -1.Ø以上 1.Ø未満
```

## Column 2-4　乱数の生成

乱数の生成に必要なテクニックは高度ですから、第７章・第10章・第11章の学習が終了した後に、この **Column** を読むとよいでしょう。

*Random* は、Java が提供する莫大なクラスライブラリの中の一つです。*Random* クラスのインスタンスは、一連の**擬似乱数**（ぎじらんすう）を生成します（擬似乱数と呼ばれるのは、ある一定の規則に基づいて生成されるため、次に生成される数値の予測がつくからです。本当の乱数は予測不能です）。

擬似乱数は、無（む）から生成されるのではなく、**種**（たね）と呼ばれる数値に対して算術演算を行うことで生成されます（種とは、乱数を産み出すための卵（たまご）のようなものです。*Random* クラスでは、48 ビットの種が使われており、その種は線形合同法という計算法によって変更されます）。

*Random* クラスのインスタンスの生成は、次のいずれかの形式で行います。

```
a Random rand = new Random();
b Random rand = new Random(5);
```

**List 2-17** で使っているのは**a**であり、乱数ジェネレータ（乱数生成器）が新規に作られます。このとき、*Random* クラスの他のインスタンスと重複しないように、《種》の値が決定されます。

プログラム側で明示的に《種》を与える方法が**b**です。与えられた種に基づいて乱数ジェネレータが生成されます。

なお、乱数を生成するライブラリは、*Random* クラスだけでなく、**Math** クラスでも、別のメソッドが提供されます（p.307）。

# まとめ

- 数多くの型のうち、言語として提供される型が**基本型**である。
- 整数を表す**整数型**の一つが int 型である。13 などの整数定数は、**整数リテラル**と呼ばれる。
- 実数（浮動小数点数）を表す**浮動小数点型**の一つが double 型である。3.14 などの浮動小数点定数は、**浮動小数点リテラル**と呼ばれる。
- 文字列（文字の並び）を表すのは、String 型である。この型は基本型ではない。
- 演算を行う記号が**演算子**で、演算の対象となる式が**オペランド**である。オペランドの個数で演算子を分類すると、**単項演算子**・**２項演算子**・**３項演算子**の３種類となる。
- ( ) で囲まれた演算は、他の演算より優先的に行われる。
- 『整数 / 整数』の演算で得られる**商**は、小数部が切り捨てられた整数値である。
- 数値などのデータを自由に出し入れできるのが、**変数**である。変数は使う前に、**宣言文**によって、型と名前を与えて宣言する。
- 変数から値を取り出して利用する前に、以下のいずれかによって、値を入れておかなければならない。
  - 初期化：変数を生成する際に**初期化子**の値を入れる。
  - 代　入：生成ずみの変数に、右オペランドの値を**代入演算子**によって入れる。
- 変数の宣言は、必要になった時点で行う。なお、宣言には初期化子を与え、変数を確実に初期化するとよい。
- **final 変数**は、いったん入れた値を変更できない変数である。値を入れられるのは、初期化と代入のいずれか１回である。基本型と String 型の final 変数は、**constant 変数**である。
- final 変数を使うと、定数に名前を与えることになり、**マジックナンバー**が除去できる。
- 『文字列 + 数値』あるいは『数値 + 文字列』の演算では、数値が文字列に**変換**された上で連結される。
- キーボードからの読込みを行う際は、**標準入力ストリーム**を利用する。標準入力ストリームからの文字の読込みには、Scanner クラスの next... メソッドを利用する。
- 乱数を生成すると、ランダムな値が得られる。乱数の生成には、Random クラスの next... メソッドを利用する。

chap02/Abc.java

```
import java.util.Random;

import java.util.Scanner;

class Abc {

  public static void main(String[] args) {

    Random rand = new Random();

    Scanner stdIn = new Scanner(System.in);

    int a;        // aはint型の変数
    a = 2;        // 代入（生成ずみの変数に値を入れる）
    int b = -1;  // 初期化（変数の生成時に値を入れる）

    double x = 1.5 * 2;

    // 値を書きかえられない変数（定数に名前を与える）
    final double PI = 3.14;
    x = rand.nextDouble();
    System.out.println(
            "半径" + x + "の円の面積は" +
            (PI * x * x) + "です。");
    System.out.print("整数aの値：");

    a = stdIn.nextInt();

    System.out.println("a / 2 = " + a / 2);

    System.out.println("a % 2 = " + a % 2);

    // 文字列型
    String s = "ABC";

    System.out.println("文字列sは" + s + "です。");

  }

}
```

型
変数名
初期化子
整数リテラル
浮動小数点リテラル
演算子
オペランド

乱数の生成

```
nextBoolean()
nextInt()
nextInt(n)
nextLong()
nextDouble()
nextFloat()
```

実行例

```
半径0.11992011858662233の
円の面積は
0.04515582140334483です。
整数aの値：7↵
a / 2 = 3
a % 2 = 1
文字列sはABCです。
```

キーボードからの読込み

```
nextBoolean()
nextByte()
nextShort()
nextInt()
nextLong()
nextDouble()
nextFloat()
next()
nextLine()
```

| | | | |
|---|---|---|---|
| 代入演算子 | x = y | | |
| 加減演算子 | x + y | x - y | |
| 乗除演算子 | x * y | x / y | x % y |
| 単項符号演算子 | +x | -x | |

# 第 3 章

# プログラムの流れの分岐

　本章では、数多くの演算子とともに、プログラムの流れを選択的に決定するための if 文と switch 文を学習します。

□ if 文
□ switch 文
□ break 文
□ 式文と空文
□ ブロック
□ アルゴリズム
□ 演算子の優先順位と結合性
□ 式と評価
□ キーワードと識別子

# 3-1 if文

ある条件が成立するかどうかによって、行う処理を選択的に決定するのがif文です。本節では、if文とともに、数多くの基本的な演算子を学習していきます。

## if-then文

キーボードから数値を読み込んで、その値が0より大きければ『その値は正です。』と表示するプログラムを作りましょう。**List 3-1** が、そのプログラムです。

**List 3-1** chap03/Positive1.java

```
// 読み込んだ整数値は正の値か？

import java.util.Scanner;

class Positive1 {

  public static void main(String[] args) {
    Scanner stdIn = new Scanner(System.in);

    System.out.print("整数値：");
    int n = stdIn.nextInt();

    if (n > 0)
      System.out.println("その値は正です。");
  }
}
```

if-then文：if（式）文

n > 0 がtrueのときに実行される

実行例
```
① 整数値：15↵
  その値は正です。
② 整数値：-5↵
```

変数*n*に読み込んだ値の判定と、その結果を表示する網かけ部は、if文（if statement）と呼ばれる文です。その**構文**（文法上の構造）は、次のようになっています。

**if （ 式 ） 文** 　if-then文

この構文をもつ**if**文は、**if-then文**と呼ばれます。**if**は『もしも～』という意味ですから、**( )**の中に置かれた**式**の値が**真**となったときに、**文**が実行されます。

これ以降、条件判定のための、**( )**内の**式**のことを、**制御式**と呼んでいきます。

＊

さて、**if**文の制御式 ***n* > 0** で使っている **>** は、左オペランドが右オペランドより大きければ**true**（真）を、そうでなければ**false**（偽）を生成する演算子です。

なお、**true**と**false**は**論理値リテラル**（boolean literal）と呼ばれます。リテラルの一種であって、**boolean型**＝**論理型**のリテラルです（詳細は、第5章で学習します）。

＊

本プログラムの**if**文の実行の流れを、図で表したのが、右ページの**Fig.3-1**です。これは、**フローチャート**（流れ図）と呼ばれる図であり、線と矢印が、プログラムの流れを表します。

▶ フローチャートの記号は、p.107でまとめて学習します。

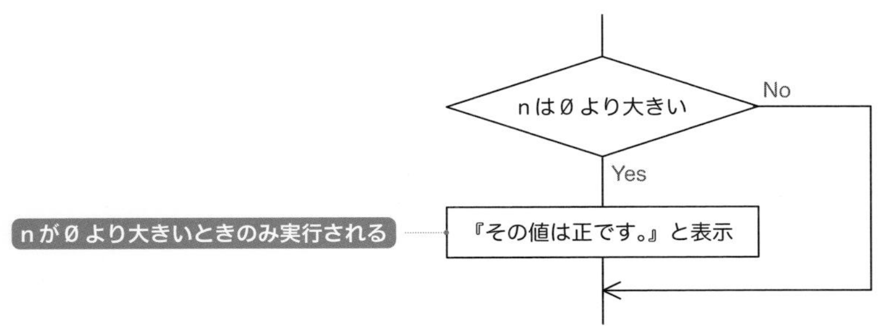


**Fig.3-1** List 3–1 のif文のフローチャート

さて、実行例①の場合、`n`が15ですから、`n > 0`は`true`となります。その結果、

```
System.out.println("その値は正です。");
```

の文が実行されて、『その値は正です。』と表示されます。

ただし、実行例②のように、`n`が負の値、あるいは`0`であれば、制御式の値は`false`となります。上記の文は実行されませんので、画面には何も表示されません。

**重要** ある条件が成立したときにのみ行うべきことがあれば、if–then文で実現する。

## 関係演算子

本プログラムでは、演算子`>`を使って条件判定を行いました。この演算子を含め、左右のオペランドの値の大小関係を判定する演算子は、**関係演算子**（relational operator）と呼ばれます。全部で4種類あり、その概要をまとめたのが、**Table 3-1** です。

**Table 3-1 関係演算子**

| | |
|---|---|
| `x < y` | xがyより小さければ`true`を、そうでなければ`false`を生成。 |
| `x > y` | xがyより大きければ`true`を、そうでなければ`false`を生成。 |
| `x <= y` | xがyより小さいか等しければ`true`を、そうでなければ`false`を生成。 |
| `x >= y` | xがyより大きいか等しければ`true`を、そうでなければ`false`を生成。 |

なお、演算子`<=`と`>=`の等号を左側にもってきて、`=<`あるいは`=>`とすることはできません。また、不等号と等号のあいだにスペースを入れて、`< =`あるいは`> =`とすることもできません。

▶ 関係演算子は2項演算子です。そのため、たとえば『変数aの値が1以上3以下であるか』は、

```
1 <= a <= 3          // 駄目！
```

では判定できません。p.62で学習する**論理積演算子`&&`**を用いて、次の式で判定します。

```
a >= 1 && a <= 3     // ＯＫ！（“aは1以上”かつ“aは3以下”によって判定）
```

## if–then–else 文

前のプログラムは、正でない値が入力されると、何も表示されることなく、プログラムがそっけなく終了します。正でない値を読み込んだ場合には、『その値はØか負です。』と表示するように変更しましょう。**List 3-2** に示すのが、そのプログラムです。

**List 3-2** chap03/Positive2.java

```
// 読み込んだ整数値は正の値か／そうでないか？

import java.util.Scanner;

class Positive2 {

  public static void main(String[] args) {
    Scanner stdIn = new Scanner(System.in);

    System.out.print("整数値：");
    int n = stdIn.nextInt();

    if (n > 0)
      System.out.println("その値は正です。");
    else
      System.out.println("その値は0か負です。");
  }
}
```

if–then–else 文：if（式）文 else 文

n > Ø が true のときに実行される

n > Ø が false のときに実行される

実行例

1. 整数値：15⏎
   その値は正です。
2. 整数値：-7⏎
   その値はØか負です。

本プログラムの **if** 文は、次の構文をもつ **if–then–else**（エルス）**文**です。

**if ( 式 ) 文 else 文** ‹if–then–else 文›

もちろん、**else** は『～でなければ』という意味です。if–then–else 文では、制御式の値が **true** であれば先頭側の**文**が実行され、**false** であれば末尾側の**文**が実行されます。

*n* が正であるかどうかで異なる処理が行われるため、プログラムの流れは **Fig.3-2** となります。

**重要** 条件の真偽によって異なる処理を行う場合は、if–then–else 文で実現する。

▶ 実行されるのは、二つの文のいずれか一方です。両方とも実行されない、あるいは、両方とも実行される、といったことはありません。

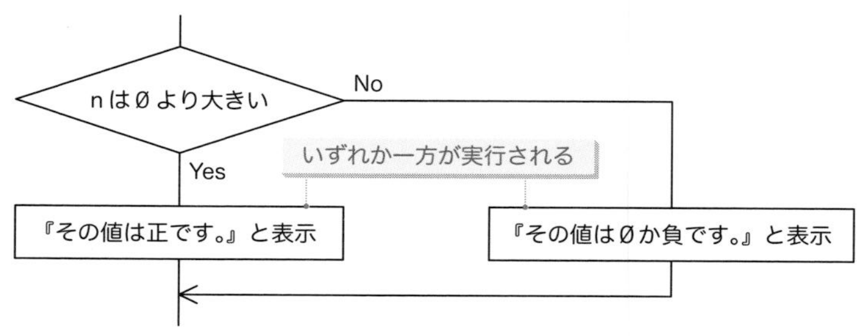


**Fig.3-2** List 3-2 の if 文のフローチャート

if–then 文と if–then–else 文の構文を一つにまとめたのが、**Fig.3-3** の構文図です。

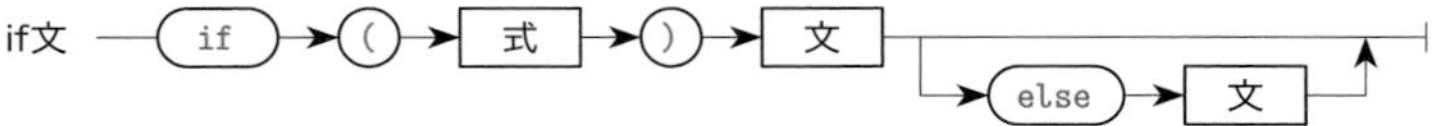


**Fig.3-3　if 文の構文図**

この構文にそぐわないものは、**コンパイル時エラー**となります。次に示すのが一例です。

```
if a < b System.out.println("aはbより小さいです。");    // ()が欠如
if (c > d) else b = 3;                                  // elseの前の文が欠如
```

**Column 3-1　構文図について（その1）**

本書で使っている**構文図**は、要素が矢印で結ばれる構造です。

▪ 要素について

構文図の要素には、丸囲みのものと、角囲みのものがあります。

▫ **丸囲み** … "**if**" などの**キーワード**（p.80）や "**(**" などの**区切り子**（p.80）は、綴(つづ)りどおりでなければならず、"**もし**" や "**「**" などに変更することはできません。このようなものを丸囲みで表します。

▫ **角囲み** … "**式**" や "**文**" は、"**n > 0**" や "**a = 0;**" といった、具体的な式や文として記述します。このような、文法上の概念を角囲みで表します。

▪ 構文図の読み方

構文図を読むときは、矢印の方向にしたがって進みます。左端からスタートして、ゴールは右端です。分岐点は、どちらに進んでも構いません。

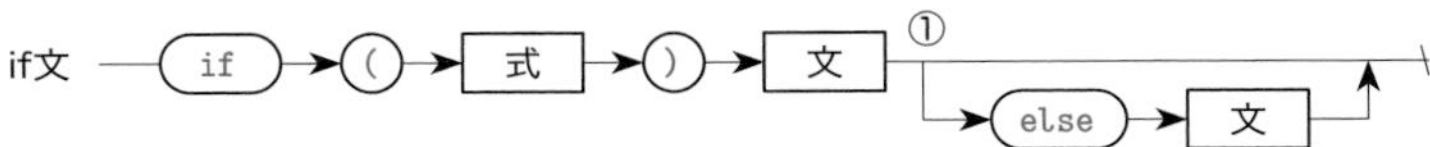


①が分岐点ですから、この構文図を左端から右端までたどっていくルートには、次の二つがあります。

```
if ( 式 ) 文            … if–then 文
if ( 式 ) 文 else 文    … if–then–else 文
```

これが **if** 文の形式、すなわち**構文**です。たとえば、**List 3-1** の **if** 文は、

```
if (n > 0) System.out.println("その値は正です。");
if (  式  )                 文
```

ですし、**List 3-2** の **if** 文は、次のようになっています。

```
if (n > 0) System.out.println("…正です。"); else System.out.println("…0か負です。");
if (  式  )            文                  else            文
```

いずれも、構文図の形式にのっとっています。

※本 Column は、**Column 3-6**（p.73）に続きます。

## 等価演算子

キーボードから読み込んだ二つの整数値が、等しいかどうかを判定して表示するプログラムを作りましょう。それが、**List 3-3** のプログラムです。

**List 3-3** chap03/Equal.java

```
// 読み込んだ二つの整数値は等しいか

import java.util.Scanner;

class Equal {

  public static void main(String[] args) {
    Scanner stdIn = new Scanner(System.in);

    System.out.print("整数a："); int a = stdIn.nextInt();
    System.out.print("整数b："); int b = stdIn.nextInt();

    if (a == b)
      System.out.println("二つの値は等しいです。");
    else
      System.out.println("二つの値は等しくありません。");
  }
}
```

実行例

```
整数a：15⏎
整数b：15⏎
二つの値は等しいです。
```

変数 a と b に値を読み込んで、それらの値の等価性(とうかせい)を判定します。if 文の制御式で使っている == は、左右のオペランドの値が“**等しいかどうか**”を判定する演算子です。

＊

この演算子と、“**等しくないかどうか**”を判定する != 演算子の総称が、等価演算子（equality operator）です。**Table 3-2** に示すように、両演算子とも、条件が成立すれば true を生成し、成立しなければ false を生成します。

**Table 3-2　等価演算子**

| | |
|---|---|
| x == y | x と y が等しければ true を、そうでなければ false を生成。 |
| x != y | x と y が等しくなければ true を、そうでなければ false を生成。 |

本プログラムの if 文を、!= 演算子を使って書きかえると、次のようになります。

chap03/Equal2.java

```
if (a != b)
  System.out.println("二つの値は等しくありません。");
else
  System.out.println("二つの値は等しいです。");
```

二つの文の順序が反転していることに注意しましょう。

▶ 等価演算子は2項演算子ですから、たとえば『変数 a と変数 b と変数 c の値がすべて等しいかどうか』を、a == b == c で判定することはできません。
p.62 で学習する**論理積演算子 &&** を使って、a == b && b == c とします。

## 論理補数演算子

**List 3-4** に示すのは、キーボードから読み込んだ値が 0 であるかどうかを判定して表示するプログラムです。

**List 3-4** chap03/Zero.java

```
// 読み込んだ整数値はゼロであるかどうか

import java.util.Scanner;

class Zero {

  public static void main(String[] args) {
    Scanner stdIn = new Scanner(System.in);

    System.out.print("整数値：");
    int n = stdIn.nextInt();

    if (!(n != 0))
      System.out.println("その値はゼロです。");            ←1
    else
      System.out.println("その値はゼロではありません。");  ←2
  }
}
```

実行例

```
1 整数値：0↵
  その値はゼロです。

2 整数値：15↵
  その値はゼロではありません。
```

単項演算子 **!** は、論理補数演算子 (logical complement operator) と呼ばれ、オペランドの値が **false** であれば **true** を生成し、**true** であれば **false** を生成します（**Table 3-3**）。

すなわち、オペランドの**真**と**偽**を**反転した（ひっくり返した）**ものを作り出すわけです。

**Table 3-3　論理補数演算子**

| | |
|---|---|
| !x | x が false であれば true を、true であれば false を生成。 |

**if** 文の制御式 **!(n != 0)** は、**n != 0** の判定結果の**反転**です。

▶ 具体的な判定は、次のように行われます。

- n が 0 であるとき：n != 0 は false。したがって、!(n != 0) は true。 ⇨ 1を実行。
- n が 0 でないとき：n != 0 は true。 したがって、!(n != 0) は false。 ⇨ 2を実行。

本プログラムの **if** 文は、等価演算子 **==** を使うと、簡潔に実現できます。

chap03/Zero2.java

```
if (n == 0)
  System.out.println("その値はゼロです。");
else
  System.out.println("その値はゼロではありません。");
```

なお、等価演算子 **!=** を使うと、次のようになります。

chap03/Zero3.java

```
if (n != 0)
  System.out.println("その値はゼロではありません。");
else
  System.out.println("その値はゼロです。");
```

二つの文の順序が反転します。

## 入れ子となったif文

次は、キーボードから読み込んだ整数値の符号（正か／負か／0か）を判定して、その結果を表示するプログラムを作りましょう。**List 3-5** に示すのが、そのプログラムです。

**List 3-5** chap03/Sign.java

```
// 読み込んだ整数値の符号（正／負／0）を判定して表示

import java.util.Scanner;

class Sign {

  public static void main(String[] args) {
    Scanner stdIn = new Scanner(System.in);

    System.out.print("整数値：");
    int n = stdIn.nextInt();

    if (n > 0)
      System.out.println("その値は正です。");    ←1
    else if (n < 0)
      System.out.println("その値は負です。");    ←2
    else
      System.out.println("その値は0です。");     ←3
  }
}
```

実行例

```
1 整数値：37
  その値は正です。
2 整数値：-5
  その値は負です。
3 整数値：0
  その値は0です。
```

網かけ部を理解しましょう。**Fig.3-4** に示すように、**if** 文の中に **if** 文が入る**入れ子**の構造となっています。**if** 文は名前のとおり、一種の**文**です。本プログラムでは、**else** の後ろに置く文が、**if** 文となっているわけです。

▶ スペースの都合上、図では "System.out." を省略しています。

本プログラムを実行すると、『その値は正です。』『その値は負です。』『その値は0です。』のいずれか1個が表示されます。すなわち、3個のメッセージのどれも表示されない、あるいは、2個以上が表示される、ということはありません。

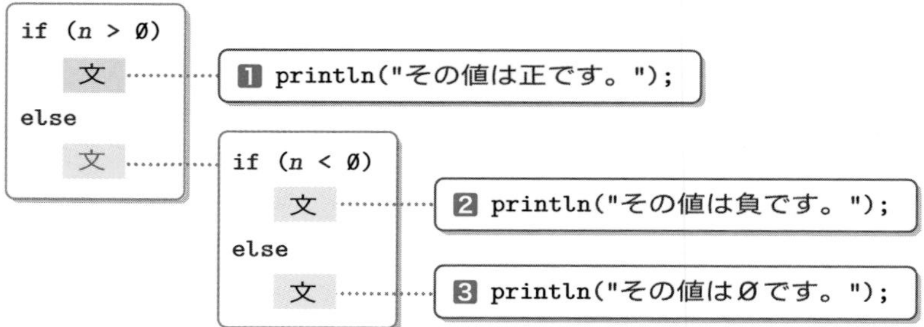


**Fig.3-4** 入れ子となったif文（その1）

**List 3-6** は、入れ子の `if` 文を利用した別のプログラム例です。整数値 *n* が正であれば、偶数と奇数のいずれであるかを表示して、そうでなければ、その旨のメッセージを表示します。

**List 3-6** chap03/EvenOdd.java

```
// 読み込んだ整数値が正であれば偶数／奇数を判定して表示

import java.util.Scanner;

class EvenOdd {

  public static void main(String[] args) {
    Scanner stdIn = new Scanner(System.in);

    System.out.print("整数値：");
    int n = stdIn.nextInt();

    if (n > 0)
      if (n % 2 == 0)
        System.out.println("その値は偶数です。");  ←1
      else
        System.out.println("その値は奇数です。");  ←2
    else
      System.out.println("正でない値が入力されました。");  ←3
  }
}
```

実行例

```
1 整数値：38↵
  その値は偶数です。
2 整数値：15↵
  その値は奇数です。
3 整数値：0↵
  正でない値が入力されました。
```



**Fig.3-5** に示すのが、本プログラムの `if` 文の構造です。`if` 文の中に `if` 文が入っている点は、前のプログラムと同じですが、入れ子の構造が異なります。

本プログラムを実行すると、『その値は偶数です。』『その値は奇数です。』『正でない値が入力されました。』のいずれか1個が表示されます。

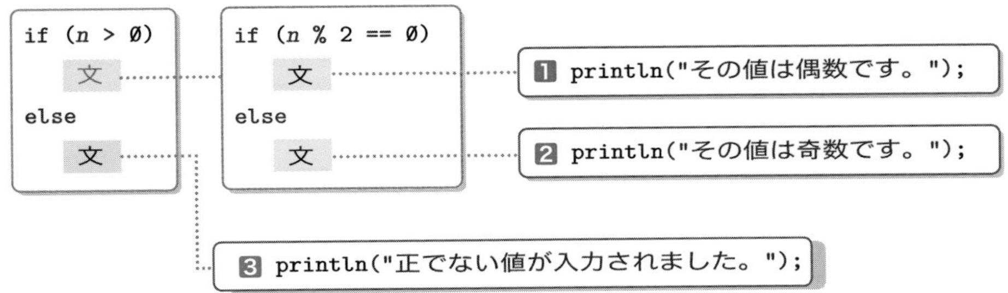


**Fig.3-5 入れ子となったif文（その2）**

▶ この `if` 文は、『頭でっかち尻すぼみ』な形をしているため、読みづらくなっています。次のようにすると解消されます（"chap03/EvenOdd2.java"）。

```
if (n <= 0)
  System.out.println("正でない値が入力されました。");
else
  if (n % 2 == 0)
    System.out.println("その値は偶数です。");
  else
    System.out.println("その値は奇数です。");
```

## 式と評価

これまで、**式**と**評価**という用語が何度も出てきました。詳しく学習していきます。

### 式

まずは、式（expression）を学習しましょう。

**式**は、右に示す三つのものの総称です。

- 変数
- リテラル
- 変数やリテラルを演算子で結合したもの

▶ 式の一種である、**switch式**や**ラムダ式**はあてはまらない、などの例外があります。
　ちなみに、Javaの文法書では、式に一つの章が設けられ、10ページ以上にわたって解説されています。

具体例として、"**abc + 127**"を考えます。変数**abc**は式であり、整数リテラル**127**も式です。さらに、それらを**+**演算子で結んだ**abc + 127**も式です。

さて、次のことを必ず覚えておきます。

**重要** ○○演算子で結合された式は、○○式と呼ばれる。

たとえば、**x = a + 32**は、式**x**と式**a + 32**が代入演算子で結合された式です。そのため、この式は、代入式（assignment expression）と呼ばれます。

### 評価

式と切っても切れないのが、評価（evaluation）です。評価とは、式がもっている型や値などを、プログラムの実行時に調べることです。

評価のイメージを表した**Fig.3-6**で理解しましょう。ここで、変数**abc**は**int**型で、値が**146**であるとしています。式**abc**と、式**127**と、式**abc + 127**の評価で得られるのは、それぞれ**int**型の**146**、**int**型の**127**、**int**型の**273**です。

図中、左側の小さな文字が**型**で、右側の大きな文字が**値**です。

**重要** 式には型と値がある。プログラムの実行時に、式の値が評価される。

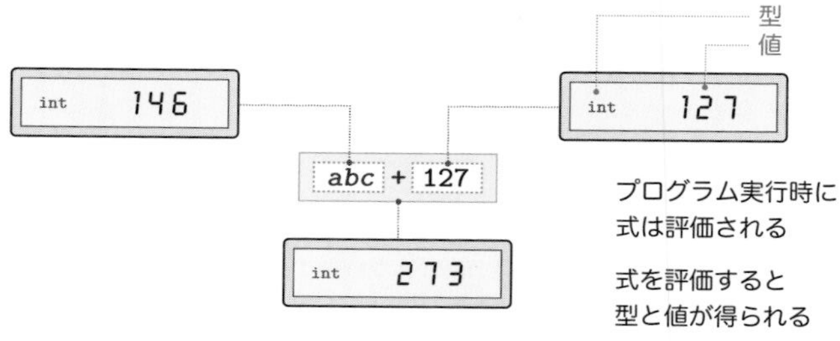


**Fig.3-6　式と評価（int + int）**

別の例を **Fig.3-7** に示しています。二つの `int` 型整数の大小関係を、関係演算子 `>` で判定する関係式です（変数 `n` は `int` 型で、値が `15` であるとしています）。

関係式 `n > 7` の評価で得られるのは、`boolean` 型の `true` です。先ほどの例とは違って、両オペランドの型と、式全体の型とが異なります。

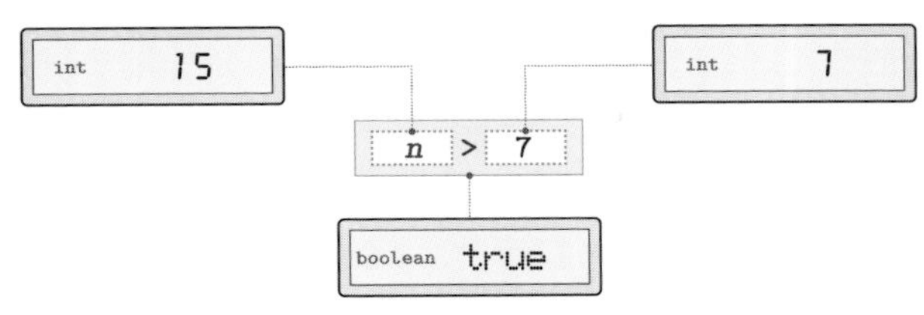


**Fig.3-7　式と評価（int > int）**

## 代入式の評価

さて、代入式を評価すると、少し意外な結果が得られます。

**重要** 代入式を評価すると、代入後の左オペランドの型と値が得られる。

たとえば、変数 `x` が `int` 型であるときに、代入式 `x = 2` を評価して得られるのは、代入後の左オペランド `x` の型と値である『`int` 型の `2`』です。

この性質を利用すると、**複数変数への同一値の代入**が簡潔に行えます。たとえば、二つの変数 `a` と `b` が `int` 型であれば、次の代入式で、二つの変数に `1` を代入できます。

```
a = b = 1               // aとbの両方に1を代入する
```

**Fig.3-8** を見ながら理解していきましょう。まず、代入式 `b = 1` によって `b` に `1` が代入されます（①）。その後、代入式 `b = 1` を評価した値（代入後の `b`）である『`int` 型の `1`』が `a` に代入されます（②）。このようにして、`a` にも `b` にも `1` が代入されるわけです。

▶ 代入が右側から行われる（すなわち、`a = b = 1` が、`(a = b) = 1` ではなく、`a = (b = 1)` と解釈される）理由は、p.82 で学習します。

代入式の評価によって得られるのは代入後の左オペランドの型と値

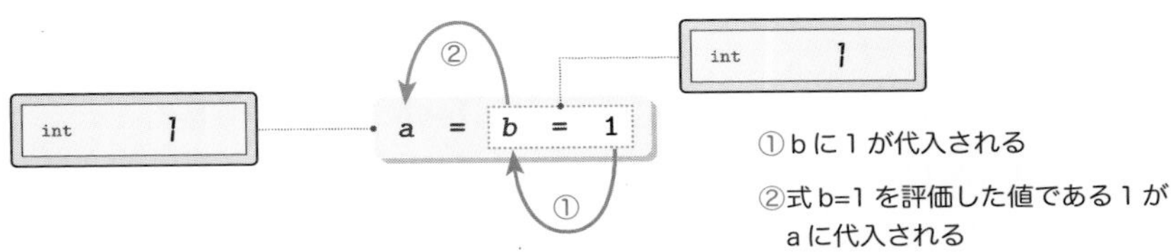


**Fig.3-8　複数変数への同一値の代入（代入式の評価）**

## 式文と空文

第１章で学習したように、文の末尾は、セミコロン **;** となるのが原則でした。たとえば、次に示す文は、代入式 **a = c + 32** の後ろに **;** が置かれています。

```
a = c + 32;          // 式文（式の後ろにセミコロン;を置いた文）
```

このように、**式**の後ろにセミコロン **;** を置いた**文**が、式文（expression statement）です。

なお、単独のセミコロン **;** だけでも、空文（empty statement）と呼ばれる**文**となります。

なお、**空文を実行しても、何も行われません。**

**Fig.3-9** に示すのが、二つの文の構文図です。

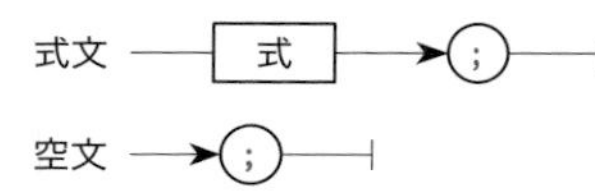


**Fig.3-9　式文と空文の構文図**

**Column 3-2　if 文の構文に関する補足**

**if** 文についての理解を深めます。右の **if** 文で、**文**$_1$ と**文**$_2$ が実行されるのが、どのような条件であるかを考えていきましょう。

```
if (a == 1)
  if (b == 1)
    文1
else
  文2
```

末尾から２行目に置かれた **else** は、**if (a == 1)** に対応しているように見えます。そのため、各文が実行される条件は、**Table 3C-1** の**条件A**であると感じられるのではないでしょうか。

しかし、そうではありません。“**else は、最も近い if と対応する**”という規則があります。そのため、この **else** が対応するのは、近いほうの（後ろ側の）**if (b == 1)** なのです。

この **if** 文の、字下げによるインデントは、『嘘をついている』、といってよいでしょう。紛らわしさを回避するには、次のように記述すべきです。

```
if (a == 1)
  if (b == 1)
    文1
  else
    文2
```



こうすると、各文が実行される条件が、**Table 3C-2** の**条件B**であることが明確になります。すなわち、変数 **a** の値が **1** でなければ、何も実行されないのです。

なお、もし**条件A**に基づいて二つの文を実行するのであれば、p.70 で学習する**ブロック**を導入して、次のように実現します。

```
if (a == 1) {
  if (b == 1)
    文1
} else
    文2
```



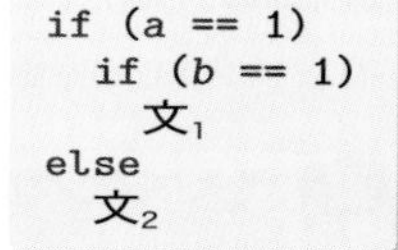

**Table 3C-1　条件A**

| 文 | 実行される条件 |
|---|---|
| 文$_1$ | **a** が **1** であり **b** も **1** であるとき |
| 文$_2$ | **a** が **1** でないとき |

**Table 3C-2　条件B**

| 文 | 実行される条件 |
|---|---|
| 文$_1$ | **a** が **1** であり **b** も **1** であるとき |
| 文$_2$ | **a** が **1** であり **b** が **1** でないとき |

本章の最初で学習した**List 3-1**（p.50）の`if`文を、**空文**を使って書きかえてみましょう。次のようになります。

```
if (n > 0)
  System.out.println("その値は正です。");
else
  ;                          // 空文：nが正でなければ何もしない
```

if–then文が、if–then–else文に書きかえられました。冗長になってしまいますが、プログラムの流れが二つに分岐することがはっきりします。

それでは、次の`if`文を考えましょう（`"chap03/PositiveWrong.java"`）。

```
if (n > 0);
  System.out.println("その値は正です。");
```

`n`がどんな値であっても（正でも負でも`0`でも）、『その値は正です。』と表示されます。というのも、この`if`文は、次のように解釈されるからです。

```
                                 おそらくタイプミスによるセミコロン
if (n > 0) ;                     // if文：n>0であれば空文を実行(何もしない)
System.out.println("その値は正です。");    // if文とは無関係に実行される式文
```

`(n > 0)`の後ろの`;`は、何も行わない**空文**です。つまり、1行目だけで`if`文が完結しており、2行目は、`if`文とは無関係の式文です。次の教訓が導かれます。

**重要** `if`文の制御式を囲む`( )`の後ろに、誤って`;`を置いてはならない。

### Column 3-3　代入式の評価について

p.59では、代入式`a = b = 1`によって、変数`a`と`b`の両方に`1`が代入されることを学習しました。それと関連して、二つのことを学習します。

#### ▪ 複合代入式の評価

p.101で学習する**複合代入演算子**を用いた**複合代入式**も、評価によって得られるのは、代入後の左オペランドの型と値です。そのため、変数`x`と`y`が`int`型の`1`と`2`であるときに、

```
y += x += 5;      // xは6になってyは8になる
```

を実行すると、`x`の値は`6`となって`y`の値は`8`となります（複号代入式`x += 5`の評価で得られるのが`6`であり、その値が`y`に加算されるからです）。

#### ▪ 代入と初期化の相違点

**初期化**を伴う宣言では、`=`の連続適用は行えません。すなわち、変数`a`と`b`の両方を`0`で初期化したいからといって、次のように宣言すると、コンパイル時エラーになります。

```
int a = b = 0;        // エラー
```

左下のようにコンマで区切って各変数に初期化子を与えるか、右下のように2行に分けて宣言します。

```
int a = 0, b = 0;
```

```
int a = 0;
int b = 0;
```

## 論理積演算子と論理和演算子

整数値を読み込んで、それがゼロなのか／1桁の値なのか／2桁以上の値なのかを判定して表示するプログラムを作りましょう。それが **List 3-7** に示すプログラムです。

**List 3-7** chap03/DigitsNo1.java

```
// 読み込んだ整数値の桁数（ゼロ／1桁／2桁以上）を判定

import java.util.Scanner;

class DigitsNo1 {

  public static void main(String[] args) {
    Scanner stdIn = new Scanner(System.in);

    System.out.print("整数値：");
    int n = stdIn.nextInt();

    if (n == 0)                                    // ゼロ
      System.out.println("ゼロです。");
    else if (n >= -9 && n <= 9)                    // 1桁
      System.out.println("1桁です。");
    else                                           // 2桁以上
      System.out.println("2桁以上です。");
  }
}
```

**実行例**

```
① 整数値：0⏎
   ゼロです。
② 整数値：-3⏎
   1桁です。
③ 整数値：15⏎
   2桁以上です。
```

### 論理積演算子 &&

読み込んだ値が1桁かどうかの判定を行うのが、網かけ部の制御式です。

ここで使っている `&&` 演算子は、**Fig.3-10** ⓐに示す**論理積**（ろんりせき）を求める、論理積演算子（logical and operator）です。

この演算子の概要は、右ページの **Table 3-4** の中に示しています。式 `x && y` の評価で得られるのは、`x` と `y` が両方とも `true` であれば `true`、そうでなければ `false` です。ちょうど、日本語の『*x* かつ *y*』に相当します。

そのため、プログラムの網かけ部の制御式が `true` と評価されるのは、`n` が `-9` 以上**かつ** `9` 以下のときです。

▶ 変数 `n` が `0` のときは、『ゼロです。』の表示後に `if` 文が終了するため、『1桁です。』と表示されるのは、`n` の値が `-9, -8, …, -2, -1, 1, 2, …, 8, 9` のいずれかのときです。

ⓐ 論理積　両方とも真であれば真

| x | y | x && y |
|---|---|---|
| true | true | true |
| true | false | false |
| false | true | false |
| false | false | false |

ⓑ 論理和　一方でも真であれば真

| x | y | x \|\| y |
|---|---|---|
| true | true | true |
| true | false | true |
| false | true | true |
| false | false | false |

**Fig.3-10　論理積と論理和の真理値表**

### 論理和演算子 ||

もう一つの論理演算である**論理和**を求めるのが、論理和演算子（logical or operator）と呼ばれる || 演算子です（図b）。この演算子を使った **List 3-8** のプログラムは、読み込んだ値が2桁以上かどうかを判定して表示します。

▶ 論理和演算子 || は連続する縦線記号です。大文字の I（アイ）や小文字の l（エル）と間違えないようにしましょう。

**List 3-8** chap03/DigitsNo2.java

```
// 読み込んだ整数値の桁数（2桁以上かどうか）を判定

import java.util.Scanner;

class DigitsNo2 {

  public static void main(String[] args) {
    Scanner stdIn = new Scanner(System.in);

    System.out.print("整数値：");
    int n = stdIn.nextInt();

    if (n <= -10 || n >= 10)              // 2桁以上
      System.out.println("2桁以上です。");
    else                                  // 2桁未満
      System.out.println("2桁未満です。");
  }
}
```

実行例

```
1 整数値：37↵
  2桁以上です。
2 整数値：-25↵
  2桁以上です。
3 整数値：5↵
  2桁未満です。
```

**Table 3-4** に示すように、式 x || y の評価では、x と y の一方でも true であれば true が得られ、そうでなければ false が得られます。日本語の『x または y』に相当します。ただし、『いずれか一方のみ』ではなくて、『**いずれか一方でも**』というニュアンスです。

そのため、変数 n の値が -10 以下**または** 10 以上の値のときにのみ、網かけ部の制御式が true と評価されて『2桁以上です。』と表示されます。

＊

**論理積**と**論理和**を学習しました。なお、演算子 ^ を使うと、**排他的論理和**（いずれか一方のみが true であるかどうか）の判定が行えます。第7章（p.208）で学習します。

**Table 3-4　論理積演算子と論理和演算子**

| | |
|---|---|
| x && y | x と y の両方とも true であれば true を、そうでなければ false を生成。 |
| x \|\| y | x と y の一方でも true であれば true を、そうでなければ false を生成。 |

▶ これらの演算子の優先度は、&& のほうが高く、|| のほうが低くなっています。
なお、両演算子とも**短絡評価**を行います（p.65 で学習します）。そのため、評価は、次のように行われます。

&& 演算子：x を評価した値が false であれば、y の評価は省略される。
|| 演算子：x を評価した値が true であれば、y の評価は省略される。

左ページ **Fig.3-10** の黒網部の式は、評価が省略される（実質的に無視される）のです。

## 季節の判定

論理積演算子と論理和演算子の応用を考えます。1～12という月の値から、季節を判定するプログラムを作りましょう。それが、**List 3-9** のプログラムです。

**List 3-9** chap03/Season.java

```
// 読み込んだ月の季節を表示

import java.util.Scanner;

class Season {

  public static void main(String[] args) {
    Scanner stdIn = new Scanner(System.in);

    System.out.print("季節を求めます。\n何月ですか：");
    int month = stdIn.nextInt();

    if (month >= 3 && month <= 5)                        // 春（3月・4月・5月）
      System.out.println("それは春です。");
    else if (month >= 6 && month <= 8)                   // 夏（6月・7月・8月）
      System.out.println("それは夏です。");
    else if (month >= 9 && month <= 11)                  // 秋（9月・10月・11月）
      System.out.println("それは秋です。");
    else if (month == 12 || month == 1 || month == 2)    // 冬（12月・1月・2月）
      System.out.println("それは冬です。");
  }
}
```

実行例

```
① 季節を求めます。
   何月ですか：3
   それは春です。

② 季節を求めます。
   何月ですか：7
   それは夏です。
```

### 春・夏・秋の判定

春・夏・秋については、論理積演算子 **&&** を使って、次のように判定しています。

- *month* が 3 以上 かつ *month* が 5 以下 … 春
- *month* が 6 以上 かつ *month* が 8 以下 … 夏
- *month* が 9 以上 かつ *month* が 11 以下 … 秋

▶ 関係演算子は2項演算子ですので、『春であるかどうか』を、次の式で判定することはできません。

```
3 <= month <= 5      // エラー
```

### 冬の判定

冬の判定を行う網かけ部の制御式では、論理和演算子 || が2重に適用されています。

この式は、*month* == 12と、*month* == 1と、*month* == 2のいずれか一つでもtrueであれば、trueとなります。

▶ 具体的に考えましょう。

▪ *month* が 12 あるいは 1 のとき

*month* == 12 || *month* == 1 の評価で true が得られる。⇨ 網かけ部は、true と *month* == 2 の論理和を調べる true || *month* == 2 となる。⇨ その結果として true が生成される。

▪ month が 2 のとき

*month* == 12 || *month* == 1 の評価で false が得られる。⇨ 網かけ部は、false と *month* == 2 の論理和を調べる false || *month* == 2 となる。⇨ その結果として true が生成される。

### 短絡評価

論理演算の概要を学習しましたので、ここでは、詳細を学習していきます。

if 文で最初に行われる判定は、季節が春であるかどうかです。ここで、変数 month が 2 であるとして、その判定を考えましょう。

```
month >= 3 && month <= 5                    // 春（3月・4月・5月）
```

左オペランドの month >= 3 は false ですから、右オペランドの式 month <= 5 を調べるまでもなく、この式全体が false となる（春でない）ことは自明です。

右オペランドは、調べる必要がありません。そのため、**&& 演算子の左オペランドを評価した値が false であれば、右オペランドの評価は省略されることになっています。**

＊

|| 演算子も同様です。季節が冬であるかどうかを判定する式に着目しましょう。

```
month == 12 || month == 1 || month == 2     // 冬（12月・1月・2月）
```

もし変数 month が 12 であれば、1 月や 2 月の可能性を調べるまでもなく、式全体が true となる（冬である）ことは明らかです。

この場合も、右オペランドは調べる必要がありません。そのため、**|| 演算子の左オペランドを評価した値が true であれば、右オペランドの評価は省略されることになっています。**

▶ 先ほどは、短絡評価が行われないとして具体例を考えました。実際には短絡評価が行われるため、評価の回数は少なくなります。month が 12 であるとして、具体例で考えましょう。

　式 month == 12 || month == 1 は、左オペランドが true であるため、短絡評価によって、右オペランドを調べることなく true と評価されます。そのため、網かけ部全体は true と month == 2 の論理和を調べる true || month == 2 となります。この式も、左オペランドが true であるため、短絡評価によって、右オペランドを調べることなく true と評価されます。

＊

論理式の評価結果が、**左オペランド**の評価の結果のみで明確になる場合は、**右オペランド**の評価が省略されることが分かりました。

このような評価は、短絡評価（たんらくひょうか）（short circuit evaluation）と呼ばれます。

**重要** 論理積演算子 && と論理和演算子 || の評価では、短絡評価が行われる。
すなわち：&& の**左オペランド**が false であれば、**右オペランド**は評価されない。
|| の**左オペランド**が true であれば、**右オペランド**は評価されない。

▶ 論理演算における短絡評価については、**Column 4-5**（p.117）でも学習します。

　ちなみに、演算子 && と || と、似た演算子として、演算子 & と | があります。演算子 & は**論理積**を求める演算子で、演算子 | は**論理和**を求める演算子です。

　ただし、これらの演算では、**短絡評価が行われません**。そのため、& と | は、一般的な論理演算のために使われることは少なく、ビット単位の論理演算を行うために用いられるのが一般的です。詳しくは、第 7 章で学習します。

## 条件演算子

**List 3-10** に示すのは、二つの値を読み込んで、小さいほうの値を表示するプログラムです。

**List 3-10** chap03/Min2If.java

```
// 読み込んだ二つの整数値の小さいほうの値を表示（if文）

import java.util.Scanner;

class Min2If {

  public static void main(String[] args) {
    Scanner stdIn = new Scanner(System.in);

    System.out.print("整数a：");  int a = stdIn.nextInt();
    System.out.print("整数b：");  int b = stdIn.nextInt();

    int min;     // 小さいほうの値
    if (a < b)
      min = a;
    else
      min = b;

    System.out.println("小さいのは" + min + "です。");
  }
}
```

実行例

```
1 整数a：29
  整数b：52
  小さいのは29です。
2 整数a：31
  整数b：15
  小さいのは15です。
```

**if** 文では、変数 **a**, **b** に読み込んだ値の大小関係を判定して、**a** のほうが小さければ変数 ***min*** に **a** を代入して、そうでなければ変数 ***min*** に **b** を代入します。

そのため、**if** 文の実行終了時に、変数 ***min*** に入っているのは、小さいほうの値です。

▶ **a** と **b** の値が同じであれば、変数 ***min*** に代入されるのは **b** の値です。

このプログラムを、**if** 文を使わずに書きかえたのが、**List 3-11** のプログラムです。

**List 3-11** chap03/Min2Cond1.java

```
// 読み込んだ二つの整数値の小さいほうの値を表示（条件演算子：その1）

import java.util.Scanner;

class Min2Cond1 {

  public static void main(String[] args) {
    Scanner stdIn = new Scanner(System.in);

    System.out.print("整数a：");  int a = stdIn.nextInt();
    System.out.print("整数b：");  int b = stdIn.nextInt();

    int min = a < b ? a : b;     // 小さいほうの値
    System.out.println("小さいのは" + min + "です。");
  }
}
```

実行例

```
整数a：29
整数b：52
小さいのは29です。
```

極めて簡潔になっているのは、右ページの **Table 3-5** に概要を示す条件演算子（conditional operator）のおかげです。

▶ 条件演算子（**? :** 演算子）は、Java の演算子の中で、唯一の**3項演算子**です。

**Table 3-5　条件演算子**

| | |
|---|---|
| `x ? y : z` | xがtrueであればyを評価した値を、そうでなければzを評価した値を生成。 |

▶　条件式では、次のように短絡評価が行われます。
第1オペランドxを評価した値が true であれば、第3オペランドzの評価は省略される。
第1オペランドxを評価した値が false であれば、第2オペランドyの評価は省略される。



条件演算子を使った条件式（conditional expression）で、どのように評価が行われるのかをまとめたのが、**Fig.3-11** です。

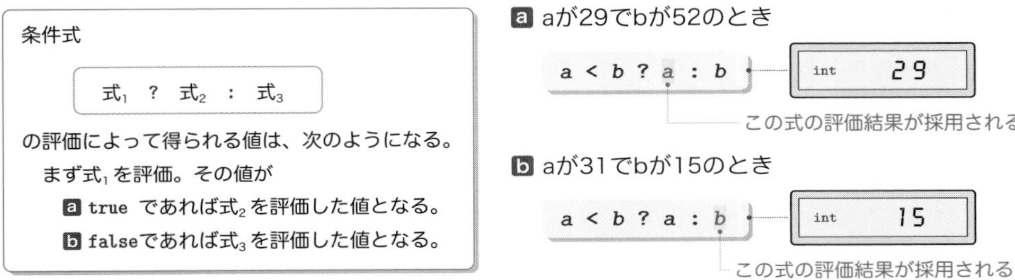


**Fig.3-11　条件式の評価**

変数minに入れられるのが、aがbより小さければaの値、そうでなければbの値であることが分かるでしょう。

```
int min = a < b ? a : b;
```

（そうでなければb　／　a < bであればa）

**if文**を凝縮した**式**ともいえる**条件式**は、熟練のJavaプログラマが好んで使います。

**重要**　条件演算子（?:演算子）を使うと、ある式の真偽に応じて異なる値を作り出す条件式が簡潔に記述できる。

なお、次のように、printlnを呼び出す()の中に、小さいほうの値を求める条件式を埋め込めば、変数minが不要となって、さらに簡潔になります（**"chap03/Min2Cond2.java"**）。

```
System.out.println("小さいのは" + (a < b ? a : b) + "です。");
```

## 2値の差

条件式を使えば、二つの変数の値の**差**も簡潔に求められます。大きいほうから小さいほうを引けばいいわけですから、次のようになります（**"chap03/Difference.java"**）。

```
System.out.println("それらの差は" + (a < b ? b - a : a - b) + "です。");
```

## 3値の最大値

**List 3-12** に示すのは、三つの変数 **a**, **b**, **c** に整数値を読み込んで、その最大値を求めて表示するプログラムです。

**List 3-12** chap03/Max3.java

```
// 三つの整数値の最大値を求める

import java.util.Scanner;

class Max3 {

  public static void main(String[] args) {
    Scanner stdIn = new Scanner(System.in);

    System.out.print("整数a : ");  int a = stdIn.nextInt();
    System.out.print("整数b : ");  int b = stdIn.nextInt();
    System.out.print("整数c : ");  int c = stdIn.nextInt();

    int max = a;                ―1
    if (b > max) max = b;       ―2
    if (c > max) max = c;       ―3

    System.out.println("最大値は" + max + "です。");
  }
}
```

実行例

```
整数a : 1↵
整数b : 3↵
整数c : 2↵
最大値は3です。
```

3値の最大値を求める手順は、次のとおりです。

1. **max** を **a** の値で初期化する。
2. **b** の値が **max** よりも大きければ、**max** に **b** の値を代入する。
3. **c** の値が **max** よりも大きければ、**max** に **c** の値を代入する。

このような、処理の流れを定義した規則を**アルゴリズム**（algorithm）と呼びます。

**Fig.3-12** が、3値の最大値を求めるアルゴリズムのフローチャートです。

実行例のように、変数 **a**, **b**, **c** が **1**, **3**, **2** であれば、プログラムの流れは、フローチャート上の青い線の経路をたどります。

このときの変数 **max** の変化を示したのが、右ページの **Fig.3-13a** です。

▶ これ以外の値を想定してフローチャートをなぞってみましょう（図b～図e）。
たとえば、変数 **a**, **b**, **c** の値が、**1**, **2**, **3** や **3**, **2**, **1** であっても、正しく最大値を求められます。もちろん、3個の値が **5**, **5**, **5** とすべて等しかったり、**1**, **3**, **1** と2個が等しくても、正しく最大値を求められます。

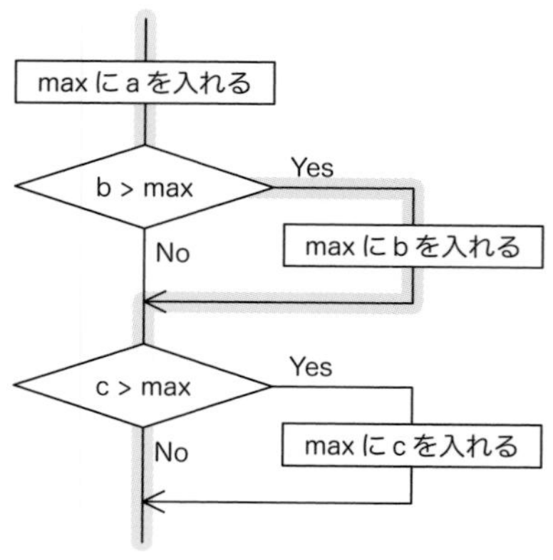


**Fig.3-12　3値の最大値を求める**

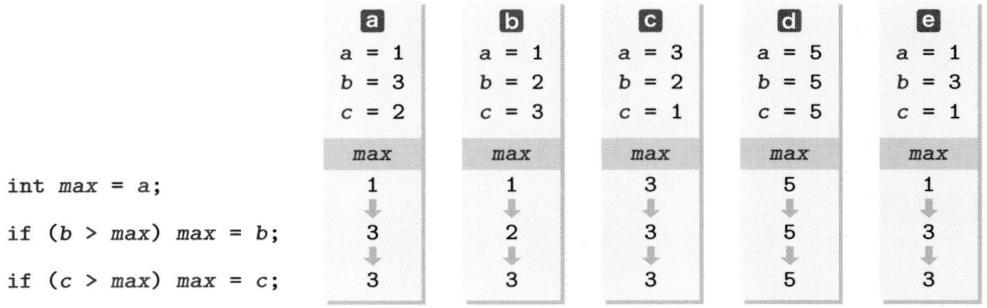

```
int max = a;
if (b > max) max = b;
if (c > max) max = c;
```

| | a | b | c | d | e |
|---|---|---|---|---|---|
| | a = 1<br>b = 3<br>c = 2 | a = 1<br>b = 2<br>c = 3 | a = 3<br>b = 2<br>c = 1 | a = 5<br>b = 5<br>c = 5 | a = 1<br>b = 3<br>c = 1 |
| | max | max | max | max | max |
| int max = a; | 1 | 1 | 3 | 5 | 1 |
| if (b > max) max = b; | 3 | 2 | 3 | 5 | 3 |
| if (c > max) max = c; | 3 | 3 | 3 | 5 | 3 |

**Fig.3-13　3値の最大値を求める過程での変数 max の変化**

『アルゴリズム』という用語は、JIS X0001 で次のように定義されています。

---

**問題を解くためのものであって、明確に定義され、順序付けられた有限個の規則からなる集合。**

---

もちろん、いくら曖昧さがなく明確に記述されていても、変数の値によって、問題が解けたり解けなかったりするのでは、正しいアルゴリズムとはいえません。

▶ 本プログラムは、（`else` をもたない）`if` 文が2個並んでおり、それらの両方が順に実行されます。そのため、それぞれの `if` 文で、制御式が `true` となったときにのみ表示が行われます。
`else` 付きの `if` 文や、入れ子の `if` 文とは、まったく異なりますので、混同しないようにしましょう。

### Column 3-4　Java の文法と用語について（その1）

Java の言語仕様は、HTML 形式と PDF 形式とで、次のサイトで公開されています。

Java Language and Virtual Machine Specifications
`https://docs.oracle.com/javase/specs/`

もちろん、各種の資格試験などは、ここで公開されている仕様に基づいて出題されます。

さて、**Table 3-5**（p.67）で学習した、**?:** 演算子の名称は**条件演算子**であり、この演算子を適用した式の名称は**条件式**です。

ところが、多くの書籍やネットのサイトにおいて、`if` 文の形式が“`if`（条件式）文”である、といった無責任な解説が行われています（`switch` 文や、`while` 文なども同様です）。これだと、言語仕様と照らし合わせると、**()** の中には、**?:** 演算子を適用した式しか置けなくなってしまいます。

また、p.13 でも解説しましたが、**クラスブロック**という概念は、Java にはありません。ブロックについては、次ページで学習しますが、クラス全体を囲む **{}** が、ブロックではないことは、言語仕様からも明らかです。

二つの例を示しましたが、この他にも、あまりにも多くの問題のある解説が、あふれています。

用語は、その言語のあり方を規定します。正しい用語を使わない書籍やネットの情報を鵜呑みにしないようにしましょう。間違った学習しか行えないからです。

## ブロック

二つの整数値を読み込んで、小さいほうの値と、大きいほうの値の両方を求めることにしましょう。**List 3-13** に示すのが、そのプログラムです。

**List 3-13** chap03/MinMax.java

```
// 二つの整数値の小さいほうの値と大きいほうの値を求めて表示

import java.util.Scanner;

class MinMax {

  public static void main(String[] args) {
    Scanner stdIn = new Scanner(System.in);

    System.out.print("整数a：");  int a = stdIn.nextInt();
    System.out.print("整数b：");  int b = stdIn.nextInt();

    int min, max;   // 小さいほうの値／大きいほうの値

    if (a < b) {    // aがbより小さければ
      min = a;                                    ❶
      max = b;
    } else {        // そうでなければ
      min = b;                                    ❷
      max = a;
    }

    System.out.println("小さいのは" + min + "です。");
    System.out.println("大きいのは" + max + "です。");
  }
}
```

実行例

```
① 整数a：32↵
   整数b：15↵
   小さいのは15です。
   大きいのは32です。

② 整数a：5↵
   整数b：10↵
   小さいのは5です。
   大きいのは10です。
```

本プログラムの **if** 文は、**a** が **b** より小さい場合と、そうでない場合とで、それぞれ、次の部分を実行します。

```
❶ { min = a; max = b; }     // aがbより小さければ

❷ { min = b; max = a; }     // そうでなければ
```

いずれも、2個の文が **{ }** で囲まれた構造です。

文の並びを **{ }** で囲むという、**Fig.3-14** の構文をもつ文は、ブロック（block）と呼ばれます。

なお、**{ }** 中の文の個数は任意であって、0 個でも構いません。

**Fig.3-14　ブロックの構文図**

そのため、次に示す四つは、いずれもブロックです。

```
{ }                                                { }          文は0個
{ System.out.print("ABC"); }                       { 文 }       文は1個
{ x = 15;  System.out.print("ABC"); }              { 文 文 }    文は2個
{ x = 15;  y = 30;  System.out.print("ABC"); }     { 文 文 文 } 文は3個
```

▶ 構文図の読み方については、**Column 3-6**（p.73）を参照しましょう。

ブロックは、構文上、単一の文とみなされますので、本プログラムの **if** 文は、次のように解釈されます。

```
if (a < b) { min = a; max = b; } else { min = b; max = a; }
if ( 式 )          文            else         文
```

さて、**if** 文の構文は、次に示すいずれかの形式でした。

**if ( 式 ) 文**
**if ( 式 ) 文 else 文**

すなわち、**if** 文が制御する文は1個だけであって、**else** 以降も1個だけです。そのため、本プログラムの **if** 文は、この構文にきちんとのっとっていることになります。

**重要** 単一の文が要求される箇所で、複数の文の実行が必要であれば、それらをまとめてブロックとして実現する。

本プログラムの **if** 文から、両方の **{ }** を削除したらどうなるか検証しましょう。

chap03/MinMaxError.java

```
✕ ←── if文 ──→        ←式文→    ⬇ 理解不能!!
  if (a < b) min = a;   max = b;   else  min = b;  max = a;
  if ( 式 )    文        式;
```

**if 文**は青網部であって、続く **max = b;** は**式文**です。その後ろの **else** は、先頭の **if** とは対応しません。そのため**コンパイル時エラー**となります。

＊

さて、**{ }** 内に置く文が1個であってもブロックとなることを利用すると、**List 3-10**（p.66）の **if** 文は、右のように実現できます。

```
if (a < b) {
  min = a;
} else {
  min = b;
}
```

このように、制御対象の文が1個であっても、必ず **{ }** で囲むスタイルがあります。

このスタイルのメリットは、文の増減に伴って **{ }** を付けたり外したりしなくてすむ、ということです。

▶ 本書では、プログラム提示スペース節約のために、極力 **{ }** を付けないスタイルを採用しています。

### Column 3-5　ブロックと文

本書で示す構文図の一部は、細かい規則を省略しています。たとえば、ブロックの中に置ける**文**は、**ブロック文**（block statement）と呼ばれる文に限られます。ブロック文は、通常の**文**に、**局所変数宣言文**と**クラス宣言**を含めたものです。

## 2値のソート

二つの変数aとbに整数値を読み込み、昇順（小さい順）、すなわちa≦bとなるようにソートする（sort：並べかえる）プログラムを作りましょう。**List 3-14**が、そのプログラムです。

▶ 小さい順ではなくて、大きい順に並べるソートは、**降順**ソートと呼ばれます。



**List 3-14** chap03/Sort2.java

```
// 二つの変数を昇順（小さい順）にソート

import java.util.Scanner;

class Sort2 {

  public static void main(String[] args) {
    Scanner stdIn = new Scanner(System.in);

    System.out.print("変数a："); int a = stdIn.nextInt();
    System.out.print("変数b："); int b = stdIn.nextInt();

    if (a > b) { // aがbより大きければ
      int t = a; // それらの値を交換
      a = b;
      b = t;
    }

    System.out.println("昇順にソートしました。");

    System.out.println("変数aは" + a + "です。");
    System.out.println("変数bは" + b + "です。");
  }
}
```

実行例

```
1 変数a：57
  変数b：13
  昇順にソートしました。
  変数aは13です。
  変数bは57です。
2 変数a：0
  変数b：1
  昇順にソートしました。
  変数aは0です。
  変数bは1です。
```

本プログラムでは、**2値の昇順ソート**を、次の手続きで行っています。

aの値がbより大きければ、aとbの**2値の交換**を行う。

▶ aの値がb以下のときに交換が不要なのは、ソートずみだからです（実行例2）。

まず、網かけ部のブロック内の先頭行に着目しましょう。これは、値の交換のための作業用変数tの宣言です。変数の宣言に関しては、次の方針をとるのが基本です。

**重要** ブロックの中でのみ利用する変数は、そのブロックの中で宣言する。

▶ このようにすべき理由などは、第7章で学習します。

さて、ブロック内での**2値の交換**の手順は、次のようになっています。

1 aの値をtに保存しておく。
2 bの値をaに代入する。
3 tに保存しておいた最初のaの値をbに代入する。

**Fig.3-15**に示すように、この三つのステップで、aとbの値の交換は完了します。

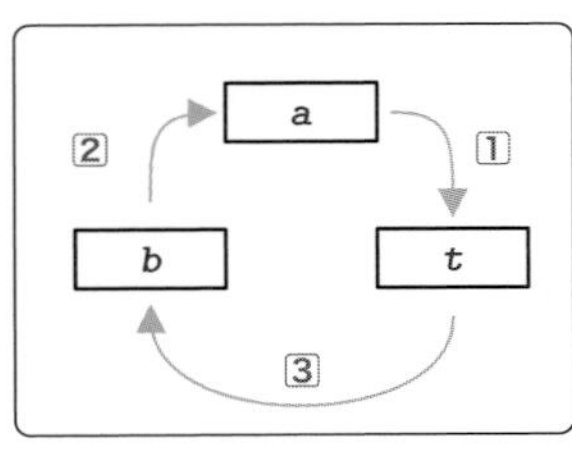


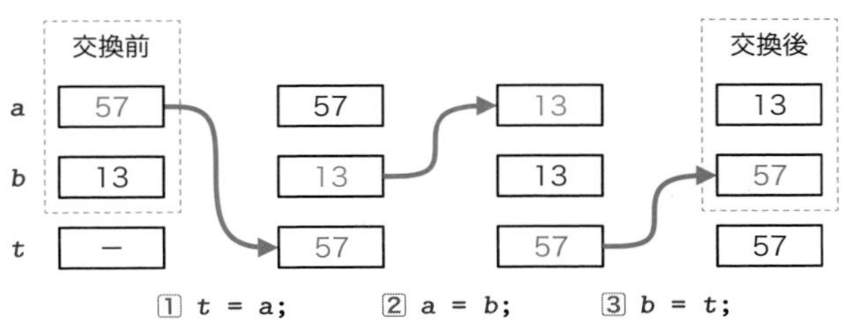


**Fig.3-15　2値の交換手順**

▶　2値の交換を右のように行ってはいけません。
　二つの変数 a と b の値が、代入前の b の値になってしまうからです。

```
a = b;
b = a;
```

2値の昇順ソートを行いました。

もし**2値の降順ソート**を行うのであれば、**if** 文を次のように書きかえます。制御式の不等号の向きを逆にするだけです（**"chap03/Sort2Descending.java"**）。

```
if (a < b) {   // aがbより小さければ
  int t = a;   // それらの値を交換
  a = b;
  b = t;
}
```

## Column 3-6　構文図について（その2）

構文図に慣れるために、**Fig.3C-1** に示す四つの具体例を理解していきましょう。

Ⓐ先頭から末尾まで行って終了するルートと、分岐点から下におりて《**文**》を通るルートがあります。
　『∅個の文、または1個の文』です。

Ⓑ先頭から末尾まで行って終了するルートがあるのはⒶと同じです。また、分岐点で下におりて《**文**》を通って先頭に戻れます。いったん戻った後は、末尾まで行って終了することもできますし、再び分岐点から《**文**》を通って、先頭に戻ることもできます。
　『∅個以上の、任意の個数の文』です。

Ⓒこれは Ⓐと同じです。
　『∅個の文、または1個の文』です。

Ⓓ先頭から末尾まで行くルートの途中に《**文**》があります。また、分岐点で下におりて先頭に戻れます。いったん戻った後は、再び《**文**》を通過した上で終了することもできますし、再び分岐点から先頭に戻ることもできます。
　『1個以上の、任意の個数の文』です。

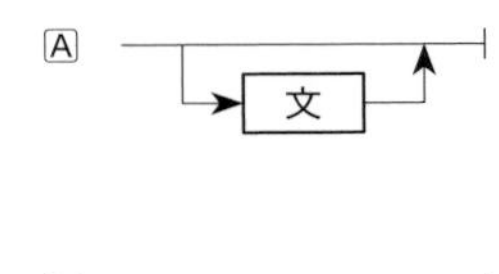

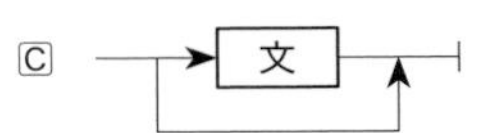


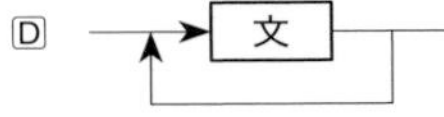


**Fig.3C-1　構文図の例**

# 3-2 switch 文

if 文は、ある条件の判定結果に応じて、プログラムの流れを二つに分岐する文でした。本節で学習する switch 文を用いると、複数の分岐を一度に行えます。



## switch 文

ジャンケンの《手》を表示するプログラムを作りましょう。**List 3-15** は、変数 ***hand*** の値が **0** であれば **"グー"**、**1** であれば **"チョキ"**、**2** であれば **"パー"** を表示するプログラムです。

**List 3-15** chap03/FingerFlashing1.java

```
// ジャンケンの手を表示（if文）

import java.util.Scanner;

class FingerFlashing1 {

  public static void main(String[] args) {
    Scanner stdIn = new Scanner(System.in);

    System.out.print("手を選べ（0…グー／1…チョキ／2…パー）：");
    int hand = stdIn.nextInt();

    if (hand == 0)
      System.out.println("グー");
    else if (hand == 1)
      System.out.println("チョキ");
    else if (hand == 2)
      System.out.println("パー");
  }
}
```

if 文

実行例

```
手を選べ（0…グー／1…チョキ／2…パー）：0
グー
```

入れ子の **if** 文は、***hand*** の値をもとにして、プログラムの流れを三つに分岐します。

プログラム作成時は ***hand*** を何回もタイプしますので、その過程でタイプミスするかもしれませんし、プログラムの解読時は、各 **if** 文の制御式をじっくりと読む必要があります。

＊

このような分岐を簡潔に実現するのが、**switch 文** (switch statement) です。これは、一つの式を評価した値によって、プログラムの流れを複数に分岐させる、**切替え**（きりかえ）**スイッチ**のような文です。

**switch** 文によって書きかえたのが、**List 3-16** です。簡潔で見通しがよくなっています。

**List 3-16** chap03/FingerFlashing2.java

```
// ジャンケンの手を表示（switch文）
-----------------------------------------
    switch (hand) {
     case 0 : System.out.println("グー");   break;
     case 1 : System.out.println("チョキ"); break;
     case 2 : System.out.println("パー");   break;
    }
```

switch 文

### ラベル

プログラムの流れが **switch** 文に差しかかると、最初に **()** 内の**制御式**が評価されます。そして、その評価結果に基づいて、プログラムの流れを、どこに移すのかが決定されます。

本プログラムの制御式は、***hand*** です。***hand*** の値を評価した値が **1** であれば、**Fig.3-16** に示すように、プログラムの流れは、一気に“**case 1 :**”へと移ります。

なお、プログラムの飛び先の目印となる“**case 1 :**”は、ラベル（label）と呼ばれます。

▶ **case** と **1** のあいだには空白が必要です。その一方で、**1** とコロン **:** のあいだの空白は、あってもなくても構いません。

プログラムの流れがラベルへと飛んだ後は、その後ろに置かれた文が順次実行されます。そのため、***hand*** が **1** のときに実行されるのは、表示を行うための、次の文です。

```
System.out.println("チョキ");    // handが1のときに実行される文
```

### break 文

表示後に実行されるのが、**break**（ブレイク）文（break statement）と呼ばれる“**break;**”です。

この **break** 文は、それを囲んでいる **switch** 文の実行を中断・終了させる文です。

**重要** break 文を実行すると、プログラムの流れは switch 文から抜け出す。

▶ break は、『破る』『抜け出る』という意味です。

そのため、***hand*** の値が **1** のときは、画面には **"チョキ"** を表示した直後に、**switch** 文を突き破って抜け出ます（その下に置かれている **"パー"** を表示する文は実行されません）。

もちろん、***hand*** が **0** であれば **"グー"** だけが表示されますし、**2** であれば **"パー"** だけが表示されます。

▶ **break** 文によって抜け出た後は、**switch** 文の次に置かれた文が実行されます。本プログラムの場合は、**switch** 文の後ろには文がありませんので、プログラムの実行が終了します。

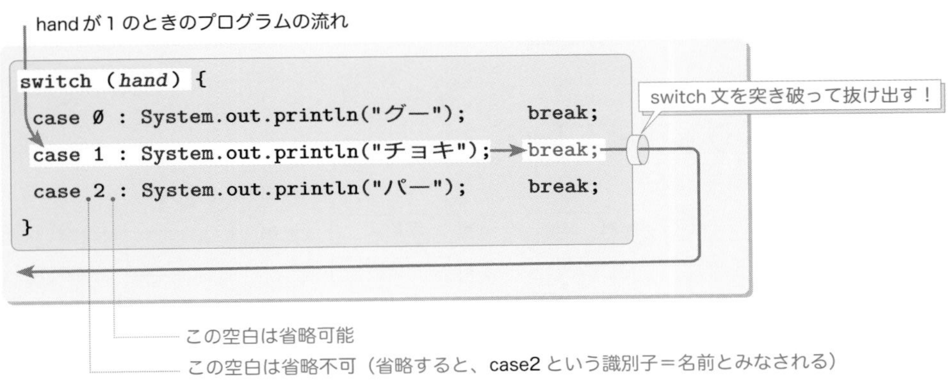


**Fig.3-16　switch 文におけるプログラムの流れと break 文の働き**

*hand* の値が Ø, 1, 2 以外の値であれば、一致するラベルがないため、switch 文は実質的に素通り（すどおり）されます（何も表示されません）。

さて、label は『名札（なふだ）』という意味です。同じ値のラベルを複数個置くことはできません。また、ラベルの値は**定数**でなければならず、変数は不可です。

Fig.3-17 が break 文の構文図です。break の後ろには識別子を置くことができます（p.118）。

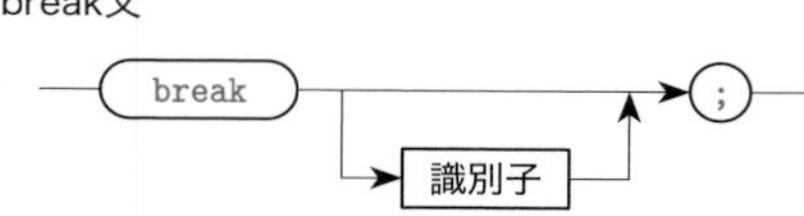


**Fig.3-17 break 文の構文図**



### ▪ 最後のケース部に置かれた break 文

case 2 に着目しましょう。"パー" の表示の後に置かれた break 文は不要なはずです。というのも、この break 文があってもなくても、switch 文が終了するからです。

それでは、ジャンケンの手が4種類に増えて、値が 3 の「プー」が追加されたとしましょう。その場合、switch 文は、次のように変更することになります。

```
switch (hand) {
 case Ø : System.out.println("グー");   break;
 case 1 : System.out.println("チョキ"); break;
 case 2 : System.out.println("パー");   break;
 case 3 : System.out.println("プー");   break;
}
```

青網部が追加箇所です。今回の switch 文では、赤網部の break 文は必須です。

もし変更前のプログラムに赤網部の break 文がなければ、“**ラベルの追加に伴って必要となる break 文の追加を忘れてしまう**” というミスを犯しかねません。最後のケース部に置かれた break 文は、ラベルの追加や削除に伴う、プログラムの変更を確実かつ容易にします。

**重要** switch 文の最後のケース部の末尾にも break 文を置く。

Fig.3-18 に示すのが、switch 文の構文図です。なお、( ) で囲まれた制御式は、**整数型**、**列挙型**、**文字列型**のいずれかでなければなりません。

▶ 具体的には、char 型、byte 型、short 型、int 型、Character 型、Byte 型、Short 型、Integer 型、列挙型、String 型のいずれかでなければなりません。

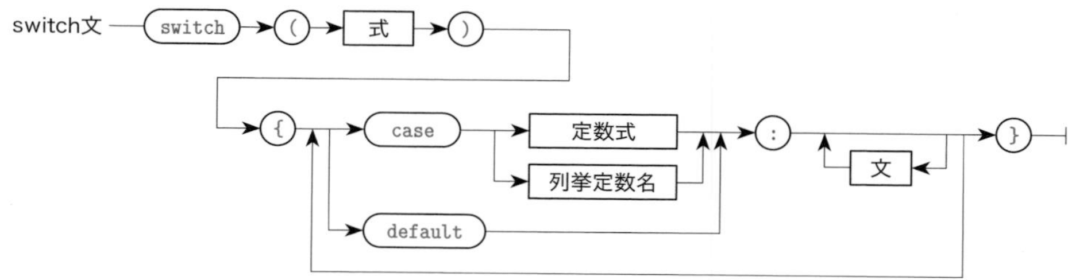


**Fig.3-18 switch 文の構文図**

### defaultラベル

ラベルとbreak文の働きについて理解を深めていきます。List 3-17のプログラムを実行して、いろいろな値を入力してみましょう。

List 3-17 chap03/SwitchBreak.java

```
// switch文とbreak文の働きの理解を深めるためのプログラム

import java.util.Scanner;

class SwitchBreak {

  public static void main(String[] args) {
    Scanner stdIn = new Scanner(System.in);

    System.out.print("整数：");
    int n = stdIn.nextInt();

    switch (n) {
     case 0 : System.out.print("A");
              System.out.print("B");
              break;
     case 2 : System.out.print("C");
     case 5 : System.out.print("D");
              break;
     case 6 :
     case 7 : System.out.print("E");
              break;
     default: System.out.print("F");
              break;
    }
    System.out.println();
  }
}
```

実行例

```
1 整数：0↵
  AB
2 整数：2↵
  CD
3 整数：5↵
  D
4 整数：6↵
  E
5 整数：7↵
  E
6 整数：8↵
  F
```

本プログラムのswitch文の最後のラベルは、これまでとは形式が異なります。

```
default:    // どのラベルとも一致しないときの飛び先を表すラベル
```

このdefaultラベルは、制御式を評価した値が、いずれのcaseとも一致しないときに、プログラムの流れが飛ぶラベルです。

そのため、本プログラムのswitch文の処理の流れはFig.3-19となります。

プログラムと図を見比べれば、break文が置かれていない箇所では、プログラムの流れが、次の文へと**落ちる**（fall through）ことが分かります。

なお、本プログラムのswitch文内のラベルの順序を変えると、実行結果も変化します。

switch文を使うときは、ラベルの順序に配慮が必要です。

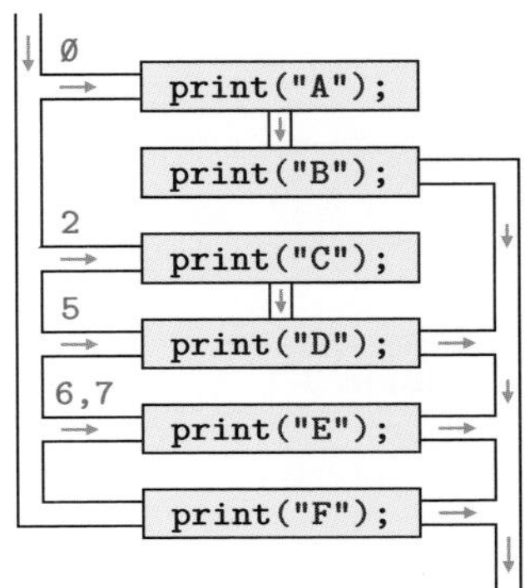


**Fig.3-19** switch文の流れ

## 選択文

**if** 文と **switch** 文は、プログラムの流れを分岐させるという点で共通です。これら二つの文をまとめて選択文（selection statement）と呼びます。

### if 文と switch 文

**if** 文と **switch** 文のどちらを使っても実現できる分岐は、**switch** 文のほうが読みやすくなる傾向があります。そのことを、**Fig.3-20** に示す二つのコード（プログラム部分）で考えましょう。

```
if (p == 1)
  c = 10;
else if (p == 2)
  c = 20;
else if (p == 3)
  c = 50;
else if (q == 4)
  c = 80;
```

同じ

```
switch (p) {
 case 1   : c = 10;  break;
 case 2   : c = 20;  break;
 case 3   : c = 50;  break;
 default  : if (q == 4) c = 80; break;
}
```

**Fig.3-20　等価な if 文と switch 文**

まずは、**if** 文をじっくり読みましょう。先頭の三つの **if** は *p* の値を調べていますが、最後の **if** では *q* の値を調べています。そのため、変数 *c* に **80** が代入されるのは、*p* が **1, 2, 3** のいずれでもなく、かつ *q* が **4** であるときです。

連続した **if** において、分岐のための比較対象が**同じ式であるとは限りません**。そのため、最後の制御式 *q* **== 4** については、次の可能性があります。

- **if (*p* == 4)** と読み間違えられる。
- **if (*p* == 4)** の書き間違いではないかと勘ぐられる。

その点、**switch** 文のほうは、全体の見通しがよいため、プログラムを読む人が、そのような疑念を抱くことが少なくなります。

**重要** 単一の式の値によるプログラムの流れの分岐は、**if** 文ではなくて **switch** 文によって実現したほうがよい場合が多い。

**Column 3-7　switch 文と switch 式**

Java 14 からは、**switch** 文の構文が改訂されるとともに、**switch 式**が新規に導入されています。

▪ case ラベルにおける複数の式の指定

Java 13 までは、**case** ラベルで指定できるのは、単一の式に限られていました。Java 14 からは、コンマ文字 **,** で区切ることによって、複数の式が指定できます。

**List 3-17**（p.77）の **switch** 文で考えましょう。**Fig.3C-2** ⓐに示すように、**6** と **7** に対して同じ処理を行わせるために、二つの **case** ラベルを記述しています。Java 14 からは、図ⓑに示すように、コンマ文字 **,** で区切ることで、単一の **case** ラベルに集約できます（**"chap03/SwitchBreak2.java"**）。

ⓐ Java 13まで

```
case 6 :
case 7 : System.out.print("E");
         break;
```

ⓑ Java 14から

```
case 6, 7:
        System.out.print("E");
        break;
```

**Fig.3C-2　switch 文の case ラベル**

#### ■ switch 式

**条件式**が、**if** 文を単一の式にまとめたものに相当することを本章で学習しました。それと同様に、**switch** 文を単一の式にまとめたものに相当するのが、**switch** 式（switch expression）です。

記述方法は、**switch** 文と似ています。ただし、**case** ラベルの **:** が不要です。また、ラベルの後ろに置くのは、"**-> 式 ;**" あるいは、"**-> ブロック**" となります。

**List 3C-1** に示すのが、プログラム例です。変数 ***month*** に読み込んだ値をもとに、季節を表示します。

**List 3C-1**　　chap03/SeasonSwitch.java

```
// 読み込んだ月の季節を文字列に入れて表示（switch式）

import java.util.Scanner;

class SeasonSwitch {

  public static void main(String[] args) {
    Scanner stdIn = new Scanner(System.in);

    System.out.print("季節を求めます。\n何月ですか：");
    int month = stdIn.nextInt();

    String season = switch(month) {
      case 3,  4,  5 -> "春";
      case 6,  7,  8 -> "夏";
      case 9, 10, 11 -> "秋";
      case 1,  2, 12 -> "冬";
      default        -> "不明";
    };
    System.out.println("季節は" + season + "です。");
  }
}
```

実行例

```
1 季節を求めます。
  何月ですか：3↵
  季節は春です。

2 季節を求めます。
  何月ですか：15↵
  季節は不明です。
```

**switch** 式を評価すると、該当するラベルの **->** の後ろに置かれた**式**の値が生成されます。たとえば、変数 ***month*** の値が **3** であれば、**switch** 式の評価によって、**String** 型の **"春"** が得られます。そのため、変数 ***season*** は、**"春"** で初期化される、という仕組みです。

なお、**switch** の分岐の対象となる**式**で表現できる値のすべて（**int** 型であれば、**-2,147,483,648** ～ **2,147,483,647** のすべての値）を、ラベルで列挙する必要があります。そのため、**default** ラベルが、（実質的に）必須となります（もちろん、制御式が**論理型**であれば、**true** と **false** の二つのラベルを列挙しておけば、**default** ラベルは不要です）。

# 3-3 プログラムの構成要素

本章では、式文、if 文、switch 文とともに、数多くの演算子を学習しました。ここでは、演算子を含めたプログラムの構成要素について学習します。

## キーワード

特別な意味が与えられた **if** や **else** などの語句は、キーワード（keyword）と呼ばれます。Java のキーワードは、**Table 3-6** に示す 51 個です。

**Table 3-6　キーワードの一覧**

| | | | | | |
|---|---|---|---|---|---|
| abstract | assert | boolean | break | byte | case |
| catch | char | class | const | continue | default |
| do | double | else | enum | extends | final |
| finally | float | for | goto | if | implements |
| import | instanceof | int | interface | long | native |
| new | package | private | protected | public | return |
| short | static | strictfp | super | switch | synchronized |
| this | throw | throws | transient | try | void |
| volatile | while | _ | | | |

▶ 単一の下線文字 _ が正式にキーワードとなったのは、Java 9 からです。なお、**const** と **goto** は、キーワードとして予約されているだけであって、実際には使えません。

なお、正式なキーワードではないのですが、それに準ずる存在として、**true**、**false**、**null**、**var**、**yield** があります。

▶ 下記の 10 個の語句（restricted keyword）も、キーワードに近い扱いを受けます。
**open　module　requires　transitive　exports　opens　to　uses　provides　with**

## 区切り子

識別子やキーワードなど、各語句のあいだには、基本的には空白が必要です。たとえば、“**case 1:**” の **case** と **1** をくっつけて “**case1:**” とすることはできません。

ただし、区切り子（delimiter）が置かれていれば、その前後の空白は不要です。そのため、区切り子 **( )** を使えば、空白を入れずに “**case(1):**” と記述できます。

Java の区切り子は、**Table 3-7** に示す 9 個です。

**Table 3-7　区切り子の一覧**

| | | | | | | | | |
|---|---|---|---|---|---|---|---|---|
| [ | ] | ( | ) | { | } | , | : | . |

## 識別子

識別子（identifier）は、変数・ラベル（第４章）・メソッド（第７章）・クラス（第８章）などの名前です。命名は自由ですが、次の制約があります。

- 識別子の１文字目は、次のいずれかでなければならない。
  - いわゆる文字（$と_を含む）
- 識別子の２文字目以降は、次のいずれかでなければならない。
  - いわゆる文字（$と_を含む）
  - 数字

数字が使えるのが、２文字目からであることを覚えておきましょう。また、キーワードに加えて、**true**、**false**、**null** なども識別子としては利用できません。

▶ **$** は Java コンパイラがバイトコードを生成する際に内部的に利用する文字です。ソースプログラムでは使わないことが推奨されています。

なお、“いわゆる文字”には、アルファベットだけでなく、漢字文字なども含まれます。

＊

正しい識別子と、誤った識別子の例を示します。

- 正しい識別子の例

| | | | | | |
|---|---|---|---|---|---|
| v | v1 | va | $x | $1 | _1 |
| 壱 | 整数 | If | iF | Xデイ | X1000 |

- 誤った識別子の例

| | | | | | |
|---|---|---|---|---|---|
| 1 | 12 | 9801 | 1$ | \1 | !! |
| if | #911 | -x | {x} | #if | 0-1-2 |

▶ 変数名などの識別子として、漢字や仮名なども利用できます。ただし、日本語以外の言語圏の人々が理解できなくなってしまいますので、漢字や仮名の利用は、基本的にはお勧めできません。
　識別子の与え方、すなわち、命名法については、p.256 で学習します。

## リテラル

これまで使ってきた**整数リテラル・浮動小数点リテラル・文字列リテラル**などのリテラルも、プログラムを構成する要素の一つです。

▶ 整数リテラルと浮動小数点リテラルの詳細は第５章で学習し、文字列リテラルの詳細は第16章で学習します。

## 演算子

本章では、数多くの演算子（operator）を学習しました。Javaで利用できる、全演算子をまとめたのが、右ページの **Table 3-8** です。

### 優先度

演算子の一覧表は、先頭側が優先度（precedence）が高くなるように並んでいます。たとえば、乗除算を行う*と/の優先度が、加減算を行う+や-よりも高いのは、私たちの日常生活での計算の規則と同じです。そのため、

```
a + b * c          // a + (b * c) と解釈される
```

では、+のほうが優先度が低いため、(a + b) * cではなくa + (b * c)と解釈されます。

＊

さて、+演算子は、数値の加算だけでなく、**文字列の連結**にも使われるのでした。

そのため、+演算子より低い優先度の演算子を用いた式を、文字列の連結で使うときは、その式を()で囲む必要があります。次の例で理解しましょう。

```
// *は+より優先度が高いため()は不要
System.out.print(a * b + "\n");

// ?:は+より優先度が低いため()が必要
System.out.print((a > b ? a : b) + "\n");
```

▶ 優先度が+より高い演算子を使う式であっても、()で囲んでおいたほうが読みやすくなる傾向があります。多すぎない範囲で、なるべく()で囲むようにします。

### 結合規則

同じ優先度の演算子が連続するときに、左右どちらの演算を先に行うかを示すのが、結合規則＝結合性（associativity）です。

2項演算子を○と表した場合、式a○b○cを

| | |
|---|---|
| (a○b)○c | 左結合 |

とみなすのが、左結合性の演算子であり、

| | |
|---|---|
| a○(b○c) | 右結合 |

とみなすのが、右結合性の演算子です。

たとえば、減算を行う2項-演算子は、左結合性の演算子ですから、

```
5 - 3 - 1  ⇨  (5 - 3) - 1          // 2項-演算子は左結合
```

です。もし右結合性だったら、5 - (3 - 1)と解釈され、演算結果も違ってきます。

▶ 代入演算子は右結合性ですから、a = b = 1は、a = (b = 1)と解釈されます（p.59）。

**Table 3-8　全演算子の一覧**

<table>
<tr><th>優先度</th><th>演算子</th><th>形 式</th><th>名 称</th><th>結合性</th></tr>
<tr><td rowspan="5">1</td><td>[ ]</td><td>x[y]</td><td>インデックス演算子</td><td rowspan="5">左</td></tr>
<tr><td>( )</td><td>x(arg$_{opt}$)</td><td>メソッド呼出し演算子</td></tr>
<tr><td>.</td><td>x.y</td><td>メンバアクセス演算子</td></tr>
<tr><td>++</td><td>x++</td><td>後置増分演算子</td></tr>
<tr><td>--</td><td>x--</td><td>後置減分演算子</td></tr>
<tr><td rowspan="6">2</td><td>++</td><td>++x</td><td>前置増分演算子</td><td rowspan="6">右</td></tr>
<tr><td>--</td><td>--x</td><td>前置減分演算子</td></tr>
<tr><td>+</td><td>+x</td><td>単項 + 演算子</td></tr>
<tr><td>-</td><td>-x</td><td>単項 - 演算子</td></tr>
<tr><td>!</td><td>!x</td><td>論理補数演算子</td></tr>
<tr><td>~</td><td>~x</td><td>ビット単位の補数演算子</td></tr>
<tr><td rowspan="2">3</td><td>new</td><td>new</td><td>new 演算子</td><td rowspan="2">左</td></tr>
<tr><td>( )</td><td>( )</td><td>キャスト演算子</td></tr>
<tr><td rowspan="3">4</td><td>*</td><td>x * y</td><td rowspan="3">乗除演算子</td><td rowspan="3">左</td></tr>
<tr><td>/</td><td>x / y</td></tr>
<tr><td>%</td><td>x % y</td></tr>
<tr><td rowspan="2">5</td><td>+</td><td>x + y</td><td rowspan="2">加減演算子</td><td rowspan="2">左</td></tr>
<tr><td>-</td><td>x - y</td></tr>
<tr><td rowspan="3">6</td><td><<</td><td>x << y</td><td rowspan="3">シフト演算子</td><td rowspan="3">左</td></tr>
<tr><td>>></td><td>x >> y</td></tr>
<tr><td>>>></td><td>x >>> y</td></tr>
<tr><td rowspan="5">7</td><td><</td><td>x < y</td><td rowspan="4">関係演算子</td><td rowspan="4">左</td></tr>
<tr><td>></td><td>x > y</td></tr>
<tr><td><=</td><td>x <= y</td></tr>
<tr><td>>=</td><td>x >= y</td></tr>
<tr><td>instanceof</td><td>x instanceof y</td><td>instanceof 演算子</td><td>左</td></tr>
<tr><td rowspan="2">8</td><td>==</td><td>x == y</td><td rowspan="2">等価演算子</td><td rowspan="2">左</td></tr>
<tr><td>!=</td><td>x != y</td></tr>
<tr><td>9</td><td>&</td><td>x & y</td><td>ビット論理積演算子</td><td>左</td></tr>
<tr><td>10</td><td>^</td><td>x ^ y</td><td>ビット排他的論理和演算子</td><td>左</td></tr>
<tr><td>11</td><td>|</td><td>x | y</td><td>ビット論理和演算子</td><td>左</td></tr>
<tr><td>12</td><td>&&</td><td>x && y</td><td>論理積演算子</td><td>左</td></tr>
<tr><td>13</td><td>||</td><td>x || y</td><td>論理和演算子</td><td>左</td></tr>
<tr><td>14</td><td>? :</td><td>x ? y : z</td><td>条件演算子</td><td>左</td></tr>
<tr><td rowspan="2">15</td><td>=</td><td>x = y</td><td>単純代入演算子</td><td rowspan="2">右</td></tr>
<tr><td colspan="2">*= /= %= += -= <<= >>= >>>= &= ^= |=</td><td>複合代入演算子</td></tr>
</table>

# まとめ

- “**変数**”、“**リテラル**”、“**変数やリテラルを演算子で結合したもの**”が、式である（ただし、例外的な構文の式もある)。
- 式には型と値があり、それらは**プログラム実行時**の評価によって得られる。
- 式の後ろにセミコロン ; を置いた**文**は、式文である。セミコロンだけの**文**は、空文である。
- 任意の個数の文を { } で囲んだ**文**が、ブロックである。ブロックの中でのみ利用する変数は、ブロックの中で宣言するのが原則である。
- ある条件が成立したときにのみ行うべきことがあれば、if-then 文で実現する。また、条件の真偽によって異なる処理を行うのであれば、if-then-else 文で実現する。両者の総称が if 文である。
- ある単一の式を評価した値に応じて、プログラムの流れを複数に分岐する必要があれば、switch 文を利用するとよい。分岐先はラベルである。制御式を評価した値と等しい値のラベルがなければ、default ラベルへと分岐する。
- switch 文の中で break 文が実行されると、switch 文の実行が中断・終了する。
- 演算子ごとに、優先度や結合規則＝結合性が異なる。
- **優先度**の高い演算は、低い演算よりも優先的に行われる。同一優先度の演算子が連続した式では、**結合規則＝結合性**に基づいて、左もしくは右から演算が行われる。
- 関係演算子・等価演算子・論理補数演算子は、論理型の true（真）または false（偽）の値を生成する。
- 論理積演算子と論理和演算子と条件演算子による演算では、短絡評価が行われる。短絡評価とは、第１オペランドの評価の結果から式全体の評価が明確になる場合に、第２オペランド以降のオペランドの評価が省略されることである。
- 代入式を評価すると、代入後の左オペランドの型と値が得られる。
- 条件演算子と呼ばれる３項演算子 ? : を用いると、if 文の働きを単一の条件式に凝縮できる。
- プログラムの構成要素には、キーワード、識別子、演算子、区切り子、リテラルなどがある。
- アルゴリズムとは、『問題を解くためのものであって、明確に定義され、順序付けられた有限個の規則からなる集合』のことである。

● if 文（if-then 文）

```
if (式)
  文
```

式を評価した値が true であれば文を実行。

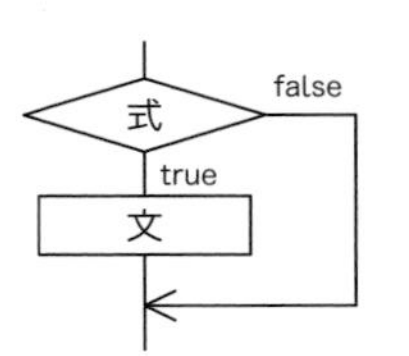


● if 文（if-then-else 文）

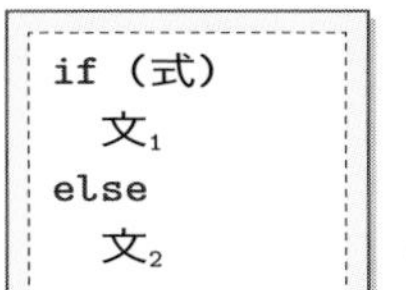

```
if (式)
  文1
else
  文2
```

式を評価した値が true であれば文$_1$を実行して、false であれば文$_2$を実行。

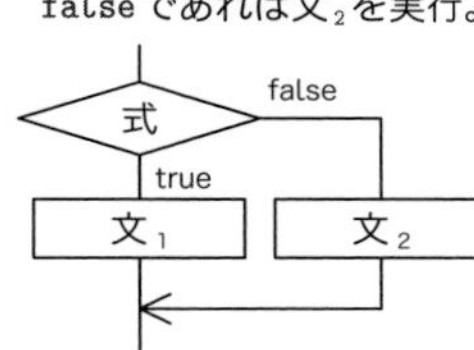


● switch 文

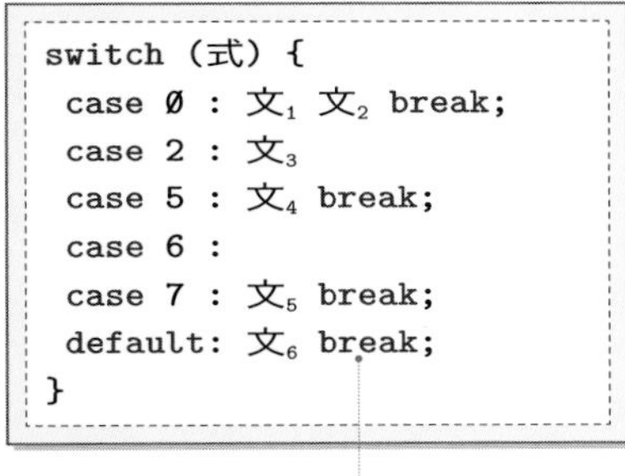

```
switch (式) {
 case 0 : 文1 文2 break;
 case 2 : 文3
 case 5 : 文4 break;
 case 6 :
 case 7 : 文5 break;
 default: 文6 break;
}
```

● break 文
switch 文の実行を中断・終了する。

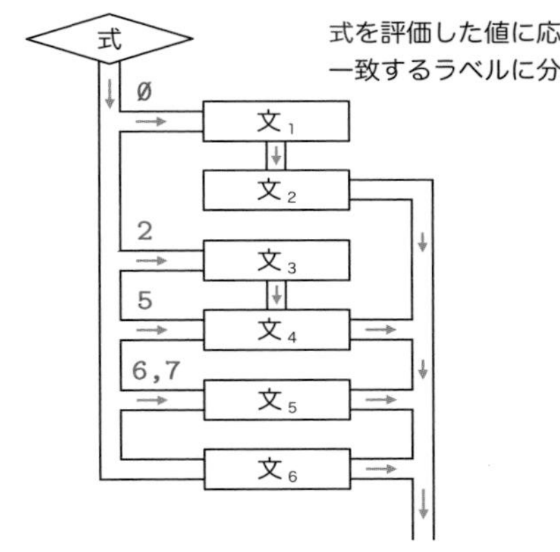


式を評価した値に応じて、一致するラベルに分岐。

●ブロック

```
{ 文 文 … }
```

任意の個数の文を{ }で囲んだもの（0 個でも可）。

```
// int型変数aとbを昇順に（a≦bとなるように）ソート
if (a > b)
  { int t = a;  a = b;  b = t; }
```

ブロック内でのみ利用する変数は、ブロックの中で宣言する。

a と b の 2 値を交換するブロック。

式には型と値がある。
それらは、プログラム実行時の“評価”によって得られる。

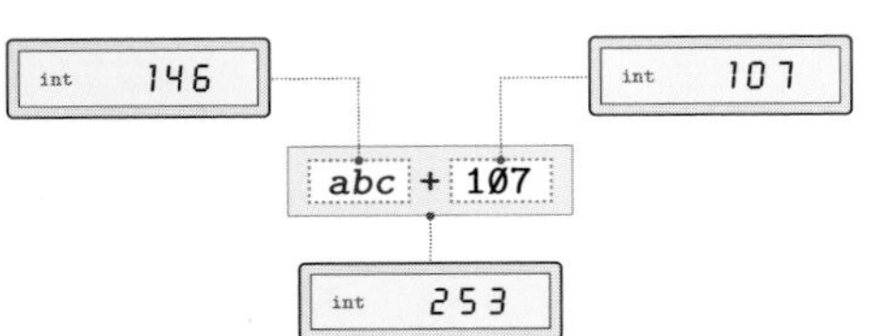


| | | |
|---|---|---|
| 関係演算子 | x < y | x > y |
| | x <= y | x >= y |
| 等価演算子 | x == y | x != y |
| 論理補数演算子 | !x | |
| 論理演算子 | x && y | x \|\| y |
| 条件演算子 | x ? y : z | |

# 第 4 章

# プログラムの流れの繰返し

本章では、プログラムの流れを繰り返す方法を学習します。

- □ do 文
- □ while 文
- □ for 文
- □ break 文と continue 文
- □ ラベル付き文
- □ 式の評価順序
- □ 文字リテラル
- □ フローチャート
- □ 多重ループ
- □ 増分演算子・減分演算子
- □ 複合代入演算子

# 4-1 do 文

プログラムで行う処理は、１回だけではなく、好きなだけ何回も繰り返し実行できます。本節で学習するdo 文は、繰返しを実現する文です。



## do 文

前章で作成した、月の季節を表示するプログラム（**List 3-9**：p.64）は、入力と表示を行えるのが、１回に限られています。好きなだけ自由に何回でも、入力と表示を繰り返せるように拡張しましょう。**List 4-1** に示すのが、そのプログラムです。

**List 4-1** chap04/Season.java

```
// 入力された月の季節を表示

import java.util.Scanner;

class Season {

  public static void main(String[] args) {
    Scanner stdIn = new Scanner(System.in);

    int retry;        // もう一度？

    do {
      System.out.print("季節を求めます。\n何月ですか：");
      int month = stdIn.nextInt();

      if (month >= 3 && month <= 5)                       // 春（3月・4月・5月）
        System.out.println("それは春です。");
      else if (month >= 6 && month <= 8)                  // 夏（6月・7月・8月）
        System.out.println("それは夏です。");
      else if (month >= 9 && month <= 11)                 // 秋（9月・10月・11月）
        System.out.println("それは秋です。");
      else if (month == 12 || month == 1 || month == 2) // 冬（12月・1月・2月）
        System.out.println("それは冬です。");

      System.out.print("もう一度？ 1…Yes／0…No：");
      retry = stdIn.nextInt();
    } while (retry == 1);
  }
}
```

do文 / ループ本体

実行例

```
季節を求めます。
何月ですか：10⏎
それは秋です。
もう一度？ 1…Yes／0…No：1⏎
季節を求めます。
何月ですか：6⏎
それは夏です。
もう一度？ 1…Yes／0…No：0⏎
```

**main** メソッドの大部分を占めている赤網部に着目します。

キーワード **do** で始まり、**文**（ブロック）をはさんで、**while ( 式 );** で終わっています。すなわち、**Fig.4-1** の構文であり、この文は、do文（ドゥー）（do statement）と呼ばれます。

**Fig.4-1　do 文の構文図**

さて、**do** は『実行せよ』という意味で、**while** は『〜のあいだ』という意味です。

そのため、**do** 文は、**Fig.4-2** に示すように、**( )** の中に置かれた**式**（**制御式**）を評価した値が **true** である限り、**文**を繰り返し実行します。

なお、繰返しはループ（loop）とも呼ばれますので、**do** 文が繰返しの対象とする**文**のことを、本書では**ループ本体**（loop body）と呼びます。

▶ 次節以降で学習する **while** 文と **for** 文が繰返しの対象とする文も、**ループ本体**と呼びます。



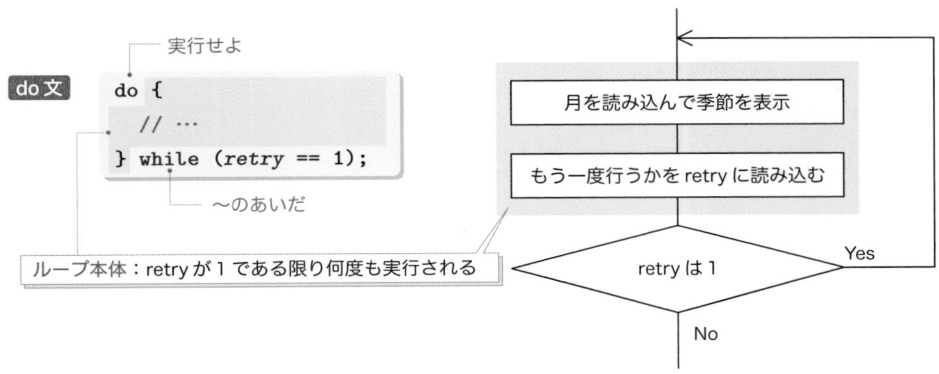


**Fig.4-2　List 4-1 の do 文のフローチャート**

本プログラムの **do** 文のループ本体は、青網部のブロックです。このブロックでは、月の入力と季節の表示を行った後に、もう一度続けるかどうかを尋ね、変数 **retry** に整数値を読み込みます。

それでは、**do** 文の繰返しの継続条件（**繰返しを続けるかどうかの判定のための条件**）である制御式に着目しましょう。

```
retry == 1                // retryは1か？
```

変数 **retry** の値が **1** であれば、この制御式は **true** と評価されます。そのため、ループ本体である青網部のブロックが再び実行されます。

▶ すなわち、制御式の評価で得られたのが **true** であれば、プログラムの流れが、ループ本体であるブロックの先頭へと戻り、もう一度ブロックが実行されます。

変数 **retry** に **1** 以外の数値が読み込まれた場合は、制御式を評価した値が **false** となるため、**do** 文の実行は終了します。

▶ すなわち、**retry** が **0** でなくても（たとえば **-1** でも）、**do** 文の実行は終了します。

**do** 文を導入したおかげで、好きなだけ自由に何回でも、入力と表示を繰り返せるプログラムになりました。

### 特定範囲の値の読込み

次は、前章の **List 3-16**（p.74）の改良を行います。

数値に応じて、『グー』『チョキ』『パー』を表示するプログラムですが、0, 1, 2 以外の値を入力すると、何も表示せずに、そっけなくプログラムが終了します。

do 文を使えば、読み込む値を 0, 1, 2 のいずれかに制限できます。**List 4-2** に示すのが、そのプログラムです。



**List 4-2** chap04/FingerFlashing.java

```
// 読み込んだ値に応じてジャンケンの手を表示（0，1，2のみを読み込む）

import java.util.Scanner;

class FingerFlashing {

  public static void main(String[] args) {
    Scanner stdIn = new Scanner(System.in);

    int hand;

    do {
      System.out.print("手を選べ（0…グー／1…チョキ／2…パー）：");
      hand = stdIn.nextInt();
    } while (hand < 0 || hand > 2);

    switch (hand) {
     case 0 : System.out.println("グー");   break;
     case 1 : System.out.println("チョキ"); break;
     case 2 : System.out.println("パー");   break;
    }
  }
}
```

do 文の終了時に hand は 0,1,2 のいずれかになっている

実行例

```
手を選べ（0…グー／1…チョキ／2…パー）：3
手を選べ（0…グー／1…チョキ／2…パー）：-1
手を選べ（0…グー／1…チョキ／2…パー）：1
チョキ
```

もとのプログラムと大きく異なる点は、キーボードからの読込み部を、do 文でくるんでいることです。

それでは、do 文の継続条件である**制御式**に着目しましょう。

```
hand < 0 || hand > 2        // handが0〜2の範囲外であるか？
```

論理和演算子 || の判定は、**『または』『いずれか一方でも』**というニュアンスでした。

そのため、変数 hand の値が、**不正な値**（0 より小さいか**または** 2 より大きい値、すなわち、0, 1, 2 以外の値）であれば、この制御式を評価した値が true となります。

そのため、hand が不正な値であれば、ループ本体のブロックが繰り返し実行されますので、再び「手を選べ（0…グー／1…チョキ／2…パー）：」と表示されて入力が促されます。

なお、キーボードから読み込んだ hand の値が 0, 1, 2 のいずれかであれば、do 文の繰返しは行われませんので、次の switch 文へと進みます。

変数 hand の値に応じてジャンケンの手を表示する switch 文は、**List 3-16** と同じです。

### 数当てゲーム

これまで学習してきた**乱数**（第2章）、**if 文**（第3章）、**do 文**を応用すると、**数当てゲーム**が作成できます。**List 4-3** に示すのが、そのプログラムです。

**List 4-3** chap04/Kazuate.java

```
// 数当てゲーム（0～99を当てさせる）

import java.util.Random;
import java.util.Scanner;

class Kazuate {

  public static void main(String[] args) {
    Random rand = new Random();
    Scanner stdIn = new Scanner(System.in);

    int no = rand.nextInt(100); // 当てるべき数：0～99の乱数として生成

    System.out.println("数当てゲーム開始!!");
    System.out.println("0～99の数を当ててください。");

    int x;                    // プレーヤが入力した数
    do {
      System.out.print("いくつかな：");          ―1
      x = stdIn.nextInt();

      if (x > no)
        System.out.println("もっと小さな数だよ。");  ―2
      else if (x < no)
        System.out.println("もっと大きな数だよ。");
    } while (x != no);   ← 不正解であれば繰り返す

    System.out.println("正解です。");
  }
}
```

実行例

```
数当てゲーム開始!!
0～99の数を当ててください。
いくつかな：50↵
もっと大きな数だよ。
いくつかな：75↵
もっと小さな数だよ。
いくつかな：62↵
正解です。
```

変数 no が《当てるべき数》であり、0 以上 99 以下の乱数として生成しています。当てるべき数の生成が完了した後は、do 文のループへと突入します。

そのループ本体内で行うのは、次の二つのことです。

1 「いくつかな：」と入力を促して、変数 x に整数値を読み込みます。

2 読み込んだ x の値が no より大きければ『もっと小さな数だよ。』と表示し、no より小さければ『もっと大きな数だよ。』と表示します。なお、x と no の値が等しければ、何も表示しません。

do 文を繰り返すかどうかの判定のための制御式は、x != no です。そのため、キーボードから読み込んだ x の値が、当てるべき数 no と**等しくないあいだ** do 文が繰り返されます。

▶ 裏返すと、do 文の繰返しは、正解するまで延々と行われます。

正解したら（読み込んだ x が、当てるべき数 no と等しくなったら）、do 文による繰返しが終了します。『正解です。』と表示してプログラムを終了します。

# 4-2 while 文

ある条件が成立するあいだ処理を繰り返すのは、do 文だけではなく、本節で学習する while 文でも実現できます。

## while 文



正の整数値を読み込んで、その値を 0 までカウントダウンしていく過程を表示するプログラムを作りましょう。それが、**List 4-4** に示すプログラムです。

**List 4-4** chap04/CountDown1.java

```
// 正の整数値を0までカウントダウン（その1）

import java.util.Scanner;

class CountDown1 {

  public static void main(String[] args) {
    Scanner stdIn = new Scanner(System.in);

    System.out.println("カウントダウンします。");
    int x;
    do {                                          ❶
      System.out.print("正の整数値：");
      x = stdIn.nextInt();
    } while (x <= 0);

    while (x >= 0) {                              ❷
      System.out.println(x);   // xの値を表示
      x--;                     // xの値をデクリメント（値を1減らす）
    }
  }
}
```

do 文 / while 文

実行例

```
カウントダウンします。
正の整数値：-10
正の整数値：5
5
4
3
2
1
0
```

まずは、❶に着目しましょう。**x** に読み込んだ値が **0** 以下のあいだ繰返しを行う **do** 文です。そのため、この **do** 文が終了したときの **x** は、必ず**正の値**となります。

すなわち、この **do** 文は、読み込む値を《正の値》に制限するためのものです。

＊

続く❷で、変数 **x** の値を **0** までカウントダウンする過程を表示します。その構文は **Fig.4-3** のようになっており、これが、本節で学習する **while**（ホワイル）文（while statement）です。

**while** 文は、**式（制御式）**を評価した値が **true** である限り、**文（ループ本体）**を繰り返し実行する文です。本プログラムの **while** 文の流れは、右ページの **Fig.4-4** のようになります。

**Fig.4-3　while 文の構文図**

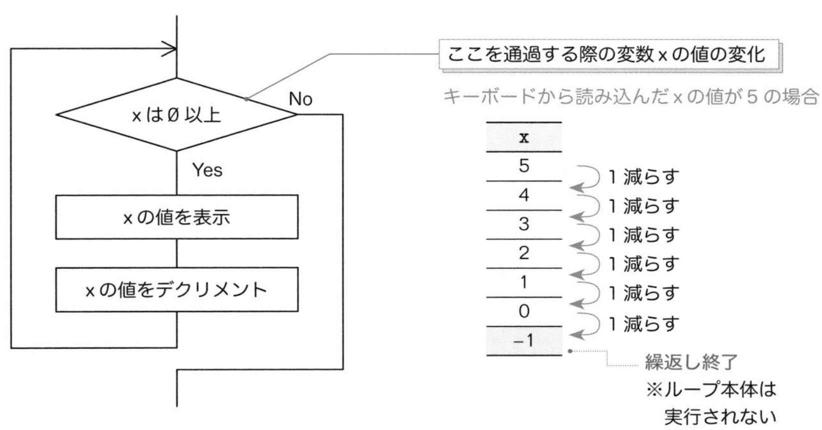


**Fig.4-4　List 4-4 の while 文のフローチャート**



## 増分演算子と減分演算子

カウントダウンのために使っているのが、初登場の演算子 `--` です。たった2文字であるとはいえ、極めて奥深い演算子です。しっかりと理解していきましょう。

### インクリメントとデクリメント

単項演算子である減分演算子 `--` が行うのは、オペランドの値を**デクリメントする**（値を1減らす）ことです。たとえば、`x` の値が `5` であれば、`x--` によって、`x` の値は `4` に更新されます。

そのため、この `while` 文のループ本体で行われるのは、次の二つのことです。

- `x` の値を表示する。　　`System.out.println(x);`
- `x` の値をデクリメントする。　　`x--;`

この繰返しによって、`x` の値は、`0` になるまでカウントダウンされながら表示されます。

▶ decrement（デクリメント）の本来の意味は、『減らす』です。『1減らす』というのは、コンピュータの世界に特有です。

図からも分かるように、`x` の値として `0` を表示した後も、`x` のデクリメントが行われます。

すなわち、画面に表示する最後の数値は `0` ですが、`while` 文終了時の `x` の値は、`0` ではなくて `-1` です。

`while` 文の後ろに、次のコードを追加して確認しましょう。

```
System.out.println(x);      // xの値を表示
```

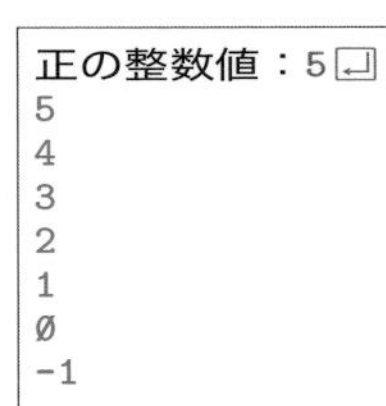


ちゃんと `-1` が表示されます（`"chap04/CountDown1a.java"`）。

-- 演算子とは逆に、オペランドの値をインクリメントする（値を1増やす）ための ++ 演算子も提供されます。**Table 4-1** に示すのが、二つの演算子の概要です。

**Table 4-1　後置増分演算子と後置減分演算子**

| | |
|---|---|
| x++ | xの値をインクリメントする（値を1増やす）。生成するのは増加前の値。 |
| x-- | xの値をデクリメントする（値を1減らす）。生成するのは減少前の値。 |



表に書かれているように、式 x++ が生成するのは、インクリメント前の値です。それでは、変数 x の値が 5 のときに、次の代入を行ったらどうなるかを検討しましょう。

```
y = x++;      // yに代入されるのはインクリメント前のxの値
```

右ページの **Fig.4-5a** に示すように、式 x++ の評価で得られるのが、インクリメント前の値ですから、y には 5 が代入されます（代入完了後の x の値は 6 です）。

値の更新のタイミングは、減分演算子も同じです。式 x-- の評価で得られるのがデクリメント前の値であることを利用すると、このプログラムは、**List 4-5** のように簡潔に実現できます。

**List 4-5**　chap04/CountDown2.java

```
// 正の整数値を0までカウントダウン（その2）

import java.util.Scanner;

class CountDown2 {

  public static void main(String[] args) {
    Scanner stdIn = new Scanner(System.in);

    System.out.println("カウントダウンします。");
    int x;
    do {
      System.out.print("正の整数値：");
      x = stdIn.nextInt();
    } while (x <= 0);

    while (x >= 0)
      System.out.println(x--);  // xの値を表示してデクリメント
  }
}
```

List 4-4 の while 文と等価

実行例

```
カウントダウンします。
正の整数値：-10
正の整数値：5
5
4
3
2
1
0
```

たとえば、x の値が 5 であるとします。そうすると、ループ本体である

```
System.out.println(x--);      // xの値を表示してデクリメント
```

で表示されるのは、5 です（式 x-- が生成するのが、デクリメント前の値だからです）。そして、表示の直後に x がデクリメントされて、その値は 4 となります。

さて、**後置増分演算子**（postfix increment operator）と**後置減分演算子**（postfix decrement operator）の後置は、オペランドの後ろ（右側）に演算子を置くことに由来します。

オペランドの前（左側）に演算子を置く、前置増分演算子（prefix increment operator）と前置減分演算子（prefix decrement operator）もあります。**Table 4-2** が、その概要です。

**Table 4-2　前置増分演算子と前置減分演算子**

| | |
|---|---|
| `++x` | xの値をインクリメントする（値を1増やす）。生成するのは増加後の値。 |
| `--x` | xの値をデクリメントする（値を1減らす）。生成するのは減少後の値。 |

表に書かれているように、式 `++x` と式 `--x` が生成するのは、インクリメント／デクリメント後の値です。それでは、変数 x の値が 5 のときに、次の代入を行ったらどうなるかを検討します。

```
y = ++x;        // yに代入されるのはインクリメント後のxの値
```

図b に示すように、式 `++x` の評価で得られるのが、インクリメント後の値であるため、y には 6 が代入されます（代入完了後の x の値も 6 です）。

**重要** 後置（前置）の**増分演算子／減分演算子を適用した式を評価して得られるのは、インクリメント／デクリメントを行う前（後）の値である。**

前置形式の演算子と後置形式の演算子の違いを、しっかりと学習しました。2種類の演算子が提供されるのは、使い分けると便利だからです。

▶ たとえば、プロであれば、`a[x++] = y;` や `a[++x] = y;` といった使い分けを適切に行いながら、簡潔なコードを実現します（ここで使っている `[]` 演算子は、第6章で学習します）。

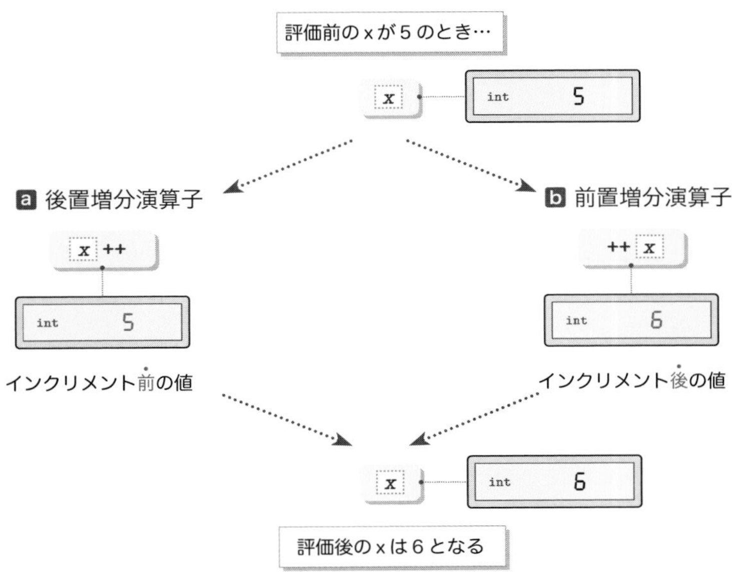


**Fig.4-5　増分演算子を適用した式の評価**

### 式の評価順序

単項演算子 ++ と -- の評価について、詳しく学習しました。

+ や * などの２項演算の評価は、『左オペランドの評価 ⇨ 右オペランドの評価 ⇨ 演算』の順で行われます。List 4-6 のプログラムで検証しましょう。

List 4-6　　chap04/EvaluationOrder.java

```
// 式の評価順序が左→右であることを確認

class EvaluationOrder {

  public static void main(String[] args) {
    int a = 3;
    int x = (a++) * (2 + a);
    System.out.println("a = " + a);
    System.out.println("x = " + x);
  }
}
```

実行結果

```
a = 4
x = 18
```

注目するのは、網かけ部の２項演算 * です。『左オペランド (a++) の評価が行われる ⇨ 右オペランド (2 + a) の評価が行われる ⇨ 乗算 * が行われる』ことになります。

そのため、この演算では、次のように評価が行われていきます。

1. 式 a++ が評価される。評価によって得られる値はインクリメント前の 3 である。評価が完了すると、a の値はインクリメントされて 4 となる。
2. 式 2 + a が評価される。評価によって生成される値は 6 である。a の値は変化しない。
3. 乗算 3 * 6 によって 18 が生成され、その値で x が初期化される。

もちろん、最終的に表示される値は、a が 4 で、x が 18 です。

### 式の値の切捨て

ここで、List 4-4（p.92）に戻ります。while 文は、次のようになっていました。

```
while (x >= 0) {
  System.out.println(x);   // xの値を表示
  x--;                     // xの値をデクリメント（値を１減らす）
}
```

後置減分演算子 -- で変数 x をデクリメントしているのですが、式 x-- を評価した値は**使われていません**。演算を行った結果は**無視できる**のです。

**重要** 演算結果は、使うことなく、切り捨ててよい（無視してよい）。

評価した値を切り捨てる文脈では、前置形式の演算子を使っても、後置形式の演算子を使っても同じ結果が得られます。

そのため、このプログラムの x-- の箇所を、--x に書きかえても、出力される実行結果が変わることはありません（"chap04/CountDown1b.java"）。

### 文字リテラル

次は、**while** 文と **++** 演算子を組み合わせたプログラムを作りましょう。**List 4-7** は、キーボードから読み込んだ個数だけアスタリスク記号 * を連続して表示するプログラムです。

List 4-7　chap04/PutAsterisk1.java

```
// 読み込んだ個数だけ*を表示（その１：0からカウントアップ）

import java.util.Scanner;

class PutAsterisk1 {

  public static void main(String[] args) {
    Scanner stdIn = new Scanner(System.in);

    System.out.print("何個*を表示しますか：");
    int n = stdIn.nextInt();

    int i = 0;
    while (i < n) {
      System.out.print('*');
      i++;
    }
    System.out.println();
  }
}
```

実行例

```
① 何個*を表示しますか：12⏎
************
② 何個*を表示しますか：-5⏎

```

改行文字が出力される

網かけ部で出力している **'*'** は、初登場の形式です。このような、単一の文字を単一引用符 **'** で囲んだ式は、**文字リテラル**（character literal）と呼ばれます。

文字列リテラルと混同しないようにしましょう。

- **文 字 リテラル '*'** … **単一の文字 *** を表す。　　型は **char** 型。
- **文字列リテラル "*"** … 文字 * だけで構成される**文字の並び**を表す。　型は **String** 型。

▶ 本プログラムの場合、文字列リテラル **"*"** を出力しても同じ結果が得られます。なお、本書では、文字列リテラルと同様に、文字リテラルを**薄い色の文字**で表記します。

**重要** 単一の文字は、その文字を単一引用符 **'** で囲んだ文字リテラルで表す。

さて、**while** 文は、**0** で初期化された変数 *i* の値をインクリメントしながら **'*'** を表示します。最初の **'*'** の表示後にインクリメントされた *i* の値は **1** であり、２回目の表示後は **2** です。

*n* 個目の表示が終わった直後にインクリメントされた *i* の値が、*n* と等しくなります。そうすると、**while** 文による繰返しが終了します。

▶ 式 **i++** を評価した値は切り捨てられますので、この式を **++i** に変更しても、同じ結果が得られます。

コンピュータの世界では、カウントを **0** から始めるのに対し、人間は（ふだんは）**1** から始めます。

右に示すのが、人間にあわせた実現です。得られる結果は、同じです（**"chap04/PutAsterisk2.java"**）。

別解

```
int i = 1;
while (i <= n) {
  System.out.print('*');
  i++;
}
System.out.println();
```

## while 文と do 文

前ページのプログラムを実行して、実行例②のように負の値や 0 を入力すると、1 個も * が表示されません。**while** 文の制御式 *i* < *n* の初回の評価結果が **false** となる結果、**ループ本体が1回も実行されないからです。**

**while** 文と **do** 文は、繰返しを継続するかどうかの判定のタイミングが異なるため、性質が大きく異なります（**Fig.4-6**）。

- **do** 文　 … 後判定繰返し：ループ本体を実行した後に判定を行う。
- **while** 文 … 前判定繰返し：ループ本体を実行する前に判定を行う。

この違いが、次のことにつながっています。

**重要** **do** 文のループ本体は少なくとも1回は実行されるが、**while** 文のループ本体は1回も実行されない可能性がある。

さらに、次のことも分かるでしょう。

**重要** ループ本体を少なくとも1回は実行しなければならない繰返しは **do** 文で実現する。そうでない繰返しは、**do** 文と **while** 文のどちらでも実現できる。

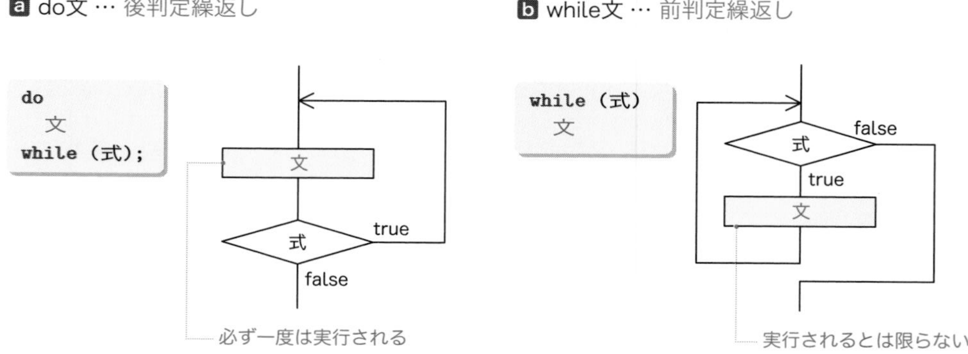


**Fig.4-6　後判定繰返しの do 文 vs 前判定繰返しの while 文**

さて、**while** 文と **do** 文は、性質が大きく異なるとはいえ、キーワード **while** を使うという点では共通です。そのため、プログラム中に書かれている **while** が、『**do** 文の一部であるのか』、それとも『**while** 文の一部であるのか』が、見分けづらくなることがあります。

そのことを、右ページの **Fig.4-7** で考えましょう。これは、**do** 文の直後に **while** 文が置かれたプログラム例です。

**a** do文のループ本体は単一の文

```
x = 0;
do
  x++;
while (x < 5);
while (x >= 0)
  System.out.println(--x);
```

2個のwhileが、
- do文のwhileなのか
- while文のwhileなのか

が見分けにくい。

**b** do文のループ本体はブロック

```
x = 0;
do {
  x++;
} while (x < 5);
while (x >= 0)
  System.out.println(--x);
```

行の先頭でdo文とwhile文を見分ける。
- 先頭が}であればdo文。
- 先頭が}でなければwhile文。

**Fig.4-7　do文とwhile文**



図**a**は、『**do**文の**while**』の真下に、『**while**文の**while**』が位置しています。

一方、**do**文のループ本体を**{ }**で囲んでブロックにしたのが、図**b**です。行の先頭を見ただけで、**do**文と**while**文を見分けられるようになっています。

**重要** do文のループ本体は、たとえ単一の文であっても、**{ }**で囲んでブロックにするスタイルを採用すれば、プログラムの読みやすさが向上する。

本書は、このスタイルで統一します。

## Column 4-1　一定回数の繰返し

**List 4-7**（p.97）の**while**文は、変数**i**の値を**0**からカウントアップしながら**n**回の繰返しを行うものであり、その別解は、変数**i**の値を**1**からカウントアップしながら**n**回の繰返しを行うものでした。

これらを含め、**while**文による『**n**回の繰返し』のパターンをまとめたのが、**Fig.4C-1**です。

**a**　終了時のiはn

```
i = 0;
while (i < n) {
  文
  i++;
}
```

**b**　終了時のiはn+1

```
i = 1;
while (i <= n) {
  文
  i++;
}
```

**c**　終了時のnは−1

```
while (n-- > 0)
  文
```

**d**　終了時のnは−1

```
while (--n >= 0)
  文
```

**Fig.4C-1　while文によるn回の繰返し**

これらは、いわゆる**定石**（じょうせき）です。ただし、**c**と**d**の**while**文が利用できるのは、**n**の値が書きかえられてしまってもよい文脈に限られます。

## 複合代入演算子

**List 4-8** は、読み込んだ正の整数値を、桁の並びを“反転して”表示するプログラムです。たとえば、変数 **x** に **1254** が入力されると、**4521** と表示します。

**List 4-8** chap04/ReverseNo.java

```
// 正の整数値を読み込んで逆順に表示

import java.util.Scanner;

class ReverseNo {

  public static void main(String[] args) {
    Scanner stdIn = new Scanner(System.in);

    System.out.println("正の整数値を逆順に表示します。");
    int x;
    do {
      System.out.print("正の整数値：");
      x = stdIn.nextInt();
    } while (x <= 0);

    System.out.print("逆から読むと");
    while (x > 0) {
      System.out.print(x % 10);    // xの最下位桁を表示   ―1
      x /= 10;                     // xを10で割る        ―2
    }
    System.out.println("です。");
  }
}
```

実行例

```
正の整数値を逆順に表示します。
正の整数値：-5⏎
正の整数値：1254⏎
逆から読むと4521です。
```



### 数値の反転

**Fig.4-8** を見ながら、**while** 文を理解していきましょう。この **while** 文のループ本体で行うのは、次の二つのことです。

#### 1 xの最下位桁の表示

**x** の最下位桁の値である **x % 10** を表示します。

たとえば、**x** が **1254** であれば、表示するのは、**10** で割った剰余の **4** です。

#### 2 xを10で割る

表示後に行うのは、『**x** を **10** で割ること』です。

```
x /= 10;        // xを10で割る
```

初登場の **/=** は、左オペランドの値を右オペランドの値で割る演算子です。たとえば、**x** が **1254** であれば、演算後の **x** は、**10** で割った **125** になります。

▶ 剰余が切り捨てられるのは、整数どうしの演算だからです。

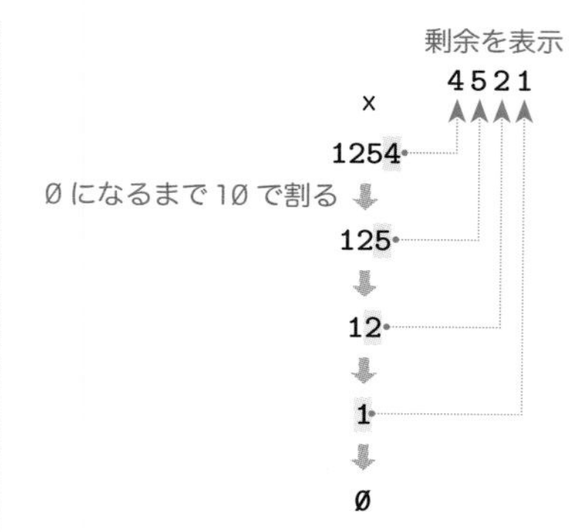


**Fig.4-8　変数 x の変化と表示**

以上の処理を繰り返して、**x** の値が **0** になると **while** 文は終了します。

/を含め、いくつかの演算子に対しては、その直後に=を付けた演算子が用意されています。その一覧が**Table 4-3**であり、もとの演算子を@とすると、式`a @= b`の働きは、`a = a @ b`とほぼ同じです。

これらの演算子は、演算と代入という二つの働きをもつため、**複合代入演算子**（compound assignment operator）と呼ばれます。

**Table 4-3　複合代入演算子の一覧**

| | | | | | | | | | | |
|---|---|---|---|---|---|---|---|---|---|---|
| *= | /= | %= | += | -= | <<= | >>= | >>>= | &= | ^= | \|= |

▶　演算子の途中にスペースを入れて、+ =や>> = などとすることはできません。
　いずれの演算子も、代入後の左オペランドの型と値を生成します。これは、単純代入演算子と同じです（p.59）。
　演算子<<, >>, >>>, &, ^, | については、第７章で学習します。

さて、xを10で割る演算は、次のように、=と/の両方を使っても実現できます。

```
x = x / 10;        // xを10で割る（xを10で割った商をxに代入）
```

しかし、複合代入演算子には、いろいろなメリットがあります。

### Ⓐ 行うべき演算を簡潔に表せる

『xを10で割った商をxに代入する』よりも『xを10で割る』のほうが、簡潔ですし、私たち人間にとっても自然に受け入れられる表現です。

### Ⓑ 左辺の変数名を書くのが１回ですむ

変数名が長い場合や、（後の章で学習する）配列やクラスを用いた複雑な式であれば、タイプミスの可能性が少なくなって、プログラムも読みやすくなります。

### Ⓒ 左辺の評価が１回限りである

複合代入演算子を利用することの最大のメリットは、**左辺の評価が行われるのが１回のみであること**です。

これらのメリットは、コードが複雑になるほど、大きくなります。たとえば、

```
comp.memory[vec[++i]] += 10;                  // iを増やしてから10を加える
```

では、iの値がインクリメントされるのが１回限りです。もし、複合代入演算子を用いずに実現するのであれば、次のようになります（長い式を２回も書かなければなりません）。

```
++i;                                          // まずiを増やす
comp.memory[vec[i]] = comp.memory[vec[i]] + 10; // それから10を加える
```

▶　ここで使っている[ ]演算子は第６章で学習し、.演算子は第８章で学習します。

## 1からnまでの整数の総和を求める

複合代入演算子を使ったプログラムを、もう一つ作りましょう。List 4-9 は、1からnまでの**整数の総和**を求めるプログラムです。たとえば、キーボードから読み込んだ整数値nの値が5であれば、1 + 2 + 3 + 4 + 5 の値を求めます。

**List 4-9** chap04/SumUp.java

```
// 1からnまでの総和を求める

import java.util.Scanner;

class SumUp {

  public static void main(String[] args) {
    Scanner stdIn = new Scanner(System.in);

    System.out.println("1からnまでの総和を求めます。");
    int n;
    do {
      System.out.print("nの値：");
      n = stdIn.nextInt();
    } while (n <= 0);

    int sum = 0;          // 合計              ―❶
    int i = 1;

    while (i <= n) {
      sum += i;         // sumにiを加える
      i++;              // iをインクリメント     ―❷
    }
    System.out.println("1から" + n + "までの総和は" + sum + "です。");
  }
}
```

**実行例**

```
1からnまでの総和を求めます。
nの値：5⏎
1から5までの総和は15です。
```

総和を求める部分である、❶と❷のフローチャートを、右ページの Fig.4-9 に示しています。まずは、これらの概略を理解しましょう。

❶ 総和を求める前準備です。総和を格納する変数sumの値を0にして、繰返しを制御するための変数iの値を1にします。

❷ このwhile文は、変数iの値がn以下のあいだ、青網部を繰り返し実行します。iの値がインクリメントされていき、繰返しの回数はn回です。

それでは、変数の値の変化の様子を見ながら、処理の流れの詳細を理解していきます。

表に示しているのは、制御式 i <= n（フローチャートの◇）を通過する際の、変数iとsumの値の変化の様子であり、各変数の値は、次のとおりです。

- 変数sum … 現時点までに求められた総和
- 変数i … 次に加える値

制御式を初めて通過する際の変数iとsumの値は、❶で設定した値です。

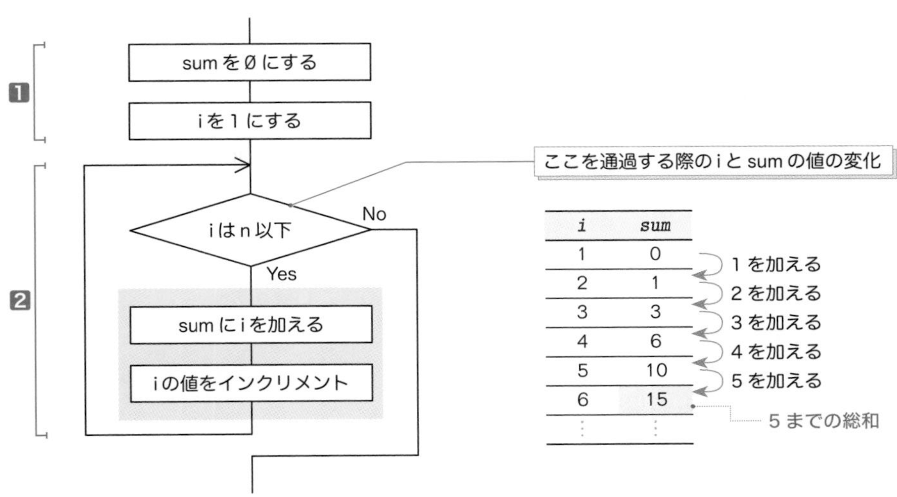


**Fig.4-9　1からnまでの総和を求めるフローチャート**

その後は、繰返しが行われるたびに、変数 ***i*** の値がインクリメントされていきます。たとえば、***i*** が5のときの変数 ***sum*** の値は **10** です。これは、《**1** から **4** までの総和》です。すなわち、変数 ***i*** の値 **5** が加算される前の値です。

なお、***i*** の値が ***n*** を超えたときに **while** 文の繰返しが終了するため、最終的な ***i*** の値は、***n*** ではなく ***n* + 1** です。

▶　表に示すように、***n*** が **5** であれば、**while** 文の終了時の ***i*** は **6** で ***sum*** は **15** です。

**1** から ***n*** までの整数の総和を求めるアルゴリズムは、基本情報処理技術者試験などの各種情報処理技術者試験で何度も出題されています。しっかりと理解しておきましょう。

### Column 4-2　無限ループ

繰返し文の制御式を **true** にすると、無限ループ（終わることのない繰返し）となります。

**Fig.4C-2** に示すのが、そのコードです（**c**の **for** 文は次節で学習します）。なお、無限ループを強制的に中断・終了するためには、**break** 文（p.114）や、**return** 文（p.198）を使う必要があります。

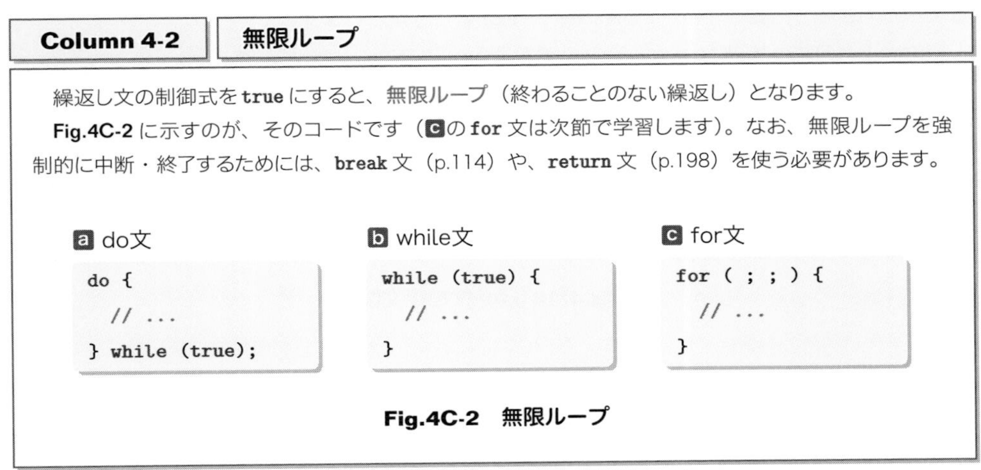

**a** do文

```
do {
  // ...
} while (true);
```

**b** while文

```
while (true) {
  // ...
}
```

**c** for文

```
for ( ; ; ) {
  // ...
}
```

**Fig.4C-2　無限ループ**

# 4-3 for 文

前節で学習したwhile文と同様に、前判定繰返しを行うのが、本節で学習するfor文です。最初はとっつきにくいでしょうが、while文よりも使いやすくて便利です。



## for 文

記号文字 * の連続表示を while 文で行うプログラムを、**List 4-7**（p.97）で作りました。

そのプログラムを、for 文（for statement）と呼ばれる文で書きかえたのが、**List 4-10** です。

プログラムが短く簡潔になっています。

▶ for は、『～に対して』『～のあいだ』という意味です。

```
int i = 0;
while (i < n) {
  System.out.print('*');
  i++;
}
```

**List 4-10** chap04/PutAsteriskFor1.java

```
// 読み込んだ個数だけ*を表示

import java.util.Scanner;

class PutAsteriskFor1 {

  public static void main(String[] args) {
    Scanner stdIn = new Scanner(System.in);

    System.out.print("何個*を表示しますか：");
      int n = stdIn.nextInt();

    for (int i = 0; i < n; i++)
      System.out.print('*');
    System.out.println();
  }
}
```

実行例

```
何個*を表示しますか：12
************
```

別解 chap04/PutAsteriskFor2.java

```
for (int i = 1; i <= n; i++)
  System.out.print('*');
```

**Fig.4-10** に示すのが、for 文の構文図です。for に続く ( ) の中は、２個のセミコロン ; で区切られており、Ⓐ部、Ⓑ部、Ⓒ部の三つの部分で構成されます。

構文があまりにも複雑なため、その全貌を理解するのは、少々大変です。

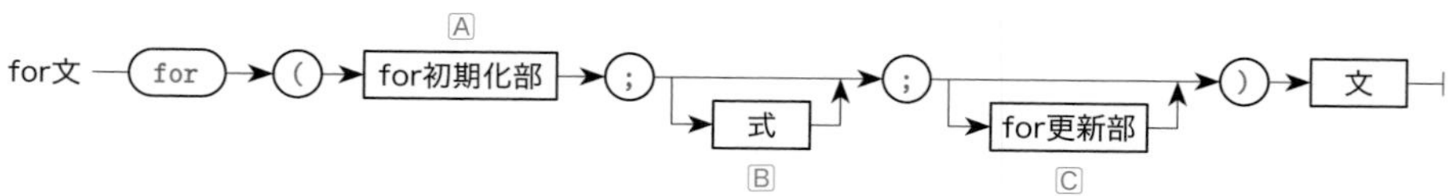


**Fig.4-10 for 文の構文図**

さて、本プログラムの for 文が、while 文を書きかえて作ったものであることからも分かるように、for 文が行うループは、**後判定繰返し**です（while 文と同じです）。

そのため、**Fig.4-11** に示す for 文と while 文は、ほぼ同等であって、相互に置換可能です。

```
for ( A ; B ; C )
    文
```

ほぼ同じ

```
A ;
while ( B ) {
    文
    C ;
}
```

**Fig.4-11　for 文と while 文**

`while` 文と見比べると、`for` 文のプログラムの流れが、分かってきます。

---

- まず**前処理**ともいうべきⒶ部を、１回だけ評価・実行する。
- 繰返しの**継続条件**であるⒷ部の**制御式**が `true` であれば、ループ本体の**文**を実行し、`false` であれば、ループ本体を実行しない。
- ループ本体が実行された後は、**後始末的な処理**あるいは**次の繰返しのための準備**として、Ⓒ部を評価・実行して、さらに、制御式の判定に戻る。

---

本プログラムの `for` 文は、次のように解釈すると分かりやすくなります。

**変数 *i* を 0 から始めて 1 ずつ増やしながら、ループ本体を *n* 回繰り返す。**

最初に 0 で初期化された変数 *i* がインクリメントされる回数は *n* 回です（**Fig.4-12**）。なお、変数 *i* のように、繰返しの制御のために使われる変数は、**カウンタ用変数**と呼ばれます。

さて、コンピュータの世界のカウントは 0 から始まりますが、私たち人間は 1 から始めるのが普通です。1 から始めて *n* 回繰り返すように書きかえたのが、左ページに示す別解です。

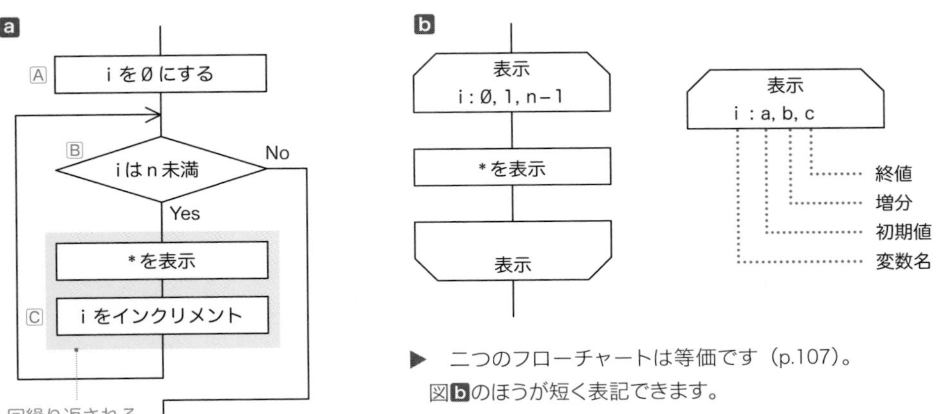


**Fig.4-12　List 4–10 の for 文のフローチャート**

for 文の概略が分かりました。各部に関する細かい規則などを学習しましょう。

### Ⓐ for 初期化部

ここには、変数の宣言を置けます（本プログラムもそうなっています）。複数の変数の宣言も行えます（通常の宣言と同様に、コンマ , で区切って宣言します）。

なお、ここで宣言した変数は、**その for 文の中だけで使えます。**そのため、異なる for 文で同一名の変数を使うのであれば、次のように、**各 for 文ごとに宣言が必要です。**



```
for (int i = 0; i < n; i++)
  System.out.print('*');

for (int i = 0; i < n; i++)
  System.out.print('+');
```

for 文ごとに変数 i の宣言が必要

▶ もし仮に、Ⓐ部で宣言された変数が、for 文を越えて通用するのであれば、上記のコードは、次のようになります。

```
for (int i = 0; i < n; i++)     // iを0で初期化する宣言
  System.out.print('*');
for (i = 0; i < n; i++)         // iに0を代入
  System.out.print('+');
```

ここで、最初の for 文が不要になって削除したらどうなるでしょう。変数 i の宣言が失われるため、2番目の for 文の代入 i = 0; を、宣言 int i = 0; に変更しなければなりません。

並んだ for 文の見た目のバランスがとれ、変数を確実に宣言でき、プログラムの変更にも対応しやすくなっているのは、for 文ごとに変数を宣言する文法仕様のおかげです。

なお、Ⓐ部で行うことがなければ、この部分は省略可能です。

### Ⓑ 式（制御式）

繰返しの継続条件を表す**制御式**であり、この部分も省略可能です。

省略した場合、繰返し継続の判定は true とみなされます。そのため、（この後で学習する break 文や return 文などをループ本体中で実行しない限り）永遠に繰返しを行い続ける無限ループ（**Column 4-2**：p.103）となります。

### Ⓒ for 更新部

ここに置くのは、ループ本体実行後に評価・実行すべき式です。複数の式を置く場合は、各式をコンマで区切ります。なお、何も行うことがなければ、省略可能です。

### Column 4-3 なぜカウンタ用変数の名前は i や j なのか

多くのプログラマが、for 文などの繰返し文を制御するためのカウンタ用変数の名前として i や j を使います。

その歴史は、技術計算用のプログラミング言語 FORTRAN の初期の時代にまで遡（さかのぼ）ります。この言語では変数は原則として実数です。しかし、名前の先頭文字が I, J, …, N の変数だけは自動的に整数とみなされていました。そのため、繰返しを制御するための変数としては I, J,…を使うのが最も簡単な方法だったのです。

## フローチャート

ここでは、フローチャート（流れ図）と、その記号を学習します。

**▪流れ図の記号**

問題の定義、分析、解法の図的表現である流れ図＝フローチャート（flowchart）と、その記号は、次の規格で定義されています。

JIS X0121『情報処理用流れ図・プログラム網図・システム資源図記号』

以下に、基礎的な用語と記号の概要を示します。

**▪プログラム流れ図（program flowchart）**

プログラム流れ図は、次の記号で構成されます。

・実際に行う演算を示す記号。
・制御の流れを示す線記号。
・プログラム流れ図を理解し、かつ作成するのに便宜を与える特殊記号。

**▪データ（data）**

媒体を指定しないデータを表します。

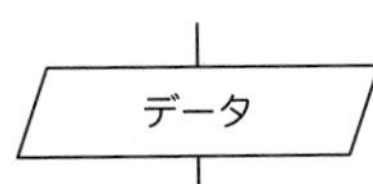


**▪処理（process）**

任意の種類の処理機能を表します。たとえば、情報の値・形・位置を変えるように定義された演算もしくは演算群の実行、または、それに続くいくつかの流れの方向の一つを決定する演算もしくは演算群の実行を表します。

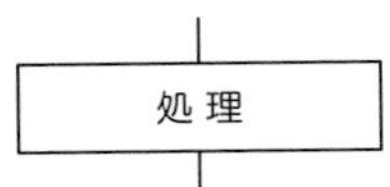


**▪定義ずみ処理（predefined process）**

サブルーチンやモジュールなど、別の場所で定義された一つ以上の演算または命令群からなる処理を表します。

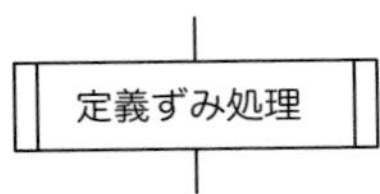


**▪判断（decision）**

一つの入り口といくつかの択一的な出口をもち、記号中に定義された条件の評価にしたがって、唯一の出口を選ぶ判断機能、またはスイッチ形の機能を表します。

想定される評価結果は、経路を表す線の近くに書きます。

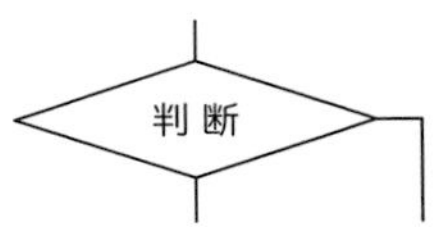


**▪ループ端（loop limit）**

二つの部分から構成され、ループの始まりと終わりを表します。記号の二つの部分には、同じ名前を与えます。

ループの始端記号（前判定繰返しの場合）またはループの終端記号（後判定繰返しの場合）の中に、初期化・増分・終了条件を表記します。

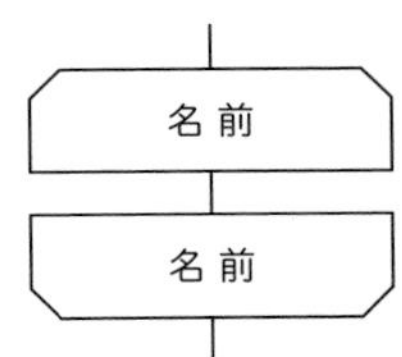


**▪線（line）**

制御の流れを表します。

流れの向きを明示する必要があるときは、矢先を付けなければなりません。

なお、明示の必要がない場合も、見やすくするために矢先を付けても構いません。

**▪端子（terminator）**

外部環境への出口、または外部環境からの入り口を表します。たとえば、プログラムの流れの開始もしくは終了を表します。

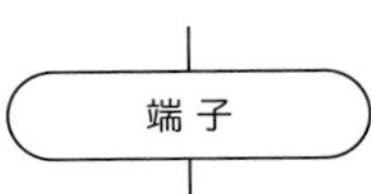


この他に、並列処理や破線などの記号があります。

for 文を利用して、いろいろなプログラムを作りましょう。

### ■ 奇数の列挙

まずは、整数値を読み込んで、その整数値以下の**正の**奇数 1, 3, 5, … を表示するプログラムを作ります。**List 4-11** が、そのプログラムです。



**List 4-11** chap04/OddNo.java

```
// 読み込んだ整数値以下の奇数を表示

import java.util.Scanner;

class OddNo {

  public static void main(String[] args) {
    Scanner stdIn = new Scanner(System.in);

    System.out.print("整数値：");
    int n = stdIn.nextInt();

    for (int i = 1; i <= n; i += 2)
      System.out.println(i);
  }
}
```

実行例

```
整数値：8
1
3
5
7
```

▶ Ⓒ部（for 更新部）の i += 2 では、右オペランドの値を左オペランドに加える**複合代入演算子 +=** を使っています。変数 i に 2 を加えるため、繰返しのたびに、i の値が 2 ずつ増えていきます。

### ■ 約数の列挙

次は、読み込んだ整数値の**すべての**約数を表示するプログラムを作ります。**List 4-12** に示すのが、そのプログラムです。

**List 4-12** chap04/Measure.java

```
// 読み込んだ整数値のすべての約数を表示

import java.util.Scanner;

class Measure {

  public static void main(String[] args) {
    Scanner stdIn = new Scanner(System.in);

    System.out.print("整数値：");
    int n = stdIn.nextInt();

    for (int i = 1; i <= n; i++)
      if (n % i == 0)     // 割り切れたら
        System.out.println(i);   // 表示
  }
}
```

実行例

```
整数値：12
1
2
3
4
6
12
```

▶ for 文では、i を 1 から n までインクリメントします。n を i で割った剰余が 0 であれば、n が i で割り切れるということです。i は n の約数と判定され、その値を表示します。

### ■ 複数の変数の同時制御

これまでの for 文は、ループカウンタである単一の変数の値をもとに繰返しを制御するものでした。

複数の変数を同時に制御してみましょう。**List 4-13** が、そのプログラム例です。

このプログラムでは、二つの変数 i と j をⒶ部で宣言して、それら両方の値をⒸ部で更新しています。

List 4-13 chap04/For2Var.java

```
// 読み込んだ整数値と1, 2, …との差を表示

import java.util.Scanner;

class For2Var {

  public static void main(String[] args) {
    Scanner stdIn = new Scanner(System.in);

    System.out.print("整数値：");
    int n = stdIn.nextInt();

    for (int i = 1, j = n - 1; i <= n; i++, j--)
      System.out.println(i + " " + j);
  }
}
```

実行例

```
整数値：4
1 3
2 2
3 1
4 0
```

▶ for文のⒶ部（for初期化部）とⒸ部（for更新部）には、複数の宣言や文をコンマで区切って並べられます。



Ⓐ部では、二つの変数 **i** と **j** を宣言して、それぞれを **1** と **n - 1** で初期化しています（実行例の場合、**n** が **4** ですから、変数 **j** は **3** で初期化されます）。

Ⓒ部では、**i** をインクリメントする一方で **j** をデクリメントしますので、**i** の値は1ずつ増えていき、**j** の値は1ずつ減っていきます。

ループ本体で表示するのは、『**i** の値』と『**j** の値（**n** と **i** の差）』です。

Ⓑ部の判定によって **i <= n** が成立しなくなると、繰返しを終了します。

＊

それでは、次に示すコードを考えましょう。

```
for (int i = 0; i < n; i++);
  System.out.print('-');
```

```
-
```

変数 **n** の個数だけ **'-'** を表示するように感じられるかもしれませんが、**n** がどのような値であっても、表示されるのは**1個だけです**。というのも、**i++)** の後ろに置かれたセミコロン **;** は**空文**（p.60）であり、次のように解釈されるからです。

```
for (int i = 0; i < n; i++) ;   // for文：空文であるループ本体をn回実行
System.out.print('-');          // for文終了後に１回だけ実行される式文
```

もちろん、**for** 文だけでなく、**while** 文でも、このようなミスを犯さないように気を付けなければなりません。

**重要** **for** 文や **while** 文の **( )** の後ろに、誤って空文を置かないように注意しよう。

▶ 実は、これと同じことは、**if** 文を例に学習ずみです（p.61）。

## 繰返し文

**do** 文と **while** 文と **for** 文をあわせて、**繰返し文**（iteration statement）と呼びます。

なお、本章で学習した **for** 文は、**基本 for 文**（basic for statement）と呼ばれる **for** 文です。もう一つの **for** 文である**拡張 for 文**は、第６章で学習します。

# 4-4 多重ループ

繰返し文のループ本体を繰返し文にすると、2重、3重の繰返しが行えます。このような繰返しが、本節で学習する多重ループです。



## 九九の表

ここまでのプログラムは、単純な繰返しを行うものでした。**繰返しの中で繰返しを行うこともでき**、そのような繰返しは、入れ子の深さに応じて、**2重ループ**、**3重ループ**、… と呼ばれます。もちろん、その総称は**多重ループ**です。

＊

2重ループを応用して、九九の表を表示するプログラムを作りましょう。**List 4-14**に示すのが、そのプログラムです。

**List 4-14** chap04/MultiTable.java

```
// 九九の表を表示

class MultiTable {

  public static void main(String[] args) {
    for (int i = 1; i <= 9; i++) {
      for (int j = 1; j <= 9; j++) {
        if (i * j < 10)
          System.out.print("  ");
        else
          System.out.print(" ");
        System.out.print(i * j);
      }
      System.out.println();
    }
  }
}
```

行ループ
列ループ
スペース2個
スペース1個

実行結果

```
 1  2  3  4  5  6  7  8  9
 2  4  6  8 10 12 14 16 18
 3  6  9 12 15 18 21 24 27
 4  8 12 16 20 24 28 32 36
 5 10 15 20 25 30 35 40 45
 6 12 18 24 30 36 42 48 54
 7 14 21 28 35 42 49 56 63
 8 16 24 32 40 48 56 64 72
 9 18 27 36 45 54 63 72 81
```

九九の表を表示するのが、赤網部です。この部分のフローチャートを、右ページの**Fig.4-13**に示しています。なお、右側の図は、変数 *i* と *j* の値の変化の様子です。

外側のfor文（行ループ）では、*i* の値を1から9までインクリメントします。その繰返しは、表の1行目、2行目、… 9行目に対応します。すなわち、表の縦方向の繰返しです。

その各行で実行される内側のfor文（列ループ）は、*j* の値を1から9までインクリメントします。これは、各行における横方向の繰返しです。

変数 *i* の値を1から9まで増やす行ループの繰返しは、9回です。

その各繰返しのループ本体で、変数 *j* の値を1から9まで増やす列ループを9回繰り返した上で改行を出力します（次の行へと進むための準備です）。

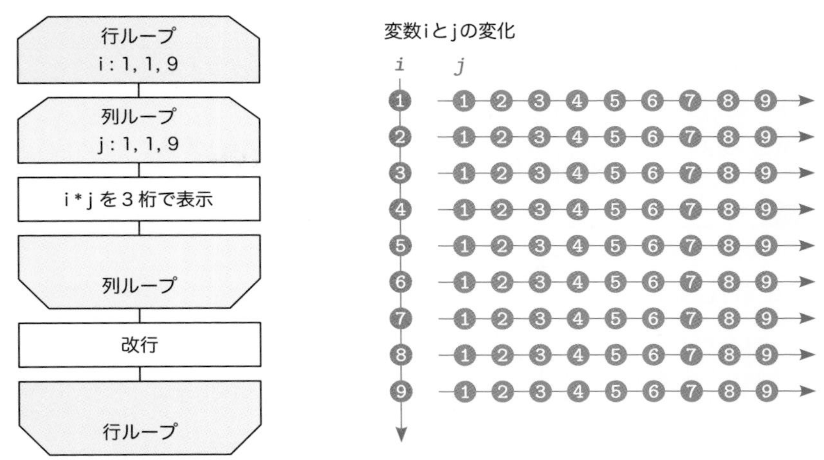


**Fig.4-13　九九の表を表示する2重ループのプログラムの流れ**

この2重ループで行われる処理が、次のようになることが分かりました。

- `i`が 1 のとき ： `j`を 1 ⇨ 9 とインクリメントしながら 1 * `j`を表示して改行。
- `i`が 2 のとき ： `j`を 1 ⇨ 9 とインクリメントしながら 2 * `j`を表示して改行。
- `i`が 3 のとき ： `j`を 1 ⇨ 9 とインクリメントしながら 3 * `j`を表示して改行。
- … 中略 …
- `i`が 9 のとき ： `j`を 1 ⇨ 9 とインクリメントしながら 9 * `j`を表示して改行。

＊

さて、プログラム白枠内の **`if`** 文では、数値間の余白を調整して表示を行っています。

- 表示する値が **`10`** 未満（すなわち1桁）… 数値の前にスペースを 2 個表示。
- 表示する値が **`10`** 以上（すなわち2桁）… 数値の前にスペースを 1 個表示。

たとえば、2 行目を例にとると、**Fig.4-14** のように表示が行われます。

▶ **`System.out.printf`** というメソッドを利用すると、簡潔に実現できます（4–6 節で学習します）。

**Fig.4-14　数値を揃えて表示するためのスペース**

## 直角三角形の表示

２重ループで記号文字を並べると、三角形や四角形などの各種図形の表示が行えます。**List 4-15** に示すのは、左下側が直角の二等辺三角形を表示するプログラムです。

**List 4-15** chap04/IsoscelesTriangle.java

```
// 左下側が直角の直角二等辺三角形を表示

import java.util.Scanner;

class IsoscelesTriangle {

  public static void main(String[] args) {
    Scanner stdIn = new Scanner(System.in);

    System.out.println("左下直角の二等辺三角形を表示します。");
    System.out.print("段数は：");
    int n = stdIn.nextInt();

    for (int i = 1; i <= n; i++) {        // 行ループ
      for (int j = 1; j <= i; j++)        // 列ループ
        System.out.print('*');
      System.out.println();
    }
  }
}
```

実行例

```
左下直角の二等辺三
角形を表示します。
段数は：5
*
**
***
****
*****
```

直角三角形の表示を行う網かけ部のフローチャートを、右ページの **Fig.4-15** に示しています。右側の図は、変数 **i** と **j** の値の変化を表したものです。

実行例のように、**n** の値が **5** である場合を例に、どのように処理が行われるかを考えていきましょう。

外側の for 文（行ループ）では、変数 **i** の値を **1** から **n** すなわち **5** までインクリメントします。これは、三角形の各行に対応する縦方向の繰返しです。

その各行で実行される内側の for 文（列ループ）は、変数 **j** の値を **1** から **i** までインクリメントしながら表示を行います。これは各行における横方向の繰返しです。

この２重ループで行われる処理が、次のようになることが分かりました。

- i が 1 のとき ： j を 1 ⇨ 1 とインクリメントしながら * を表示。そして改行。 *
- i が 2 のとき ： j を 1 ⇨ 2 とインクリメントしながら * を表示。そして改行。 **
- i が 3 のとき ： j を 1 ⇨ 3 とインクリメントしながら * を表示。そして改行。 ***
- i が 4 のとき ： j を 1 ⇨ 4 とインクリメントしながら * を表示。そして改行。 ****
- i が 5 のとき ： j を 1 ⇨ 5 とインクリメントしながら * を表示。そして改行。 *****

三角形を上から第 **1** 行〜第 **n** 行とすると、第 **i** 行目に **i** 個の **'*'** を表示して、最終行である第 **n** 行目には **n** 個の **'*'** を表示するわけです。

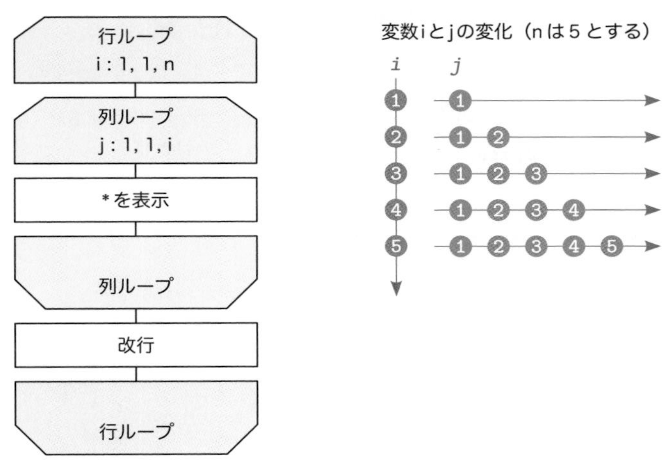


**Fig.4-15　直角三角形を表示する2重ループのプログラムの流れ**

## Column 4-4　ド・モルガンの法則と繰返し

List 4-2（p.90）の do 文の制御式を考えます。

```
❶ hand < 0 || hand > 2          // 継続条件
```

この式を、論理補数演算子 ! を使って書きかえると、次のようになります。

```
❷ !(hand >= 0 && hand <= 2)    // 終了条件の否定
```

**『各条件の否定をとって、論理積と論理和を入れかえた式』の否定**が、もとの条件と同じになることは、ド・モルガンの法則と呼ばれます。この法則を一般的に示すと、次のようになります。

- `x && y` と `!(!x || !y)` は等しい。
- `x || y` と `!(!x && !y)` は等しい。

式❶が繰返しを続けるための継続条件を表したものであるのに対し、式❷は繰返しを終了するための終了条件の否定です。すなわち、**Fig.4C-3** に示すイメージです。

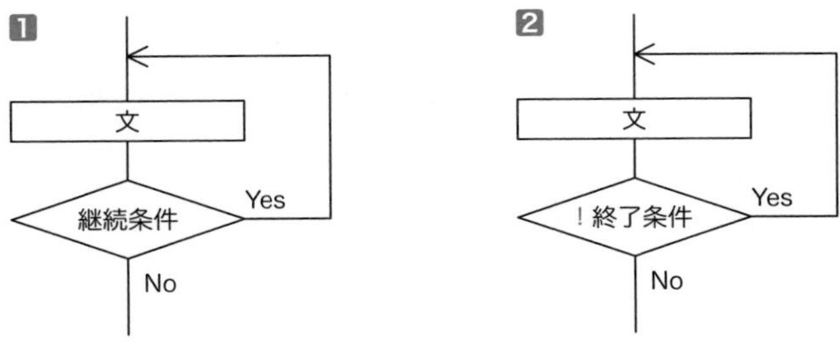


**Fig.4C-3　繰返しの継続条件と終了条件**

# 4-5 break 文と continue 文

本節で学習するのは、break 文と continue 文です。これらの文を利用すると、繰返し文におけるプログラムの流れに変化を与えることができます。



## break 文

**List 4-16** に示すのは、読み込んだ整数の合計を表示するプログラムです。

まず最初に、整数の個数を変数 **n** に読み込みます。その後、**for** 文による繰返しの過程で、**n** 個の整数を読み込みながら合計を **sum** に求めていきます。ただし、読み込んだ値が **0** であれば、入力を中断・終了します。

**List 4-16** chap04/SumBreak1.java

```
// 読み込んだ整数を加算（0が入力されたら終了）

import java.util.Scanner;

class SumBreak1 {

  public static void main(String[] args) {
    Scanner stdIn = new Scanner(System.in);

    System.out.println("整数を加算します。");
    System.out.print("何個加算しますか：");
    int n = stdIn.nextInt();  // 加算する個数

    int sum = 0;  // 合計値
    for (int i = 0; i < n; i++) {
      System.out.print("整数（0で終了）：");
      int t = stdIn.nextInt();
      if (t == 0) break;     // for文から抜け出る   ←1
      sum += t;
    }
    System.out.println("合計は" + sum + "です。");   ←2
  }
}
```

実行例

```
1 整数を加算します。
  何個加算しますか：2⏎
  整数（0で終了）：15⏎
  整数（0で終了）：37⏎
  合計は52です。

2 整数を加算します。
  何個加算しますか：5⏎
  整数（0で終了）：82⏎
  整数（0で終了）：45⏎
  整数（0で終了）：0⏎
  合計は127です。
```

さて、1では **break** 文を使っています。**break** 文については、**switch** 文の中で実行する例を、前章で学習していました。

右ページの **Fig.4-16** に示すように、**ループ本体の中で break 文が実行されると、その繰返し文の実行が強制的に中断・終了され、プログラムの流れが繰返し文から脱出します。**

変数 **t** に読み込んだ値が **0** であれば、**for** 文の繰返しを中断・終了して、プログラムの流れが2へと移る仕組みが分かりました。

▶ breakは、『破る』『抜け出る』という意味の語句でした（p.75）。
　なお、多重ループの中で **break** 文が実行されると、その **break** 文を直接囲んでいる繰返し文の実行が中断します。多重ループの外側の繰返し文を一気に抜け出る方法は p.118 で学習します。

**List 4-17** に示すのは、**break** 文を利用した別のプログラム例です。読み込んだ整数を加算する点では前のプログラムと同じですが、読込みと加算を行うのが、合計が **1,000** を超えない範囲である、という点で異なります。

**List 4-17** chap04/SumBreak2.java

```
// 読み込んだ整数を加算（合計が1,000を超えない範囲で加算する）

import java.util.Scanner;

class SumBreak2 {

  public static void main(String[] args) {
    Scanner stdIn = new Scanner(System.in);

    System.out.println("整数を加算します。");
    System.out.print("何個加算しますか：");
    int n = stdIn.nextInt();  // 加算する個数

    int sum = 0;  // 合計値
    for (int i = 0; i < n; i++) {
      System.out.print("整数：");
      int t = stdIn.nextInt();
      if (sum + t > 1000) {
        System.out.println("合計が1,000を超えました。");
        System.out.println("最後の数値は無視します。");
        break;
      }
      sum += t;
    }
    System.out.print("合計は" + sum + "です。");
  }
}
```

実行例

```
整数を加算します。
何個加算しますか：5
整数：127
整数：534
整数：392
合計が1,000を超えました。
最後の数値は無視します。
合計は661です。
```

実行例の場合、3個の整数を読み込んでいます。3個目の **392** を加算すれば、合計が **1,000** を超えてしまいます。

実際の加算を行う前に、網かけ部によって **for** 文を中断・終了しますので、最終的に **sum** に入っているのは、最初に読み込んだ2個の数値の合計となります。

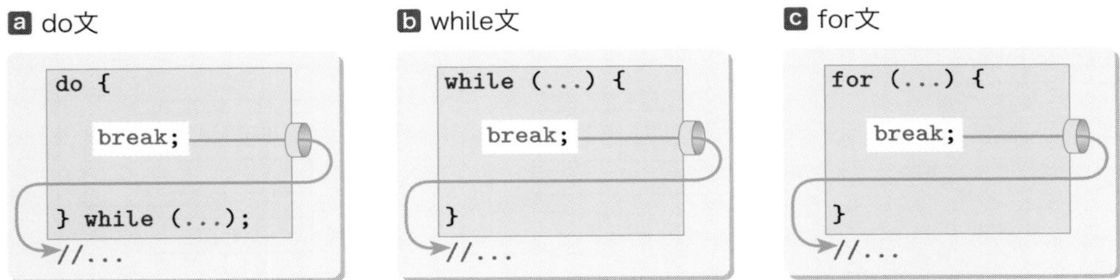


**Fig.4-16　繰返し文での break 文の働き**

## continue 文

break 文と対照的なのが、Fig.4-17 の構文の continue 文（continue statement）です。

▶ continue は、『続ける』『継続する』という意味です。

ループ本体内で continue 文が実行されると、ループ本体の残り部分の実行がスキップされてプログラムの流れは、ループ本体の末尾へと一気に飛びます。

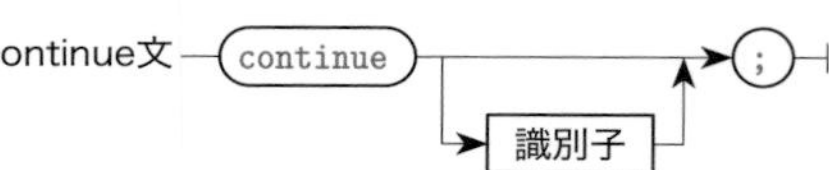


**Fig.4-17　continue 文の構文図**

各繰返し文の中で、continue 文がどのように働くかをまとめたのが、**Fig.4-18** です。この図を見れば、continue 文を実行したときのプログラムの流れが分かるでしょう。

### ▪ do 文と while 文

continue 文の後ろの**文**$_2$ の実行がスキップされ、繰返しの継続判定のための**式**（**制御式**）の評価が行われます。

### ▪ for 文

continue 文の後ろの**文**$_2$ の実行がスキップされます。次の繰返しの準備のための**更新部**が評価・実行されてから、繰返しの継続判定のための**式**（**制御式**）の評価が行われます。

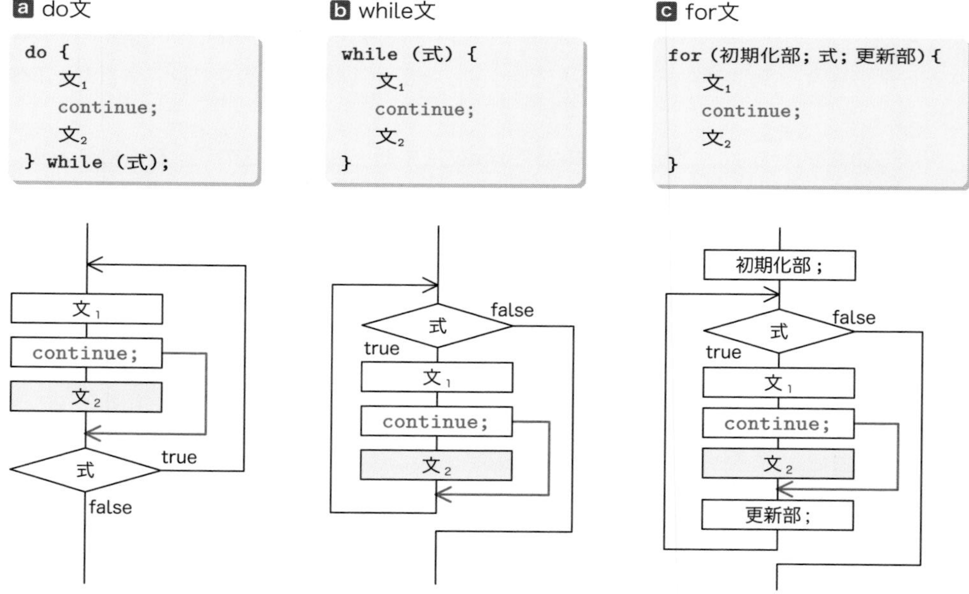


**Fig.4-18　continue 文の働き**

continue 文を利用したプログラム例を **List 4-18** に示します。これまでのプログラムと同様に、読み込んだ整数を加算します。ただし、加算するのは、0 以上の値のみです。

**List 4-18** chap04/SumContinue.java

```
// 読み込んだ整数を加算（負の値は加算しない）

import java.util.Scanner;

class SumContinue {

  public static void main(String[] args) {
    Scanner stdIn = new Scanner(System.in);

    System.out.println("整数を加算します。");
    System.out.print("何個加算しますか：");
    int n = stdIn.nextInt();  // 加算する個数

    int sum = 0;  // 合計値
    for (int i = 0; i < n; i++) {
      System.out.print("整数：");
      int t = stdIn.nextInt();
      if (t < 0) {
        System.out.println("負の数は加算しません。");
        continue;
      }
      sum += t;      tが負のときは実行されない
    }
    System.out.println("合計は" + sum + "です。");
  }
}
```

**実行例**

```
整数を加算します。
何個加算しますか：3
整数：2
整数：-5
負の数は加算しません。
整数：13
合計は15です。
```

読み込んだ値が 0 未満であれば、『負の数は加算しません。』と表示した上で continue 文を実行しますので、加算を行う網かけ部の実行がスキップされます。

▶ 負の数は加算の対象から外されますが、読み込む個数としてはカウントされます（すなわち、負数を含めて n 個を読み込みます）。

## Column 4-5 短絡評価とプログラムの実行結果

短絡評価（p.65）は、プログラムの実行結果に影響を与えます。次の if 文で考えていきましょう。

```
if (a == 5 && ++b > 3) c = 5;
```

変数 a の値が 5 でなければ右オペランド ++b > 3 の評価が省略されるため、次のようになります。

- a の値が 5 であるとき … b はインクリメントされる。
- a の値が 5 でないとき … b はインクリメントされない。

次に示すコードも、実行結果に影響を与える例です。

```
x = (a == 5) ? b++ : c++;
```

x に代入されるのは、変数 a の値が 5 であれば b、そうでなければ c です。次のようになります。

- a の値が 5 であるとき … b はインクリメントされて、c はインクリメントされない。
- a の値が 5 でないとき … b はインクリメントされず、c がインクリメントされる。

## ラベル付き break 文とラベル付き continue 文

ここまで、**break** 文と **continue** 文を1重ループに適用したプログラムを学習しました。

多重ループの実行中に、外側の繰返しを一気に抜け出たり、繰返しを強制的に続行したりするときに使うのが、**ラベル付き break 文**と**ラベル付き continue 文**です。



### ラベル付き break 文

**List 4-19** に示すのは、ラベル付き **break** 文を利用したプログラム例です。

**List 4-19** chap04/SumGroup1.java

```
// 読み込んだ整数のグループを加算（整数5個×10グループ）

import java.util.Scanner;

class SumGroup1 {

  public static void main(String[] args) {
    Scanner stdIn = new Scanner(System.in);

    System.out.println("整数を加算します。");
    int total = 0;     // 全グループの合計

  Outer:
    for (int i = 1; i <= 10; i++) {
      System.out.println("■第" + i + "グループ");
      int sum = 0;     // グループの小計
    Inner:
      for (int j = 0; j < 5; j++) {
        System.out.print("整数：");
        int t = stdIn.nextInt();
        if (t == 99999)
          break Outer;        // ❶ Outer ラベル付きの for 文を突き破る!!
        else if (t == 88888)
          break Inner;        // ❷ Inner ラベル付きの for 文を突き破る!!
        sum += t;
      }
      System.out.println("小計は" + sum + "です。\n");
      total += sum;
    }
    System.out.println("\n合計は" + total + "です。");
  }
}
```

実行例

```
整数を加算します。
■第1グループ
整数：175
整数：634
整数：394
整数：88888
小計は1203です。

■第2グループ
整数：555
整数：777
整数：88888
小計は1332です。

■第3グループ
整数：99999

合計は2535です。
```

このプログラムは、5 個の整数で構成される、全 10 個のグループの合計を求めます。読み込む整数は全部で 50 個ですが、次のように入力することで、読込みの中断ができるようになっています。

❶ 99999 を入力する ⇨ 全体の入力を終了する。

❷ 88888 を入力する ⇨ 現在入力中のグループの入力を終了する。

プログラムの主要部は、2重の **for** 文です。外側の **for** 文にはラベル ***Outer*** が付いており、内側の **for** 文にはラベル ***Inner*** が付いています。

ラベルが付いた文は、**Fig.4-19** の構文をもつラベル付き文（labeled statement）です。

ラベル付き文 → 識別子 → : → 文

**Fig.4-19　ラベル付き文の構文図**

プログラムの流れが**ラベル付き break 文**に差しかかると、そのラベルをもつ繰返し文の実行が終了します。

そのため、二つのラベル付き break 文は、次のように働きます。

1のラベル付き break 文 ⇨ ラベル *Outer* の付いた for 文の実行を中断・終了する。

2のラベル付き break 文 ⇨ ラベル *Inner* の付いた for 文の実行を中断・終了する。

なお、ラベルなしの break 文は、それを直接囲んでいる繰返し文を抜け出る（p.114）ため、2のラベル付き break 文は、単なる "**break;**" でも構いません（**"chap04/SumGroup1a.java"**）。



## ラベル付き continue 文

グループごとの小計が不要であれば、プログラムはもっと簡単になります。**List 4-20** に示すのが、そのプログラムです。

**List 4-20**　chap04/SumGroup2.java

```
// 読み込んだ整数のグループを加算（整数5個×10グループ）

import java.util.Scanner;

class SumGroup2 {

  public static void main(String[] args) {
    Scanner stdIn = new Scanner(System.in);

    System.out.println("整数を加算します。");
    int total = 0;     // 全グループの合計

  Outer:
    for (int i = 1; i <= 10; i++) {
      System.out.println("■第" + i + "グループ");

      for (int j = 0; j < 5; j++) {
        System.out.print("整数：");
        int t = stdIn.nextInt();
        if (t == 99999)
          break Outer;            ←1
        else if (t == 88888)
          continue Outer;         ←2
        total += t;
      }
    }
    System.out.println("\n合計は" + total + "です。");
  }
}
```

実行例

```
整数を加算します。
■第1グループ
整数：175
整数：634
整数：394
整数：88888
■第2グループ
整数：555
整数：777
整数：88888
■第3グループ
整数：99999

合計は2535です。
```

1のラベル付き break 文は、前のプログラムと同じです。2は、ラベル付き continue 文です。この continue 文が実行されると、ラベル *Outer* の付いた for 文が、次の繰返しへと進みます。

そのため、まず for 文の更新部 *i*++ の評価・実行によって変数 *i* の値がインクリメントされ、それから次の繰返しへと進みます。

# 4-6 printf メソッド

本節で学習する printf は、画面への表示を行うメソッドです。print や println とは異なり、桁数や基数などの書式指定が行えます。

## printf メソッド

右に示す2重の **for** 文は、九九の表を出力する **List 4-14**（p.110）の主要部です。

網かけ部の **if** 文は、数値を揃えて表示するための苦肉の策でした。

基数や桁数などの書式を制御して表示を行う **System.out.printf** メソッドを利用すると、プログラムは簡潔になります。

```
for (int i = 1; i <= 9; i++) {
  for (int j = 1; j <= 9; j++) {
    if (i * j < 10)
      System.out.print("  ");     // スペース2個
    else
      System.out.print(" ");      // スペース1個
    System.out.print(i * j);
  }
  System.out.println();
}
```

**List 4-21** に示すのが、そのプログラムです（4行のコードが1行に収まっています）。

**List 4-21** chap04/MultiTablePrintf.java

```
// 九九の表を表示（System.out.printfを利用）

class MultiTablePrintf {

  public static void main(String[] args) {
    for (int i = 1; i <= 9; i++) {
      for (int j = 1; j <= 9; j++)
        System.out.printf("%3d", i * j);
      System.out.println();
    }
  }
}
```

実行結果

```
  1  2  3  4  5  6  7  8  9
  2  4  6  8 10 12 14 16 18
  3  6  9 12 15 18 21 24 27
  4  8 12 16 20 24 28 32 36
  5 10 15 20 25 30 35 40 45
  6 12 18 24 30 36 42 48 54
  7 14 21 28 35 42 49 56 63
  8 16 24 32 40 48 56 64 72
  9 18 27 36 45 54 63 72 81
```

本プログラムでの **printf** メソッドの働きを、**Fig.4-20** に示しています。実引数 **"%3d"** は、

コンマ **,** に続く引数の値を少なくとも3桁の幅で10進整数として表示してください。

という書式指定のための書式文字列です。% は、書式指定の開始で、3 は、桁数の指定です。最後の d は、『10 進数』という意味の decimal の頭文字です。

そのため、*i* * *j* の値が **1** であれば「␣␣1」と表示されますし、**15** であれば「␣15」と表示されます（␣はスペースです）。

```
System.out.printf("%3d", i * j);
```

少なくとも3桁の幅の10進整数で表示せよ!!

**Fig.4-20 printfメソッドの働き（その1）**

さて、『少なくとも3桁』と表現したのは、指定桁数で収まらなければ、数値のすべての桁が出力されるからです。確認しましょう（**"chap04/PrintfWidth.java"**）。

```
System.out.printf("%3d\n", 1);
System.out.printf("%3d\n", 12);
System.out.printf("%3d\n", 123);
System.out.printf("%3d\n", 1234);
System.out.printf("%3d\n", 12345);
```

```
  1
 12
123
1234
12345
```

3桁（1〜123）、4桁（1234）、5桁（12345）

それでは、次のプログラムを実行しましょう（**"chap04/PrintfDecimal.java"**）。

```
int x = 57;
int y = 135;
System.out.printf("x = %3d\n", x);
System.out.printf("y = %3d\n", y);
```

```
x =  57
y = 135
```

**Fig.4-21** に示すように、第1実引数の文字列内の、書式文字列でない文字が、そのまま画面に表示されます。

```
System.out.printf("x = %3d\n", x);
                  x =  57
```

書式文字列以外の文字は、そのまま表示される

**Fig.4-21　printfメソッドの働き（その2）**

次は、キーボードから読み込んだ整数値と実数値の二つを、**printf** メソッドで表示するプログラムを実行しましょう（**"chap04/DecimalFloat.java"**）。

```
System.out.print("整数x：");  int x = stdIn.nextInt();
System.out.print("実数y：");  double y = stdIn.nextDouble();
System.out.printf("x =%3d  y =%6.2f\n", x, y);
```

```
整数x：35
実数y：53.2
x = 35  y =  53.20
```

このプログラムでは、二つの数値の書式化を一度に行っています。**Fig.4-22** に示すように、複数の式の値を出力する場合は、コンマ文字 **,** で区切った上で、第2引数以降として与えます。

この場合、二つの変数の表示が、次のように行われます。

- 整数 x … 少なくとも3桁の 10 進数で表示されます。
- 実数 y … 全体が少なくとも6桁で、小数点以下の部分が2桁で表示されます。
  f は『浮動小数点』という意味の floating-point の頭文字です。

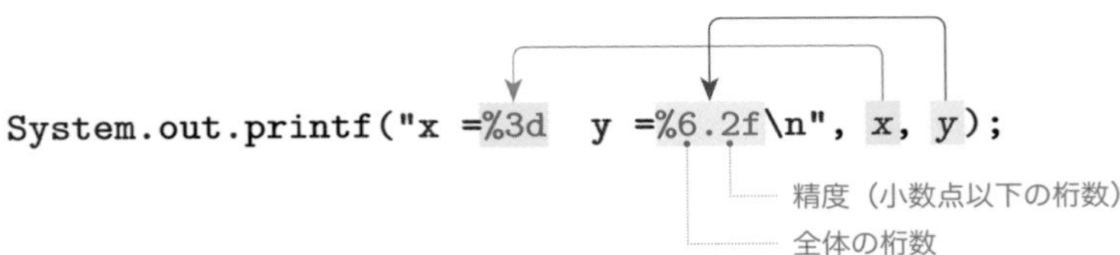


**Fig.4-22　printfメソッドの働き（その3）**

文字%は、書式指定の先頭文字です。そのため、文字%そのものを出力したいときは、%%と表記することになっています（"chap04/DivMod.java"）。

```
int x = 5;
int y = 2;

System.out.printf("x / y = %d\n",  x / y);
System.out.printf("x %% y = %d\n", x % y);
```

```
x / y = 2
x % y = 1
```



なお、%dと%fの他にも、いろいろな指定が可能です。基本的なものを**Table 4-4**に示しています。**List 4-22**に示すのが、それらを利用したプログラム例です。

**List 4-22** chap04/PrintfTester.java

```
// System.out.printfのテストプログラム

class PrintfTester {

  public static void main(String[] args) {
    System.out.printf("%d\n",  12345);    // 10進数
    System.out.printf("%3d\n", 12345);    // 少なくとも3桁
    System.out.printf("%7d\n", 12345);    // 少なくとも7桁
    System.out.println();

    System.out.printf("%5d\n",  123);     // 少なくとも5桁
    System.out.printf("%05d\n", 123);     // 少なくとも5桁
    System.out.println();

    System.out.printf("%d\n", 13579);     // 10進数
    System.out.printf("%o\n", 13579);     // 8進数
    System.out.printf("%x\n", 13579);     // 16進数（小文字）
    System.out.printf("%X\n", 13579);     // 16進数（大文字）
    System.out.println();

    System.out.printf("%f\n",    123.45); // 浮動小数点数
    System.out.printf("%15f\n",  123.45); // 全体を15桁
    System.out.printf("%9.2f\n", 123.45); // 全体を9桁で小数点以下を2桁
    System.out.println();

    System.out.printf("XYZ\n");            // 文字列（変換なし）
    System.out.printf("%s\n",   "ABCDE"); // 文字列
    System.out.printf("%3s\n",  "ABCDE"); // 少なくとも3桁
    System.out.printf("%10s\n", "ABCDE"); // 少なくとも10桁
    System.out.println();
  }
}
```

実行結果

```
12345
12345
  12345

  123
00123

13579
32413
350b
350B

123.450000
     123.450000
   123.45

XYZ
ABCDE
ABCDE
     ABCDE
```

網かけ部の0（"%05d"の0）は、余白をスペースではなくて0で埋めるための指示です。

▶ printfメソッドは、そのすべてを解説しようとすると、数十ページになるほど、極めて多機能です。
詳細は、Webで公開されているAPIのドキュメントをご覧ください。

**Table 4-4 主要な書式文字列**

| 変換文字 | 概要 |
|---|---|
| %d | 10進数で出力 |
| %o | 8進数で出力 |
| %x | 16進数で出力（a～fは小文字） |
| %X | 16進数で出力（A～Fは大文字） |
| %b | 論理値を文字列として出力 |
| %c | 文字として出力 |
| %f | 小数点形式で出力 |
| %s | 文字列で出力 |

## Column 4-6 System.out.printfメソッドとString.formatメソッド

printfメソッドは、長い歴史をもつC言語のprintf関数を参考に作られたものです。書式文字列の指定なども、よく似ています。

※注：これ以降は、後半の章を学習した後にお読みください。

ただし、まったく異なる点もあります。その一つが、C言語のprintfでは書式化における"桁数"を**可変値**として指定できるのに対し、Javaのprintfではできないことです。

次に示すのは、C言語で、桁数を可変値としたプログラム例です（"chap04/printf_test.c"）。

```
/* 注：これはC言語のプログラムです。*/
int i;
for (i = 1; i <= 4; i++) {
  printf("%*d\n", i, 5);   /* 整数値5をi桁で表示 */
}
```

```
5
 5
  5
   5
```

このfor文は、iの値を1から4までインクリメントします。その過程で行うことは、『整数値5を少なくともi桁の幅で表示する』ことです（そのため、1行目は1桁で表示され、2行目は2桁で表示され、3行目は3桁で表示され、4行目は4桁で表示されます）。

書式文字列"%*d"内の記号と、実引数の対応は、次のとおりです。

* … 桁数を表す引数iに対応。

d … 表示すべき整数値5に対応。

Javaのprintfでは、*が使えません。同等なことを実現するには、"%1d\n", "%2d\n", "%3d\n", "%4d\n"という文字列を作成した上で、それをprintfメソッドに渡す必要があります。

次に示すのが、そのプログラムです（"chap04/StringFormat1.java"）。

```
for (int i = 1; i <= 4; i++) {
  String f = String.format("%%%dd\n", i);    // "%id"を作る（iは数値）
  System.out.printf(f, 5);
}
```

String.formatは、printfメソッドの出力先を、**コンソール画面**ではなく、**文字列**に変更したメソッドです（書式化を行った文字列を生成して返却します）。

文字列をString.formatで生成する様子を示したのがFig.4C-4です。青網部の%dの部分に、引数iの整数値が入ります。たとえば変数iの値が2であれば、作られる文字列は"%2d\n"となります。

※注：%の表記が%%であることは、左ページで学習しました。

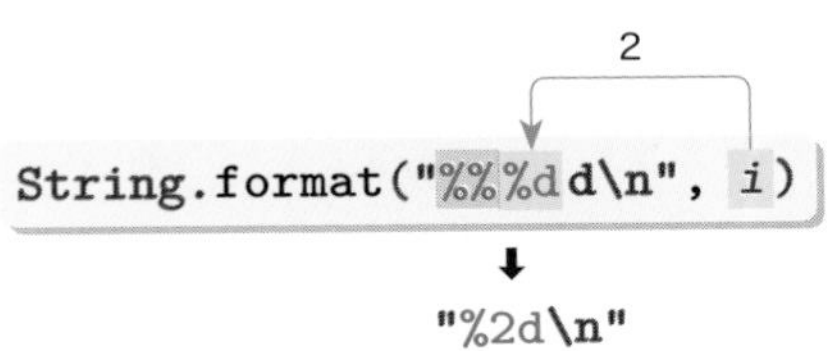


**Fig.4C-4** String.formatによる書式文字列の作成（iが2のとき）

続くprintfメソッドの呼出しでは、生成された文字列を利用して整数値5を表示します。

なお、生成した文字列を、わざわざ変数fに代入することなく、直接printfメソッドに渡すと、プログラムは簡潔になります（"chap04/StringFormat2.java"）。

```
for (int i = 1; i <= 4; i++)
  System.out.printf(String.format("%%%dd\n", i), 5);
```

# まとめ

- ループとも呼ばれる繰返しは、繰返しを**継続**するかどうかの判定のタイミングによって、次の２種類に分類される。
  - 後判定繰返し … 繰返しの継続条件の判定を、繰返し対象の処理の実行後に行う。
  - 前判定繰返し … 繰返しの継続条件の判定を、繰返し対象の処理の実行前に行う。

- **後判定繰返し**は、do 文で実現する。

- **前判定繰返し**は、while 文と for 文で実現する。これらの繰返し文は、相互に置換できる。

- **do** 文と **while** 文と **for** 文の総称が繰返し文である。繰返しの対象となる文（繰返しのたびに実行する文）のことを、ループ本体と呼ぶ。

- 後判定繰返しの **do** 文では、ループ本体は、必ず１回は実行される。

- 前判定繰返しの **while** 文と **for** 文では、ループ本体が、１回も実行されないことがある。

- 繰返し文のループ本体は、繰返し文であってもよい。そのような構造の繰返しが多重ループである。

- break 文は、**switch** 文と繰返し文の実行を強制的に中断する文である。ラベル付き break 文は、ラベルの付いた文の実行を中断する文である。

- continue 文とラベル付き continue 文は、ループ本体の残り部分の実行をスキップして、次の繰返しへと進めるための文である。

- **前置**の増分演算子 **++** ／減分演算子 **--** を適用した式を評価すると、オペランドの値を**インクリメント**（１増やす）／**デクリメント**（１減らす）を行った後の値が得られる。

- **後置**の増分演算子 **++** ／減分演算子 **--** を適用した式を評価すると、オペランドの値を**インクリメント**（１増やす）／**デクリメント**（１減らす）を行う前の値が得られる。

- ２項演算子による演算は、**『左オペランドの評価 ⇨ 右オペランドの評価 ⇨ 演算』**の順で行われる。

- 単一引用符 **'** で１個の文字を囲んだ **'X'** は、文字リテラルである。

- 複合代入演算子は、演算と代入の両方を行う演算子である。代入先の変数名の記述が１回ですむ、その評価が行われるのが１回限りである、などの特長がある。

  `*=` `/=` `%=` `+=` `-=` `<<=` `>>=` `>>>=` `&=` `^=` `|=`

- **System.out.printf** メソッドを利用すると、数値や文字列を、書式を指定した上で表示できる。

● do 文

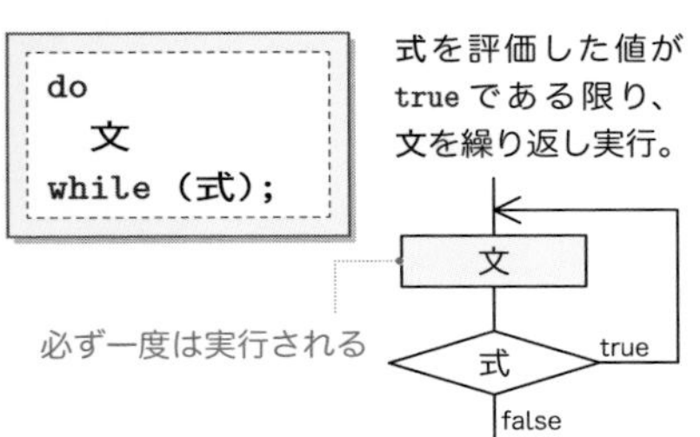


● while 文

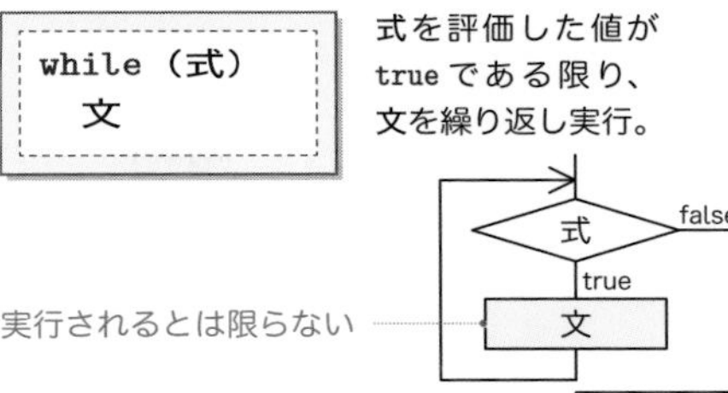


● for 文

```
for (初期化部; 式; 更新部)
  文
```

初期化部は一度だけ評価・実行する。

式を評価した値が true である限り、『文を実行して、更新部を評価・実行する』ことを繰り返す。

初期化部
式
false
true
文
更新部

chap04/Abc.java

```
import java.util.Scanner;

class Abc {

  public static void main(String[] args) {
    Scanner stdIn = new Scanner(System.in);

    int x;
    do {
      System.out.print("正の整数値：");
      x = stdIn.nextInt();
    } while (x <= 0);

    int y = x;
    int z = x;
    while (y >= 0)
      System.out.printf("%5d%5d\n", y--, ++z);

    System.out.printf("縦横が整数で面積%dの" +
                      "長方形の辺の長さ：\n", x);

    for (int i = 1; i < x; i++) {
      if (i * i > x)  break;
      if (x % i != 0) continue;
      System.out.printf("%d × %d\n", i, x / i);
    }

    for (int i = 1; i <= 5; i++) {
      for (int j = 1; j <= 5; j++)
        System.out.print('*');
      System.out.println();
    }
  }
}
```

do 文 / while 文 / break文 / continue文 / for 文 / 多重ループ

実行例

```
正の整数値：0
正の整数値：-5
正の整数値：32
   32   33
   31   34
   30   35
 …中略…
    2   63
    1   64
    0   65
縦横が整数で面積32の
長方形の辺の長さ：
1 × 32
2 × 16
4 × 8
*****
*****
*****
*****
*****
```

# 第 5 章

# 基本型と演算

本章では、基本型と演算について学習します。

- □ 基本型と参照型
- □ 整数型と整数リテラル
- □ 浮動小数点型と浮動小数点リテラル
- □ 論理型（boolean 型）と論理値リテラル
- □ 演算と型
- □ 演算と計算精度
- □ 型変換
- □ 型キャスト演算子
- □ 基本型の拡大変換・縮小変換
- □ var による型指定
- □ 拡張表記
- □ 文字列と論理型の連結

# 5-1 基本型

これまで、いろいろな型の変数や定数（リテラル）を利用してきました。Javaで扱える型には、基本型と参照型とがあります。本節では、基本型を学習していきます。

## 基本型

前章までのプログラムでは、**int**型、**double**型、**String**型といった変数と定数（リテラル）を使ってきました。

**Fig.5-1**に示すように、Javaでは、数多くの型（かた）（type）が利用できます。それらは、大きく基本型（primitive type）と参照型（reference type）とに分けられます。

▶ primitiveは、『基本的な』『原始的な』『初期の』という意味です。

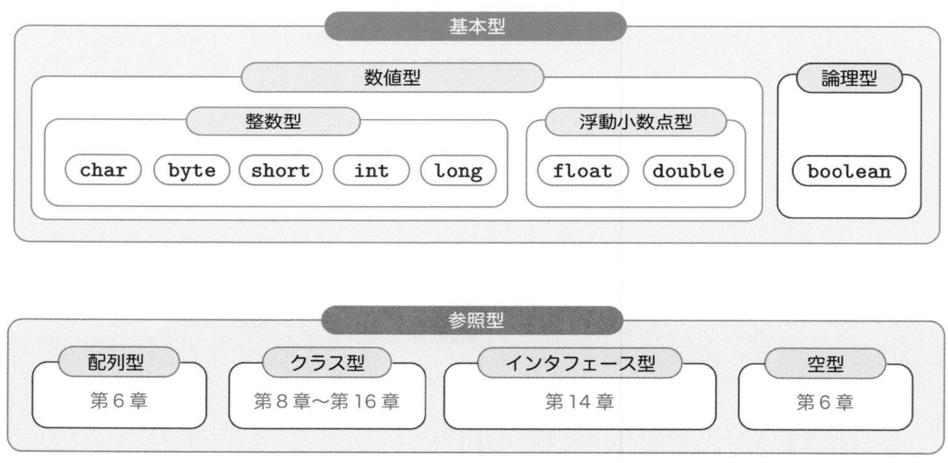


**Fig.5-1　Javaで利用できる型**

本章で学習するのは、基本型です。その基本型も、大きく2種類に分かれます。

- **数値型**（numeric type）

整数を表す5種類の整数型と、実数を表す2種類の浮動小数点型とがあります。

- **論理型**（boolean type）

論理値を表す論理（**boolean**）型は、真と偽のいずれかの値を表現する型です。

▶ 文字列を表す**String**型は、基本型ではなく、クラス型です。第16章で学習します。

### 型とビット

第２章で学習したように、変数は型から作られます。たとえば、

```
int x;              // int型の変数
```

と宣言された **x** は、**int** 型の変数です。また、定数である整数リテラル **32** も **int** 型です。

```
32                  // int型の整数リテラル
```

もし変数 **x** の値が **15** であれば、変数 **x** の評価は **Fig.5-2**ⓐのように表せます。また、もう一つの図ⓑは、整数リテラル **32** の評価です。

▶ 左側の小さな文字が**型**で、右側の大きな文字が**値**です（p.58）。

ⓐ int型変数
x
int 15
ⓑ 整数リテラル
32
int 32

**Fig.5-2** 式の評価

また、これらを加算する、次の式を評価すると、**int** 型の値 **47** が得られます。

```
x + 32              // int型どうしを加算する式（int型）
```

いくつかの値を考えてきました。値は、コンピュータの**記憶域**、すなわち**メモリ**の中では、**Ø** と **1** のいずれかをもつデータの単位である、ビット（bit）の集まりで表現されます。

▶ bit は、binary digit（2進数字）の略です。**Fig.5-3** に示すように、ビットは、**Ø** と **1** のみが表現可能な、２進数１桁に相当します。

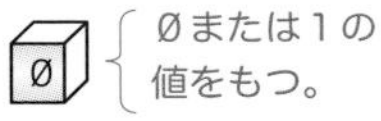

Ø
Øまたは1の値をもつ。


**Fig.5-3** ビット

＊

ビットが集まって値を表すことを、内部表現といいます。**内部表現のビットの個数や、個々のビットの意味は、型によって異なります。**

たとえば、**int** 型の変数や、**int** 型の整数リテラルの中身は、**Fig.5-4** に示すように、32 個のビットで構成されます（もし **long** 型であれば、ビットの個数は 64 個です）。

さらに、どのビットが **Ø** あるいは **1** になるのかといったことは、**値によって変わります。**

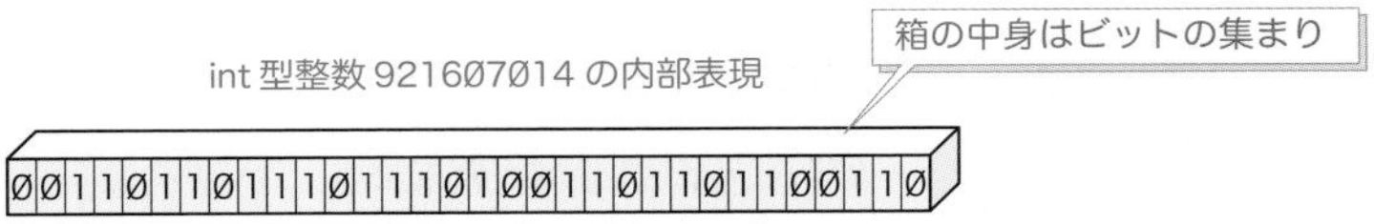

箱の中身はビットの集まり
int 型整数 921607014 の内部表現
ØØ11Ø11Ø111Ø111Ø1ØØ11Ø11Ø11ØØ11Ø


**Fig.5-4** ビットによる値の表現

## 整数型

各型について学習していきましょう。最初に学習する整数型（integral type）は、**有限範囲の連続した整数を表現する型**であって、全部で5種類です。

`char` 型　`byte` 型　`short` 型　`int` 型　`long` 型

**Fig.5-5** に示すのが、各型で表現できる数値の範囲と、内部表現のビット数です。

たとえば、**int** 型の表現範囲は **-2,147,483,648** ～ **2,147,483,647** です。そのため、**int** 型の変数やリテラルや式は、その範囲の値のどれか１個（たとえば **12** や **537** など）を表します。

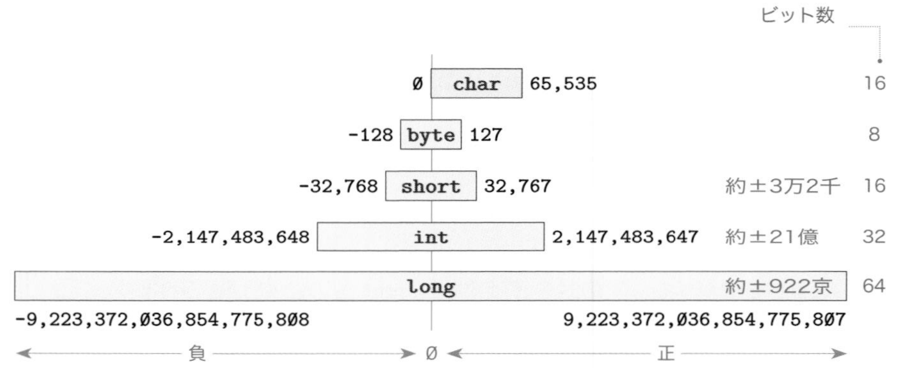


**Fig.5-5　整数型で表現できる値の範囲とビット数**

さて、図をよく見れば分かるように、整数型は、大きく２種類に分類されます。

### ▪ char 型

**文字**を表す型であって、**0** と正の値を表現する符号無し整数型です。負の値を表現できないという点で、他の整数型とは性質が大きく異なります。

ちなみに、文字を表すための型が**整数型**に含まれるのは、**文字コード**という整数値で、文字が表されるからです。そのことを含め、**char** 型の詳細は、第 16 章で学習します。

### ▪ byte 型／ short 型／ int 型／ long 型

整数を表す型です。負の値、**0**、正の値を表現する符号付き整数型です。

表現できる値の範囲が型によって異なるのは、内部表現のビット数が違うからです。

▶　ビット数 $n$ の型で表現できるのは、$-2^{n-1}$ から $2^{n-1} - 1$ までの $2^n$ 種類の整数です。

これらの型では、ビット数の多い型ほど表現範囲が広くなります。各型の使い分けの目安をまとめたのが、右ページの **Table 5-1** です。

**Table 5-1 整数型の性質と用途**

| 型 | 性質と用途 |
|---|---|
| byte 型 | 名前のとおり、1バイト（8ビット）の整数です。1バイトのデータを表すときに利用します。 |
| short 型 | 短い整数です。小さな値のみをとり得ることが分かっていて、かつ、記憶域を節約したいときなどに利用します。 |
| int 型 | 整数型の中で、最も基本的な型です。通常はこの型を利用して整数を表します。 |
| long 型 | 長い整数です。int 型では表現できない大きな値が必要な場合に利用します。 |



▶ 前章までにも多くの演算子を学習してきましたが、演算子によって、適用可能なオペランドの型が異なります。各型のオペランドに適用できる演算子の一覧は、各 **Column** にまとめています。


- 整数型のオペランドに適用できる演算子 … **Column 5-1**（p.131）
- 浮動小数点型のオペランドに適用できる演算子 … **Column 5-3**（p.138）
- 論理型のオペランドに適用できる演算子 … **Column 5-5**（p.141）
- クラス型のオペランドに適用できる演算子 … **Column 9-1**（p.263）


## Column 5-1 整数型のオペランドに適用できる演算子

整数型のオペランドに対して適用できる演算子を示します。

**▪ 比較演算子**

演算の結果は、論理型の値となります。

- ▫ 関係演算子　　<　<=　>　>=
- ▫ 等価演算子　　==　!=

**▪ 数値演算子**

演算の結果は、int 型または long 型の値となります。

- ▫ 単項符号演算子　　+　-
- ▫ 乗除演算子　　*　/　%
- ▫ 加減演算子　　+　-
- ▫ 増分演算子　　++　（前置および後置）
- ▫ 減分演算子　　--　（前置および後置）
- ▫ シフト演算子　　<<　>>　>>>
- ▫ ビット単位の補数演算子　　~
- ▫ ビット単位の論理演算子　　&　|　^
- ▫ 条件演算子　　? :

**▪ キャスト演算子 ( )**

整数型の値を、指定された任意の数値型の値へ変換します。

**▪ 文字列連結演算子 +**

一方が String 型オペランドで他方が整数型オペランドのとき、整数型オペランドを 10 進数表記の String に変換した上で、連結した文字列を生成します。

## 整数リテラル

整数型の定数を表す**整数リテラル**（integer literal）のバリエーションは豊富です。次に示すように、４種類×２種類の全８種類があります。

- 1Ø 進整数リテラル（int 型 ／ long 型）
- ２進整数リテラル（int 型 ／ long 型）
- ８進整数リテラル（int 型 ／ long 型）
- 16 進整数リテラル（int 型 ／ long 型）

▶ 1Ø 進数、２進数、８進数、16 進数については、**Column 5-4**（p.139）で学習します。
なお、整数リテラルは符号を含みません。たとえば、負数を表す -1Ø は、整数リテラル 1Ø に対して、単項 - 演算子を適用した式であって、整数リテラルではありません。

### ■ 1Ø 進整数リテラル（decimal integer literal）

1Ø や 57 などのように、Ø ～ 9 の数字の並びで表します。ただし、２桁以上の場合に、先頭を Ø にすることはできません（先頭を Ø にすると、８進整数リテラルとみなされます）。

### ■ ２進整数リテラル（binary integer literal）

先頭に Øb あるいは ØB を付けて、Ø と 1 の数字の並びで表記します。

### ■ ８進整数リテラル（octal integer literal）

1Ø 進整数リテラルと区別がつくように、先頭に Ø を置いた上で、２桁以上の Ø ～ 7 の数字の並びで表記します。

### ■ 16 進整数リテラル（hexadecimal integer literal）

先頭に Øx または ØX を置いて、Ø ～ 9 と A ～ F の並びで表記します。なお A ～ F は、大文字でも小文字でも構いません。

整数リテラルの表記に関しては、次の２点を必ず知っておく必要があります。

### ■ 整数接尾語

整数リテラルは、基本的には int 型です。ただし、**整数接尾語**（integer type suffix）と呼ばれる l または L を末尾に付けると long 型になります。

たとえば、5 は int 型で、5L は long 型です。

▶ 小文字の l（エル）は数字の 1（いち）と見分けがつきにくいため、大文字の L を使うべきです。

### ■ 区切り文字（下線）

桁数の多い数字を読みやすくするために、リテラルの途中の任意の位置に、下線 _ を入れてもよいことになっています。たとえば、32767 を 32_767 と表記することが可能です。

▶ 下線を入れられるのは、途中のみです。先頭や末尾を _ にすることはできません。

整数リテラルの例を、右に示しています。

これらの内、最初の3個は、見かけこそ似ていますが、まったく異なる値です。

それでは、これら3個の値を、実際に10進数で表示して、確認しましょう。

**List 5-1** に示すのが、そのプログラムです。

- 13 … 10進整数リテラル
- 013 … 8進整数リテラル
- 0x13 … 16進整数リテラル
- 0b10001 … 2進整数リテラル
- 0xC … 16進整数リテラル



**List 5-1** chap05/DecOctHexLiteral.java

```
// 整数リテラル（10進／8進／16進）

class DecOctHexLiteral {

  public static void main(String[] args) {
    int a = 13;      // 10進数の13
    int b = 013;     //  8進数の13
    int c = 0x13;    // 16進数の13

    System.out.println("a = " + a);
    System.out.println("b = " + b);
    System.out.println("c = " + c);
  }
}
```

実行結果

```
a = 13
b = 11
c = 19
```

整数リテラル **13**、**013**、**0x13** が、10進数で **13**、**11**, **19** であることが分かりました。

＊

**System.out.printf** メソッドを使えば、8進や16進での表示が容易に行えます（p.122）。**List 5-2** のプログラムで確認しましょう。

**List 5-2** chap05/DecOctHex.java

```
// int型の整数値を10進数で読み込んで10進数・8進数・16進数で表示

import java.util.Scanner;

class DecOctHex {

  public static void main(String[] args) {
    Scanner stdIn = new Scanner(System.in);

    System.out.print("整数：");
    int x = stdIn.nextInt();

    System.out.printf("10進数では%dです。\n", x);   // 10進数で表示
    System.out.printf(" 8進数では%oです。\n", x);   //  8進数で表示
    System.out.printf("16進数では%xです。\n", x);   // 16進数で表示
  }
}
```

実行結果

```
整数：27⏎
10進数では27です。
 8進数では33です。
16進数では1bです。
```

このプログラムは、10進数で読み込んだ **int** 型の整数値を、10進数と8進数と16進数で表示します。

▶ **long** 型の表示を行う場合も、書式文字列は **"%d"** と **"%o"** と **"%x"** です（C言語の **printf** とは異なり、型によって書式文字列を変更する必要はありません）。

プログラムを実行して確認しましょう（**"chap05/DecOctHexLong.java"**）。

## 整数の内部表現

値がビットの並びで表現されることを、先ほど学習しました（p.129）。**byte** 型、**short** 型、**int** 型、**long** 型の値の**内部表現**を学習していきましょう。

▶ 各型のビット数は、それぞれ、8 ビット、16 ビット、32 ビット、64 ビットです。

### 符号ビット

まずは、数型値の内部表現の概要です。**Fig.5-6** のようになっています。

ビット数が $n$ のとき、各ビットは、下位側（右側）から $B_0$, $B_1$, $B_2$, … , $B_{n-1}$ と呼ばれます。この図は、$n$ が 32 である **int** 型の例ですから、下位側から $B_0$ ～ $B_{31}$ の 32 個です。

数値の符号（sign）を表すのが、**最上位ビット**である $B_{n-1}$ です（**int** 型だと $B_{31}$ で、**long** 型だと $B_{63}$ です）。このビットは符号ビット（sign bit）と呼ばれ、値が負であれば **1** となり、そうでなければ **0** となります。



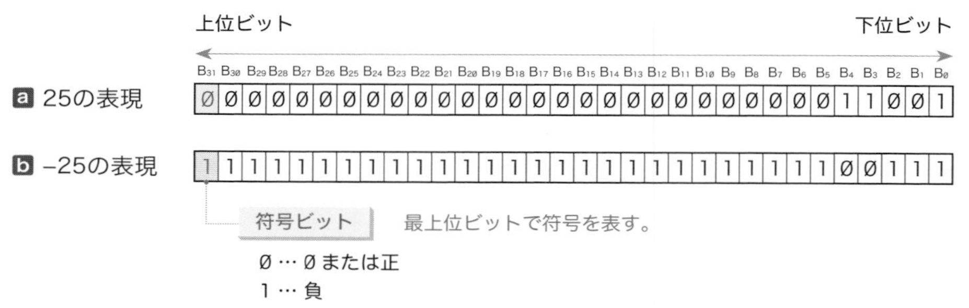


**Fig.5-6　int 型の整数値 25 と −25 の内部表現**

符号ビットを除いた残りのビットで、具体的な値を表現します。

### 非負の値

非負の値は、2進表現を各ビットに対応させて表します。

たとえば、10 進数の **25** は、2進数で **11001** ですから、図**a**に示すように、上位側のビットを **0** で埋めつくした **00000000000000000000000000011001** となります。

▶ 型によってビット数が変わりますので、構成ビットが 8 ビットである **byte** 型であれば、整数値 **25** の内部表現は **00011001** となります。

### 負の値

負の値は、**2の補数表現**という表現法で表されます（図**b**は、**-25** の内部表現です）。

この表現法について、右ページの **Fig.5-7** を見ながら理解していきましょう。この図には、16 ビットの **short** 型の **5** をもとにして、**-5** を求める手順が示されています。

まず、正の数の全ビットを反転します（**0** を **1** にして、**1** を **0** にします）。これが、**1の補数**と呼ばれる表現です。その1の補数に **1** を加えて得られるのが、**2の補数**です。

5 0000000000000101 正の値

⬇すべてのビットを反転

−6 1111111111111010 1の補数

⬇1を加える

−5 1111111111111011 2の補数

**Fig.5-7 正値から2の補数表現の負値への変換**



整数の内部表現法が分かりました。32 ビットで構成される **int** 型の値を例にとって、**値**と、その**内部表現**を示したのが、**Fig.5-8** です。

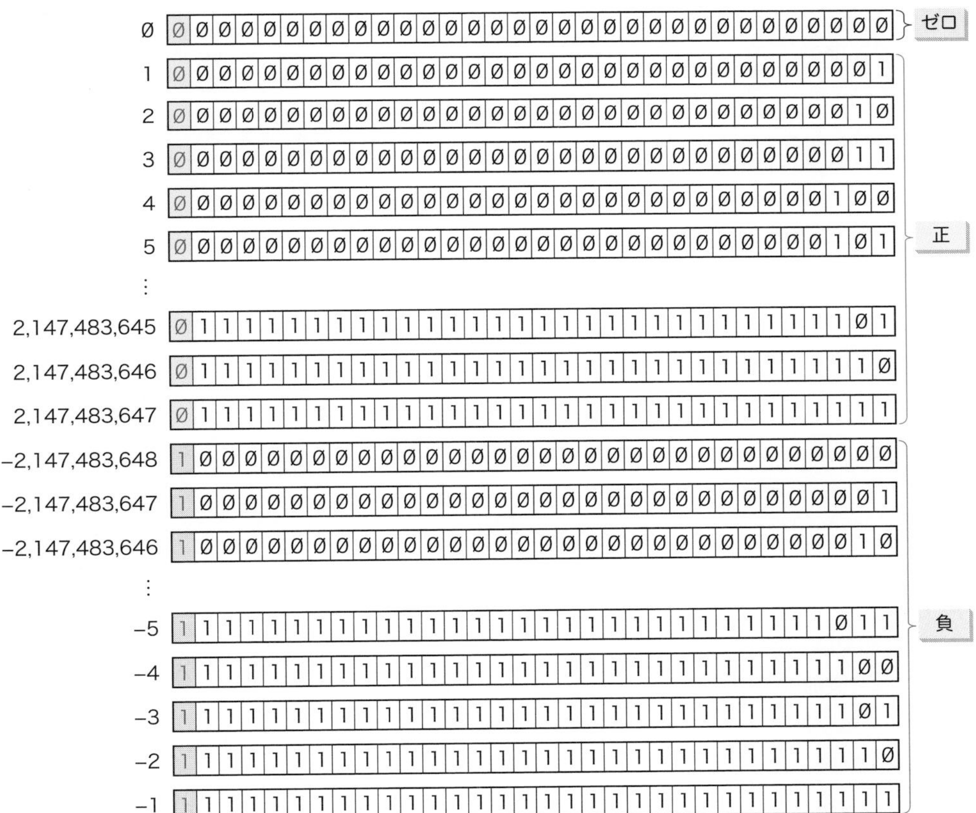


**Fig.5-8 int 型の内部表現**

▶ **int** 型で表現できる値は、**-2,147,483,648** ～ **2,147,483,647** です。この図は、ビットの並びの順に並べていますので、『ゼロ ⇨ 正の値 ⇨ 負の値』となっています。
なお、内部表現中のビットは、プログラムで操作することが可能です（第 7 章で学習します）。

## 浮動小数点型

実数を表すための浮動小数点型（floating-point type）の学習に進みます。浮動小数点型には次の２種類があり、**Table 5-2** に示すのが、その特性です。

float 型　double 型

これらの型について、まずは **List 5-3** を例に学習します。**float** 型と **double** 型の変数に数値を入れて表示するだけの、単純なプログラムです。

**List 5-3** chap05/FloatDouble1.java

```
// float型とdouble型の精度が有限であることを確認

class FloatDouble1 {

  public static void main(String[] args) {
    float  a = 123456789;
    double b = 1234567890123456789L;

    System.out.println("a = " + a);
    System.out.println("b = " + b);
  }
}
```

実行結果

```
a = 1.23456792E8
b = 1.23456789012345677E18
```

Eは、10のべき乗を表す数学的表記です。たとえば、1.23456792E8は、その値が $1.23456792 \times 10^8$ であるということです。

実行結果から、変数に入れた値が**正確には表現されていない**ことが分かります。

有限範囲の連続した整数を表現する整数型とは異なり、浮動小数点型で表す値は、大きさと精度の両方の制限を受けるためです。

このことを、“たとえ話”で説明すると、次のようになります。

大きさとしては12桁まで表すことができ、精度としては6桁が有効である。

数値“1234567890”を例にとって考えていきましょう。この値は10桁ですから、**大きさ**としては12桁の表現範囲内に収まっています。ところが、**精度**としては6桁に収まっていません。

そこで左から7桁目を四捨五入して、6桁に収めると“1234570000”になります。

この値を数学的に表現したのが、**Fig.5-9** です。

1.23457は仮数（かすう）と呼ばれて、9は指数（しすう）と呼ばれます。仮数の桁数が「精度」に相当し、指数の値が「大きさ」に相当します。

仮数　指数

$1.23457 \times 10^9$

**Fig.5-9　浮動小数点数と仮数・指数**

**Table 5-2　浮動小数点型の特性**

| 型 | 表現範囲 | 精度 | ビット数（符号／指数／仮数） |
|---|---|---|---|
| float 型 | ±3.4028235E+38 ～ ±1.401298E-45 | 約6～7桁 | 32 （1／8／23） |
| double 型 | ±1.7976931348623157E+308 ～ ±4.94065645841246544E-324 | 約15桁 | 64 （1／11／52） |

さて、ここまでは10進数で考えてきましたが、仮数部と指数部の内部は、実際には、2進数で表現されています。そのため、大きさと精度を「6桁」といった具合に、10進整数でピッタリ表現することはできません（**Column 5-2**）。

浮動小数点型の値の内部表現は、**Fig.5-10** のようになっています。二つの型で表現可能な大きさと精度が異なるのは、指数部と仮数部に割り当てられるビット数が異なるからです。

▶ 型名の`float`は、**浮動小数点**（floating-point）に由来します。もう一方の`double`の型名は、その精度が`float`型の約**2倍の精度**（double precision）であることに由来します。

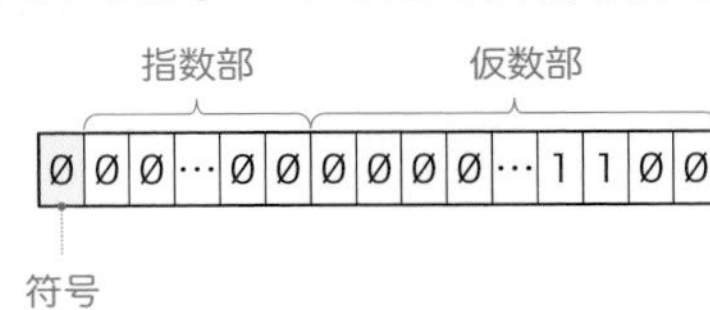


**Fig.5-10　浮動小数点数の内部**

二つの型の精度の違いを検証します。**List 5-4** のプログラムを実行しましょう。

**List 5-4**　chap05/FloatDouble2.java

```
// float型とdouble型の変数に実数値を読み込んで表示

import java.util.Scanner;

class FloatDouble2 {

  public static void main(String[] args) {
    Scanner stdIn = new Scanner(System.in);

    System.out.println("変数xはfloat型で変数yはdouble型です。");
    System.out.print("x : ");  float   x = stdIn.nextFloat();
    System.out.print("y : ");  double  y = stdIn.nextDouble();

    System.out.println("x = " + x);
    System.out.println("y = " + y);
  }
}
```

実行例

```
変数xはfloat型で変数yはdouble型です。
x : 0.12345678901234567890
y : 0.12345678901234567890
x = 0.12345679
y = 0.12345678901234568
```

`float`型の変数と`double`型の変数に、値を読み込んで表示するだけのプログラムです。

`x`と`y`に対して同じ値を入力しているのですが、異なる値が表示されています。二つの型の精度の違いが確認できます。

▶ どちらの型であっても、正確さが要求される、『お金の計算』などには使えないことが分かります。

## Column 5-2　小数部をもつ2進数

2進数の各桁は2のべき乗の重みをもちます。そのため、2進数の小数点以下の桁を10進数と対応させると、**Table 5C-1** に示す関係となります。

`0.5, 0.25, 0.125, …` の和でない値は、有限桁の2進数では表現できません。

具体例を考えましょう。

**Table 5C-1　2進数と10進数**

| 2進数 | 10進数 | |
|---|---|---|
| 0.1 | 0.5 | ※2の-1乗 |
| 0.01 | 0.25 | ※2の-2乗 |
| 0.001 | 0.125 | ※2の-3乗 |
| 0.0001 | 0.0625 | ※2の-4乗 |
| ⋮ | ⋮ | |

▪ 有限桁で表現できる数値の例

10進数の`0.75` ＝ 2進数の`0.11`

※`0.75`は`0.5`と`0.25`の和

▪ 有限桁で表現できない数値の例

10進数の`0.1` ＝ 2進数の`0.00011001…`

5-1 基本型

### 浮動小数点リテラル

57.3 のような、実数の定数を表す式が、浮動小数点リテラル（floating-point literal）であることは、第２章で学習しました。

浮動小数点リテラルの型を指定するのが浮動小数点接尾語（float type suffix）です。末尾に f あるいは F を付けると float 型となり、何も付けないか、d あるいは D を付けると double 型となります。

```
35.7      // double型
35.7D     // double型
35.7F     // float型
```

なお、数学的表記も可能です。数値の後に E を置き、その後ろに指数を与えます。

```
1.23E4          // 1.23×10⁴
39.7E-5         // 39.7×10⁻⁵
```

整数部や小数部は省略可能です。いくつかの例を示します。

```
10.             // 10.0
10.0            // 10.0
0.5             // 0.5
.5              // 0.5
.5F             // float型の0.5
57D             // 57.0
57F             // float型の57.0
1D              // 1.0
123_456.789F    // float型の123456.789
0x1.000P1       // 16進数（Pあるいはpは２進の指数表記）
10              // 駄目（int型の整数リテラルとみなされる）
```

▶ 小数点 . と小数部の両方を省略した場合は、整数部は省略できません。



#### Column 5-3　浮動小数点型のオペランドに適用できる演算子

浮動小数点型のオペランドに対して適用できる演算子を示します。

**▪比較演算子**

演算の結果は、論理型の値となります。

▫関係演算子／等価演算子　　`<  <=  >  >=  ==  !=`

**▪数値演算子**

演算の結果は、float 型または double 型の値となります。

▫単項符号演算子　　`+  -`

▫乗除演算子／加減演算子　　`*  /  %  +  -`

▫増分演算子／減分演算子　　`++  --`　（前置および後置）

▫条件演算子　　`? :`

**▪キャスト演算子 ( )**

浮動小数点数値を、指定された任意の数値型の値へ変換します。

**▪文字列連結演算子 +**

一方が String オペランドで他方が浮動小数点型オペランドのとき、浮動小数点型オペランドを 10 進数表記の String に変換した上で、連結した文字列を生成します。

なお、浮動小数点リテラルは10進表記と16進表記とが可能です。2進表記や8進表記はできません。

## Column 5-4 基数について

10進数は10を基数（きすう）（cardinal number）とする数です。同様に、2進数は2を基数とする数であり、8進数は8を基数とする数であり、16進数は16を基数とする数です。各基数について簡単に学習します。

### ■ 10進数

次に示す10種類の数字を利用して数を表現します。

```
0 1 2 3 4 5 6 7 8 9
```

これらを使い切ったら、桁が繰り上がって10となります。2桁の数は、10から始まって99までです。その次は、さらに繰り上がった100です。

10進数の各桁は、下の桁から順に$10^0$, $10^1$, $10^2$, … と、10のべき乗の重みをもちます。たとえば1234は、次のように解釈できます（$10^0$は1です。$2^0$でも$8^0$でも、とにかく0乗の値は1です）。

$$1234 = 1 \times 10^3 + 2 \times 10^2 + 3 \times 10^1 + 4 \times 10^0$$

### ■ 2進数

次に示す2種類の数字を利用して数を表現します。

```
0 1
```

これらを使い切ったら、桁が繰り上がって10となります。2桁の数は、10と11の二つです。その次は、さらに繰り上がった100です。

2進数の各桁は、下の桁から順に$2^0$, $2^1$, $2^2$, … と、2のべき乗の重みをもちます。たとえば1011（整数リテラルでは**0b1011**と表記）は、次のように解釈されます（10進数の11です）。

$$1011 = 1 \times 2^3 + 0 \times 2^2 + 1 \times 2^1 + 1 \times 2^0$$

### ■ 8進数

次に示す8種類の数字を利用して数を表現します。

```
0 1 2 3 4 5 6 7
```

これらを使い切ったら、桁が繰り上がって10となり、さらにその次の数は11となります。2桁の数は、10から始まって77までです。これで2桁を使い切りますので、その次は100です。

8進数の各桁は、下の桁から順に$8^0$, $8^1$, $8^2$, … と、8のべき乗の重みをもちます。たとえば5306（整数リテラルでは**05306**と表記）は、次のように解釈されます（10進数の2758です）。

$$5306 = 5 \times 8^3 + 3 \times 8^2 + 0 \times 8^1 + 6 \times 8^0$$

### ■ 16進数

次に示す16種類の数字を利用して数を表現します。

```
0 1 2 3 4 5 6 7 8 9 A B C D E F
```

先頭から順に、10進数の0～15に対応します（**A**～**F**は小文字でも構いません）。

これらを使い切ったら、桁が繰り上がって10となります。2桁の数は、10から始まってFFまでです。その次は、さらに繰り上がった100です。

16進数の各桁は、下の桁から順に$16^0$, $16^1$, $16^2$, … と、16のべき乗の重みをもちます。たとえば12A0（整数リテラルでは**0x12A0**と表記）は、次のように解釈されます（10進数の4768です）。

$$12A0 = 1 \times 16^3 + 2 \times 16^2 + 10 \times 16^1 + 0 \times 16^0$$

5-1 基本型

## 論理型（boolean 型）

論理値を表す論理型（boolean 型）については、第３章で簡単に学習しました。真を表す true と、偽を表す false の、２値のいずれかの値をもつ型です。

▶ 型名の boolean の名前は、George Boole というイギリスの数学者・哲学者に由来します。
彼が 19 世紀に提唱したブール代数では、整数や実数などの数値とは違い、**真**（true）と**偽**（false）のように、２値のみをとるブール値（論理値／論理数）が扱われます。この考え方が、100 年後に生まれたコンピュータの論理演算にそのまま応用されています。

次の文脈では、論理型のみが利用できます。

- **if** 文の制御式（条件判定のための式）
- **do** 文・**while** 文・**for** 文の制御式（繰返しを続けるかどうかの判定のための式）
- 条件演算子 **? :** の第１オペランド

▶ 厳密には、boolean 型に加えて、その**ラッパクラス**（p.472）である Boolean 型も利用できます。

### 論理値リテラル

論理型の値を表す **false** と **true** が、**論理値リテラル**と呼ばれることも学習ずみです。

**Fig.5-11** に示すのが、その論理値リテラルの構文図です。

なお、関係演算子・等価演算子・論理否定演算子が論理型の値を生成することも学習ずみです。

**List 5-5** のプログラムで確認しましょう。

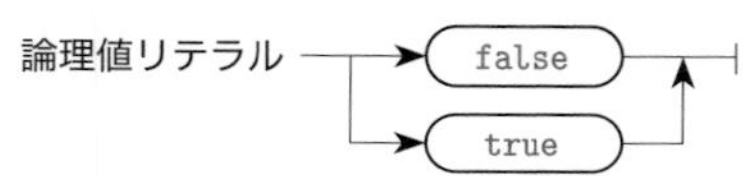


**Fig.5-11　論理値リテラルの構文図**

**List 5-5**　　chap05/BooleanPrint.java

```
// 関係演算子・等価演算子・論理否定演算子が生成する値を表示

import java.util.Scanner;

class BooleanPrint {

  public static void main(String[] args) {
    Scanner stdIn = new Scanner(System.in);

    System.out.print("整数a："); int a = stdIn.nextInt();
    System.out.print("整数b："); int b = stdIn.nextInt();

    System.out.println("a <  b  = " + (a <  b));
    System.out.println("a <= b  = " + (a <= b));
    System.out.println("a >  b  = " + (a >  b));
    System.out.println("a >= b  = " + (a >= b));
    System.out.println("a == b  = " + (a == b));
    System.out.println("a != b  = " + (a != b));
    System.out.println("!(a==0) = " + !(a == 0));
    System.out.println("!(b==0) = " + !(b == 0));
  }
}
```

実行例

```
整数a：0
整数b：9
a <  b  = true
a <= b  = true
a >  b  = false
a >= b  = false
a == b  = false
a != b  = true
!(a==0) = false
!(b==0) = true
```

判定のための各式を評価した値が「**true**」もしくは「**false**」と表示されます。

『文字列 + 数値』と『数値 + 文字列』の演算では、**数値が文字列に変換された上で連結されます**（p.25）。

それと同様に、『文字列 + 論理値』と『論理値 + 文字列』の演算では、論理型の値が **"true"** もしくは **"false"** という文字列に**変換**された上で**連結**が行われるのです。

**重要** 『文字列 + 論理値』あるいは『論理値 + 文字列』の演算を行うと、論理型の値が "true" もしくは "false" に**変換**された上で**連結**される。



そのため、a < b が true となるのであれば、**Fig.5-12** のように、文字列の連結が行われて表示されるのです。

```
System.out.println("a <  b  = " + (a < b));
                                     ⬇
System.out.println("a <  b  = " +  true  );
                                     ⬇
System.out.println("a <  b  = " + "true" );
                                 ⬇
System.out.println(   "a <  b  = true"   );
```

1 関係式a < bの評価が行われる。

2 論理値trueが文字列"true"に変換される。

3 文字列"a < b = "と"true"が連結される。

**Fig.5-12　文字列連結の過程（List 5–5）**

なお、printf メソッドで、論理型の値を "true" あるいは "false" の文字列として出力する書式文字列は b です（p.122）。確かめましょう（"chap05/BooleanPrintf.java"）。

```
System.out.printf("a <  b  = %b\n", a <  b);
System.out.printf("a <= b  = %b\n", a <= b);
System.out.printf("a >  b  = %b\n", a >  b);
System.out.printf("a >= b  = %b\n", a >= b);
System.out.printf("a == b  = %b\n", a == b);
System.out.printf("a != b  = %b\n", a != b);
System.out.printf("!(a==0) = %b\n", !(a == 0));
System.out.printf("!(b==0) = %b\n", !(b == 0));
```

### Column 5-5　論理型のオペランドに適用できる演算子

論理型（boolean 型）の値を足したり引いたり割ったりすることはできません。boolean 型に対して適用できる演算子は限られています。その一覧を以下に示します。

| | |
|---|---|
| ▪ 等価演算子 | ==　!= |
| ▪ 論理補数演算子 | ! |
| ▪ 論理演算子 | &　^　\| |
| ▪ 論理積演算子・論理和演算子 | &&　\|\| |
| ▪ 条件演算子 | ? : |
| ▪ 文字列連結演算子 | + |

# 5-2 演算と型

整数を整数で割ると、商や剰余が整数として得られることを、第２章で学習しました。実数で求めるには、どうすればよいでしょうか。本節では、演算と型について学習します。

## 演算と型



二つの整数値を読み込んで、その平均値を求めて表示するプログラムを作りましょう。**List 5-6** に示すのが、そのプログラムです。

**List 5-6** chap05/Average1.java

```
// 二つの整数値の平均値を実数で求める（誤り：整数で求められる）

import java.util.Scanner;

class Average1 {

  public static void main(String[] args) {
    Scanner stdIn = new Scanner(System.in);

    System.out.println("整数値xとyの平均値を求めます。");
    System.out.print("xの値：");  int x = stdIn.nextInt();
    System.out.print("yの値：");  int y = stdIn.nextInt();

    double ave = (x + y) / 2;                        // 平均値
    System.out.println("xとyの平均値は" + ave + "です。"); // 表示
  }
}
```

実行例

```
整数値xとyの平均値を求めます。
xの値：7
yの値：8
xとyの平均値は7.0です。
```

7.5 ではない

網かけ部の宣言では、求めた平均値で、**double** 型の変数 **ave** を初期化しています。

変数 **ave** が、実数を表すことのできる **double** 型であるにもかかわらず、7 と 8 の平均が、**7.5** ではなく **7.0** となっています。

その理由を考えていきましょう。

まず、式 **(x + y) / 2** に着目します。

式 **x + y** は **int + int** であり、その結果も **int** 型です。

それを 2 で割る演算は **int / int** です。整数を整数で割った商が、小数部が切り捨てられた整数となることは、p.31 で学習しました（**Fig.5-13 a**）。

**double** 型の **ave** が **7.5** にならないのは、そこに入れる**もと**の値に小数部がないからです。

＊

なお、**double** 型どうしの除算であれば、図 **b** のように、得られる結果も **double** 型になります。

**a** int / intの演算

15 / 2

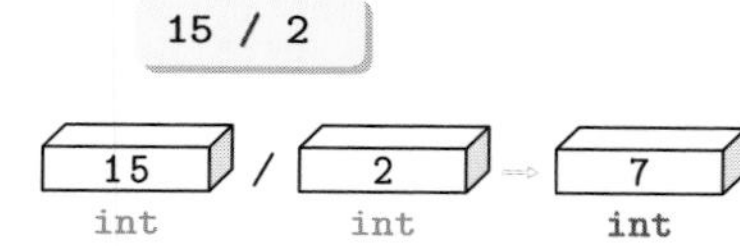


**b** double / doubleの演算

15.0 / 2.0

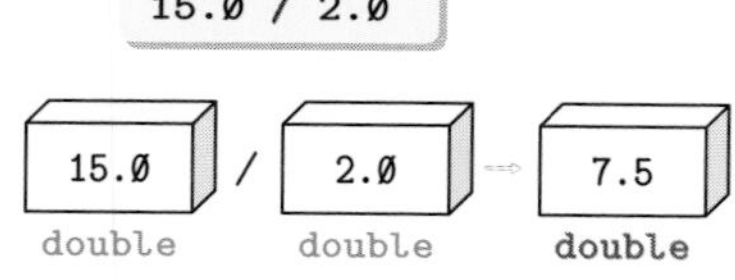


**Fig.5-13 同一型どうしの算術演算**

すなわち、**int** 型どうし、**double** 型どうしの算術演算の結果の型は、オペランドと**同じ型**です。

これに対し、**int** 型と **double** 型が混在した算術演算は、**Fig.5-14** のように行われます。

演算が行われる前に、**int** 型オペランドの値が **double** 型に格上げされるのです。

この格上げは、**2項数値昇格**（binary numerical promotion）と呼ばれる、**型変換**（type conversion）です。

**int** 型の2や15が、演算の直前に **double** 型の **2.0** や **15.0** に変換されるため、図a・bともに、両オペランドの型は **double** 型となります。

当然、これらの演算で得られる結果は、**double** 型の実数値です。

＊

ここまでの学習内容を、**List 5-7** のプログラムで確認しましょう。

《**int / int**》の演算結果だけが **int** 型であり、それ以外の演算結果は **double** 型です。

a double / intの演算

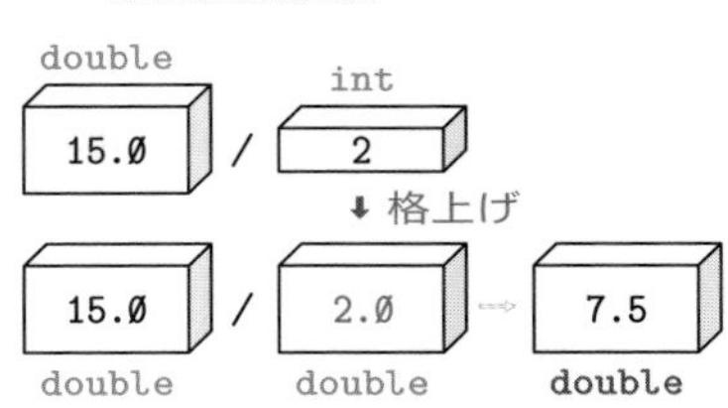


b int / doubleの演算

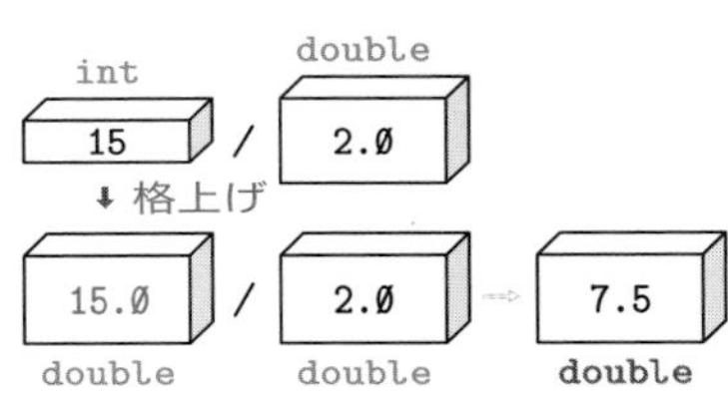


**Fig.5-14　異なる型の算術演算**

**List 5-7**　　chap05/Quotient.java

```
// 二つの数値の商を求める

class Quotient {

  public static void main(String[] args) {
    System.out.println("15   / 2   = " + 15   / 2  );
    System.out.println("15.0 / 2.0 = " + 15.0 / 2.0);
    System.out.println("15.0 / 2   = " + 15.0 / 2  );
    System.out.println("15   / 2.0 = " + 15   / 2.0);
  }
}
```

実行結果

```
15   / 2   = 7
15.0 / 2.0 = 7.5
15.0 / 2   = 7.5
15   / 2.0 = 7.5
```

本プログラムでは、**/** 演算子で検証していますが、2項数値昇格は、**+** や **-** などの演算にも適用されます。

2項数値昇格の大まかなイメージは、次のとおりです。

**重要** 算術演算の対象となるオペランドの型が異なるとき、小さいほうの型のオペランドが、より大きい（懐（ふところ）の深い）ほうの型に変換された上で演算が行われる。

ここでの“大きい”は、物理的な大きさ（内部表現のビット数）ではありません。**double** 型が小数点以下の部分を格納できるため、**int** 型に比べて“余裕がある”という意味です。

具体的には、２項数値昇格における型変換は、次のように行われます。

2項数値昇格

- 一方のオペランドが double 型ならば、他方を double 型に変換する。
- そうでなく、一方のオペランドが float 型ならば、他方を float 型に変換する。
- そうでなく、一方のオペランドが long 型ならば、他方を long 型に変換する。
- そうでなければ、両オペランドを int 型に変換する。

ここまでの学習で、次のことが分かりました。

**重要** 整数値どうしの除算の商を実数値として求めるには、少なくとも一方のオペランドを浮動小数点型に変換しなければならない。

平均値を実数値で求めるように改良しましょう。**List 5-8** が、そのプログラムです。



**List 5-8** chap05/Average2.java

```
// 二つの整数値の平均値を実数で求める（合計を2.0で割る）

import java.util.Scanner;

class Average2 {

  public static void main(String[] args) {
    Scanner stdIn = new Scanner(System.in);

    System.out.println("整数値xとyの平均値を求めます。");
    System.out.print("xの値："); int x = stdIn.nextInt();
    System.out.print("yの値："); int y = stdIn.nextInt();

    double ave = (x + y) / 2.0;                          // 平均値
    System.out.println("xとyの平均値は" + ave + "です。"); // 表示
  }
}
```

実行例

```
整数値xとyの平均値を求めます。
xの値：7
yの値：8
xとyの平均値は7.5です。
```

赤網部で最初に行われる演算は、( ) で囲まれた x + y です。これは int + int であって、その演算結果も int 型です。一方、右オペランドの 2.0 は double 型です。

そのため、赤網部の式の演算は、次のように行われます。

```
int / double                  // 整数を実数で割る
```

この演算で得られる結果は、double 型です。プログラムを実行すると、7 と 8 の平均値が 7.5 として求められて表示されます。

## キャスト演算子

私たちが平均を求めるときは、『2.0 で割ろう。』と考えるのではなく、『2 で割ろう。』と考えるのが普通です。

二つの整数の和をいったん実数に変換し、それを 2 で割ることによって平均値を求めるように変更しましょう。右ページの **List 5-9** が、そのプログラムです。

**List 5-9** chapØ5/Average3.java

```
// 二つの整数値の平均値を求める（キャスト演算子を利用する）

    double ave = (double)(x + y) / 2;                    // 平均値
```

▶ 変更部のみを示しています。

変更されたのは、赤網部の式です。演算子 / の左オペランド (double)(x + y) は、初登場の形式であり、次のようになっています。

**( 型 ) 式**

これは、**式**の値をもとにして、「( ) の中に指定された**型**としての値」を生成する式です。

ここで行われる型変換は、キャスト（cast）と呼ばれます。型を囲む ( ) は、**Table 5-3** に概要を示すキャスト演算子（cast operator）です。

**Table 5-3　キャスト演算子**

| ( 型 ) x | x を型に変換した値を生成。 |
|---|---|

▶ 英語の cast は極めて多くの意味をもつ語句です。他動詞の cast には、『役を割り当てる』『投げかける』『ひっくりかえす』『計算する』『曲げる』『ねじる』などの意味があります。
　なお、( ) は、優先的に演算を行うための区切り子（p.80）、メソッド呼出し演算子（p.197）など、いろいろな顔をもっています。

この演算子について、キャスト式と、その式が生成する値の具体例で理解しましょう。

(int)5.7 … double 型の 5.7 から、小数点以下を切り捨てた int 型の 5 を生成。
(double)5 … int 型の 5 から、double 型に変換した 5.Ø を生成。

さて、本プログラムで平均値を求める過程では、まず最初に、(x + y) の加算結果を、double 型に型変換した値を生成します。

**Fig.5-15** に示すように、式 (x + y) の評価で得られるのは int 型の 15 ですが、キャスト式 (double)(x + y) の評価で得られるのは double 型の 15.Ø です。

そのため、平均値を求める演算は、次のように行われます。

```
double / int                    // 実数を整数で割る
```

この演算で得られる結果は、double 型です。

プログラムを実行すると、前のプログラムと同様に、二つの int 型の平均値が double 型で得られます。

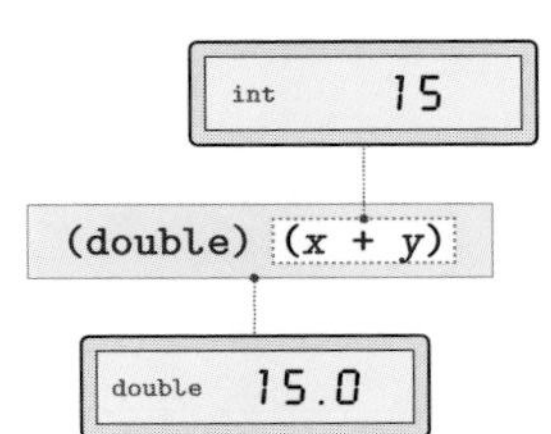


(x + y) を double 型にキャスト

**Fig.5-15　キャスト式の評価**

## 基本型の縮小変換

前のプログラムでは、キャスト演算子によって『**int** 型 ⇨ **double** 型』の型変換を行いました。逆の『**double** 型 ⇨ **int** 型』の変換は、どうなるでしょう。まずは、次のコードを考えます。

```
   int a;
1  a = 10.0;          // エラー：そのままでは代入できない
2  a = (int)10.0;     // ＯＫ！：キャストが必須
```

1はコンパイル時エラーとなり、2のようにキャストが必須です。その理由を、**Fig.5-16** を見ながら考えていきましょう。

| byte | short | int | long | float | double |
|---|---|---|---|---|---|
| 小さい | | | | | 大きい |

a int型で表現できる値の代入

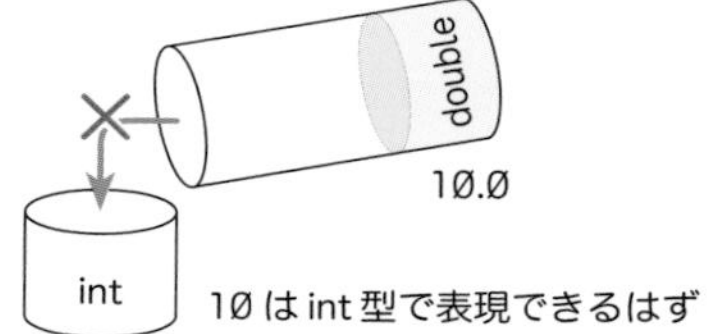


b int型で表現できない値の代入

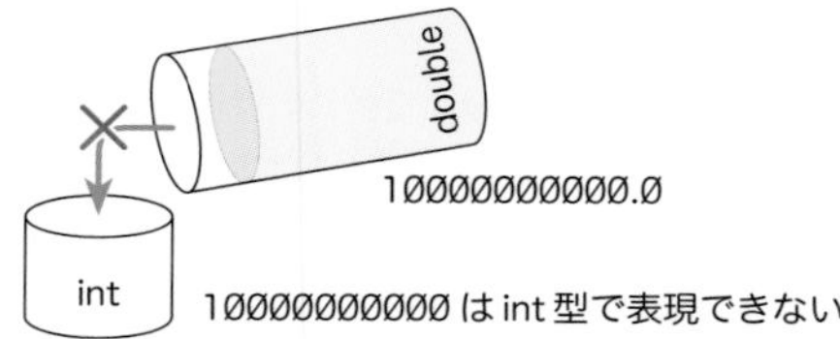


**Fig.5-16　より小さい型への値の代入**

図aに示すように、代入元の値が **10.0** であれば、**int** 型の表現範囲に収まっているため、代入は可能なはずです。

また、図bに示すように、代入元の値が **10000000000.0** であれば、**int** 型の表現範囲を超えていますので、代入は不可能なはずです（値が容器からあふれ出ます）。

とはいえ、代入元の値が、代入先の型で表現できる範囲内に収まっているかどうかを、代入のたびに（プログラム実行時に）チェックすると、プログラムが大きくなって、実行速度も低下します。

**Column 5-6　キャストの適用範囲**

コンパイル時にエラーとなるキャストもあります。

たとえば、基本型を参照型（第６章・第８章）にキャストすることはできませんし、整数型や浮動小数点型と、**boolean** 型との型変換は行えません。

そのため、double型の値を、そのままint型に代入することは、（代入される値とは関係なく、たとえ10.0であっても10000000000.0であっても）できないことになっているのです。

**重要** より小さい型への値の代入の際は、キャストが必須である。

次の22個の変換は、基本型の縮小変換（narrowing primitive conversion）と呼ばれます。

基本型の縮小変換

- short から byte、char への変換。
- char から byte、short への変換。
- int から byte、short、char への変換。
- long から byte、short、char、int への変換。
- float から byte、short、char、int、long への変換。
- double から byte、short、char、int、long、float への変換。

縮小変換では、原則としてキャストが必須です。また、変換に伴って、数値の《大きさ》の情報や《精度》を失うことがあります。

### 定数の代入・定数による初期化

基本型の縮小変換において、キャストが不要となる、例外的な文脈があります。

```
byte a = 0;        // ＯＫ：byte型   ← int型の定数式
a = 5;             // ＯＫ：byte型   ← int型の定数式
short b = 53;      // ＯＫ：short型  ← int型の定数式
```

byte型やshort型の変数に対して、int型の0や5や53の値を入れる際は、キャストが必要なはずです。

キャストすることなく値を入れることができるのは、次の規則があるからです。

代入の右辺の式や初期化子がbyte、short、char、int型の定数式で、代入先あるいは初期化先の変数の型がbyte、short、charであって、定数式の値が**変数の型で表現できる**場合は、基本型の縮小変換が暗黙裏（あんもくり）（自動的）に行われる（キャストは不要である）。

キャストせずに入れることができるのが、**定数式に限られる**ことに注意しましょう。変数であれば、キャストが必要です。

```
short a = 1;            // ＯＫ！：int型の定数式
byte b = a;             // エラー：int型の変数
```

なお、浮動小数点型では、この規則はあてはまりません。float型の変数に対して、キャストすることなくdouble型の定数値を入れようとすると、コンパイル時エラーとなります。

```
float a = 3.14;         // エラー：3.14はdouble型
float b = (float)3.14;  // ＯＫ！
float c = 3.14f;        // ＯＫ！：3.14fはfloat型
```

## 基本型の拡大変換

前ページで学習した変換の逆が、**基本型の拡大変換**（widening primitive conversion）と呼ばれる変換です。次の 19 種類があります。

基本型の拡大変換

- **byte** から **short**、**int**、**long**、**float**、**double** への変換。
- **short** から **int**、**long**、**float**、**double** への変換。
- **char** から **int**、**long**、**float**、**double** への変換。
- **int** から **long**、**float**、**double** への変換。
- **long** から **float**、**double** への変換。
- **float** から **double** への変換。



この変換は、代入あるいは初期化の際に、暗黙裏に行われます。次の例のように、**縮小変換とは異なり、キャストは不要です。**

```
int a = '5';          // ＯＫ！：int型    ← char型
long b = a;           // ＯＫ！：long型   ← int型
double c = 3.14f;     // ＯＫ！：double型 ← float型
```

基本型の拡大変換では、数値の**大きさ**に関する情報は失われません（**Column 5-7**）。
ただし、次の変換では、**精度**が失われることがありますので、要注意です。

- **int** あるいは **long** の値から **float** への変換。
- **long** の値から **double** への変換。

この場合、浮動小数点数の変換結果は、最も近い値に丸められた整数値となります。

＊

精度が失われる拡大変換の例を実際に検証しましょう。**List 5-10** が、そのプログラムです。

**List 5-10** chap05/IntegralToFloat.java

```
// 整数型から浮動小数点型への変換（精度が失われる例）

class IntegralToFloat {

  public static void main(String[] args) {
    int  a = 123456789;
    long b = 1234567890123456789L;

    System.out.println("        a = " +        a);
    System.out.println("(float) a = " + (float)a);

    System.out.println("        b = " +         b);
    System.out.println("(double)b = " + (double)b);
  }
}
```

実行結果

```
        a = 123456789
(float) a = 1.23456792E8
        b = 1234567890123456789
(double)b = 1.23456789012345677E18
```

**int** から **float** に変換する過程と、**long** から **double** に変換する過程で、精度に関する情報が失われたことが、実行結果から確認できます。

## 基本型の拡大変換と縮小変換

ここまで登場しなかった、例外的な変換が一つあります。次の変換は、基本型の拡大変換と縮小変換の２段階で行われます。

**byte** から **char** への変換。　拡大変換＋縮小変換

まず最初に、**byte** は基本型の拡大変換によって **int** へと変換され、その後、基本型の縮小変換によって **int** から **char** へと変換されます。



### Column 5-7　strictfp と FP 厳密

浮動小数点数は、内部表現が複雑なため、すべての実行環境で、演算結果がピッタリと一致する保証がありません。というのも、Java で定められた内部表現形式（IEEE 754 形式）で表現可能な値のみを厳密に利用した演算を行おうとすると、ハードウェア資源を十分に活用できなくなり、演算に時間がかかってしまうからです。

実行環境に依存することなく同じ演算結果が得られるようにするには、特別な宣言が必要です。

クラス宣言（第８章）・インタフェース宣言（第 14 章）・メソッド宣言（第７章）に、**strictfp** というキーワードを置きます。

次に示すのは、クラス宣言に指定する例です。

```
// クラスABC内のすべての浮動小数点式をFP厳密にする
strictfp class ABC {
  // ...
}
```

このように宣言されたクラス（やインタフェース）の中では、すべての浮動小数点式は FP 厳密（FP-strict）となります。その場合、実行環境に依存することなく、同一の演算結果が得られることが保証されます。

FP 厳密な場合、**float** から **double** への拡大変換では、変換前後の数値の大きさが変化することはありません。その一方で、**FP 厳密でなければ、変換後の数値の大きさに関する情報が欠落する可能性があります。**

なお、クラス中の特定のメソッドのみを FP 厳密にする必要があれば、そのメソッドに **strictfp** を置きます。

```
// メソッドf内のすべての浮動小数点式をFP厳密にする
strictfp void f() {
  // ...
}
```

クラス・インタフェース・メソッドに **strictfp** が置かれていなくても、**0.0** や **3.14** などの定数式**に限っては**、必ず FP 厳密になることが保証されます。

＊

一般的な計算では、FP 厳密とする必要は、それほどありません。厳密に IEEE 754 形式にのっとった演算を行う必要があるときにのみ、指定するとよいでしょう。

## varによる型指定

変数は、**型**と**名前**を与えて宣言するのが原則です。ところが、変数の型が、初期化子から明確になる文脈に限っては、型の代わりに**var**を使って宣言できるようになっています。

次に示すのが、その例です。

```
var n = 12345;          // 変数nはint型
var x = 3.14;           // 変数xはdouble型
var b = 3 == 5;         // 変数bはboolean型（値はfalse）
var s = "12345";        // 変数sはString型
```

コメントに書かれているように、変数***n***と***x***と***b***と***s***は、それぞれ、**int**型、**double**型、**boolean**型、**String**型となります。なお、注意すべきは、次のような例です。

```
var a = (7 + 8) / 2;    // 変数aはint型（値は7）
```

変数**a**は、**int**型の変数となり、その値は**7**です（**double**型の**7.5**ではありません）。

▶ 宣言で**var**が使えるのは、メソッドの中に限定されています（このメカニズムは、局所変数型推論（local variable type inference）と呼ばれます）。そのため、第8章以降で学習する、クラスのインスタンス変数やクラス変数などの宣言で**var**を使うことはできません（ただし、Java 11からは、ラムダ式の中で**var**が使えるように拡張されています）。

なお、**var**はキーワードではありません。そのため、**var**という名前の変数（やメソッド）を定義することができます（ただし、クラスの名前としては使えません）。

### Column 5-8 JShellについて

Java 9から、JShellというツールが導入されています。Javaのコードを1行ずつ対話的に実行したり、数行程度のコードの動作確認を行うときなどに便利に使えるツールです。

JShellを起動する**jshell**コマンドを実行すると、次のように表示されます。

```
▶ jshell⏎
|  JShellへようこそ -- バージョン14.0.1
|  概要については、次を入力してください: /help intro
jshell>
```

まずは、画面への表示を行ってみましょう。

```
jshell> System.out.println("Hello!")⏎
Hello!
```

おなじみの**println**メソッドが呼び出され『**Hello!**』と表示されました。

打ち込んだコードは、文の末尾に置くべきセミコロン**;**が欠如していますが、JShellでは、セミコロンが省略できます。というのも、**文**ではなく、単なる**式**を打ち込んでも、その式を評価して、その結果を表示するようになっているからです。

打ち込むのが式でもよいことから、JShellは、電卓のようにも使えます。試してみましょう。

```
jshell> 7 + 8⏎
$2 ==> 15
```

この例では、**$2**という名前の作業用の一時的な変数が作られ、その変数に加算結果**15**が入れられたことが表示されています。

もちろん、**$2** は、作業用とはいえども、立派な変数ですから、その値を調べることができます。調べてみましょう。変数名は式ですから、変数名を打ち込むだけです。

```
jshell> $2⏎
$2 ==> 15
```

次は、変数を宣言しましょう。

```
jshell> int n = 12345⏎
n ==> 12345

jshell> var a = (7 + 8) / 2⏎
a ==> 7
```

このように、変数の宣言の際も、末尾のセミコロンが省略できるようになっています。

なお、ここでは取りあげませんが、メソッド（第7章）やクラス（第8章）を打ち込むこともできます。

JShell のコマンドは、スラッシュで始まります。そのコマンドの一覧は、スラッシュとタブキーを連続して打ち込むことで表示されます。

```
jshell> /[Tab]⏎
/!          /?          /drop       /edit       /env        /exit
/help       /history    /imports    /list       /methods    /open
/reload     /reset      /save       /set        /types      /vars

<概要を表示するにはタブを再度押してください>
```

これまで入力したコードの一覧を表示するのが、**/list** コマンドです。確かめましょう。

```
jshell> /list⏎

   1 : System.out.println("Hello!")
   2 : 7 + 8
   3 : $2
   4 : int n = 12345;
   5 : var a = (7 + 8) / 2;
```

これまで入力した式と宣言が表示されました。各行先頭の **1** ～ **5** は、識別番号です。同じコードを再び実行する必要があれば、**/ 識別番号**、あるいは、**/ 識別番号 - 識別番号**を打ち込みます。

```
jshell> /1⏎
System.out.println("Hello!")
Hello!

jshell> /2-3⏎
7 + 8
$7 ==> 15
$2
$2 ==> 15
```

ここで、**7 + 8** の加算が行われることによって、作業用の一時的な変数が、新しく作り直されていることに注意しましょう。

なお、入力ずみのコードと類似したコードを打ち込む際に便利なのが、**/edit** コマンドです。

/edit **識別番号**と打ち込むと、エディタが起動して、識別番号で指定された入力ずみコードが編集できます。

JShell を終了するコマンドは、/exit です。

```
jshell> /exit⏎
|  終了します
▶
```

# 5-3 拡張表記

本節では、改行文字などを表すための拡張表記について、ひととおり学習していきます。

## 拡張表記



第１章では、改行文字を表す **\n** を学習しました。逆斜線記号 **** を先頭にした文字の並びによって単一の文字を表す表記法が、**拡張表記**（escape sequence）です。

拡張表記は、文字リテラルや文字列リテラルの中で利用します。**Table 5-4** に示すのが、その一覧です（本書では、拡張表記を**青文字**で表記しています）。

**Table 5-4　拡張表記と Unicode 拡張**

| ▪ 拡張表記（escape sequence） | | | |
|---|---|---|---|
| \b | 後退（backspace） | 表示位置を直前の位置へ移動する。 | \u0008 |
| \f | 書式送り（form feed） | 改ページして、次のページの先頭へ移動する。 | \u000c |
| \n | 改行（new line） | 改行して、次の行の先頭へ移動する。 | \u000a |
| \r | 復帰（carriage return） | 現在の行の先頭位置へ移動する。 | \u000d |
| \t | 水平タブ（horizontal tab） | 次の水平タブ位置へ移動する。 | \u0009 |
| \\" | 文字 " | 二重引用符。 | \u0022 |
| \\' | 文字 ' | 単一引用符。 | \u0027 |
| \\\\ | 文字 \\ | 逆斜線（バックスラッシュ）。 | \u005C |
| *ooo* | *ooo* は８進数 | ８進数で *ooo* の値をもつ文字。 | |
| ▪ Unicode 拡張（Unicode escape） | | | |
| \u*hhhh* | *hhhh* は 16 進数 | 16 進数で *hhhh* の値をもつ文字。 | |

▶　右端の赤い欄は、Unicode 拡張による表記です（Unicode については、第 16 章で学習します）。

### ▪ \b … 後退

後退 **\b** を出力すると、現表示位置が《**その行内での直前の位置**》に移動します。

▶　現表示位置とは、出力先がコンソール画面であれば、**カーソル位置**のことです。現表示位置が行の先頭にあるときに後退を出力した結果どうなるのかは、規定されていません。多くの環境では、前の行（上の行）にはカーソルを戻せないからです。

### ▪ \f … 書式送り

書式送り **\f** を出力すると、現表示位置が《**次の論理ページの先頭位置**》に移動します。通常の環境では、書式送りをコンソール画面へ出力しても何も起こりません。

プリンタへの出力において改ページを行う際に利用します。

■ \n … 改行

改行 **\n** を出力すると、現表示位置が《**次の行の先頭**》に移動します。

■ \r … 復帰

復帰 **\r** を出力すると、現表示位置が《**その行の先頭**》に移動します。

画面に復帰を出力すると、表示ずみの文字を書きかえることができます。**List 5-11** のプログラムは **A** から **Z** までのアルファベット文字を表示し、それから復帰によってカーソルを行の先頭に戻して、その状態で **"12345"** を表示します。



**List 5-11** chap05/CarriageReturn.java

```
// 復帰の出力によって表示ずみ文字を書きかえる

class CarriageReturn {

  public static void main(String[] args) {
    System.out.print("ABCDEFGHIJKLMNOPQRSTUVWXYZ");
    System.out.println("\r12345");
  }
}
```

実行結果

```
12345FGHIJKLMNOPQRSTUVWXYZ
```

ABCDE の上に
12345 が上書きされる

■ \t … 水平タブ

水平タブ **\t** を出力すると、現表示位置がその行における《**次の水平タブ位置**》に移動します。なお、現表示位置が、行における最後の水平タブ位置にある場合や、その位置を過ぎている場合の動作は規定されません。

水平タブを出力するプログラム例を **List 5-12** に示します。

**List 5-12** chap05/HorizontalTab.java

```
// 水平タブ文字の出力

class HorizontalTab {

public static void main(String[] args) {
    System.out.println("ABC\t123");
  }
}
```

実行結果

```
ABC     123
```

水平タブ位置はOSなどの環境に依存しますので、実行によって表示される **ABC** と **123** のあいだの余白の幅は、環境に依存します。

▶ C言語などでは、警報に相当する拡張表記 **\a**（多くの環境では、コンソール画面に出力すると、ビープ音が発せられます）がありますが、この拡張表記は、Javaでは利用できません。

### ■ \"と\' … 二重引用符と単一引用符

引用符記号 " と ' を表す拡張表記が、\" と \' です。二重引用符と単一引用符は、そのままの表記と、拡張表記とを、“使う場所によって使い分ける”必要があります。

#### □ 文字列リテラルの中での表記

・二重引用符

必ず拡張表記 \" で表します。たとえば、4文字の文字列 **XY"Z** を表す文字列リテラルは、**"XY\"Z"** です。そのままの **"XY"Z"** は NG です。

**Fig.5-17** の例も考えましょう。3文字の **ABC** を表す文字列リテラルは **"ABC"** ですが、前後を " で囲んだ5文字の **"ABC"** を表す文字列リテラルは **"\"ABC\""** です。

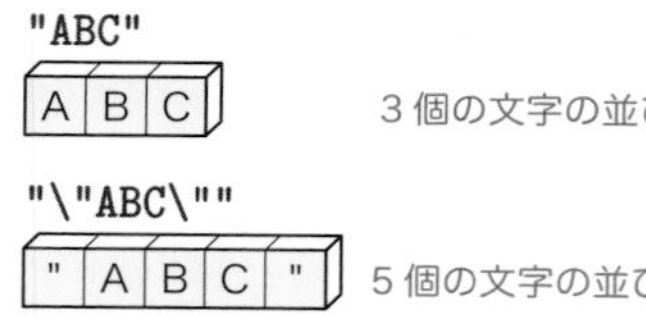


**Fig.5-17　文字列リテラルの例**

・単一引用符

そのままの表記 ' と拡張表記 \' のいずれも OK です。

たとえば、4文字の文字列 **It's** を表す文字列リテラルは、**"It's"** と **"It\'s"** の両方の表記が可能です。

#### □ 文字リテラルの中での表記

・二重引用符

そのままの表記 " と拡張表記 \" のいずれも OK です。

すなわち、文字 " を表す文字リテラルは **'"'** と **'\"'** の両方の表記が可能です。

・単一引用符

拡張表記 \' で表します。そのため、単一引用符を表す文字リテラルは **'\''** となります。そのままの **'''** は NG です。

拡張表記 \" と \' を利用した、文字列リテラルと文字リテラルを表示するプログラムが **List 5-13** です。

**List 5-13**　　chap05/Quotation.java

```
// 拡張表記\"と\'の利用例

class Quotation {

  public static void main(String[] args) {
    System.out.println("二重引用符で囲まれた\"ABC\"は文字列リテラルです。");

    System.out.print("一重引用符で囲まれた");
    System.out.print('\'');
    System.out.println("A'は文字リテラルです。");
  }
}
```

\" でなければならず " はNG

\' でなければならず ' はNG

' と \' のいずれもOK

実行結果

```
二重引用符で囲まれた"ABC"は文字列リテラルです。
一重引用符で囲まれた'A'は文字リテラルです。
```

### ■ \\ … 逆斜線

逆斜線（バックスラッシュ）文字 \ の表記には、拡張表記 \\ を使います。逆斜線を1個、あるいは2個表示するコードは、次のとおりです。

```
System.out.println("\\");       // 逆斜線を1個表示
System.out.println("\\\\");     // 逆斜線を2個表示
```

```
\
\\
```

連続する2個の文字 \\ が、単一の \ として出力されます。

▶ 注意：日本語版のMS-Windowsなどでは、**逆斜線 ** の代わりに**円記号 ¥** を使います（p.18）。円記号を利用する環境では、上のコードは、次のようになります。

```
System.out.println("¥¥");   // 円記号（逆斜線）を1個表示
System.out.println("¥¥¥¥"); // 円記号（逆斜線）を2個表示
```

### ■ 8進拡張表記

8進数のコードで文字を表すのが8進拡張表記です。指定できる値の範囲は **0** ～ **377** です。

たとえば、数字文字 **'0'** の文字コードは10進数の **48** です。そのため、8進拡張表記で **'\60'** と表せます。

なお、8進数の **0** ～ **377** の範囲で表すことができるのは、英数字と一部の記号文字であり、ひらがなや漢字などは表せません。

▶ 文字コードやUnicode拡張については、第16章で学習します。

**Column 5-9** 2進数と16進数の相互変換

**Table 5C-2** に示すように、4桁の2進数は、1桁の16進数に対応します（すなわち、4桁の2進数で表せる0000～1111は、1桁の16進数0～Fです）。

このことを利用すると、**2進数から16進数への基数変換**と、**16進数から2進数への基数変換**は、容易に行えます。

たとえば、2進数0111101010011100を16進数に変換するには、4桁ごとに区切って、それぞれを1桁の16進数に置きかえるだけです。

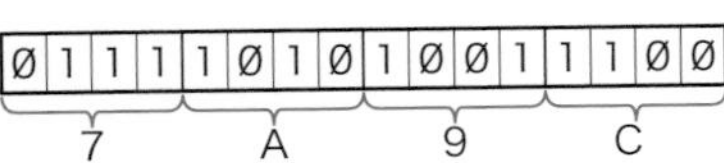


なお、16進数から2進数への変換では、逆の作業を行います（16進数の1桁を2進数の4桁に置きかえます）。

なお、8進数の1桁は、2進数の3桁に対応しています（すなわち、3桁の2進数で表せる000～111は、1桁の8進数0～7です）。

このことを利用すると、同様な変換が行えます。

**Table 5C-2　2進数と16進数の対応**

| 2進数 | 16進数 |
|---|---|
| 0000 | 0 |
| 0001 | 1 |
| 0010 | 2 |
| 0011 | 3 |
| 0100 | 4 |
| 0101 | 5 |
| 0110 | 6 |
| 0111 | 7 |

| 2進数 | 16進数 |
|---|---|
| 1000 | 8 |
| 1001 | 9 |
| 1010 | A |
| 1011 | B |
| 1100 | C |
| 1101 | D |
| 1110 | E |
| 1111 | F |

# まとめ

- Javaで利用できる型は、基本型と参照型に大別される。
- 基本型には、数値型と論理型があり、数値型には、整数型と浮動小数点型がある。
- 内部表現のビット数や、各ビットの意味は、型によって異なる。
- 整数型は、有限範囲の連続した整数を表す型である。char型・byte型・short型・int型・long型がある。
- byte型・short型・int型・long型は、負の値、0、正の値を表す符号付き整数型であり、負数は2の補数表現で表される。
- 整数リテラルはint型である。ただし、整数接尾語Lまたはlを付けるとlong型になる。0bまたは0Bで始まるのは2進整数リテラル、2桁以上で0で始まるのは8進整数リテラル、0xまたは0Xで始まるのは16進整数リテラル、それ以外は10進整数リテラルである。
- 浮動小数点型は、**符号**・**指数**・**仮数**で構成されるため、**大きさ**と**精度**に一定の制限がある。大きさと精度の違いにより、float型とdouble型がある。
- 浮動小数点リテラルはdouble型である。ただし、整数接尾語Fまたはfを付けるとfloat型になる。先頭が0xまたは0Xであれば16進浮動小数点リテラル、そうでなければ10進浮動小数点リテラルとなる。
- 真または偽を表すのが論理型（boolean型）である。真を表す論理値リテラルはtrueで、偽を表す論理値リテラルはfalseである。
- 『文字列 + 論理値』あるいは『論理値 + 文字列』の演算を行うと、boolean型の値が、文字列"true"あるいは"false"に**変換**された上で**連結**される。

数値型で表現できる値の範囲

| | | | | |
|---|---|---|---|---|
| 整数型 | char型 | 0 | ～ | 65,535 |
| | byte型 | -128 | ～ | 127 |
| | short型 | -32,768 | ～ | 32,767 |
| | int型 | -2,147,483,648 | ～ | 2,147,483,647 |
| | long型 | -9,223,372,036,854,775,808 | ～ | 9,223,372,036,854,775,807 |
| 浮動小数点型 | float型 | ±3.40282347E+38 | ～ | ±1.40239846E-45 |
| | double型 | ±1.79769313486231507E+378 | ～ | ±4.94065645841246544E-324 |

- ２項の算術演算では、演算の前に、オペランドに対して２項数値昇格が行われる。

- キャスト演算子 ( ) を利用すると、オペランドの値を、任意の型で表現した値に変換できる。

- 基本型の縮小変換では、定数のみは例外であるものの、原則として明示的なキャストが必要である。一方、基本型の拡大変換は、キャストをしなくても自動的に行われる。

- 変数の型が、初期化子から明確になる文脈では、型の代わりに var を使って宣言できる。

- 文字 \ で始まる文字の並びによって、単一の文字を表すのが拡張表記である。\b, \f, \n などがある。



| | | |
|---|---|---|
| int / int | ⇨ | int |
| double / double | ⇨ | double |
| double / int | ⇨ | double |
| int / double | ⇨ | double |

実行例

```
15   / 2   = 7
15.0 / 2.0 = 7.5
15.0 / 2   = 7.5
15   / 2.0 = 7.5
変数x：7⏎
変数y：8⏎
それらは等しくないです。
平均値は7.5です。
x = 0.00000
x = 0.00100
x = 0.00200
  …中略…
x = 0.99900
x = 1.00000
"ABC"は文字列リテラル。
\
\\
\\\
\\\\
```

chap05/Abc.java

```
import java.util.Scanner;

class Abc {

  public static void main(String[] args) {
    Scanner stdIn = new Scanner(System.in);

    System.out.println("15   / 2   = " + 15   / 2  );
    System.out.println("15.0 / 2.0 = " + 15.0 / 2.0);
    System.out.println("15.0 / 2   = " + 15.0 / 2  );
    System.out.println("15   / 2.0 = " + 15   / 2.0);

    System.out.print("変数x："); int x = stdIn.nextInt();
    System.out.print("変数y："); int y = stdIn.nextInt();

    boolean eq = (x == y);
    System.out.println("それらは等し" +
                       (eq ? "いです。" : "くないです。"));

    System.out.println("平均値は" +
                       (double)(x + y) / 2 + "です。");

    for (int i = 0; i <= 1000; i++)
      System.out.printf("x = %6.5f\n", (float)i / 1000);

    System.out.println("\"ABC\"は文字列リテラル。");

    for (int i = 0; i <= 3; i++) {
      for (int j = 0; j <= i; j++)
        System.out.print('\\');
      System.out.println();
    }
  }
}
```

キャスト

単一の二重引用符 " を表す

単一の逆斜線 \ を表す

# 第6章

# 配　列

本章では、同じ型の変数の集まりである配列を学習します。

- □配列と多次元配列
- □構成要素とインデックス
- □new 演算子によるオブジェクトの生成
- □配列変数と参照
- □空参照と null
- □既定値
- □配列の走査と拡張 for 文
- □線形探索アルゴリズム
- □ガーベジコレクション

# 6-1 配列

同一型の変数の集まりは、バラバラではなく、ひとまとめにすると、扱いやすくなります。そのために利用するのが、本節で学習する配列です。

## 配列

本章の最初に考えるのは、学生の《テストの点数》の集計です。5人の点数を読み込んで、その《合計点》と《平均点》を求めて表示するプログラムを、**List 6-1** に示しています。



**List 6-1** chap06/PointSumAve.java

```
// 点数を読み込んで合計点・平均点を表示

import java.util.Scanner;

class PointSumAve {

  public static void main(String[] args) {
    Scanner stdIn = new Scanner(System.in);

    int sum = 0;     // 合計
    System.out.println("5人の点数を入力せよ。");

    System.out.print("1番の点数：");
    int yamane = stdIn.nextInt();
    sum += yamane;

    System.out.print("2番の点数：");
    int takada = stdIn.nextInt();
    sum += takada;

    System.out.print("3番の点数：");
    int kawachi = stdIn.nextInt();
    sum += kawachi;

    System.out.print("4番の点数：");
    int koga = stdIn.nextInt();
    sum += koga;

    System.out.print("5番の点数：");
    int tozuka = stdIn.nextInt();
    sum += tozuka;

    System.out.println("合計は" + sum + "点です。");
    System.out.println("平均は" + (double)sum / 5 + "点です。");
  }
}
```

ほぼ同じ処理の繰返し

実数で求めるためのキャスト

実行例

```
5人の点数を入力せよ。
1番の点数：32
2番の点数：68
3番の点数：72
4番の点数：54
5番の点数：92
合計は318点です。
平均は63.6点です。
```

本プログラムでは、各学生の点数に対して、変数を1個ずつ割り当てています。もし学生の人数が多くなれば、変数名の管理はもちろん、間違えずにタイプするのも大変です。

さて、網かけ部では、変数名や番号が異なるとはいえ、ほぼ同じ処理が5回にもわたって繰り返されています。

各学生の点数を、学籍番号や背番号のように、番号で指定できれば便利です。それを実現するのが、右ページの **Fig.6-1** に示す配列（array）です。

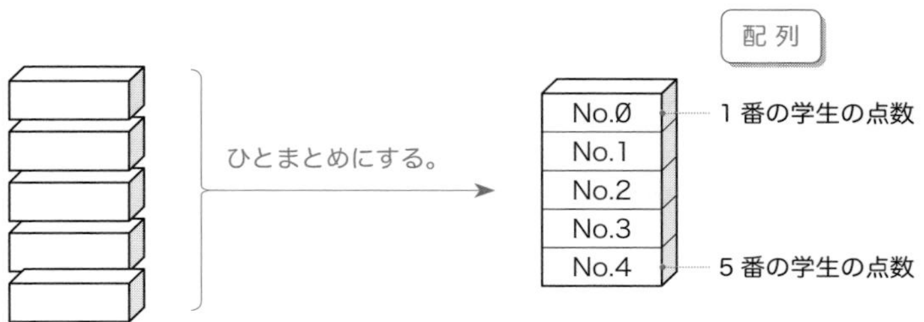


**Fig.6-1　配列のイメージ**



配列は、同一型の変数である構成要素（component）が連続して直線状に並んだ構造です。個々の構成要素の型である構成要素型（component type）は、任意です。テストの点数は整数ですから、まずは、構成要素型が int の配列を例に、学習を進めていきましょう。

### ▪ 配列変数の宣言

通常の変数と同様に、配列も利用に先立って宣言が必要です。次のいずれかで行います。

| | |
|---|---|
| a `int[] a;`<br>b `int a[];` | int 型を構成要素型とする配列変数の宣言 |

配列の型は int[] 型ですので、本書では形式aに統一します（Column 6-1）。なお、この宣言で作られる a は、配列変数（array variable）と呼ばれる、特殊な変数です。

### ▪ 配列本体の生成

配列の本体は、配列変数とは別に生成する必要があります。構成要素が5個の配列の本体を生成するのが、次の式です。

| | |
|---|---|
| `new int[5]` | int 型を構成要素型とする構成要素が 5 個の配列本体を生成 |

この式で作られる配列本体は、配列変数とは、完全に独立した存在です。

▶ new は演算子ですから、上記の式は、new 式です（次ページで学習します）。

### Column 6-1　配列変数の宣言の形式

配列変数の二つの宣言形式のうち、形式aのほうが圧倒的に好んで使われています。その理由は：

1. a の型が、《int 型》でなく《int の配列型（int[] 型）》であることが、見た目で分かる。
2. 配列を返却するメソッドの宣言では、形式aを使わなければならない（ただし、初期の Java プログラムとの互換性のために、形式bも一応認められている：詳細は第7章）。

```
int[] genArray(int a, int b) { /* この形式を使わなければならない */ }
int genArray(int a, int b)[] { /* この形式は互換性のためだけに認められている */ }
```

なお、int と [ と ] は、独立した単語ですから、スペースやタブがあいだに入っていても構いません。

独立した存在である**配列本体**と**配列変数**の関連付けは、次の代入で行います。

```
a = new int[5];            // aは構成要素数5の配列を参照（aへの代入）
```

これで、**Fig.6-2** に示すように、配列本体が生成されるとともに、変数 a がそれを参照するようになります。《参照》を表すのが、配列変数から本体へ向かう矢印です。

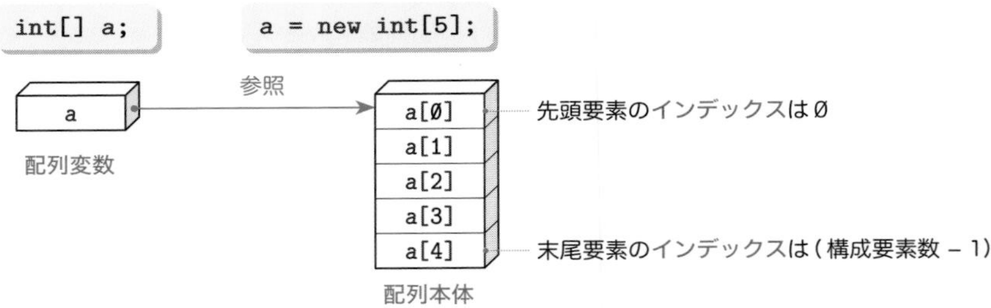


**Fig.6-2　配列変数と配列本体**

なお、配列変数の宣言の際に、初期化子として new 式を与えれば、１行に収まります。

```
int[] a = new int[5];    // aは構成要素数5の配列を参照（aの初期化）
```

**重要** 配列本体は、new 演算子で生成する。配列変数は、代入あるいは初期化によって、配列本体を参照するように、関連付けを行う必要がある。

## 配列の構成要素

構成要素型が int 型である配列の各構成要素に対して、値を代入して表示しましょう。

右ページの **List 6-2** が、そのプログラムです。

構成要素のアクセス（読み書き）を、インデックス演算子と呼ばれる [ ] 演算子に対して、インデックス（index）を与えたインデックス式で行っています（**Table 6-1**）。

```
配列変数名 [ インデックス ]          // インデックス式
```

[ ] の中に置く**インデックス**は、“**先頭から何個後ろの構成要素であるのか**”を表す int 型の整数値です。

先頭の構成要素のインデックスは 0 ですから、**Fig.6-2** に示すように、各構成要素をアクセスするインデックス式は、先頭から順に a[0], a[1], a[2], a[3], a[4] となります。

**Table 6-1　インデックス演算子**

| | |
|---|---|
| x[y] | 配列変数 x が参照する配列本体の、先頭から y 個後ろの構成要素をアクセスする。 |

List 6-2 chap06/IntArray1.java

```
// 構成要素型がint型の配列（構成要素数は５ ：newによって本体を生成）

class IntArray1 {

  public static void main(String[] args) {
    int[] a = new int[5]; // 配列の宣言                    ―1

    a[1] = 37;              // a[1]に37を代入
    a[2] = 51;              // a[2]に51を代入              ―2
    a[4] = a[1] * 2;        // a[4]に74を代入

    // 全要素の値を表示
    System.out.println("a[" + 0 + "] = " + a[0]);
    System.out.println("a[" + 1 + "] = " + a[1]);
    System.out.println("a[" + 2 + "] = " + a[2]);     ―3
    System.out.println("a[" + 3 + "] = " + a[3]);
    System.out.println("a[" + 4 + "] = " + a[4]);
  }
}
```

インデックス

構成要素の値

実行結果

```
a[0] = 0
a[1] = 37
a[2] = 51
a[3] = 0
a[4] = 74
```



各構成要素は、それぞれが **int** 型の変数であって、値の出し入れも自由です。

**重要** 配列 a 中の先頭から *i* 個後ろの構成要素のアクセスは、インデックス演算子 [] に **int** 型のインデックス *i* を与えたインデックス式 a[*i*] で行う。

▶ 構成要素が *n* 個の配列の構成要素は a[0], a[1], …, a[*n*-1] であって、a[*n*] という構成要素は存在しません。なお、存在しない要素（本プログラムであれば a[-1] や a[5] など）にアクセスすると、プログラムの実行時にエラーが発生します（エラーの対処については、第 15 章で学習します）。

プログラムの各部を理解しましょう。

**1** 構成要素型が **int** 型で、構成要素数が 5 の配列を生成するとともに、配列変数 a がそれを参照するように初期化します。

**2** 3個の構成要素 a[1], a[2], a[4] に対して、37, 51, a[1] * 2 を代入します。

▶ a[1] の値を取り出して（評価して）得られるのは **int** 型の 37 ですから、それに 2 を掛けた積である 74 が a[4] に代入されます。

なお、値を代入していない a[0] と a[3] の値が 0 となる理由は、次ページで学習します。

代入完了後の配列本体の様子を示したのが、**Fig.6-3** です。

左側の青い数値がインデックスで、箱の中の赤い数値が各構成要素の値です。

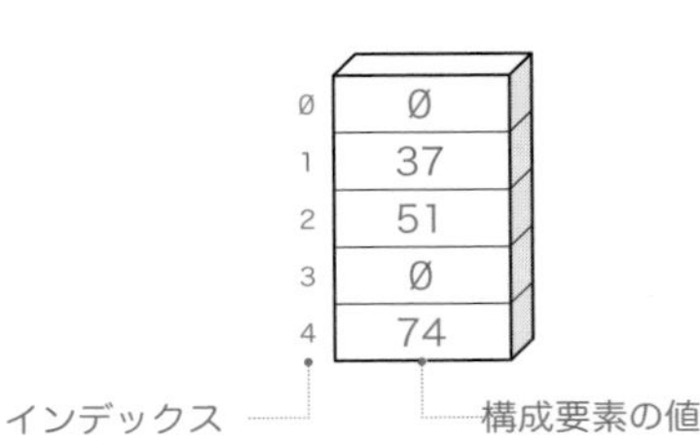


**Fig.6-3 インデックスと構成要素の値**

**3** 全構成要素 a[0] ～ a[4] の値を表示します。

構成要素型が Type である配列は、Type 型配列あるいは Type 型の配列と呼ばれます。本プログラムの配列 a は、『**int** 型配列』です。

## 既定値

構成要素 a[0] と a[3] の値は、0 となっています。

そうなるのは、**通常の変数とは異なり、配列の構成要素は暗黙裏に初期化される**からです。

なお、構成要素の初期化の際に暗黙裏に入れられる値は、**既定値**（きていち）（default value）と呼ばれます。

**Table 6-2** に示すのが、各型の既定値の一覧です。

▶ 表中の**空参照**と null は、p.178 で学習します。
なお、配列の構成要素だけでなく、インスタンス変数（第8章）とクラス変数（第10章）も、この表の既定値で初期化されます。

**Table 6-2　各型の既定値**

| 型 | 既定値 | |
|---|---|---|
| byte | ゼロ | (byte)0 |
| short | ゼロ | (short)0 |
| int | ゼロ | 0 |
| long | ゼロ | 0L |
| float | ゼロ | 0.0f |
| double | ゼロ | 0.0d |
| char | 空文字 | '\u0000' |
| boolean | 偽 | false |
| 参照型 | 空参照 | null |

**重要** 配列の構成要素は、明示的に初期化しなくても既定値 0 で初期化される。

なお、これ以降、**構成要素**を要素と呼び、**構成要素数**を要素数と呼ぶことにします。

▶ 文法の定義上、構成要素と要素、構成要素数と要素数は異なります。ただし、本節で学習している配列（1次元配列）に限っては、実質的に同義です。詳細は、次節で学習します。

## 要素数の取得

次は、**List 6-3** を学習しましょう。要素型が int 型で要素数が 5 の配列を作って、その先頭から順に 1, 2, 3, 4, 5 を代入して表示するプログラムです。

**List 6-3**　chap06/IntArray2.java

```
// 配列の各要素に1, 2, 3, 4, 5を代入して表示

class IntArray2 {

  public static void main(String[] args) {
    int[] a = new int[5]; // 配列の宣言

    for (int i = 0; i < a.length; i++)
      a[i] = i + 1;

    for (int i = 0; i < a.length; i++)
      System.out.println("a[" + i + "] = " + a[i]);
  }
}
```

実行結果

```
a[0] = 1
a[1] = 2
a[2] = 3
a[3] = 4
a[4] = 5
```

二つの for 文の制御式（網かけ部）は、次の形式です。

**配列変数名** . length

これは、配列の要素数すなわち長さ（length）を取得する式です。

**重要** 配列の要素数＝長さは、“**配列変数名 . length**”で取得できる。

長さを表す length は、配列本体とセットになっています。すなわち、**Fig.6-4** に示すように、配列本体と length のセットを、配列変数が参照する、というイメージです。

▶ 配列の要素数を表す length は、int 型ではなく、final int 型です。そのため、length に値を代入することはできません。すなわち、

```
a.length = 10;      // エラー：要素数lengthは変更できない
```

で配列の要素数を勝手に書きかえるようなことは不可能です（コンパイル時エラーとなります）。

それでは、プログラムの最初の for 文を理解していきましょう。

変数 *i* を 0 からインクリメントしながら5回の繰返しを行う for 文です。

この for 文を"開いて"書くと、次のようになります。

- *i* が 0 のとき　a[0] = 0 + 1;
- *i* が 1 のとき　a[1] = 1 + 1;
- *i* が 2 のとき　a[2] = 2 + 1;
- *i* が 3 のとき　a[3] = 3 + 1;
- *i* が 4 のとき　a[4] = 4 + 1;

全要素に対して、インデックスに 1 を加えた値を代入していることが分かります。

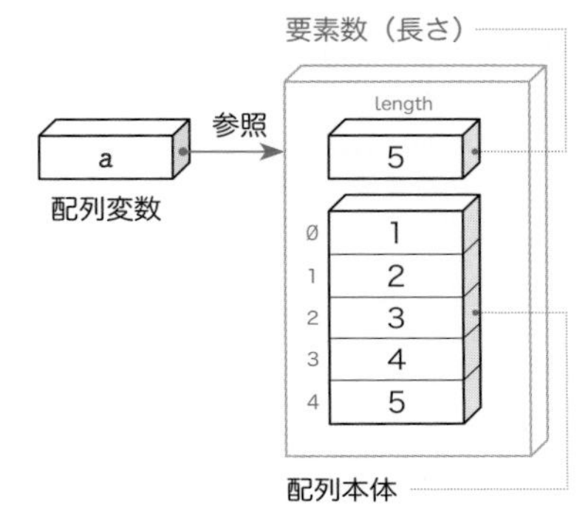


**Fig.6-4　配列変数と配列本体**

二つ目の for 文の繰返しの回数も、5 回です。**Fig.6-5** に示すように、前のプログラムの表示部と同等であって、全要素の値を表示します。

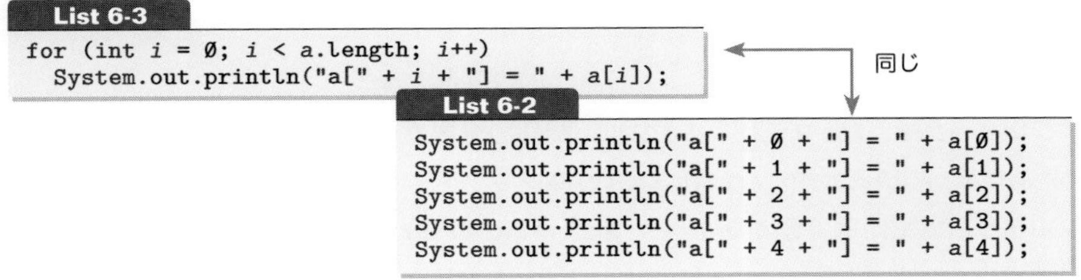


**Fig.6-5　配列の全要素の値の表示**

配列に代入する順序を逆にしましょう。最初の for 文を次のように書きかえれば、先頭から順に 5, 4, 3, 2, 1 が代入されます（"chap06/IntArray2r.java"）

```
for (int i = 0; i < a.length; i++)
  a[i] = 5 - i;
```

## 要素数と要素の値を実行時に決定する

次は、配列の要素数と、各要素の値を、プログラム実行時に決定します。**List 6-4** が、そのプログラムであり、要素数と各要素の値をキーボードから読み込みます。

**List 6-4** chap06/IntArrayScan.java

```
// 配列の全要素に値を読み込んで表示

import java.util.Arrays;                    ←A
import java.util.Scanner;

class IntArrayScan {

  public static void main(String[] args) {
    Scanner stdIn = new Scanner(System.in);

    System.out.print("要素数：");
    int n = stdIn.nextInt();      // 要素数を読み込む   ←1
    int[] a = new int[n];         // 配列を生成

    for (int i = 0; i < n; i++) {                      ←2
      System.out.print("a[" + i + "] = ");
      a[i] = stdIn.nextInt();
    }

    System.out.println("a = " + Arrays.toString(a));   ←B
  }
}
```

実行例

```
要素数：5
a[0] = 5
a[1] = 7
a[2] = 8
a[3] = 2
a[4] = 9
a = [5, 7, 8, 2, 9]
```

まずは、1と2を理解しましょう。

1 配列の要素数を変数 `n` に読み込んで、要素数が `n` の配列本体を生成するとともに、それを参照するように配列変数 `a` を初期化します。

2 この `for` 文では、`i` を `0` から `n - 1` までインクリメントしながら、配列の要素 `a[i]` に値を読み込みます。そのため、配列の全要素 `a[0]` ～ `a[n - 1]` に値が読み込まれます。

▶ `for` 文の制御式 `i < n` は、`i < a.length` としても構いません。

## 配列の全要素の表示

本プログラムは、`for` 文を使うことなく、**配列の全要素の値の表示を一発で行っています**。そのために使っているのが、`Arrays.toString` メソッドです。

プログラム冒頭に宣言Aを置けば、"`Arrays.toString(`配列変数名`)`"という式Bによって**『全要素をコンマ , で区切ったものを [ ] で囲んだ文字列』**が得られます。

▶ 実行例の場合、式 `Arrays.toString(a)` の評価で得られるのは文字列 `"[5, 7, 8, 2, 9]"` であり、その文字列が `println` メソッドに渡されて表示されます。

## 棒グラフの表示

次は、**配列の全要素をランダムな値で埋めつくす**ことにしましょう。右ページの **List 6-5** に示すのは、配列の全要素に `1` ～ `10` の乱数を代入して表示するプログラムです。

▶ 乱数を生成する方法は、p.44 で学習しました。

List 6-5 chap06/IntArrayRand.java

```
// 配列の全要素に乱数を代入して横向きの棒グラフで表示

import java.util.Random;
import java.util.Scanner;

class IntArrayRand {

  public static void main(String[] args) {
    Random rand = new Random();
    Scanner stdIn = new Scanner(System.in);

    System.out.print("要素数：");
    int n = stdIn.nextInt();          // 要素数を読み込む
    int[] a = new int[n];             // 配列を生成

    for (int i = 0; i < n; i++)
      a[i] = 1 + rand.nextInt(10);   // 1～10の乱数

    for (int i = 0; i < n; i++) {
      System.out.print("a[" + i + "] : ");
      for (int j = 0; j < a[i]; j++)
        System.out.print('*');                  ―1
      System.out.println();                     ―2
    }
  }
}
```

実行例

```
要素数：8
a[0] : ****
a[1] : ********
a[2] : ******
a[3] : **********
a[4] : ******
a[5] : ********
a[6] : ******
a[7] : *
```



配列 a の全要素に 1 ～ 10 の乱数を代入するのが、最初の for 文です。

2番目の for 文では、記号文字 * を並べた**横向きの棒グラフ**で、要素の値を表示します。変数 i の値を 0 から n - 1 までインクリメントしながら、次の処理を n 回繰り返します。

1 内側の for 文では、a[i] 回の繰返しを行うことによって、a[i] 個の * を表示します。たとえば、a[i] の値が 5 であれば、表示されるのは「*****」です。

2 改行文字を出力します。

▶ 要素の値を縦向きの棒グラフで表示するプログラムは複雑です。プログラムを示しますので、解読にチャレンジしましょう（"chap06/IntArrayRand2.java"）。

```
for (int i = 10; i >= 1; i--) {
  for (int j = 0; j < n; j++)
    if (a[j] >= i)
      System.out.print("* ");
    else
      System.out.print("  ");
  System.out.println();
}
for (int i = 0; i < 2 * n; i++)
  System.out.print('-');
System.out.println();
for (int i = 0; i < n; i++)
  System.out.print(i % 10 + " ");
System.out.println();
```

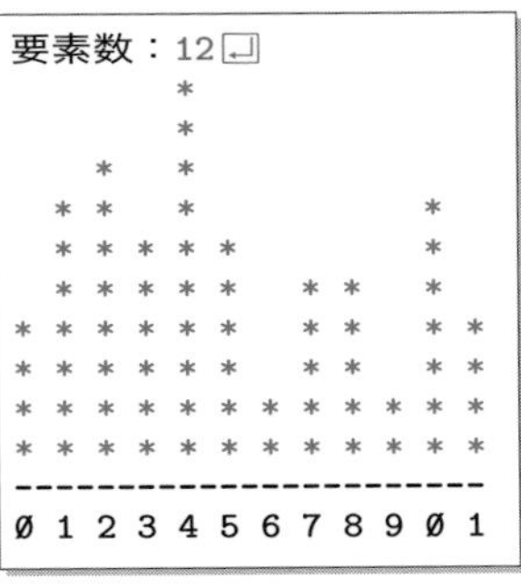

```
要素数：12
        *
        *
    *   *
  * *   *           *
  * * * * *         *
  * * * * *   * *   *
* * * * * *   * *   * *
* * * * * *   * *   * *
* * * * * * * * * * * *
* * * * * * * * * * * *
------------------------
0 1 2 3 4 5 6 7 8 9 0 1
```

## 配列の初期化と代入

さて、配列の全要素は既定値0で初期化されるのですが、個々の要素に入れるべき値が、あらかじめ分かっているのであれば、明示的に初期化を行うべきです。

配列本体の個々の要素を初期化するように、**List 6-3**（p.164）のプログラムを書きかえましょう。**List 6-6** に示すのが、そのプログラムです。

**List 6-6** chap06/IntArrayInit.java

```
// 配列の各要素を1, 2, 3, 4, 5で初期化して表示

class IntArrayInit {

  public static void main(String[] args) {
    int[] a = {1, 2, 3, 4, 5};

    for (int i = 0; i < a.length; i++)
      System.out.println("a[" + i + "] = " + a[i]);
  }
}
```

実行結果

```
a[0] = 1
a[1] = 2
a[2] = 3
a[3] = 4
a[4] = 5
```

配列に与える初期化子は、**要素に対する初期化子をコンマ , で区切って順に並べて、それを { } で囲んだ形式です**。なお、配列の要素数は、初期化子の個数に基づいて自動的に決まるため、宣言の際には省略可能です。

本プログラムの場合、要素数5の配列が、（明示的に new していないにもかかわらず）生成されて、各要素が先頭から順に 1, 2, 3, 4, 5 で初期化されます。

**重要** 配列に与える初期化子は、各要素に与える初期化子○と△と□をコンマで区切って { } で囲んだ { ○ , △ , □ } という形式である。

なお、次のように初期化子を代入することはできません。

✕
```
int[] a;                     // 配列変数
//...
a = {1, 2, 3, 4, 5};         // エラー
```

次に示すのが、正しいコードです。

```
int[] a;                     // 配列変数
//...
a = new int[]{1, 2, 3, 4, 5};   // ＯＫ（new式を代入）
```

というのも、new 式は、“new 要素型 []”の後ろに、初期化子を置いた形式も受け付けるからです。

この場合、要素数が 5 で、要素の値が先頭から順に {1, 2, 3, 4, 5} となっている int 型の配列を、new 演算子が生成して、**その配列への参照を生成します**。

その参照が配列変数 a に代入される結果、生成された配列本体を a が参照することになります。

## 配列による成績処理

本章の冒頭では、成績処理のプログラム（**List 6-1**：p.160）を考えていました。配列を使って書きかえたのが、**List 6-7** です。プログラムが、極めて短く簡潔になっています。

**List 6-7** chap06/PointSumAveArray.java

```
// 点数を読み込んで合計点・平均点を表示（配列版）

import java.util.Scanner;

class PointSumAveArray {

  public static void main(String[] args) {
    Scanner stdIn = new Scanner(System.in);
    int sum = 0;                          // 合計
    final int NUMBER = 5;                 // 人数      ―1
    int[] tensu = new int[NUMBER];        // 点数

    System.out.println(NUMBER + "人の点数を入力せよ。");
    for (int i = 0; i < NUMBER; i++) {
      System.out.print((i + 1) + "番の点数：");   ―2
      tensu[i] = stdIn.nextInt();         // tensu[i]を読み込んで
      sum += tensu[i];                    // sumにtensu[i]を加える
    }

    System.out.println("合計は" + sum + "点です。");
    System.out.println("平均は" + (double)sum / NUMBER + "点です。");
  }
}
```

**実行例**

```
5人の点数を入力せよ。
1番の点数：32↵
2番の点数：68↵
3番の点数：72↵
4番の点数：54↵
5番の点数：92↵
合計は318点です。
平均は63.6点です。
```

学生が5人ですから、配列 `tensu` は、要素数 5 の `int` 型配列としています。ここでは、二つのポイントを理解しましょう：

**1** 学生の人数を、整数リテラル 5 ではなく、`NUMBER` という名前の `final` 変数（p.42）で表しています。そのため、たとえ人数が変更になったとしても、`NUMBER` の宣言で与えている初期化子の 5 を変更するだけですみます。

**重要** 配列の要素数が既知の定数であれば、その値を `final` 変数で表すとよい。

**2** ここは、点数の入力を促す箇所です。変数 `i` に 1 を加えた上で「○番の点数：」と表示しています。

インデックスに 1 を加えた値を表示しているのは、配列のインデックスが 0 から始まるのに対し、私たち人間がものを数える際は、「1 番」、「2 番」、… と、1 から始めるからです。

## 配列の要素の最大値を求める

次は、配列の全要素の最大値を求めることにします。配列の要素数が 3 であれば、3個の要素 **a[0], a[1], a[2]** の最大値は、次のコードで求められます。

```
max = a[0];                         // a[0]～a[2]の最大値を求める
if (a[1] > max) max = a[1];
if (a[2] > max) max = a[2];
```

変数名こそ異なりますが、3値の最大値を求める手続き（p.68）とまったく同じです。なお、要素数が 4 であれば、コードは次のようになります。

```
max = a[0];                         // a[0]～a[3]の最大値を求める
if (a[1] > max) max = a[1];
if (a[2] > max) max = a[2];
if (a[3] > max) max = a[3];
```

規則性が見えてきました。まず最初に、先頭要素 **a[0]** の値を **max** に代入する作業を（配列の要素数とは無関係に）行います。その後、**if** 文の実行によって、必要に応じて **max** の値を更新します。要素数が **n** であれば、必要な **if** 文の実行回数は **n - 1** 回です。

そのため、配列 **a** の最大値を求めるコードは、次のようになります。

```
max = a[0];                              ❶
for (int i = 1; i < a.length; i++)    ┐❷
  if (a[i] > max) max = a[i];         ┘
```

配列要素の最大値を求める手順を、**Fig.6-6** で理解しましょう（要素数 5 の例です）。

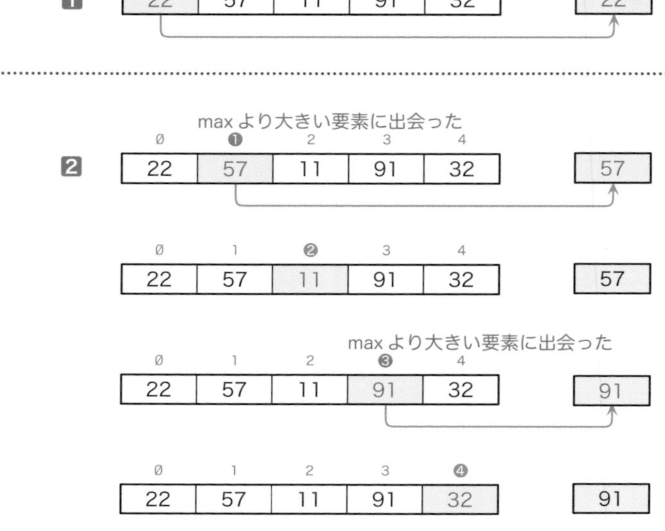


**Fig.6-6　配列要素の最大値を求める手順**

図中、●と●の中の値は、**着目している要素のインデックス**です。着目要素は先頭から始まって、1個ずつ後方へと移動します。

▶ 本書では、配列を縦方向に書いたり横方向に書いたりします。要素を縦に並べる場合はインデックスの小さい要素を上側に、横に並べる場合はインデックスの小さい要素を左側にします。

1では a[0] に着目し、2の for 文では a[1] から末尾要素までを順に着目します。

このように、配列の要素を**順になぞっていく手続き**のことを**走査**（traverse）と呼びます。プログラミングの基本用語ですから、必ず覚えましょう。

**重要** 配列要素を順に一つずつなぞっていくことを走査という。



走査の過程では、if 文が成立する（着目要素の値が、それまでに求められた最大値 max より大きい）ときに a[i] の値を max に代入します。

走査が終了したときには、配列 a の最大要素の値が max に入っています。

＊

ここまで考えてきたアルゴリズムをもとに、プログラムとして完成させたのが、**List 6-8** です。キーボードから点数を読み込んで、その最高点を求めて表示します。

**List 6-8** chap06/HighScore.java

```
// 点数を読み込んで最高点を表示

import java.util.Scanner;

class HighScore {

  public static void main(String[] args) {
    Scanner stdIn = new Scanner(System.in);
    final int NUMBER = 5;             // 人数
    int[] tensu = new int[NUMBER];   // 点数

    System.out.println(NUMBER + "人の点数を入力せよ。");
    for (int i = 0; i < NUMBER; i++) {
      System.out.print((i + 1) + "番の点数：");
      tensu[i] = stdIn.nextInt();    // tensu[i]を読み込む
    }

    int max = tensu[0];
    for (int i = 1; i < tensu.length; i++)
      if (tensu[i] > max) max = tensu[i];

    System.out.println("最高点は" + max + "点です。");
  }
}
```

実行例

```
5人の点数を入力せよ。
1番の点数：22
2番の点数：57
3番の点数：11
4番の点数：91
5番の点数：32
最高点は91点です。
```

最高点（配列 tensu の要素の最大値）を求める網かけ部は、ここまで考えてきたとおりです。なお、最低点を求めるのであれば、次のようになります（"chap06/LoScore.java"）。

```
int min = tensu[0];
for (int i = 1; i < tensu.length; i++)
  if (tensu[i] < min) min = tensu[i];
```

## 拡張 for 文

ここまでのプログラムがそうでしたが、配列を扱う際は、必ずといってよいほど **for** 文を使います。この **for** 文は、基本 **for** 文と呼ばれる **for** 文です（p.109）。

もう一つの拡張 **for** 文（enhanced for statement）を使うと、配列の走査のコードを簡潔にできます。

そのプログラム例が、**List 6-9** です。配列の全要素の合計を求めて表示します。



**List 6-9** chap06/ArraySumForIn.java

```
// 配列の全要素の和を求めて表示（拡張for文）

class ArraySumForIn {

  public static void main(String[] args) {
    double[] a = {1.0, 2.0, 3.0, 4.0, 5.0};

    for (int i = 0; i < a.length; i++)
      System.out.println("a[" + i + "] = " + a[i]);

    double sum = 0;    // 合計
    for (double i : a)          ← 拡張 for 文
      sum += i;

    System.out.println("全要素の和は" + sum + "です。");
  }
}
```

**実行結果**

```
a[0] = 1.0
a[1] = 2.0
a[2] = 3.0
a[3] = 4.0
a[4] = 5.0
全要素の和は15.0です。
```

網かけ部が拡張 **for** 文です。( ) 中のコロン記号 **:** は、“～の中の”という意味であるため、この **for** 文は、“**for (double i : a)**”（フォー ダブル アイ イン エイ）と発音します。

▶ このことから、拡張 **for** 文は、“for–in 文”あるいは“for–each 文”などとも呼ばれます。

この **for** 文は、次のようなイメージです。

---

**配列 a の先頭から末尾までの全要素を 1 個ずつ走査します。ループ本体では、現在着目している要素を *i* と表現します。**

---

本プログラムの拡張 **for** 文による走査の様子を、右ページの **Fig.6-7** に示しています。

変数 *i* が、“**int** 型のインデックス”ではなく、“**double** 型の**着目要素そのもの**”であることに注意しましょう。

▶ たとえば、図**a**での *i* は **a[0]** のことであり、図**b**での *i* は **a[1]** のことです。

*

拡張 **for** 文の利用は、次のメリットがあります。

---

- **配列の長さ（要素数）を調べる手間が省ける。**
- **イテレータと同じ方法で走査を行える。**

---

▶ 《イテレータ》については、入門書の範囲を越えるため、本書では学習しません。

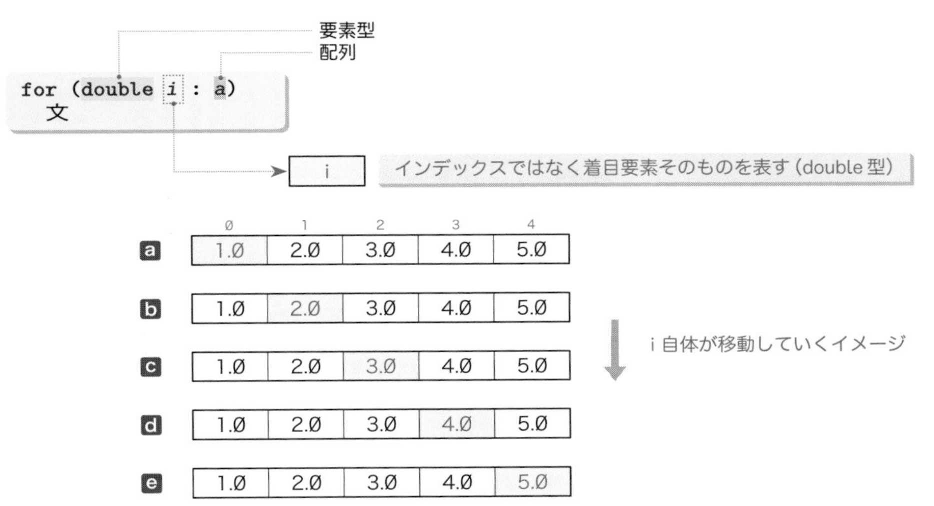


**Fig.6-7　拡張 for 文による配列の走査**



拡張 **for** 文は、配列の全要素の走査を極めて簡潔に記述できるというメリットがある一方で、ループ本体中でインデックスの値を使えないというデメリットもあります。

**重要** 配列の全要素を走査する過程でインデックスの値が不要であれば、拡張 **for** 文で走査するとよい。

## Column 6-2　配列要素のインデックスと実行時エラー

要素数 **n** の配列のインデックスが、**ø** から **n - 1** までであることを、本章の冒頭で学習しました。この範囲に入っていないインデックスを使うと、プログラムの（コンパイル時ではなく）実行時に、実行時エラーが発生して、プログラムの実行が強制的に中断・終了します。

このような実行時エラーに対して、プログラムのコードによって対処するための手段が用意されています。それが、第 15 章で学習する、例外処理です。

さて、**List 6-9** の **for** 文を、次のように書きかえてみましょう（**"chapø6/ArraySumError.java"**）。

```
for (int i = ø; i <= a.length; i++)
  System.out.println("a[" + i + "] = " + a[i]);
```

実行すると、プログラムの実行が中断・終了して、次のように表示されます。

```
Exception in thread "main" java.lang.ArrayIndexOutOfBoundsException: Index 5
out of bounds for length 5
  at ArraySumError.main(ArraySumError.java:13)
```

この例では、**i < a.length** とすべきところを、**<=** にしているため、エラーが発生しました（存在しないはずの **a[5]** の値を読み取ろうとするからです）。

全要素を走査する拡張 **for** 文を使えば、このような実行時エラーの発生が避けられます。

## 配列のコピー

配列中の全要素の値を、別の配列にコピーすることを考えます。そのように作った（はずの）プログラムが、**List 6-10** です。

**List 6-10** chap06/AssignArray.java

```
// 配列の代入（誤り）

import java.util.Arrays;

class AssignArray {

  public static void main(String[] args) {
    int[] a = {1, 2, 3, 4, 5};
    int[] b = {6, 5, 4, 3, 2, 1, 0};

    System.out.println("a = " + Arrays.toString(a));
    System.out.println("b = " + Arrays.toString(b));

1   b = a;         // 配列aをbにコピー（？）

2   a[0] = 10;     // 配列a[0]の値を書きかえる

    System.out.println("aをbに代入してa[0]に10を入れました。 ");
    System.out.println("a = " + Arrays.toString(a));
    System.out.println("b = " + Arrays.toString(b));
  }
}
```

実行結果

```
a = [1, 2, 3, 4, 5]
b = [6, 5, 4, 3, 2, 1, 0]
aをbに代入してa[0]に10を入れました。
a = [10, 2, 3, 4, 5]
b = [10, 2, 3, 4, 5]
```

配列 a は、要素数が 5 で、{1, 2, 3, 4, 5} で初期化されています。

もう一つの配列 b は、要素数が 7 で {6, 5, 4, 3, 2, 1, 0} で初期化されています。ただし、その後の1の b = a によって、a が**代入**されています。

続く2では、a[0] に 10 を書き込んでいますので、配列 a は {10, 2, 3, 4, 5} となって、配列 b は {1, 2, 3, 4, 5} となるはずです。

ところが実際には、a と b の両方が {10, 2, 3, 4, 5} となっています。この実行結果は、次のことを示しています。

---

代入後の配列 a と b は、同じものになっている。

換言すると：**代入後の配列変数 a と b は、同一の配列本体を参照している。**

---

代入演算子 = の働きについての学習が必要です。右ページの **Fig.6-8** を見ながら理解していきましょう。図aが代入前で、図bが代入後の状態です。

b = a の代入でコピーされるのは、**全要素の値**ではなく、参照先です。

そのため、代入 b = a を実行した後は、配列変数 b が、「配列変数 a の参照先の本体」を参照することになるのです。

**重要** 代入演算子によって配列を**代入**しても、全要素の**値**はコピーされない。更新されるのは、**参照先**である。

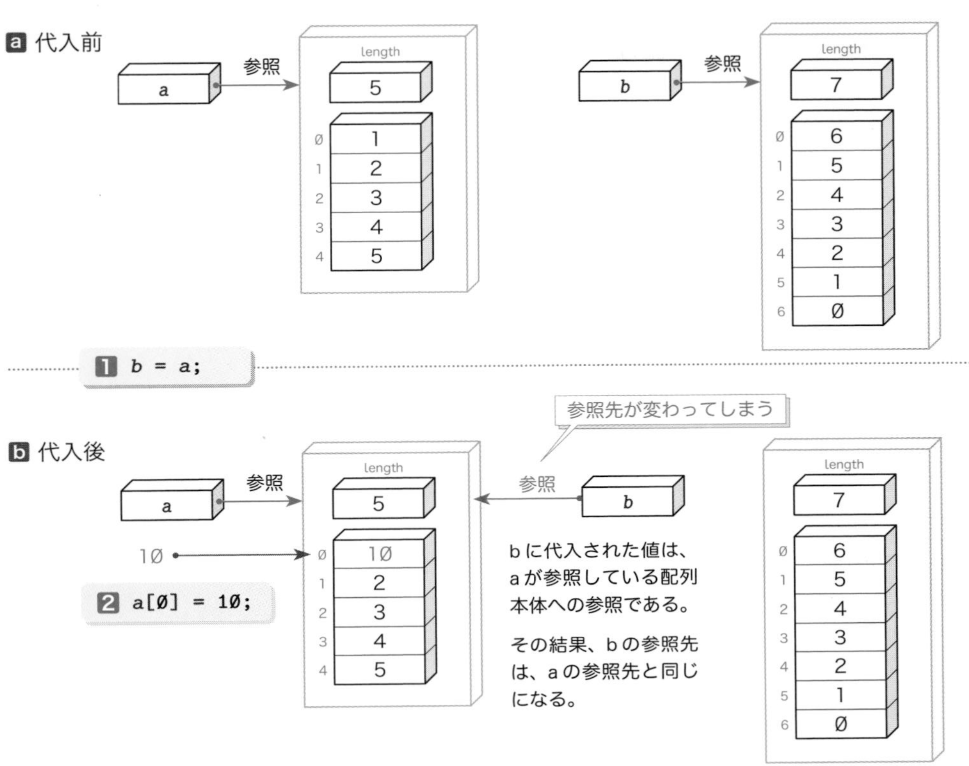


**Fig.6-8　配列変数の代入**

要素のコピーのためには、構成要素の値を一つ一つ代入するのが基本です。

二つの配列**a**と**b**の要素数が等しければ、次のように行います。

```
for (int i = Ø; i < n; i++)          // 配列aの全要素を配列bにコピー
  b[i] = a[i];
```

二つの配列の要素数が等しくなければ、コピー先の要素数をコピー元の要素数と同じにした上で、全要素の値をコピーしなければなりません。そのため、正しいコードは、次のようになります（**"chapØ6/CopyArray.java"**）。実行して確認しましょう。

```
if (a.length != b.length)             // 配列aとbの要素数が異なれば
  b = new int[a.length];              // aと同じ要素数の配列を生成し直す

for (int i = Ø; i < a.length; i++)   // 配列aの全要素を配列bにコピー
  b[i] = a[i];
```



### 配列変数の等価性

代入演算子と同様に、等価演算子**==**と**!=**も、演算の対象は“本体”ではなくて、“配列変数”です。そのため、等価式**a == b**は、『配列**a**と**b**の全要素の値が等しいかどうか』を判断するのではなく、『配列変数**a**と**b**が同じ配列本体を参照しているかどうか』を調べます。

## 文字列の配列

ここまでは、数値の配列ばかりを扱ってきました。次は、文字列の配列を学習しましょう。文字列は**String**型ですから、文字列の配列の型は**String[]**型です。

まずは、3個の文字列**"Turbo"**、**"NA"**、**"DOHC"**の配列を考えます。要素型が**String**型で要素数3の配列を生成し、各要素に文字列を代入します。

```
String[] sx = new String[3];
sx[0] = "Turbo";
sx[1] = "NA";
sx[2] = "DOHC";
```



なお、次の宣言であれば、配列の生成時に各要素を**初期化**できます（**代入**が不要です）。

```
String[] sx = {"Turbo", "NA", "DOHC"};
```

### ジャンケン

文字列の配列を応用して、ジャンケンゲームのプログラムを作りましょう。右ページの**List 6-11**に示すのが、そのプログラムです。重要な箇所を理解していきます。

**1** 手を表す文字列の配列の宣言です。**"グー"**、**"チョキ"**、**"パー"**のインデックスは、それぞれ**0, 1, 2**となります。

**2** コンピュータの手を**0, 1, 2**の乱数で決定します。コンピュータが必ず勝つようなズルをしないよう、プレーヤの手を読み込む**3**よりも前に行っています。

**3** プレーヤの手を読み込みます。入力として受け付けるのは、**0, 1, 2**のみです。これ以外の値が入力された場合は、再入力を促します。

**4** 勝敗の判定を、**(*user* - *comp* + 3) % 3**という単一の式の値で行います。

この式の値が、**0**であれば引分けで、**1**であればプレーヤの負けで、**2**であればプレーヤの勝ちです（解説は省略しますので、**Fig.6-9**をじっくり見て理解しましょう）。

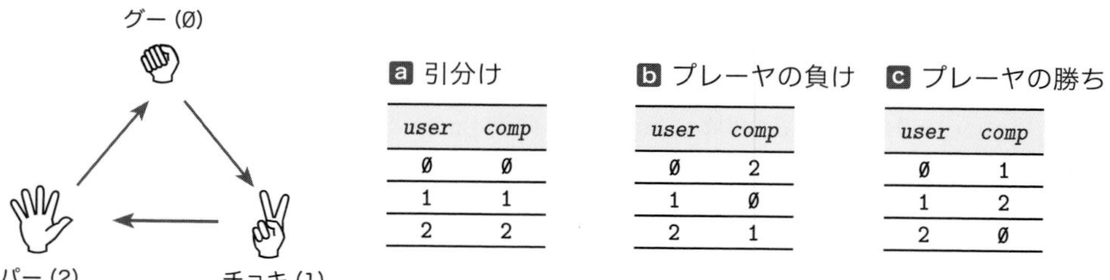


**a** 引分け

| user | comp |
|---|---|
| 0 | 0 |
| 1 | 1 |
| 2 | 2 |

**b** プレーヤの負け

| user | comp |
|---|---|
| 0 | 2 |
| 1 | 0 |
| 2 | 1 |

**c** プレーヤの勝ち

| user | comp |
|---|---|
| 0 | 1 |
| 1 | 2 |
| 2 | 0 |

**Fig.6-9　ジャンケンの手と勝敗の判定**

**List 6-11** chap06/FingerFlashing.java

```
// ジャンケン

import java.util.Scanner;
import java.util.Random;

class FingerFlashing {

  public static void main(String[] args) {
    Scanner stdIn = new Scanner(System.in);
    Random rand = new Random();
    String[] hands = {"グー", "チョキ", "パー"};   ←1
    int retry;                 // もう一度行うか？

    do {
      int comp = rand.nextInt(3); // コンピュータの手（0, 1, 2の乱数）←2
      int user;                   // プレーヤの手（0, 1, 2で読み込む）

      do {
        System.out.print("じゃんけんポン");
        for (int i = 0; i < 3; i++)
          System.out.printf("(%d)%s ", i, hands[i]);          ←3
        System.out.print("：");
        user = stdIn.nextInt();
      } while (user < 0 || user > 2);

      // 両者の手を表示
      System.out.printf("私は%sで、あなたは%sです。\n", hands[comp], hands[user]);

      int judge = (user - comp + 3) % 3;      // 判定
      switch (judge) {
       case 0: System.out.println("引分けです。");       break;
       case 1: System.out.println("あなたの負けです。"); break;   ←4
       case 2: System.out.println("あなたの勝ちです。"); break;
      }

      do {      // もう一度行うかどうかを確認
        System.out.print("もう一度？ (0)いいえ (1)はい：");
        retry = stdIn.nextInt();
      } while (retry != 0 && retry != 1);
    } while (retry == 1);
  }
}
```

実行例

```
じゃんけんポン(0)グー (1)チョキ (2)パー ：0↵
私はチョキで、あなたはグーです。
あなたの勝ちです。
もう一度？ (0)いいえ (1)はい：0↵
```

## Column 6-3 文字列の配列の内部

文字列の配列の内部は、数値の配列とは大きく異なります。p.176 の配列 **sx** のイメージを表したのが **Fig.6C-1** です。**String[]** 型の配列変数 **sx** は、要素型が **String** で要素数が 3 の配列本体を参照します。そして、個々の要素である **sx[0]**, **sx[1]**, **sx[2]** は、それぞれ **"Turbo"**, **"NA"**, **"DOHC"** を参照する、という構造です。

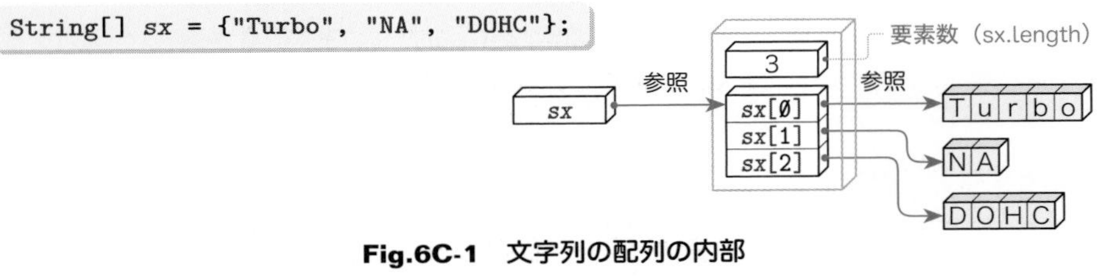


**Fig.6C-1 文字列の配列の内部**

## 参照型とオブジェクト

次は、配列本体を参照する**配列変数**について理解を深めましょう。配列変数の値の表示を行う **List 6-12** のプログラムを実行します。そうすると、何だか変な値が表示されます。

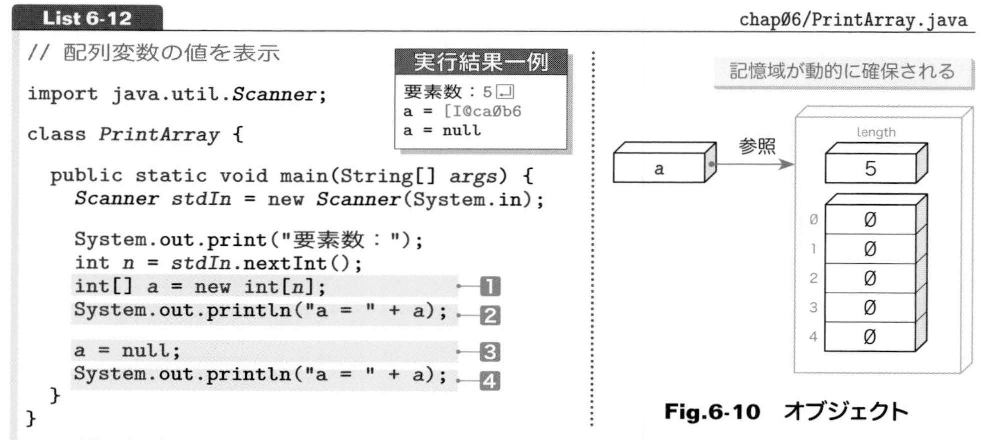

**List 6-12** chap06/PrintArray.java

```
// 配列変数の値を表示

import java.util.Scanner;

class PrintArray {

  public static void main(String[] args) {
    Scanner stdIn = new Scanner(System.in);

    System.out.print("要素数：");
    int n = stdIn.nextInt();
    int[] a = new int[n];                    ―1
    System.out.println("a = " + a);          ―2

    a = null;                                ―3
    System.out.println("a = " + a);          ―4
  }
}
```

実行結果一例

```
要素数：5
a = [I@ca0b6
a = null
```



**Fig.6-10　オブジェクト**

### 参照型とオブジェクト

1の宣言では、配列変数 a の初期化子は、new 式です。そのため、**配列本体用の記憶域がプログラム実行時に動的に確保され**、その参照で a が初期化されます（**Fig.6-10**）。

▶ 要素数 *n* の値は、キーボードから読み込まれるまで確定しません。*n* の値を読み込んだ後に、初めて *n* の値が確定し、その値に応じた大きさの本体用の記憶域が確保されます。

プログラムの実行時に動的に生成される配列の本体は、通常の（int 型や double 型などの）変数とは大きく性質が異なることから、オブジェクト（object）と呼ばれます。

▶ int 型の変数は、32 ビット（4バイト）で、大きさが固定です。**配列**（や第8章で学習する**クラス**）の本体は、プログラム実行時に new 式の評価が行われたときに、大きさが決定します。

オブジェクトを**参照する（指す）**変数の型が、参照型（reference type）です。配列変数の型である配列型（array type）は、参照型の一種です（p.128）。

**重要** **配列本体**は、オブジェクトである。オブジェクトである**配列本体**を参照する（指す）配列型の**配列変数**は、参照型の一種である。

続く2では、配列変数 a の値が「**[I@ca0b6**」と表示されています。配列変数を出力すると、特殊な値が表示されます（詳細は p.372 の **Column 12-5** で学習します）。

### 空型と空参照・空リテラル

3では、配列変数 a に null を代入しています。null は、空リテラル（null literal）と呼ばれるリテラルの一種であり、その値は空参照（null reference）です。

空参照とは、**何も参照していない**ことを表す、空型（null type）の特殊な参照です。そのため、空リテラルが代入された a は、**『何も参照しない状態』**となります。

本書では、**Fig.6-11** に示すように、空参照を黒い箱で表します。

**重要** 空リテラルと呼ばれる `null` は、何も参照しない空参照を表す。

続く4では、変数 a の値を表示します。実行結果から分かるように、空参照を出力すると、「`null`」と表示されます。



## ガーベジコレクション

配列変数に対して、（本プログラムのように）`null` を代入したり、（p.174 の **List 6-10** のように）他の配列本体への参照を代入したりすると、配列本体は、**どこからも（どの配列変数からも）参照されない**ゴミとなります。

ゴミの放置は、記憶域の不足を招きます。そのため、どこからも参照されなくなったオブジェクト用の領域は、再利用できるよう、自動的に解放されることになっています。

このように、不要となったオブジェクトの領域を解放して、再利用できるようにすることを、ガーベジコレクション（garbage collection）と呼びます。

▶ garbage collection を直訳すると『ゴミ収集』です。なお、garbage の発音は gáːrbidʒ ですから、『ガベージ』ではありません。

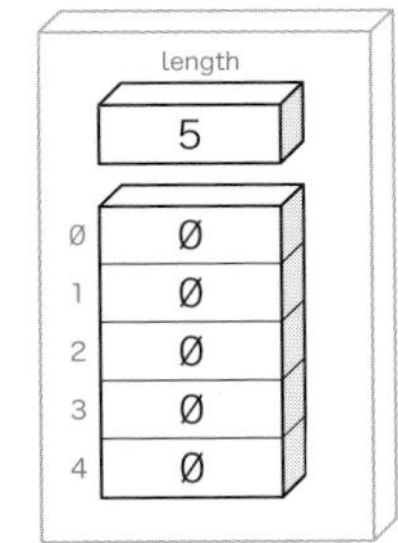


**Fig.6-11 オブジェクトと空参照**

**Column 6-4** **finalな配列**

配列変数は、次のように `final` 変数として宣言することもできます。

```
final int[] a = new int[5];
```

`final` となる（値を書きかえることができなくなる）のは、配列変数 a の**参照先**であって、個々の**要素の値**は書きかえ可能です。このことは、次のコードで確認できます。

```
a[0] = 10;          // OK
a = null;           // エラー
a = new int[10];    // エラー
```

配列変数を `final` としておけば、誤って `null` を代入したり、他の配列本体への参照を代入したりするという事故が防げます。

# 6-2 多次元配列

前節では、構成要素が直線状に並んだ配列を学習しました。本節で学習する多次元配列は、構成要素自体が配列となっている構造の配列です。

## 多次元配列



ここまで学習してきた配列は、全構成要素が直線状に連続して並んだものでした。実は、配列の構成要素自体が配列であるという、多重構造の配列も作れます。

配列が構成要素型となっている配列が**2次元配列**です。そして、2次元配列が構成要素型となっている配列が**3次元配列**です。これらは、前節で学習した配列＝**1次元配列**と区別して、**多次元配列**（multidimensional array）と呼ばれます。

▶ Java の文法の定義上は、**多次元配列**という概念は存在しません（あくまでも、**『構成要素型が配列である配列』**と考えるからです）。
　p.164 からは、**構成要素**のことを、単に**要素**と呼んできましたが、本節では、要素と構成要素とを区別して学習を進めます。

### 2次元配列

まずは、多次元配列の中で最も単純な構造ともいえる“**int** 型の2次元配列”を考えます。その2次元配列の正体は、次のとおりです。

『int 型を構成要素型とする配列』を構成要素型とする配列

この配列の型は、int[][] 型です。次のa～cのいずれの形式でも宣言できるのですが、本書では、形式aに統一します。

a `int[][] x;`
b `int[] x[];`　『int 型を構成要素型とする配列』を構成要素型とする配列の宣言
c `int x[][];`

それでは、具体例を考えます。取りあげるのは、次の配列です。

『int 型を構成要素型とする要素数 4 の配列』を構成要素型とする要素数 2 の配列

本体を生成する **new** 式を初期化子にすると、次のように宣言できます。

```
int[][] x = new int[2][4];
```

この宣言で生成される2次元配列 **x** のイメージを表したのが、右ページの **Fig.6-12** です。

各要素をアクセスするためのインデックス式は、2重に **[ ]** を適用した **a[*i*][*j*]** という形です。

いずれのインデックスも、その先頭の値は **0** であり、末尾の値は、配列の要素数から **1** を引いた値です（インデックスの範囲は、先頭側は **0** ～ **1** で、末尾側は **0** ～ **3** です）。

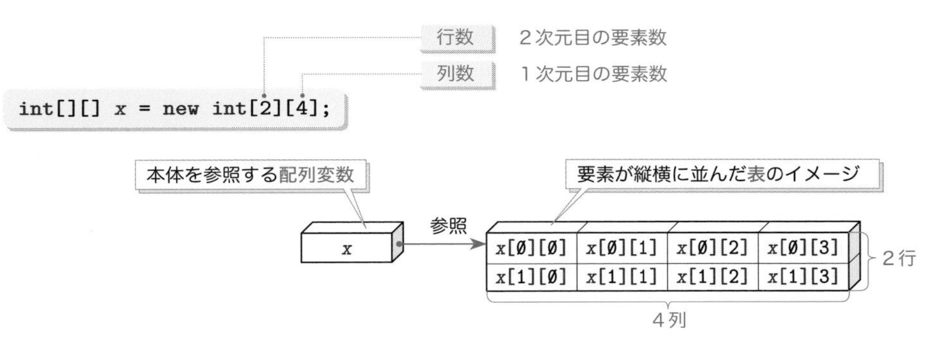


**Fig.6-12　2次元配列のイメージ**



縦横に要素が並んだ**表**のような形であることから、この配列は“**2行4列の2次元配列**”と表現されます。

## 3次元配列

次は3次元配列です。たとえば、long型の3次元配列の型は、long[][][]型となります。具体例として、次の配列を考えましょう。

```
long[][][] y = new long[2][3][4];
```

配列yの型は、次のようになります。

『“long型を構成要素型とする要素数4の配列”を構成要素型とする要素数3の配列』
を構成要素型とする要素数2の配列

## 要素と構成要素

ここで、2次元配列xと、3次元配列yの**構成要素型**に着目します。

- x … int型を構成要素型とする要素数4の配列
- y … “long型を構成要素型とする要素数4の配列”を構成要素型とする要素数3の配列

これらの配列を、**それ以上分解できない（配列ではない）要素にまで分解すると**、配列xはint型となり、配列yはlong型となります。

このような分解で得られた型が、**要素型**（element type）であり、要素型レベルの構成要素が**要素**（element）です。そして、全要素の個数が**要素数**です。

▶ たとえば、2次元配列xのx[0], x[1]は構成要素で、x[0][0], x[0][1], …, x[1][3]は要素です。なお、1次元配列では、実質的に、構成要素＝要素で、構成要素型＝要素型とみなせます。

3次元配列yの構成要素は、y[0]とy[1]の2個です。そして、個々の要素をアクセスするためのインデックス式は、インデックス演算子[]を3重に適用したy[0][0][0], y[0][0][1], y[0][0][2], …, y[1][2][3]の24個です。

## 2次元配列のプログラム例

**List 6-13** は、2次元配列を生成して全要素を Ø ～ 99 の乱数で埋めつくすプログラムです。

**List 6-13** chapØ6/Array2D.java

```
// 2次元配列を生成して全要素を乱数で埋めつくす

import java.util.Random;
import java.util.Scanner;

class Array2D {

  public static void main(String[] args) {
    Random rand = new Random();
    Scanner stdIn = new Scanner(System.in);

    System.out.print("行数：");
    int h = stdIn.nextInt();     // 行数を読み込む

    System.out.print("列数：");
    int w = stdIn.nextInt();     // 列数を読み込む

    int[][] x = new int[h][w];                                              ―1

    for (int i = Ø; i < h; i++)
      for (int j = Ø; j < w; j++) {
        x[i][j] = rand.nextInt(1ØØ);                                        ―2
        System.out.println("x[" + i + "][" + j + "] = " + x[i][j]);
      }
  }
}
```

実行例

```
行数：2↵
列数：4↵
x[Ø][Ø] = 72
x[Ø][1] = 68
x[Ø][2] = 6
x[Ø][3] = 6
x[1][Ø] = 59
x[1][1] = 5
x[1][2] = 18
x[1][3] = 59
```

まず、配列の行数 h と列数 w を、キーボードから読み込みます。その後、1で配列の生成を行って、2の2重ループで、全要素に乱数を代入するとともに、その値を表示します。

▶ 実行例では、2行4列の配列を生成しています。

＊

もう一つのプログラム例を、右ページの **List 6-14** に示します。これは、二つの行列 a と b の和を c に求めて表示するプログラムです。

a, b, c は、いずれも2行3列の2次元配列です。配列 a と b は、**Fig.6-13** に示すように各要素が初期化されます（配列 c は、全要素が Ø で初期化されます）。

▶ 多次元配列の初期化子が { } の中に { } が入る構造であることは、p.186 で学習します。

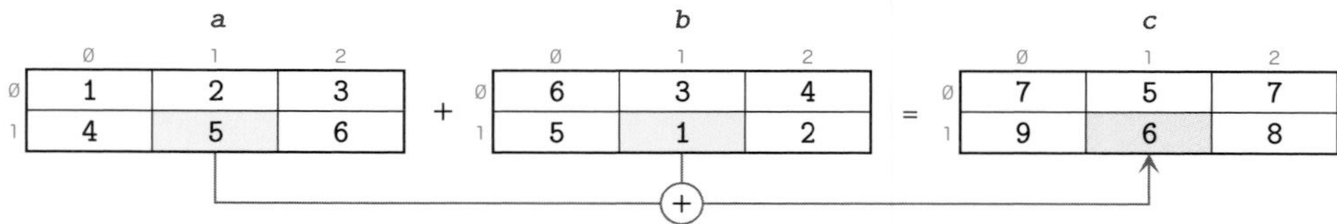


**Fig.6-13　2行3列の行列の加算**

List 6-14　　chap06/Matrix.java

```
// 2行3列の行列を加算する

import java.util.Arrays;

class Matrix {

  public static void main(String[] args) {
    int[][] a = { {1, 2, 3}, {4, 5, 6} };
    int[][] b = { {6, 3, 4}, {5, 1, 2} };
    int[][] c = { {0, 0, 0}, {0, 0, 0} };

    for (int i = 0; i < 2; i++)
      for (int j = 0; j < 3; j++)          ← aとbの和をcに代入
        c[i][j] = a[i][j] + b[i][j];

    System.out.println("行列a = " + Arrays.deepToString(a));
    System.out.println("行列b = " + Arrays.deepToString(b));
    System.out.println("行列c = " + Arrays.deepToString(c));
  }
}
```

実行結果

```
行列a = [[1, 2, 3], [4, 5, 6]]
行列b = [[6, 3, 4], [5, 1, 2]]
行列c = [[7, 5, 7], [9, 6, 8]]
```



行列の加算を行うのが網かけ部です。a[i][j] と b[i][j] を加えた値を c[i][j] に代入する作業、すなわち、二つのインデックスが同じである a の要素と b の要素の和を、同じインデックスの c の要素に代入する処理を繰り返します。

▶ 図中で青く示しているのは、a[1][1] と b[1][1] の和を c[1][1] に代入する様子です。同様な加算を全要素に対して行います。

### 多次元配列の全要素の表示

本プログラムは、for 文を使うことなく、多次元配列の全要素の値の表示を一発で行っています。そのために使っているのが、Arrays.deepToString メソッドです。

プログラム冒頭に網かけ部の宣言を置けば、“Arrays.deepToString( **配列変数名** )” という式によって、全要素を文字列化した表現が得られます。

▶ 前節で学習した Arrays.toString メソッドを適用した Arrays.toString(a) だと、**要素**ではなく、**構成要素**である a[0] と a[1] の値（**List 6-12**（p.178）で表示された特殊な値に相当する値）が文字列化したものが得られます（"chap06/Matrix2.java"）。

### Column 6-5　多次元配列の宣言の形式

いきなりですが、問題です。次のように宣言される x と y の型は、分かりますか？

```
int[] x, y[];
```

正解は、x は 1 次元配列 int[] 型で、y は 2 次元配列 int[][] 型です。もちろん、このような紛らわしい宣言は避け、次のように素直に宣言すべきです。

```
int[] x;        // xはint[]型の配列   （1次元配列）
int[][] y;      // yはint[][]型の配列 （2次元配列）
```

## 多次元配列の内部

多次元配列の内部を詳しく学習しましょう。例にとるのは、次の配列です。

```
int[][] x = new int[2][4];      // ２行４列の２次元配列
```

配列変数の宣言と、配列本体の生成を分解したのが、次のコードです。

```
int[][] x;              1
x = new int[2][];       2
x[0] = new int[4];      3
x[1] = new int[4];      4
```



このコードを見ただけで、２次元配列の内部構造が複雑であることが分かるはずです。それでは、右ページの **Fig.6-14** を見ながら、理解していきましょう。

1 ２次元配列 x の宣言です。int[][] 型の x は、配列本体ではなく、配列変数です。

2 次の配列本体を生成するとともに、x がそれを参照するように代入を行います。

構成要素型が《int[] 型》で、構成要素数が《2》の配列

この配列はxによって参照されますので、その各要素をアクセスする式は、x[0], x[1]です。構成要素数 2 は、x.length で取得できます。

3 次の配列本体を生成するとともに、x[0] がそれを参照するように代入を行います。

構成要素型が《int 型》で、構成要素数が《4》の配列

この配列は x[0] によって参照されますので、その各要素をアクセスする式は、x[0][0], x[0][1], x[0][2], x[0][3] です。構成要素数 4 は、x[0].length で取得できます。

4 次の配列本体を生成するとともに、x[1] がそれを参照するように代入を行います。

構成要素型が《int 型》で、構成要素数が《4》の配列

この配列は x[1] によって参照されますので、その各要素をアクセスする式は、x[1][0], x[1][1], x[1][2], x[1][3] です。構成要素数 4 は、x[1].length で取得できます。

x にとって、**構成要素**は int[] 型の x[0] と x[1] の2個です。そして、**要素**は int 型の x[0][0], x[0][1], …, x[1][3] の8個です。

**注意すべき点は、行が異なる要素の配置が連続しないことです。**たとえば、記憶域上の x[0][3] の直後に x[1][0] が位置することはありません。

**重要** 2次元配列の要素は、記憶域上に連続して配置されるわけではない。

### 凸凹な2次元配列

配列 x の構成要素である x[0] と x[1] は、それぞれが独立した配列変数です。そのため、それらが参照する配列の要素数は、**同一である必要はありません。**

生成する個々の配列の要素数を異なるものとすれば、凸凹な配列となります。

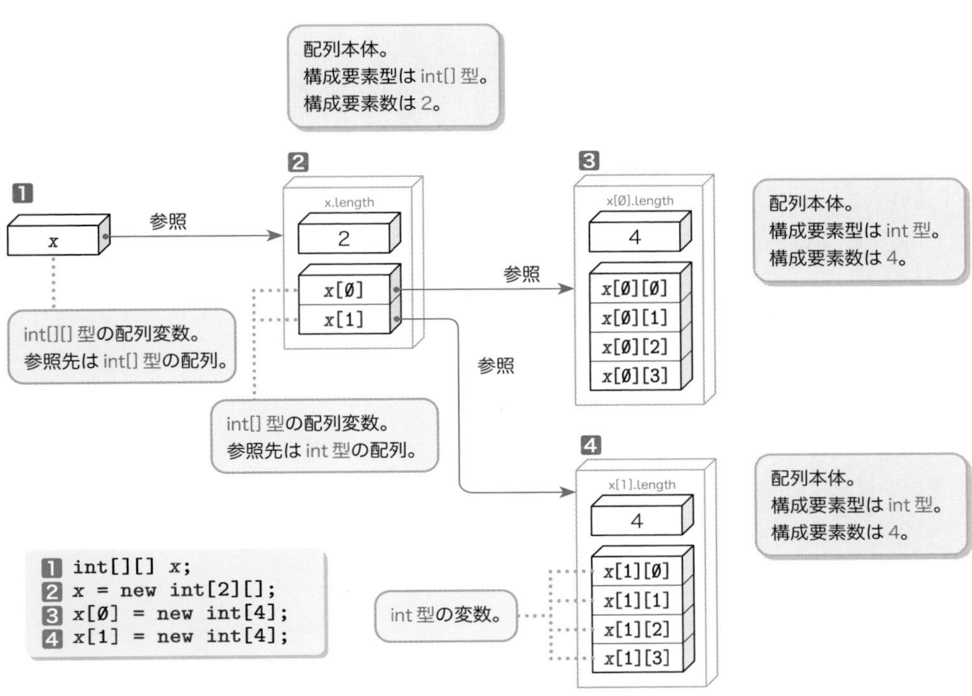


**Fig.6-14　２次元配列の物理的なイメージ**

次に示すのが、具体例です。各行の要素数が、５個、３個、４個とバラバラです。

```
int[][] c;
c = new int[3][];
c[Ø] = new int[5];
c[1] = new int[3];
c[2] = new int[4];
```

| | | | | | |
|---|---|---|---|---|---|
| ５列 | c[Ø][Ø] | c[Ø][1] | c[Ø][2] | c[Ø][3] | c[Ø][4] |
| ３列 | c[1][Ø] | c[1][1] | c[1][2] | | |
| ４列 | c[2][Ø] | c[2][1] | c[2][2] | c[2][3] | |

上記のコードを一つの宣言にまとめると、次のようになります。

```
int[][] c = {new int[5], new int[3], new int[4]};
```

なお、配列 *c* の行数と、各行の列数（要素数）は、次の式で求められます。

- 行数　　　　… `c.length`
- 各行の列数 … `c[Ø].length`, `c[1].length`, `c[2].length`

各構成要素 `c[Ø]`, `c[1]`, `c[2]` の要素数は **5**, **3**, **4** です。

- `c[Ø]` … 構成要素型が `int` 型で構成要素数が 5 の配列。
- `c[1]` … 構成要素型が `int` 型で構成要素数が 3 の配列。
- `c[2]` … 構成要素型が `int` 型で構成要素数が 4 の配列。

## 初期化子

**List 6-14**（p.183）のプログラムでは、配列 **a** に初期化子が与えられていました。この初期化子を縦横に並べると、行と列の関係がはっきりして、読みやすくなります。

```
int[][] a = {
  {1, 2, 3},          // 0行目の要素に対する初期化子
  {4, 5, 6},          // 1行目の要素に対する初期化子
};
```

さて、網かけ部のコンマ文字 **,** は不要に感じられるでしょう。構文上、このコンマはあってもなくても構わないことになっています。

あえて余分なコンマを置くスタイルには、次のメリットがあります。

- 初期化子を縦に並べた際の見かけ上のバランスがとれる。

最後の行を含め、すべての行の最後の文字がコンマとなりますので、見かけ上のバランスがとれます。

- 行単位での初期化子の追加や削除が容易になる。

たとえば、次のように、行が追加されたときに“コンマ文字を付け忘れるミス”を防げます。

```
int[][] a = {
  {1, 2, 3},          // 0行目の要素に対する初期化子
  {4, 5, 6},          // 1行目の要素に対する初期化子
  {7, 8, 9},          // 2行目の要素に対する初期化子  ← この行を追加
};
```

すなわち、網かけ部のコンマを書き忘れることがなくなります。

末尾の（余分な）コンマが許されることから、**Fig.6-15** に示すように、初期化子の構文は複雑です。

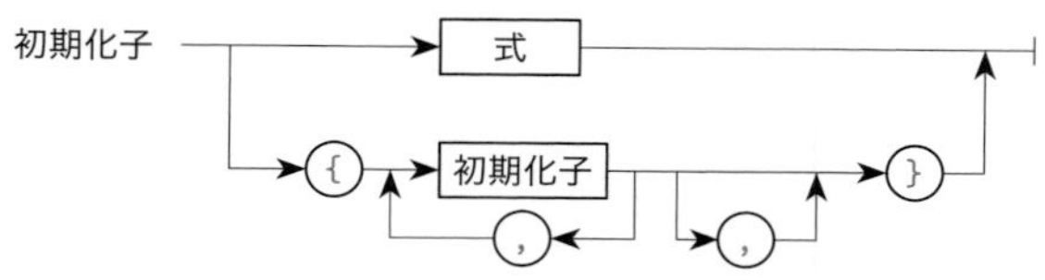


**Fig.6-15　初期化子の構文図**

この構文図が示すように、1次元配列の宣言でも余分なコンマ **,** を付けることができます。そのため、次のような宣言が許されます。

```
int d[] = {1, 2, 3,};        // 最後の要素の後に,があってもよい
```

1次元配列での余分なコンマは、文字列の配列を宣言する際などに有効です。たとえば、次の例です。

```
String[] hands = {
  "red",            // 赤
  "green",          // 緑
  "blue",           // 青
};
```

各行の見かけ上のバランスがとれますし、要素の追加や削除も容易になります。

＊

２次元配列の宣言時に要素数を省略した場合、内側の **{ }** 内に置かれた初期化子に基づいて、各配列の要素数が決まります。それを利用すると、p.185 の凸凹配列と同じ要素数をもつ、初期化子を伴う配列は、**Fig.6-16** のように宣言できます。



```
int[][] c = {
  {10, 11, 12, 13, 14},     // 0行目の要素に対する初期化子
  {15, 16, 17},             // 1行目の要素に対する初期化子
  {18, 19, 20, 21},         // 2行目の要素に対する初期化子
};
```

| | 0 | 1 | 2 | 3 | 4 |
|---|---|---|---|---|---|
| 0 | 10 | 11 | 12 | 13 | 14 |
| 1 | 15 | 16 | 17 | | |
| 2 | 18 | 19 | 20 | 21 | |

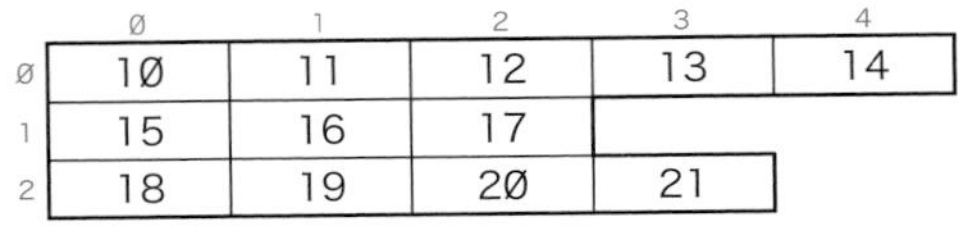

**Fig.6-16　２次元配列の要素の初期化**

## Column 6-6　拡張 for 文による多次元配列の走査

前節で学習した拡張 **for** 文は、**多次元配列**にも適用できます。

ここでは、２次元配列への適用例で考えましょう。**List 6C-1** に示すのは、２次元配列の全要素の値を表示するプログラム部分です。

**List 6C-1**　chap06/ForIn2DArray.java

```
double[][] a = {{1.0, 2.0}, {3.0, 4.0, 5.0}, {6.0, 7.0}};

for (double[] i : a) {                      ❶
  for (double j : i) {                      ❷
    System.out.printf("%5.1f", j);
  }
  System.out.println();
}
```

実行結果

```
 1.0  2.0
 3.0  4.0  5.0
 6.0  7.0
```

２次元配列の構成要素型は１次元配列です（p.180）。そのため、配列 **a** を走査する拡張 **for** 文である❶での構成要素 *i* の型は double[] 型となります。

内側の❷の **for** 文では、**double[]** 型の１次元配列である *i* を走査します。配列 *i* の構成要素 *j* の型は double 型です。

# まとめ



- 配列は、同一型の変数が直線状に連続して並んだ構造である。個々の変数を構成要素と呼び、その型が構成要素型である。構成要素自体が配列である配列は、便宜的に多次元配列と呼ばれる。多次元配列は、すべての要素が連続して並んでいるわけではない。

- 配列本体は、プログラム実行時に、new演算子によって動的に生成されるオブジェクトである。その配列本体を参照するのが、配列変数である。

- 配列a内の個々の構成要素は、配列変数に対してインデックス演算子[ ]を適用したインデックス式a[i]でアクセスできる。[ ]の中に与えるインデックスは、0から始まる連番のint型整数値であり、先頭要素から何個後ろに位置するのかを表す。

- 配列内の個々の構成要素は、明示的に初期化されなければ、既定値0で初期化される。

- 配列に与える初期化子は、個々の構成要素に対する初期化子○と△と□をコンマ,で区切って{}で囲んだ{○, △, □,}という形式である。最後のコンマは省略できる。多次元配列の初期化子は、入れ子となる。

- 配列の構成要素数は、"**配列変数名**.length"で取得できる。要素の走査は、基本for文や拡張for文で行える。

- 代入演算子=による配列変数の代入は、参照先のコピーであって、要素の値はコピーしない。

- final宣言された配列は、参照先を書きかえられなくなる（要素の値は変更できる）。

- 何も参照しない参照が空参照であり、その空参照を表す空リテラルがnullである。

- どこからも参照されなくなったオブジェクト用の領域は、ガーベジコレクションによって、自動的に回収されて再利用される。

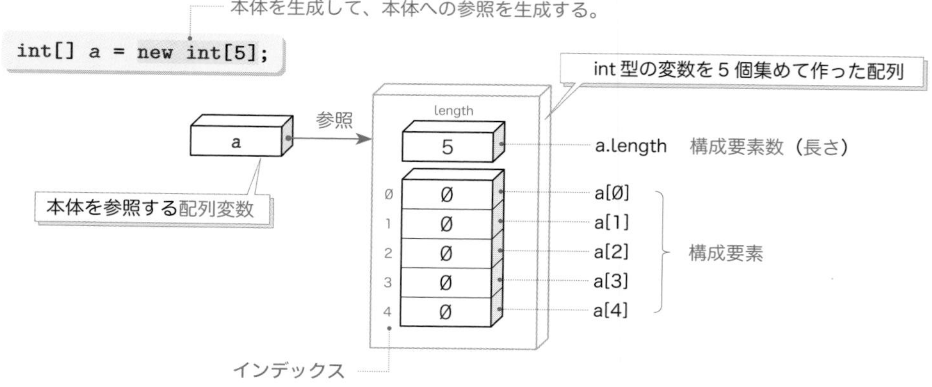

chap06/Abc.java

```
import java.util.Scanner;

class Abc {

  public static void main(String[] args) {
    Scanner stdIn = new Scanner(System.in);

    // 全要素を既定値0で初期化
    int[] a = new int[5];

    // 明示的に初期化
    int[] b = {1, 2, 3, 4, 5};

    for (int i = 0; i < a.length; i++)
      System.out.println("a[" + i + "] = " + a[i]);

    for (int i = 0; i < b.length; i++)
      System.out.println("b[" + i + "] = " + b[i]);

    // 配列aの全要素に値を読み込む
    for (int i = 0; i < a.length; i++) {
      System.out.print("a[" + i + "] = ");
      a[i] = stdIn.nextInt();
    }

    // 配列aの全要素の合計を求める
    int sum = 0;

    for (int i : a)
      sum += i;

    System.out.println("aの合計 = " + sum);

    // 2行4列の2次元配列
    int[][] c = new int[2][4];

    System.out.println("配列c");
    for (int i = 0; i < c.length; i++) {
      for (int j = 0; j < c[i].length; j++)
        System.out.printf("%3d", c[i][j]);
      System.out.println();
    }

    // 行によって列数の異なる2次元配列
    int[][] d = {
      new int[5], new int[3], new int[4]
    };

    System.out.println("配列d");
    for (int i = 0; i < d.length; i++) {
      int j = 0;
      for ( ; j < d[i].length; j++)
        System.out.printf("%3d", d[i][j]);
      for ( ; j < 5; j++)
        System.out.print("  -");
      System.out.println();
    }
  }
}
```

拡張for文 → 基本for文

```
for (int i = 0; i < a.length; i++)
  sum += a[i];
```

別解

```
int[][] c = {
  {0, 0, 0, 0},
  {0, 0, 0, 0},
};
```

```
int[][] c;
c = new int[2][];
c[0] = new int[4];
c[1] = new int[4];
```

```
int[][] c = {
  new int[4],
  new int[4],
};
```

実行例

```
a[0] = 0
a[1] = 0
a[2] = 0
a[3] = 0
a[4] = 0
b[0] = 1
b[1] = 2
b[2] = 3
b[3] = 4
b[4] = 5
a[0] = 7⏎
a[1] = 6⏎
a[2] = 3⏎
a[3] = 8⏎
a[4] = 5⏎
aの合計 = 29
配列c
  0  0  0  0
  0  0  0  0
配列d
  0  0  0  0  0
  0  0  0  -  -
  0  0  0  0  -
```

# 第7章

# メソッド

本章では、プログラムを構成する部品であるメソッドについて、その作り方や使い方などを学習します。

- □メソッド
- □実引数・仮引数と値渡し
- □返却値と return 文
- □配列の受渡し
- □void
- □有効範囲
- □多重定義（オーバロード）とシグネチャ
- □可変個引数
- □ビット単位の論理演算
- □ビットのシフト

# 7-1 メソッドとは

日曜大工などの工作をする際に、いろいろな《部品》を組み合わせて作ることがあるでしょう。部品の組合せで作る作業は、プログラムでも行えます。本節では、プログラムの部品の中でも、最も小さな単位ともいえる、メソッドの基本を学習します。

## メソッド

本章の最初に考えるのは、**List 7-1** のプログラムです。３人の身長と体重を、配列 ***height*** と ***weight*** に読み込んで、それぞれの最大値を表示します。



**List 7-1** chap07/MaxHw.java

```
// ３人の身長と体重の最大値を求めて表示

import java.util.Scanner;

class MaxHw {

  public static void main(String[] args) {
    Scanner stdIn = new Scanner(System.in);

    int[] height = new int[3];    // 身長
    int[] weight = new int[3];    // 体重

    for (int i = 0; i < 3; i++) { // 読込み
      System.out.print("[" + (i + 1) + "] ");
      System.out.print("身長：");      height[i] = stdIn.nextInt();
      System.out.print("    体重："); weight[i] = stdIn.nextInt();
    }

    // 身長の最大値を求める                                  ❶
    int maxHeight = height[0];
    if (height[1] > maxHeight) maxHeight = height[1];
    if (height[2] > maxHeight) maxHeight = height[2];

    // 体重の最大値を求める                                  ❷
    int maxWeight = weight[0];
    if (weight[1] > maxWeight) maxWeight = weight[1];
    if (weight[2] > maxWeight) maxWeight = weight[2];

    System.out.println("身長の最大値は" + maxHeight + "です。");
    System.out.println("体重の最大値は" + maxWeight + "です。");
  }
}
```

実行例

```
[1]身長：172⏎
   体重：64⏎
[2]身長：168⏎
   体重：57⏎
[3]身長：181⏎
   体重：62⏎
身長の最大値は181です。
体重の最大値は64です。
```

さて、3値の最大値を求めるアルゴリズムは、第３章で学習ずみです（p.68）。たとえば、aとbとcの最大値を変数maxに格納するコードは、右のようになるのでした。

```
int max = a;
if (b > max) max = b;
if (c > max) max = c;
```

本プログラムは、このアルゴリズムをそのまま使っています。そのため、❶と❷では、身長と体重に対して同じ処理を行っています。

さて、胸囲や座高などのデータが追加されて、それらの最大値も求めることになったらどうなるでしょう。プログラムは、同じ処理であふれかえります。

次のような方針をとると、よさそうです。

---

**ひとまとまりの手続きを、一つの《部品》としてまとめる。**

---

プログラムの《部品》には、いろいろな種類がありますが、その中で最も基本的ともいえる単位の部品が、本章で学習する**メソッド**（method）です。

▶ methodは、『方法』『筋道』といった意味の語句です。

本プログラムの改良に必要な部品は、

---

**3個の `int` 型の値を受け取って、その最大値を求めて返す部品**

---

です。電子回路ふうの図で表現すると、ちょうど**Fig.7-1**のような感じです。



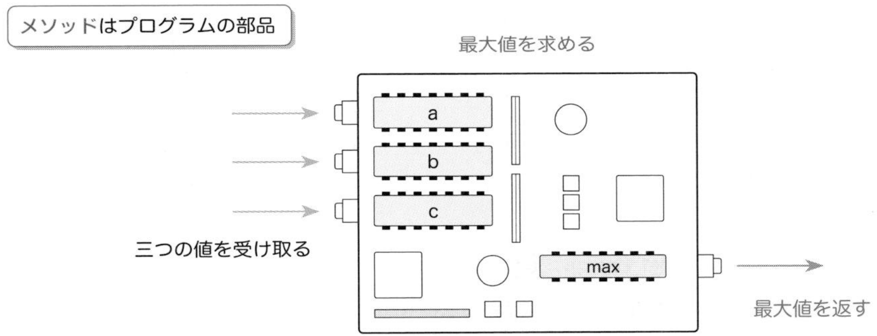


**Fig.7-1　3値の最大値を求めて返すメソッドのイメージ**

ちなみに、`System.out.print` がメソッドであるということは、第1章で学習しました。このメソッドは、受け取った文字列や数値などを画面に表示する、という便利な《部品》です。

このように、うまく作られた部品は、たとえ中身を知らなくても、使い方さえ分かれば、容易に使いこなせる《魔法の回路》のようなものです。

《魔法の回路》ともいえるメソッドを使いこなすためには、まずは、次の2点の学習が必要です。

---

- メソッドの作り方　…　メソッドの宣言
- メソッドの使い方　…　メソッドの呼出し

---

それでは、早速始めましょう。

### メソッドの宣言

まず最初は、メソッドの《作り方》です。**Fig.7-2** に示すのは、3個の `int` 型の整数値を受け取って、その最大値を求めるメソッドを定義する**メソッド宣言**（method declaration）です。

▶ おなじみの `main` メソッドにも付いている、冒頭の `static` については、第10章で学習します。

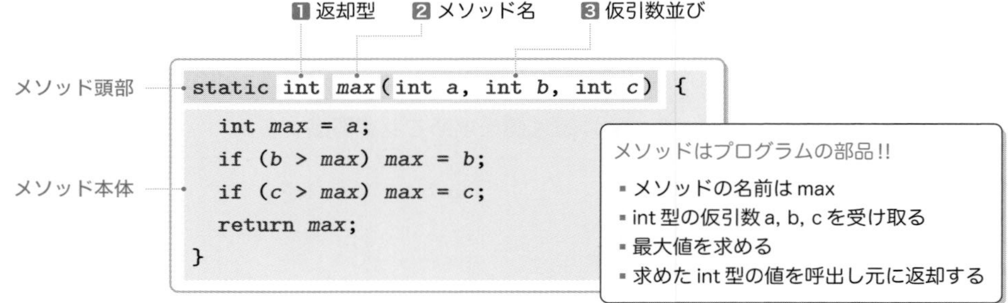


**Fig.7-2　3値の最大値を返すメソッドのメソッド宣言**

メソッド宣言は、大きく**頭部**と**本体**に分かれます。各部の概要を理解しましょう。

#### ▪ メソッド頭部（method header）

メソッドの名前を含む**仕様**を記した部分です。メソッド頭部という名前ですが、メソッドの顔と表現したほうが適切かもしれません。

##### 1 返却型（return type）

返却値（return value）の型です。本メソッドの場合、呼び出した部品＝メソッドに戻す返却値は `a, b, c` の最大値であり、その型である `int` となっています。

##### 2 メソッド名（method name）

メソッドの名前です。メソッドは、この名前をもとに、他の部品から呼び出されます。

##### 3 仮引数並び（formal parameter list）

メソッドに対する“補助的な指示”を受け取る**変数**である仮引数（かりひきすう）（formal parameter）の宣言です。通常の変数の宣言と同様に、**型**と**変数名**（**仮引数名**）を記述します。

本メソッドのように、複数の仮引数を受け取る場合は、コンマで区切って宣言します。

▶ メソッド `max` では、`a, b, c` がいずれも `int` 型の仮引数として宣言されています。

#### ▪ メソッド本体（method body）

メソッドの本体は、呼び出されたときに実行する処理を記述したブロック（すなわち `{}` で囲まれた0個以上の文の集合）です（呼び出されなければ、実行されません）。

なお、メソッド `max` の本体の中で、変数 `max` が宣言されています。このように、メソッドの中でのみ利用する変数は、メソッド本体の中で宣言・利用するのが原則です。

また、メソッド本体の中では、メソッド名と同一名の変数の宣言が可能です。メソッドと変数は種類が異なるため、名前の**衝突は発生しません**。

▶ ただし、メソッド本体内では、仮引数と同一名の変数は宣言できません。その理由は、**Fig.7-1**（p.193）からも推測できるはずです。メソッド`max`の回路の中に`a`, `b`, `c`という変数（仮引数）がある以上、それと同じ名前の変数を回路の中に作ることはできません。

＊

左ページのメソッド`max`を利用するように、**List 7-1** のプログラムを書きかえましょう。そのプログラムが **List 7-2** です。短く簡潔になっています。

**List 7-2** chap07/MaxHwMethod.java

```
// ３人の身長と体重の最大値を求めて表示（メソッド版）

import java.util.Scanner;

class MaxHwMethod {

  //--- a, b, cの最大値を返却 ---//
  static int max(int a, int b, int c) {
    int max = a;
    if (b > max) max = b;
    if (c > max) max = c;
    return max;
  }

  public static void main(String[] args) {
    Scanner stdIn = new Scanner(System.in);
    int[] height = new int[3];    // 身長
    int[] weight = new int[3];    // 体重

    for (int i = 0; i < 3; i++) { // 読込み
      System.out.print("[" + (i + 1) + "] ");
      System.out.print("身長：");     height[i] = stdIn.nextInt();
      System.out.print("    体重："); weight[i] = stdIn.nextInt();
    }

    int maxHeight = max(height[0], height[1], height[2]); // 身長の最大値
    int maxWeight = max(weight[0], weight[1], weight[2]); // 体重の最大値

    System.out.println("身長の最大値は" + maxHeight + "です。");
    System.out.println("体重の最大値は" + maxWeight + "です。");
  }
}
```



本プログラムには、二つのメソッド`max`と`main`があります。プログラムが起動されたときに実行されるのは`main`メソッドです（p.13）。`main`メソッドより先頭側で宣言されている`max`のほうが先に実行される、といったことは**ありません**。

なお、`main`メソッドの宣言と、メソッド`max`の宣言の順序は任意です。

順序を入れかえたプログラム、すなわち、`main`のメソッド宣言を先頭側に置き、メソッド`max`のメソッド宣言を末尾側に置いたプログラム（"chap07/MaxHwMethod2.java"）をコンパイル・実行してみましょう。ちゃんと動きます。

## メソッド呼出し

メソッドを利用することを、**メソッドを呼び出す**、あるいは、**メソッドを起動する**といいます。本プログラムでメソッド max を呼び出しているのが、次の2箇所です。

```
int maxHeight = max(height[0], height[1], height[2]);  // 身長の最大値
int maxWeight = max(weight[0], weight[1], weight[2]);  // 体重の最大値
```

身長の最大値を求める網かけ部に着目して話を進めていきます（**Fig.7-3** の ［　　］ の部分です）。この式は、次の《依頼》と考えれば、分かりやすくなります。

---

メソッド max さん、3個の整数値 height[0], height[1], height[2] を渡しますので、それらの最大値を教えてください!!

---

メソッドの呼出しの際に、メソッド名の後ろに付ける ( ) は、右ページの **Table 7-1** に概要を示している**メソッド呼出し演算子**（method invocation operator）です。

なお、呼び出す際に“補助的な指示”として与える実引数（じつひきすう）（actual argument）を、コンマで区切って ( ) の中に与えることも、学習ずみです。

▶ ○○**演算子**を用いた式を○○**式**と呼びます（p.58）ので、メソッド呼出し演算子を用いた式は、メソッド呼出し式（method invocation expression）です。

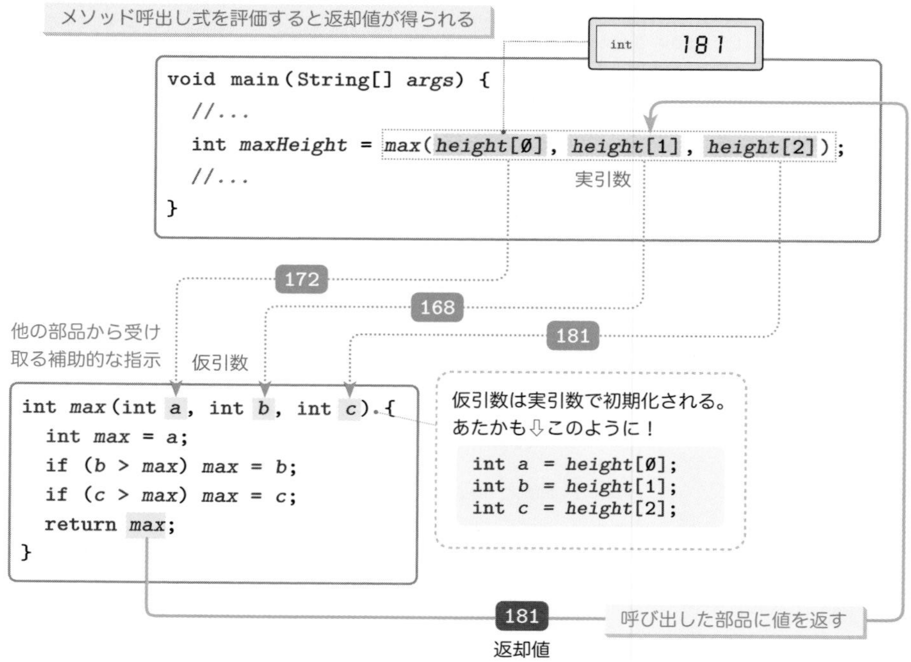


▶ スペースの都合上、メソッド頭部の public と static を省略しています（以降の図も同様です）。

**Fig.7-3　メソッド呼出し**

**Table 7-1　メソッド呼出し演算子**

| | |
|---|---|
| x(arg) | 実引数 argを渡して、メソッド xを呼び出す（argは 0個以上の実引数をコンマで区切ったもの）。（返却型が void でなければ）メソッド x が返却した値を生成する。 |

メソッド呼出しが行われると、プログラムの流れは、そのメソッドへと一気に移ります。具体的には、**main** メソッドの実行が一時的に中断されて、メソッド ***max*** の実行が開始されます。

**重要** メソッド呼出しが行われると、プログラムの流れは、そのメソッドへと移る。

呼び出されたメソッドで最初に行われるのは、仮引数の初期化です。

**重要** メソッドが受け取る仮引数は、与えられた実引数の値によって初期化される。

仮引数用の変数は、生成されるときに、実引数の値で**初期化されます。**図に示すように、仮引数 ***a***，***b***，***c*** のそれぞれが、実引数 ***height***[0]，***height***[1]，***height***[2] の値 172，168，181 で初期化されます。

仮引数の初期化が終了すると、メソッド本体であるブロックが実行されます。メソッド ***max*** の本体では、***a***，***b***，***c*** の最大値 181 を変数 ***max*** に求めます。

### 値の返却と return 文

メソッド ***max*** が最後に行うのは、求めた最大値を呼出し元に返却することです。そのために使っているのが、**return** 文（return statement）と呼ばれる文です。

```
return max;
```

ご存知のとおり、return は『戻る』という意味ですので、この文の実行によって、プログラムの流れは呼出し元へと戻ります。その際の《手みやげ》が返却値です。

**重要** return 文は、メソッドの実行を終了させて、プログラムの流れを呼出し元に戻すとともに、値を返却する。

この場合、変数 ***max*** の値 181 を手みやげにして、**main** メソッドへと戻ります。

＊

手みやげ＝返却値は、**メソッド呼出し式の評価**で得られます。そのため、図中の ［　　］ 部の式の評価で得られるのは、『**int** 型の 181』となります。

**重要** メソッド呼出し式を評価すると、メソッドが返した返却値が得られる。

これで、変数 ***maxHeight*** が、メソッド ***max*** の返却値 181 で初期化されることが分かりました。

体重を求めるメソッド呼出しも同様です。変数 ***maxWeight*** は、メソッド ***max*** によって求められて返却された ***weight***[0]，***weight***[1]，***weight***[2] の最大値で初期化されます。

## return 文

メソッドの実行を終了して、プログラムの流れを呼出し元へと戻す **return** 文について、理解を深めましょう。

まずは構文です。**Fig.7-4** のとおりであり、返却値を指定する**式**は省略可能です。

▶ 省略する例は、p.202 で学習します。

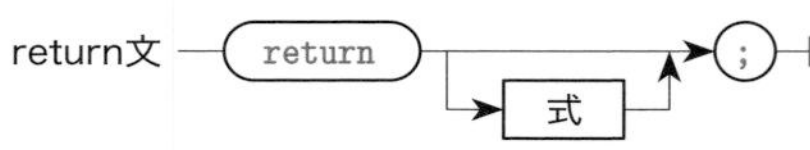


**Fig.7-4　return 文の構文図**

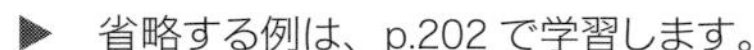

次は、**return** 文が返却した値の取扱いです。**List 7-3** のプログラムで考えていきましょう。

▶ このプログラムは、**List 3-12**（p.68）を書きかえたものです。



**List 7-3**　chap07/Max3Method.java

```
// 三つの整数値の最大値を求める（メソッド版）

import java.util.Scanner;

class Max3Method {

  //--- a, b, cの最大値を返却 ---//
  static int max(int a, int b, int c) {
    int max = a;
    if (b > max) max = b;
    if (c > max) max = c;
    return max;
  }

  public static void main(String[] args) {
    Scanner stdIn = new Scanner(System.in);

    System.out.print("整数a：");  int a = stdIn.nextInt();
    System.out.print("整数b：");  int b = stdIn.nextInt();
    System.out.print("整数c：");  int c = stdIn.nextInt();

    System.out.println("最大値は" + max(a, b, c) + "です。");
  }
}
```

返却値

実行例
```
整数a：1
整数b：3
整数c：2
最大値は3です。
```

画面への出力を行う箇所にメソッド呼出し式が埋め込まれていますので、メソッドの返却値がそのまま **println** メソッドに渡されて画面に表示されます。

▶ まず最初に、メソッドが返却した整数値が、文字列に（実行例であれば **3** が **"3"** に）変換されます。その後、**+** 演算子によって文字列が連結されて **"最大値は3です。"** が作られます。

なお、**main** メソッド側で実引数として与える変数 **a**, **b**, **c** と、メソッド **max** が受け取る仮引数 **a**, **b**, **c** は、たまたま同じ名前ですが、これらは別ものです。そのため、メソッド **max** が呼び出されたときに、仮引数 **a**, **b**, **c** は、**main** メソッドの **a**, **b**, **c** の値で初期化されます。

さて、実引数としては、変数だけでなく、整数リテラルなども渡せます。そのため、たとえば、

```
max(32, 57, 48)
```

と呼び出すと、メソッド **max** は **57** を返却します（**"chap07/Max3Literal.java"**）。

次に、三つの値ではなく、二つの値の最大値を求めるメソッドを作りましょう。**List 7-4** に示すのが、そのプログラムです。

▶ メソッド以外は省略しています（ダウンロードプログラムには完全なプログラムが含まれます）。

メソッドには、2個の **return** 文があります。

**a** が *b* より大きければ、最初の **return** 文が実行されて呼出し元へと戻ります。

そうでなければ、後ろ側の **return** 文が実行されて呼出し元へと戻ります。

もちろん、2個の **return** 文が両方とも実行される、といったことはありません。

＊

なお、条件演算子を使えば、**List 7-5** のプログラムのように、**return** 文が1個ですみます。

**List 7-4** chap07/Max2Method1.java

```
//--- a, bの最大値を返却 ---//
static int max2(int a, int b) {
  if (a > b)
    return a;
  else
    return b;
}
```

複数の return 文

**List 7-5** chap07/Max2Method2.java

```
//--- a, bの最大値を返却 ---//
static int max2(int a, int b) {
  return (a > b) ? a : b;
}
```

文法上、メソッド内には、複数個の **return** 文を置けますが、実行されるのは1個だけです。また、出口（でぐち）が複数あると、プログラムの構造がつかみづらくなります。

**重要** メソッド内の **return** 文の個数は、可能な限り、1個、あるいは少数に抑える。

## Column 7-1 実引数の評価順序

メソッド呼出しの際に、複数の実引数を渡す場合、実引数は先頭側（左側）から順に評価されます。そのことを、**List 7C-1** のプログラムで確認しましょう。

**List 7C-1** chap07/Argument.java

```
// 実引数の評価順序を確認

class Argument {
  //--- 三つの引数の値を表示 ---//
  static void method(int x, int y, int z) {
    System.out.println("x = " + x + "  y = " + y + "  z = " + z);
  }

  public static void main(String[] args) {
    int i = 0;
    method(i, i = 5, ++i);
  }
}
```

実行結果

```
x = 0  y = 5  z = 6
```

メソッド *method* に渡している実引数は三つです。

先頭側から順に評価されますので、**Fig.7C-1** に示す値が渡されます。

```
method(i, i = 5, ++i)
```

① *i* の値0
② 代入後の左オペランド *i* の値5
③ インクリメント後の *i* の値6

**Fig.7C-1** メソッド呼出し式における実引数の評価

## 値渡し

次は、べき乗を求めるメソッドを作成します。そのプログラムが **List 7-6** であり、メソッド *power* は、**x** の **n** 乗を求めて返却します（**x** は **double** 型で、**n** は **int** 型です）。

**List 7-6** chap07/Power1.java

```
// べき乗を求める

import java.util.Scanner;

class Power1 {

  //--- xのn乗を返す ---//
  static double power(double x, int n) {
    double tmp = 1.0;

    while (n-- > 0)
      tmp *= x; // tmpにxを掛ける
    return tmp;
  }

  public static void main(String[] args) {
    Scanner stdIn = new Scanner(System.in);

    System.out.println("aのb乗を求めます。");
    System.out.print("実数a：");  double a = stdIn.nextDouble();
    System.out.print("整数b：");  int b = stdIn.nextInt();

    System.out.println(a + "の" + b + "乗は" + power(a, b) + "です。");
  }
}
```

実行例

```
aのb乗を求めます。
実数a：5.5
整数b：3
5.5の3乗は166.375です。
```

別解 chap07/Power2.java

```
for (int i = 1; i <= n; i++)
  tmp *= x; // tmpにxを掛ける
```

メソッド *power* では、**1.0** で初期化された変数 **tmp** に対して、**x** の値を **n** 回掛けています。**while** 文が終了したときの **tmp** の値が、**x** の **n** 乗であり、返却するのは、その値です。

＊

それでは、引数の受渡しについて理解を深めていきましょう。

メソッドの実行に際しては、仮引数が実引数で初期化されることは、p.197 で学習しました。本プログラムの場合は、右ページの **Fig.7-5** に示すように、仮引数 **x** は実引数 **a** の値で初期化され、仮引数 **n** は実引数 **b** の値で初期化されます。

このような、メソッド間で、引数として《値》がやり取りされるメカニズムは、**値渡し**（あたいわたし）（pass by value）と呼ばれます。

そのため、**呼び出された側のメソッドの中で、受け取った仮引数の値を変更しても、呼出し側の実引数は影響を受けません。**

本のコピーをとって、そのコピーに赤鉛筆で何かを書き込んでも、もとの本は、何の影響も受けないのと、同じ理屈です。メソッドの中では、コピーにすぎない仮引数の値を、自由気ままに“いじくって”構わないのです。

**重要** メソッド間の引数の受渡しは、値渡しによって行われる。そのため、メソッド本体の中で仮引数の値を変更しても、実引数の値が変更されることはない。

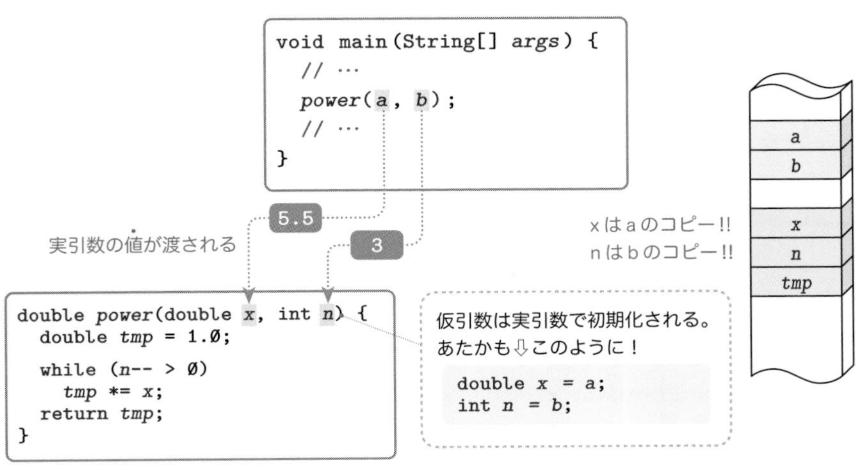


**Fig.7-5　メソッド呼出しにおける引数の授受（値渡し）**

メソッド`power`では、`x`の値を`n`回掛け合わせる処理を、`n`の値を`3`, `2`, `1`とカウントダウンしながら行っています。メソッド`power`の実行が終了するときの仮引数`n`の値は`-1`となりますが、呼出し側である`main`メソッドの実引数`b`の値が`-1`になることはありません。

べき乗を求める箇所は、【別解】のようにも実現できます。ただし、もとのプログラムのほうが、繰返しを制御するための変数`i`が不要で、メソッドはコンパクトです。

**重要** 値渡しのメリットを活かすと、メソッドをコンパクトに実現できる。



## Column 7-2　final 宣言された仮引数

仮引数が`final`宣言されていると、メソッドの中では、その仮引数の値を変更できなくなります。**List 7C-2** のプログラムで検証しましょう。

**List 7C-2**　chap07/FinalParameter.java

```
// final仮引数に値を代入できないことを確認

class FinalParameter {

  //--- 三つの仮引数の値の和を求める ---//
  static int sumOf(final int x, final int y, final int z) {
    // x = 10;
    return x + y + z;
  }

  public static void main(String[] args) {
    System.out.println(sumOf(1, 2, 3));
  }
}
```

実行結果
```
6
```

コンパイル時エラーとなる箇所が、コメントアウトされています。//を外してみて、コンパイル時エラーとなることを確認してみましょう。

## void メソッド

文字 '*' を連続して表示する処理を一つのメソッドとして実現し、それを使って左下側が直角の直角二等辺三角形を表示しましょう。**List 7-7** が、そのプログラムです。

**List 7-7** chap07/IsoscelesTriangleLB.java

```
// 左下側が直角の直角二等辺三角形を表示

import java.util.Scanner;

class IsoscelesTriangleLB {

  //--- 文字'*'をn個連続表示 ---//
  static void putStars(int n) {
    while (n-- > 0)
      System.out.print('*');
  }

  public static void main(String[] args) {
    Scanner stdIn = new Scanner(System.in);

    System.out.println("左下直角の二等辺三角形を表示します。");
    System.out.print("段数は：");
    int n = stdIn.nextInt();

    for (int i = 1; i <= n; i++) {
      putStars(i);
      System.out.println();
    }
  }
}
```

実行例

```
左下直角の二等辺三角
形を表示します。
段数は：6
*
**
***
****
*****
******
```

```
//- 参考：List 4-15(p.112)より -//

for (int i = 1; i <= n; i++) {
  for (int j = 1; j <= i; j++)
    System.out.print('*');
  System.out.println();
}
```

メソッド **putStars** は、**n** 個の **'*'** を連続して表示するメソッドです。このメソッドは、表示を行うだけであって、返却するものがありません。

このように、返却すべき値のないメソッドは、返却型を void（ヴォイド）と宣言します。

**重要** 値を返却しないメソッドの返却型は、void と宣言する。

**void** メソッドは、値を返却しないため、メソッド本体中の **return** 文は必須ではありません。というのも、プログラムの流れがメソッドの末尾に到達した段階で、自動的に呼出し元に（値を返さずに）戻るからです。

なお、**void** メソッドの途中で、プログラムの流れを強制的にメソッド呼出し元に戻す必要がある場合は、

```
return;          // 値を返却せずに呼出し元に戻る
```

と、返却値を与えない **return** 文を実行します。

**List 4-15** では、三角形の表示を“２重ループ”で行っていましたが、本プログラムでは、シンプルな“１重ループ”となり、プログラムが簡潔になっています。

## メソッドの汎用性

次は、左下側ではなく、右下側が直角の直角二等辺三角形を表示するプログラムを作りましょう。それが **List 7-8** のプログラムです。

**List 7-8** chap07/IsoscelesTriangleRB.java

```
// 右下側が直角の直角二等辺三角形を表示

import java.util.Scanner;

class IsoscelesTriangleRB {

  //--- 文字cをn個連続表示 ---//
  static void putChars(char c, int n) {
    while (n-- > 0)
      System.out.print(c);
  }

  public static void main(String[] args) {
    Scanner stdIn = new Scanner(System.in);

    System.out.println("右下直角の二等辺三角形を表示します。");
    System.out.print("段数は：");
    int n = stdIn.nextInt();

    for (int i = 1; i <= n; i++) {
      putChars(' ', n - i);    // ' 'をn - i個表示
      putChars('+', i);        // '+'を  i  個表示
      System.out.println();
    }
  }
}
```

実行例

```
右下直角の二等辺三角
形を表示します。
段数は：6⏎
     +
    ++
   +++
  ++++
 +++++
++++++
```

本プログラムで定義されているメソッド **putChars** が表示するのは、仮引数 **c** に受け取った文字です。**表示できるのが任意の文字である**という点で、表示が **'*'** だけに限られるメソッド **putStars** よりも、汎用性（はんようせい）が高い（使い道が広い）ものとなっています。

**重要** メソッドはなるべく汎用性の高いものとしよう。

**main** メソッドでは、**i** 行目に **n - i** 個の空白文字 **' '** と、**i** 個の記号文字 **'+'** とを表示することによって、右下側が直角の直角二等辺三角形を表示しています。

▶ 文字を表す **char** 型については、第 5 章で簡単に学習しました。詳細は第 16 章で学習します。

## 他のメソッドの呼出し

これまでのプログラムでは、標準ライブラリのメソッド（**println** や **printf** など）や、自作のメソッドを、“**main** メソッドの中から”呼び出していました。

次は、“自作のメソッドの中から”メソッドを呼び出すプログラムを作りましょう。次ページの **List 7-9** は、長方形と正方形を表示するプログラムです。

**List 7-9** chap07/SquareRectangle.java

```
// 長方形と正方形を表示

import java.util.Scanner;

class SquareRectangle {

  //--- 文字cをn個連続表示 ---//
  static void putChars(char c, int n) {
    while (n-- > 0)
      System.out.print(c);
  }

  //--- 文字'+'を並べて一辺の長さnの正方形を表示 ---//
  static void putSquare(int n) {
    for (int i = 1; i <= n; i++) {  // 次の処理をn回行う
      putChars('+', n);             //  ・文字'+'をn個表示
      System.out.println();         //  ・改行
    }
  }

  //--- 文字'*'を並べて高さhで幅wの長方形を表示 ---//
  static void putRectangle(int h, int w) {
    for (int i = 1; i <= h; i++) {  // 次の処理をh回行う
      putChars('*', w);             //  ・文字'*'をw個表示
      System.out.println();         //  ・改行
    }
  }

  public static void main(String[] args) {
    Scanner stdIn = new Scanner(System.in);

    System.out.println("正方形を表示します。");
    System.out.print("一辺は：");  int n = stdIn.nextInt();
    putSquare(n);                   // 正方形を表示

    System.out.println("長方形を表示します。");
    System.out.print("高さは：");  int h = stdIn.nextInt();
    System.out.print("横幅は：");  int w = stdIn.nextInt();
    putRectangle(h, w);             // 長方形を表示
  }
}
```

List 7-8と同じ

**実行例**

```
正方形を表示します。
一辺は：3↵
+++
+++
+++
長方形を表示します。
高さは：3↵
横幅は：5↵
*****
*****
*****
```

正方形を表示するメソッド**putSquare**と、長方形を表示するメソッド**putRectangle**の両方で、メソッド**putChars**を呼び出しています（網かけ部）。

**重要** メソッドはプログラムの部品である。部品を作るのに便利な部品があれば、それを積極的に利用する。

▶ メソッド**putChars**は、前のプログラムとまったく同じです。なお、本プログラムでは、正方形の表示では文字'+'を並べ、長方形の表示では'*'を並べています。

## 引数を受け取らないメソッド

次に作る**List 7-10**は、暗算のトレーニングプログラムです。まずは、実行しましょう。3桁の数を三つ加える問題が提示されます。誤った数値は受け付けませんので、必ず正解しなければなりません。

List 7-10　　chap07/MentalArithmetic.java

```
// 暗算トレーニング

import java.util.Random;
import java.util.Scanner;

class MentalArithmetic {

  static Scanner stdIn = new Scanner(System.in);

  //--- 続行の確認 ---//
  static boolean confirmRetry() {
    int cont;
    do {
      System.out.print("もう一度？<Yes…1／No…0>：");
      cont = stdIn.nextInt();
    } while (cont != 0 && cont != 1);
    return cont == 1;
  }

  public static void main(String[] args) {
    Random rand = new Random();

    System.out.println("暗算トレーニング!!");
    do {
      int x = rand.nextInt(900) + 100;    // 3桁の数
      int y = rand.nextInt(900) + 100;    // 3桁の数
      int z = rand.nextInt(900) + 100;    // 3桁の数

      while (true) {
        System.out.print(x + " + " + y + " + " + z + " = ");
        int k = stdIn.nextInt();    // 読み込んだ値
        if (k == x + y + z)         // 正解
          break;
        System.out.println("違いますよ!!");
      }
    } while (confirmRetry());
  }
}
```

引数を受け取らない

contが1であればtrue、そうでなければfalse

引数を与えない

実行例

```
暗算トレーニング!!
341 + 616 + 741 = 1678
違いますよ!!
341 + 616 + 741 = 1698
もう一度？<Yes…1／No…0>：1
674 + 977 + 760 = 2411
もう一度？<Yes…1／No…0>：0
```

さて、**main** メソッドでは、三つの乱数 **x, y, z** を生成し、問題として提示します。キーボードから読み込んだ **k** が **x + y + z** と等しければ正解ですから、**break** 文によって、**while** 文を中断・終了します。なお、不正解である限り、**while** 文は延々と繰り返されます。

＊

***confirmRetry*** は、もう一度トレーニングするかどうかを確認するメソッドです。**1** を読み込んだら **true** を返し、**0** を読み込んだら **false** を返します。

このメソッドのように、受け取る引数がないメソッドは、**()** の中を空にします。

**重要** 仮引数を受け取らないメソッドは、**()** の中を空にして宣言する。

呼出し側も同様です。メソッド ***confirmRetry*** の呼出しでは、**()** の中を空にしています。

さて、本プログラムでは、メソッド ***confirmRetry*** と **main** メソッドの両方で《**キーボードからの値の読込み**》を行います。変数 ***stdIn*** を両方のメソッドで利用する必要がありますので、これまでのプログラムでは **main** メソッド中で宣言していた網かけ部を、メソッドの外に移動しています。変数を宣言する場所や、その違いなどについて学習していきましょう。

## 有効範囲

前のプログラムでは、変数の宣言が、メソッドの中と外にありました。ここでは、宣言の場所による違いについて、**List 7-11** で考えていきましょう。

**List 7-11** chap07/Scope.java

```
// 識別子の有効範囲を確認する
class Scope {
  static int x = 700;                                  ―― Aクラス有効範囲：フィールド

  static void printX() {
    System.out.println("x = " + x);
  }

  public static void main(String[] args) {
    System.out.println("x = " + x);                    ―― 1

    int x = 800;                                       ―― Bブロック有効範囲：局所変数

    System.out.println("x = " + x);                    ―― 2

    System.out.println("Scope.x = " + Scope.x);        ―― 3

    printX();                                          ―― 4
  }
}
```

実行結果

```
1 x = 700
2 x = 800
3 Scope.x = 700
4 x = 700
```

メソッドの外であるAと、メソッドの中であるBで、同じ名前の変数 x が宣言されています。変数は、宣言の位置によって、その**識別子**（名前）の通用する範囲＝**有効範囲**（scope）が変わってきます。

### ▪ クラス有効範囲（class scope）

Aで宣言された x のように、メソッドの外で宣言された変数の識別子は、**クラス全体に通用します**。そのため、識別子 x は、メソッド printX と main メソッドの両方に通用します。

このように、メソッドの外で宣言された変数は、**フィールド**（field）と呼ばれ、メソッド内で宣言された変数とは区別されます。

詳しくは第 10 章で学習しますので、それまでは、次のように覚えておきましょう。

**重要** 複数のメソッドで共有する変数＝フィールドは、メソッドの外で static を付けて宣言する。

▶ 前ページのプログラムの変数 stdIn が、二つのメソッドの両方で通用することが分かりました。

### ▪ ブロック有効範囲（block scope）

ブロックの中で宣言された変数は**局所変数**（local variable）と呼ばれます。局所変数の識別子の通用する範囲は、**宣言された直後から、そのブロックの終端の } までです。**

そのため、Bで宣言された x は main メソッドの本体の終端である } まで通用します。

次は、プログラム実行の様子を理解していきます。

**1** ここは、**B**の宣言より前です。そのため、ここでの x は、**A**の x です。その値 700 が表示されます。

**2** ここは、**A**の x と**B**の x の両方の有効範囲の中に入っています。このように、クラス有効範囲とブロック有効範囲をもつ同一名の変数が存在する場合は、局所変数が可視（visible）となり（見えて）、フィールドは隠される（shadowed）ことになっています。

そのため、ここでの x は**B**であって、その値 800 が表示されます。

**3** ここで出力しているのは *Scope.x* です。このような、“**クラス名 . フィールド名**”という式を使うと、ブロック有効範囲をもつ、同一名の局所変数によって隠されている**クラス有効範囲のフィールドを**“覗く”ことができます。

*Scope.x* は、**A**の x のことであり、その値 700 が表示されます。

**4** メソッド *printX* によって出力を行います。もちろん、ここでの x はクラス有効範囲をもつフィールドである**A**の x です。その値 700 が表示されます。



## 変数の種類

ここまでに4種類の変数を学習しました。それらをまとめたのが、Fig.7-6 です。

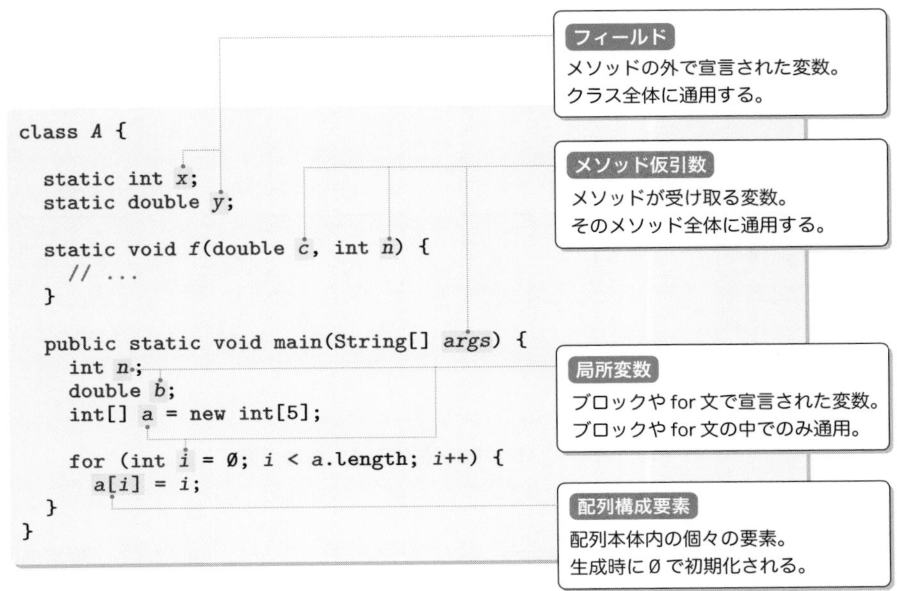


**Fig.7-6 変数の種類**

# 7-2 整数の内部を調べてみよう

第 5 章で学習したように、値の内部表現は、ビットの並びです。本節では、整数の内部のビットを扱うための演算子を学習するとともに、それを利用したメソッドを作成します。

## ビット単位の論理演算

第 3 章では、**論理積**と**論理和**という二つの**論理演算**を学習しました。整数型の内部表現のビットに対して論理演算を適用するのが、本節で学習する**ビット単位の論理演算**です。

ビット単位の論理演算を行う演算子の名称と概要は、**Table 7-2** のとおりです。



**Table 7-2　ビット単位の論理演算子**

| | | |
|---|---|---|
| `x & y` | ビット論理積演算子（bitwise and operator） | `x` と `y` のビット単位の論理積を生成。 |
| `x \| y` | ビット論理和演算子（bitwise inclusive or operator） | `x` と `y` のビット単位の論理和を生成。 |
| `x ^ y` | ビット排他的論理和演算子（bitwise exclusive or operator） | `x` と `y` のビット単位の排他的論理和を生成。 |
| `~x` | ビット単位の補数演算子（bitwise complement operator） | `x` のビット単位の補数を生成。 |

▶ オペランド `x` と `y` は、整数型でなければなりません。

これらの演算子で行われる論理演算の真理値表をまとめたのが **Fig.7-7** です。この図が示すように、ビット単位の論理演算は、`0` を `false`、`1` を `true` とみなして行われます。

▶ たとえば、`int` 型は 32 ビットで構成されますので、`int` 型のオペランドに対してビット単位の論理演算子を適用すると、その 32 ビットのすべてに対して、ここに示す論理演算が行われます。

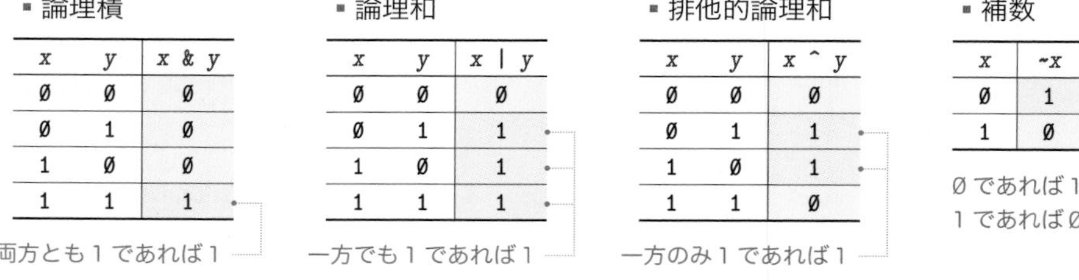


**Fig.7-7　ビット単位の論理演算の真理値表**

それでは、ビット単位の論理演算を行うプログラムを作りましょう。**List 7-12** に示すのは、二つの整数値に対してビット単位の論理演算を行った結果を表示するプログラムです。

▶ 先頭側で宣言されているメソッド `printBits` は、`int` 型整数 `x` の内部のビット構成を `0` と `1` とで表示するメソッドです。このメソッドの詳細は、p.212 で学習します。

**List 7-12** chap07/BitwiseOperation.java

```
// int型整数のビット単位の論理積・論理和・排他的論理和・補数を表示

import java.util.Scanner;

class BitwiseOperation {

  //--- int型のビット構成を表示 ---//
  static void printBits(int x) {
    for (int i = 31; i >= 0; i--)
      System.out.print(((x >>> i & 1) == 1) ? '1' : '0');
  }

  public static void main(String[] args) {
    Scanner stdIn = new Scanner(System.in);

    System.out.println("二つの整数を入力してください。");
    System.out.print("a : ");   int a = stdIn.nextInt();
    System.out.print("b : ");   int b = stdIn.nextInt();

    System.out.print(  "a     = ");  printBits(a);
    System.out.print("\nb     = ");  printBits(b);
    System.out.print("\na & b = ");  printBits(a & b);  // 論理積
    System.out.print("\na | b = ");  printBits(a | b);  // 論理和
    System.out.print("\na ^ b = ");  printBits(a ^ b);  // 排他的論理和
    System.out.print("\n~a    = ");  printBits(~a);     // 補数
    System.out.print("\n~b    = ");  printBits(~b);     // 補数
  }
}
```

p.212 で学習します

**実行例**

```
二つの整数を入力してください。
a : 3
b : 5
a     = 00000000000000000000000000000011
b     = 00000000000000000000000000000101
a & b = 00000000000000000000000000000001
a | b = 00000000000000000000000000000111
a ^ b = 00000000000000000000000000000110
~a    = 11111111111111111111111111111100
~b    = 11111111111111111111111111111010
```

実行例で表示されているビットの並びの**下位４ビット**に着目すると、各演算子の働きがよく分かります。

それをまとめた**Fig.7-8** は、同一位置のビットごとに、論理積や論理和などの論理演算が行われる様子を示しています。

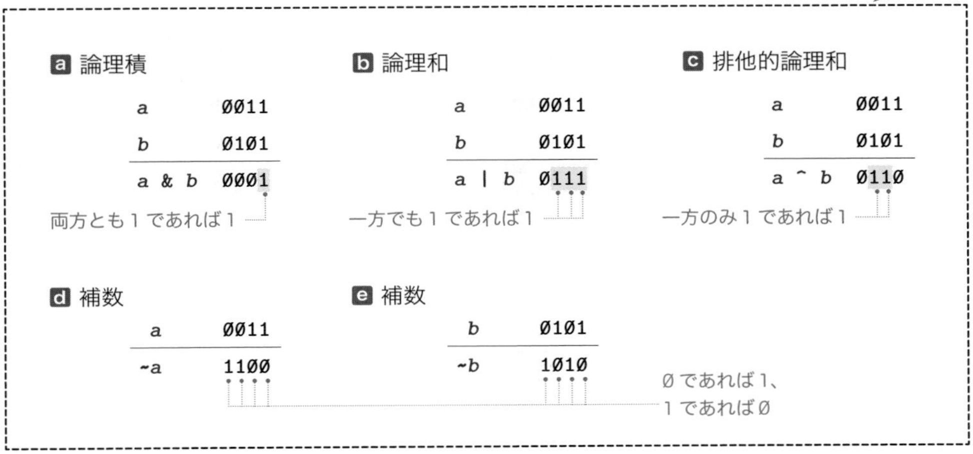

**a** 論理積

| | |
|---|---|
| a | 0011 |
| b | 0101 |
| a & b | 0001 |

両方とも１であれば１

**b** 論理和

| | |
|---|---|
| a | 0011 |
| b | 0101 |
| a \| b | 0111 |

一方でも１であれば１

**c** 排他的論理和

| | |
|---|---|
| a | 0011 |
| b | 0101 |
| a ^ b | 0110 |

一方のみ１であれば１

**d** 補数

| | |
|---|---|
| a | 0011 |
| ~a | 1100 |

**e** 補数

| | |
|---|---|
| b | 0101 |
| ~b | 1010 |

0であれば１、１であれば0

**Fig.7-8**　List 7-12 におけるビット単位の論理演算

## シフト演算

メソッド **printBits** では、初登場の >>> 演算子（>>> operator）を使っています。

この演算子と、<< 演算子（<< operator）と >> 演算子（>> operator）は、整数中のビットを左または右に**シフトした**（**ずらした**）値を生成する演算子です。これら3個の演算子をまとめて、シフト演算子（shift operator）と呼びます（**Table 7-3**：右ページ）。

シフト演算子の働きを、**List 7-13** のプログラムを例に学習しましょう。

**List 7-13** chap07/ShiftOperation.java

```
// int型の値を左右にシフトした値を表示

import java.util.Scanner;

class ShiftOperation {

  //--- int型のビット構成を表示 ---//
  static void printBits(int x) {
    for (int i = 31; i >= 0; i--)
      System.out.print(((x >>> i & 1) == 1) ? '1' : '0');
  }

  public static void main(String[] args) {
    Scanner stdIn = new Scanner(System.in);

    System.out.print("整数：");                int x = stdIn.nextInt();
    System.out.print("シフトするビット数："); int n = stdIn.nextInt();

    System.out.print(  "整数     = ");  printBits(x);
    System.out.print("\nx <<  n = ");  printBits(x << n);   ―1
    System.out.print("\nx >>  n = ");  printBits(x >> n);   ―2
    System.out.print("\nx >>> n = ");  printBits(x >>> n);  ―3
  }
}
```

p.212 で学習します
List 7-12 と同じ

三つの演算子について、右ページの **Fig.7-9** を見ながら理解します。

### 1 x << n … 左シフト

左向きの << 演算子は、**x** を **n** ビット左にシフトして、空いたビットに 0 を埋めた値を生成する演算子です（**Fig.7-9 a**）。シフトの結果は、$x \times 2^n$ となります。

▶ 2進数は、各桁が2のべき乗の重みをもっていますので、1ビット左にシフトすると値は2倍になります。これは、10 進数を左に1桁シフトすると、値が 10 倍になる（たとえば、10 進数の 196 を左に 1 桁シフトすると 1960 になる）のと同じ理屈です。

### 2 x >> n … 右シフト（算術シフト）

右向き2個の >> 演算子が行うことは、右方向への**算術シフト**（arithmetic shift）です。

図 b に示すように、最上位の符号ビット以外のビットをシフトし、空いたビットをシフト前の符号ビットで埋めつくした値を生成します（符号拡張と呼ばれます）。

**1ビット左にシフトすると値が“2倍”になり、1ビット右にシフトすると値が“2分の1”になります。**そのため、**x** が非負の値であれば、$x \div 2^n$ の商の整数部がシフト結果となります。

### 3 x >>> n … 右シフト（論理シフト）

右向き3個の >>> 演算子が行うことは、右方向への**論理シフト**（logical shift）です。

図cに示すように、符号ビットを特別扱いすることなく、まるごと n ビットシフトした値を生成します（**ゼロ拡張**と呼ばれます）。x が負の値であれば、符号ビットが 1 から 0 に変わるため、演算によって得られる結果は、正の値になります。

**Table 7-3　シフト演算子**

| | |
|---|---|
| x << y | x を y ビット左シフトして空いたビットに 0 を埋めた値を生成。 |
| x >> y | x を y ビット右シフトして空いたビットにシフト前の符号ビットを埋めた値を生成。 算術シフト |
| x >>> y | x を y ビット右シフトして空いたビットに 0 を埋めた値を生成。 論理シフト |

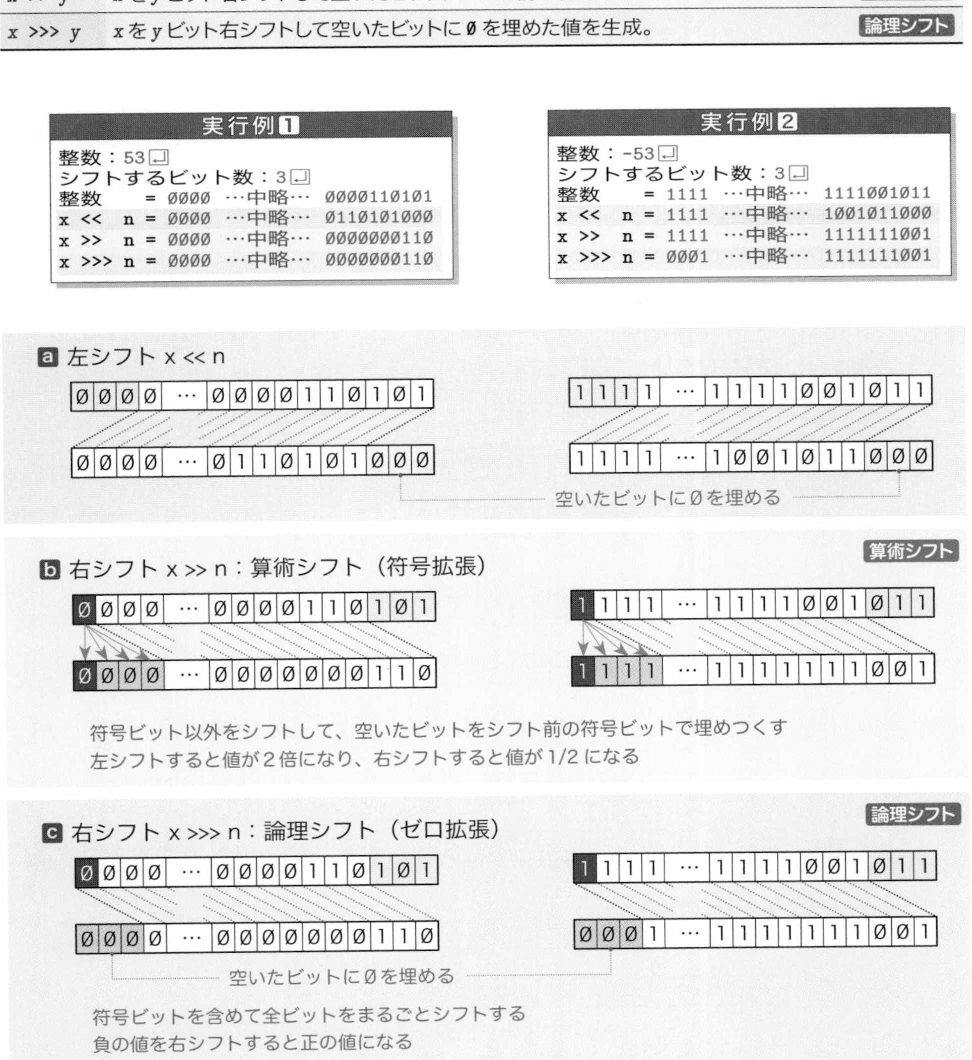


**Fig.7-9　シフト演算子によるビットのシフト**

### ビットの表示

二つのプログラムで定義されていたメソッド ***printBits*** を理解しましょう。これは、**int** 型整数の内部表現のビット内容を、**Ø** と **1** とで表示するメソッドです。

網かけ部に着目します。これは、

第 ***i*** ビットが **1** であるかどうか

の判定です（**Fig.7-10**）。

```
//--- int型のビット構成を表示 ---//
static void printBits(int x) {
  for (int i = 31; i >= Ø; i--)
    System.out.print(((x >>> i & 1) == 1)
                                  ? '1' : 'Ø');
}
```

▶ 図に示すように、***x*** を ***i*** ビットシフトすると、第 ***i*** ビットが最下位ビットに来ます。その整数と **1** の論理積をとることによって、最下位ビット（もとの第 ***i*** ビット）が **1** であるかどうかの判定を行います。



条件演算子 **? :** を使って判定しており、判定結果が真であれば **'1'** を表示し、そうでなければ **'Ø'** を表示します。この作業を、第 31 ビットから第 Ø ビットまで繰り返します。

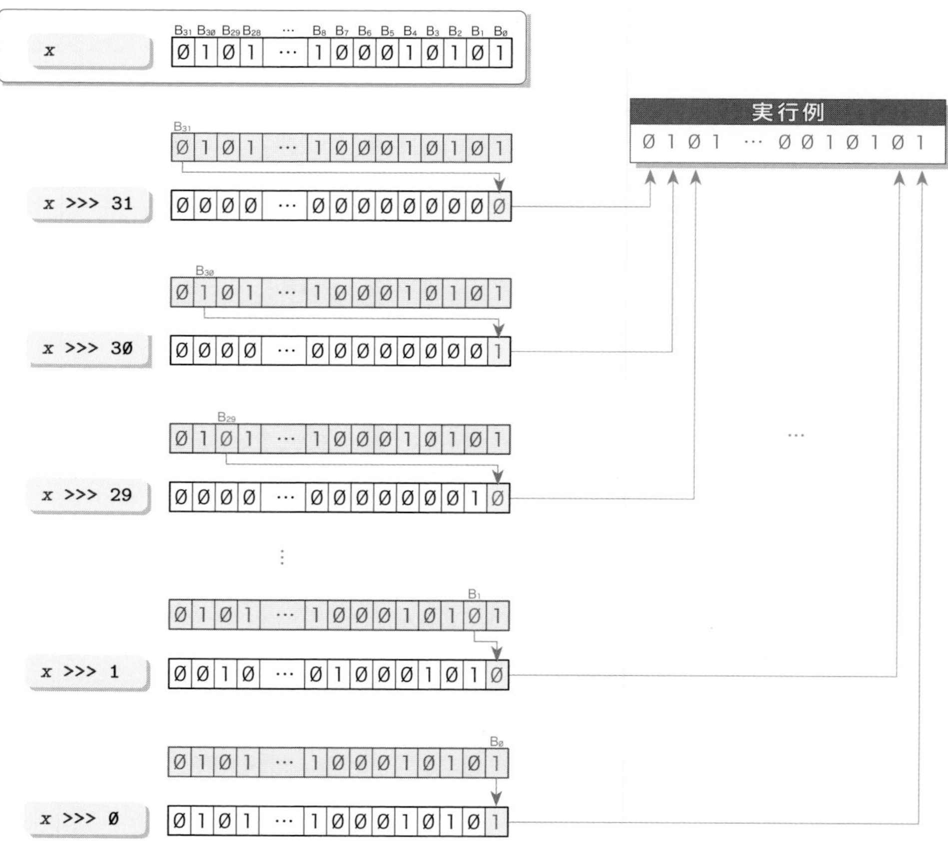


**Fig.7-10　ビットの表示**

### ビットのマスク

論理積、論理和、排他的論理和の各演算は、次の用途で利用できます。

- **論理積**：任意のビットをマスクする（0 にする）。
- **論理和**：任意のビットをセットする（1 にする）。
- **排他的論理和**：任意のビットを反転する。

これを確かめるのが、次のプログラムです（"chap07/Mask.java"）。short 型の変数 *n* の下位4ビットを、マスク／セット／反転した値を表示します。

```
System.out.print("整数：");
short n = stdIn.nextShort();

System.out.print("\nその値 = ");   printBits(n);
System.out.print("\nマスク = ");   printBits(n & 0b1111111111110000);
System.out.print("\nセット = ");   printBits(n | 0b0000000000001111);
System.out.print("\n反転   = ");   printBits(n ^ 0b0000000000001111);
```

マスク／セット／反転は下位4ビットのみであり、それ以外のビットは維持されます。そのようになる原理は、次のとおりです。

- マスク：0 との論理積をとると 0 になる。
- セット：1 との論理和をとると 1 になる。
- 反　転：1 との排他的論理和をとると 0 と 1 が反転する。

```
整数：169
その値 = 00…00001010 1001
マスク = 00…00001010 0000
セット = 00…00001010 1111
反転   = 00…00001010 0110
```



### Column 7-3　ビット単位の論理演算子による論理演算

ビット単位の論理演算子 & と | が、論理型をオペランドとする論理演算を行えることは、第 3 章でも学習しました（p.65）。そのため、*month* が春（3 以上かつ 5 以下）であるかどうかの判定は、次に示す❶と❷のいずれでも判定できます。

```
❶ if (month >= 3 &  month <= 5)  // Javaでは可。CやC++では別の意味。
❷ if (month >= 3 && month <= 5)  // Java, C, C++で可。
```

ほとんどのプログラムで❷が利用されます。その理由は、次のとおりです。

- & の演算では短絡評価が行われないが、&& の演算では短絡評価が行われる（p.65）ため、右オペランドの無駄な評価が行われない。
- C言語やC++ のプログラムと共通性がある。

ちなみに、排他的論理和を求める ^ 演算子も、論理型のオペランドに適用できます。そのため、変数 a と変数 b のいずれか一方のみが 5 であるかどうかを判定する if 文は、次のように実現できます。

```
if (a == 5 ^ b == 5)     // 変数aとbの一方のみが5であれば
    文                   // 文を実行する
```

演算子 &, |, ^ が、整数のビット演算専用のものであって、論理型をオペランドとする論理演算には使えない、といった解説をしている Java の入門書がありますが、まったくの誤りです。

# 7-3 配列を扱うメソッド

メソッドは、引数として配列を受け取ることも、返却値として配列を返却することもできます。本節では、メソッド間で配列をやり取りする実用的なプログラムを学習します。

## 最大値を求めるメソッド

身長と体重を読み込んで配列に格納して、それぞれの最大値を求めるプログラムを作りましょう。**List 7-14** に示すのが、そのプログラムです。



**List 7-14** chap07/MaxOfHeightWeight.java

```
// 最も背が高い人の身長と最も太っている人の体重を求める

import java.util.Scanner;

class MaxOfHeightWeight {

  //--- 配列aの最大値を求めて返却 ---//
  static int maxOf(int[] a) {
    int max = a[0];
    for (int i = 1; i < a.length; i++)
      if (a[i] > max)
        max = a[i];
    return max;
  }

  public static void main(String[] args) {
    Scanner stdIn = new Scanner(System.in);

    System.out.print("人数は：");
    int ninzu = stdIn.nextInt();        // 人数を読み込む

    int[] height = new int[ninzu];      // 身長用の配列を生成
    int[] weight = new int[ninzu];      // 体重用の配列を生成

    System.out.println(ninzu + "人の身長と体重を入力せよ。");

    for (int i = 0; i < ninzu; i++) {
      System.out.print((i + 1) + "番の身長：");
      height[i] = stdIn.nextInt();
      System.out.print((i + 1) + "番の体重：");
      weight[i] = stdIn.nextInt();
    }

    System.out.println("最も背が高い人の身長："   + maxOf(height) + "cm");
    System.out.println("最も太っている人の体重：" + maxOf(weight) + "kg");
  }
}
```

実行例

```
人数は：5
5人の身長と体重を入力せよ。
1番の身長：175
1番の体重：72
2番の身長：163
2番の体重：82
3番の身長：150
3番の体重：49
4番の身長：181
4番の体重：76
5番の身長：170
5番の体重：64
最も背が高い人の身長：181cm
最も太っている人の体重：82kg
```

**main** メソッドでは、まず人数を読み込みます。それから、身長用の配列 ***height*** と体重用の配列 ***weight*** を生成し、各要素に値を読み込みます。最後に、メソッド ***maxOf*** を呼び出して、それぞれの最大値を求める、という流れです。

配列の要素の最大値を求めて返却するのが、メソッド ***maxOf*** です。配列を受け取るための仮引数の宣言が "**int[] a**" ですから、仮引数 **a** が**配列変数**であることが分かります。

▶ そのため、この宣言は、int a[] とすることもできます。

プログラム網かけ部は、身長を格納した配列 ***height*** の最大値を求めるメソッド呼出しです。ここで行われる配列の受渡しの様子を、**Fig.7-11** を見ながら理解していきましょう。

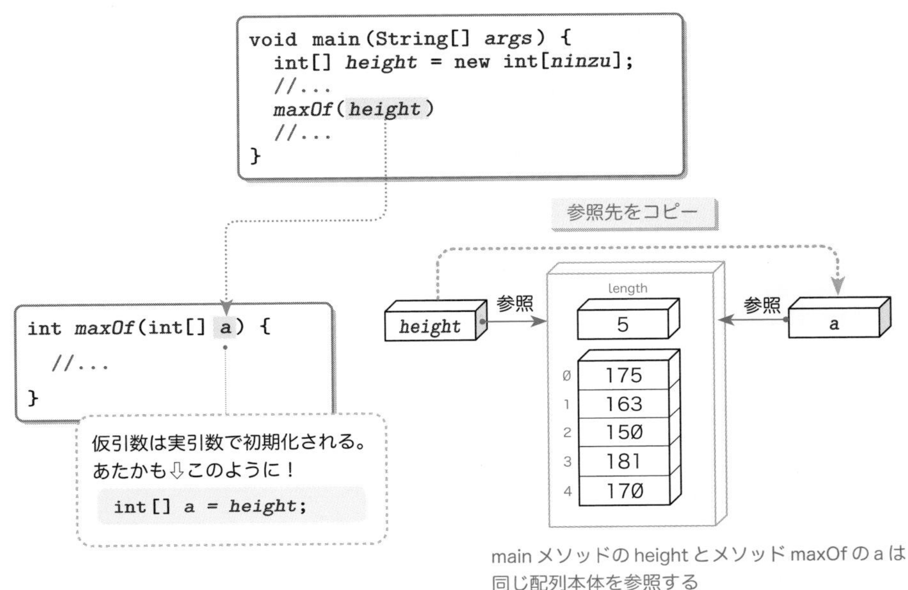


**Fig.7-11　メソッド間の配列の受渡し**

まずは、呼出し側の実引数に着目します。実引数 ***height*** は配列変数ですから、呼出しの際にメソッド ***maxOf*** に渡されるのは、**配列本体への参照**です。配列本体そのものではないことに注意します。

さて、呼び出されたメソッド ***maxOf*** では、配列変数である仮引数 **a** が、受け取った参照で初期化されます。その結果、配列変数 **a** の参照先は、配列 ***height*** の本体となります。

すなわち、メソッド ***maxOf*** 内の配列 **a** は、事実上 **main** メソッドの配列 ***height*** のことになります。これは、p.174 で学習した**配列の代入**と同じです。

**重要** メソッド間の配列のやりとりは参照で行われるため、仮引数の配列と、実引数の配列は、実質的に同一となる（配列変数が、同じ本体を参照する）。

▶ 配列は、本体と要素数 **length** がセットになっていました（p.164）。そのため、メソッド ***maxOf*** 内では、配列 ***height*** の要素数を、式 **a.length** で取り出せます。

配列要素の最大値を求めるアルゴリズムは、前章で学習しました（p.170）。そのアルゴリズムを、そのまま利用しています。求めた最大値は、**return** 文で返却します。

▶ 体重の最大値を求める際のメソッド ***maxOf*** 内では、配列変数 **a** は、体重用の配列 ***weight*** の本体を参照することになります。

## 線形探索

配列の中に、ある値の要素が含まれるかどうかを調べるプログラムを作ります。なお、調べる値をキー（key）と呼び、その値を調べることを探索（search）と呼びます。

探索は、配列の要素を先頭から順に走査することで実現できます（**Fig.7-12**：右ページ）。

・探すべきキー値と同じ値の要素に出会った。⇨ 探索成功

・最後まで出会わなかった ⇨ 探索失敗

これは、線形探索（せんけいたんさく）（linear search）あるいは逐次探索（ちくじたんさく）（sequential search）と呼ばれるアルゴリズムであり、それを実現したのが **List 7-15** のプログラムです。



**List 7-15** chap07/LinearSearch.java

```
// 線形探索

import java.util.Scanner;

class LinearSearch {

  //--- 配列aの要素からkeyと一致する最も先頭の要素を線形探索 ---//
  static int linearSearch(int[] a, int key) {
    for (int i = 0; i < a.length; i++)
      if (a[i] == key)
        return i;        // 探索成功（インデックスを返却）
    return -1;           // 探索失敗（-1を返却）
  }

  public static void main(String[] args) {
    Scanner stdIn = new Scanner(System.in);

    System.out.print("要素数：");
    int num = stdIn.nextInt();
    int[] x = new int[num];      // 要素数numの配列

    for (int i = 0; i < num; i++) {
      System.out.print("x[" + i + "]：");
      x[i] = stdIn.nextInt();
    }
    System.out.print("探す値：");    // キー値の読込み
    int ky = stdIn.nextInt();

    int idx = linearSearch(x, ky);  // 配列xから値がkyの要素を探索

    if (idx == -1)
      System.out.println("その値の要素は存在しません。");
    else
      System.out.println("その値はx[" + idx + "]にあります。");
  }
}
```

実行例

```
要素数：7
x[0]：6
x[1]：4
x[2]：3
x[3]：2
x[4]：1
x[5]：8
x[6]：7
探す値：2
その値はx[3]にあります。
```

メソッド *linearSeach* に着目しましょう。配列 **a** の全要素を **for** 文で走査します。

走査における着目要素 **a[*i*]** が、***key*** と等しければ探索成功ですので、着目要素のインデックス *i* を **return** 文で返却します（このとき **for** 文を強制的に中断して抜け出ます）。

途中で中断することなく **for** 文による繰返しが終了した場合は、***key*** と等しい要素が存在しなかったということです。メソッドの末尾の **return** 文では **-1** を返却します。

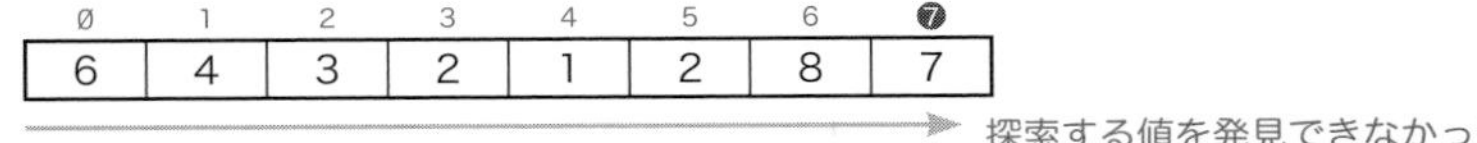


**Fig.7-12　線形探索**



探索失敗時に返す値を、配列のインデックスとしてはあり得ない `-1` とすることによって、探索に成功しなかったことを呼出し元に伝えているわけです。

なお、`main` メソッドでは、返却された値に応じて、探索結果を表示しています。

### 使い捨ての配列

それでは、難しいけれど、極めて重要なことを学習しましょう。

次のプログラムを考えます（変数 *k* には適当な整数値が入っているものとします）。

```
// kには適当な整数値が入っている
int[] a = {1, k, k + 5, 2 * k};
int i = linearSearch(a, 3);          // 値が3の要素を探す
// この時点で配列aは不要となる
```

ここで行っているのは、『先頭から順に `1, k, k + 5, 2 * k` で初期化された配列 `a` の要素中に値 `3` が存在するかどうかを調べる』ことです。

さて、値 `3` が存在するかどうかを調べ終わったら、配列 `a` が不要になるとします。配列 `a` は、『他のメソッドに渡して処理を依頼した後は不要になる』**使い捨ての配列**ということです。

このような、使い捨ての運命の配列に対して、それを参照する配列変数を、わざわざ割り当てる必要はありません。

次のように実現するのが、**定石**です。

```
// kには適当な整数値が入っている
int i = linearSearch(new int[]{1, k, k + 5, 2 * k}, 3);
```

網かけ部は、`new` 演算子を用いて配列を生成して各要素を初期化する `new` 式（p.168）であり、`new` 式が生成した配列への参照を、そのまま引数としてメソッドに渡します。

▶ 難しく感じられるでしょうが、**実用的で高度なプログラムでは、ここで使ったテクニック（を応用したテクニック）が頻繁に使われます。**たとえば、メソッド *m1* が文字列（`String` 型）の配列を受け取るのであれば、次のようにメソッド *m1* を呼び出せます。

```
m1(new String[]{"PC", "Mac", "Workstation"})
```

なお、第8章以降で学習する“**クラスのインスタンス**”（“**配列の本体**”に相当します）を使い捨て的に呼び出す際も、同じテクニックが使われます。p.288 や p.303 で学習します。

## 配列の要素の並びを反転する

次に作るのは、配列の要素の並びを反転するメソッドです。int 型整数の配列を反転するメソッドを reverse として実現したのが、List 7-16 のプログラムです。

List 7-16　chap07/ReverseArray.java

```
// 配列の要素に値を読み込んで並びを反転する

import java.util.Scanner;

class ReverseArray {

  //--- 配列の要素a[idx1]とa[idx2]を交換 ---//
  static void swap(int[] a, int idx1, int idx2) {
    int t = a[idx1];  a[idx1] = a[idx2];  a[idx2] = t;
  }

  //--- 配列aの要素の並びを反転 ---//
  static void reverse(int[] a) {
    for (int i = 0; i < a.length / 2; i++)
      swap(a, i, a.length - i - 1);
  }

  public static void main(String[] args) {
    Scanner stdIn = new Scanner(System.in);

    System.out.print("要素数：");
    int num = stdIn.nextInt();      // 要素数

    int[] x = new int[num];         // 要素数numの配列

    for (int i = 0; i < num; i++) {
      System.out.print("x[" + i + "] : ");
      x[i] = stdIn.nextInt();
    }

    reverse(x);                 // 配列xの要素の並びを反転

    System.out.println("要素の並びを反転しました。");
    for (int i = 0; i < num; i++)
      System.out.println("x[" + i + "] = " + x[i]);
  }
}
```

実行例

```
要素数：7
x[0] : 2
x[1] : 5
x[2] : 1
x[3] : 3
x[4] : 9
x[5] : 6
x[6] : 7
要素の並びを反転しました。
x[0] = 7
x[1] = 6
x[2] = 9
x[3] = 3
x[4] = 1
x[5] = 5
x[6] = 2
```

まずは、反転のアルゴリズムを理解しましょう。

右ページの Fig.7-13 に示すのは、要素数 7 の配列の反転の様子です。まず、図a に示すように、先頭要素 a[0] と末尾要素 a[6] の値を交換します。次に、図b と図c に示すように、一つ内側の要素の値を交換する、という作業を繰り返します。

要素の交換回数は、(要素数 / 2) 回です。剰余を切り捨てるのは、要素数が奇数のときに、中央要素の交換が不要だからです。

▶ "整数 / 整数" の演算では、**剰余が切り捨てられた整数値**が得られるため、好都合です（もちろん要素数が 7 のときの交換回数は 7 / 2 すなわち 3 です）。

```
// aとbの交換
int t = a;
a = b;
b = t;
```

7 メソッド

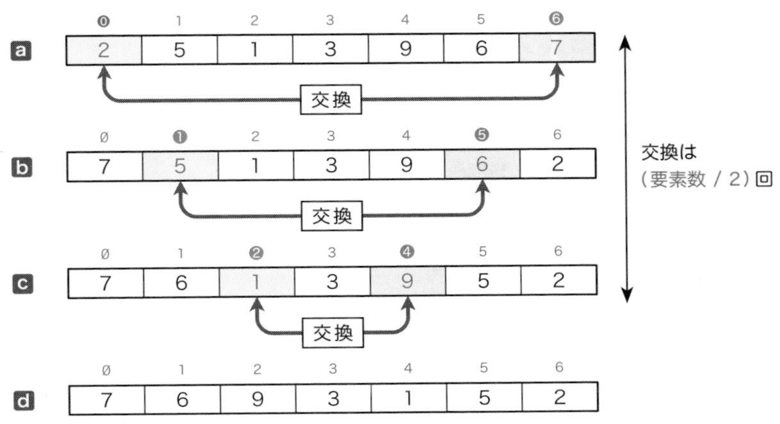


**Fig.7-13　配列の要素の並びを反転する手順**



要素数 *n* の配列に対するa ⇨ b ⇨ … の処理を、変数 *i* を **0, 1,** … とインクリメントすることで表すと、交換する要素のインデックスの変化は、次のようになります。

- 左側要素のインデックス（図中●内の値）… *i*　　*n* が 7 であれば 0 ⇨ 1 ⇨ 2
- 右側要素のインデックス（図中●内の値）… *n* - *i* - 1　　*n* が 7 であれば 6 ⇨ 5 ⇨ 4

そのため、要素数 *n* の配列要素の並びを反転するアルゴリズムの概略は、次のようになります。

```
for (int i = 0; i < n / 2; i++)
  a[i]とa[n - i - 1]を交換する。
```

▶ List 7-16 のメソッド **reverse** では、配列 **a** の要素数を、*n* ではなく、**a.length** で表しています。

＊

さて、**配列内の2要素の交換**を行うのが、メソッド **swap** です。このメソッドは、仮引数として、配列（への参照）**a** と、二つのインデックス **idx1** と **idx2** を受け取ります。

メソッド本体では、**a[idx1]** と **a[idx2]** の値を交換します。たとえば **swap(a, 1, 3)** と呼び出されると、**a[1]** の値と **a[3]** の値を交換します。

▶ 2値の交換のアルゴリズムは、p.72 で学習しました。

＊

さて、**main** メソッドでは、生成した配列への参照 **x** を、メソッド **reverse** に渡します。そこで呼び出された **reverse** では、仮引数 **a** に受け取った参照を、そのままメソッド **swap** に渡します（すなわち、配列への参照が、2回にわたって《たらい回し》されます）。

そのため、メソッド **reverse** の仮引数 **a** と、**swap** の仮引数 **a** は、いずれも **main** メソッド内で **x** として生成した配列本体を参照することを理解しましょう。

## 配列を返却するメソッド

メソッドは、配列を**受け取る**だけでなく**返却する**こともできます。配列を返却するメソッドについて、**List 7-17** のプログラムで学習しましょう。

**List 7-17** chap07/GenIdxArray.java

```
// 全要素がインデックスと同じ値をもつ配列の生成

import java.util.Scanner;

class GenIdxArray {

  //--- 全要素がインデックスと同じ値をもつ要素数nの配列を生成して返却 ---//
  static int[] idxArray(int n) {
    int[] a = new int[n];      // 要素数nの配列
    for (int i = 0; i < n; i++)
      a[i] = i;
    return a;
  }

  public static void main(String[] args) {
    Scanner stdIn = new Scanner(System.in);

    System.out.print("要素数：");
    int n = stdIn.nextInt();   // 要素数
    int[] x = idxArray(n);     // 要素数nの配列（全要素がインデックスと同じ値）

    for (int i = 0; i < n; i++)
      System.out.println("x[" + i + "] = " + x[i]);
  }
}
```

実行例

```
要素数：5
x[0] = 0
x[1] = 1
x[2] = 2
x[3] = 3
x[4] = 4
```

メソッド *idxArray* の返却型が int[] 型と宣言されています。これが、メソッドが **int** 型の配列への参照を返すことの宣言です。

**重要** メソッドは、返却型を配列型とすることで、配列への参照を返却できる。

さて、メソッド *idxArray* は、仮引数 *n* に **int** 型整数値を受け取ります。メソッド本体で行うのは、次のことです。

- 要素数が *n* である配列 a を生成。
- 配列 a の全要素にインデックスと同じ値を代入。
- 配列本体への参照である a を返却。

実行例のように、仮引数 *n* に 5 を受け取った場合、要素数が 5 の配列を生成し、各要素に 0, 1, 2, 3, 4 を代入した上で、その配列への参照を返却します。

さて、このメソッド *idxArray* を呼び出しているのが、**main** メソッドの網かけ部です。

宣言している配列変数 *x* の初期化子が *idxArray(n)* ですから、**Fig.7-14** に示すように、メソッド *idxArray* の返

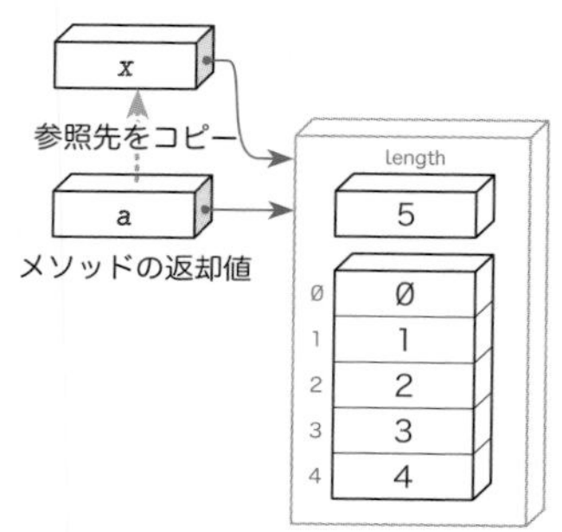


**Fig.7-14 配列の返却**

却値（配列変数 a の値である参照）で、配列変数 x が初期化されます。その結果、配列変数 x は、メソッド idxArray の中で生成された配列本体を参照することになります。

▶ なお、メソッド idxArray の頭部は、返却型の配列宣言のための [] を末尾にもってきて、次のようにも宣言できます。

```
static int idxArray(int n) []
```

ただし、この形式は初期の頃に書かれた Java プログラムとの互換性のために、例外的に認められているに過ぎません。**List 7-17** の形式で書くのが原則です。

### 配列の複製

配列を返却するメソッドをもう一つ作りましょう。**List 7-18** は、配列を受け取って、その複製を生成・返却するプログラムです。

**List 7-18** chap07/ArrayClone.java

```
// 配列の複製を生成

import java.util.Scanner;

class ArrayClone {

  //--- 配列aの複製を生成して返却 ---//
  static int[] cloneOf(int[] a) {
    int[] c = new int[a.length];   // 要素数はaと同じ
    for (int i = 0; i < a.length; i++)
      c[i] = a[i];
    return c;
  }

  public static void main(String[] args) {
    Scanner stdIn = new Scanner(System.in);

    System.out.print("要素数：");
    int num = stdIn.nextInt();
    int[] x = new int[num];    // 要素数numの配列

    for (int i = 0; i < num; i++) {
      System.out.print("x[" + i + "]：");
      x[i] = stdIn.nextInt();
    }

    int[] y = cloneOf(x);      // 配列xの複製

    System.out.println("配列xの複製yを作りました。");
    for (int i = 0; i < num; i++)
      System.out.println("y[" + i + "] = " + y[i]);
  }
}
```

実行例

```
要素数：5⏎
x[0] : 9⏎
x[1] : 3⏎
x[2] : 7⏎
x[3] : 2⏎
x[4] : 6⏎
配列xの複製yを
作りました。
y[0] = 9
y[1] = 3
y[2] = 7
y[3] = 2
y[4] = 6
```

メソッド cloneOf は、仮引数 a に受け取った（a が参照する）配列の複製を生成して返却するメソッドです。要素型が int 型で、要素数が a.length の配列 c を生成し、配列 a の全要素をコピーした上で、c を返却します。

▶ main メソッドでは、配列 x をメソッド cloneOf に渡しています。そして、返却された配列の複製を、配列変数 y が参照するようにしています。

## 可変個仮引数

メソッドに依頼する際に与える引数を可変にしたい、ということがあります。たとえば、2個の整数の総和を求めたい、3個の整数の総和を求めたい、…といったケースです。

それを実現するのが、可変個仮引数（variable arity parameter）です。

▶ arity は、『引数の個数』という意味です。

それでは、**List 7-19** に示すプログラムで、可変個引数について学習していきましょう。

**List 7-19** chap07/Sum.java

```
// 整数の総和を求める（可変個引数）

import java.util.Scanner;

class Sum {

  //--- 2個以上の整数の総和を求める ---//
  static int sum(int a, int b, int... no)  {
    int s = a + b;
    for (int i = 0; i < no.length; i++)
      s += no[i];
    return s;
  }

  public static void main(String... args) {
    Scanner stdIn = new Scanner(System.in);

    System.out.println("sum(1, 2)          = " + sum(1, 2));
    System.out.println("sum(1, 2, 3)       = " + sum(1, 2, 3));          ―1
    System.out.println("sum(1, 2, 3, 4, 5) = " + sum(1, 2, 3, 4, 5));

    System.out.print("配列xの要素数は：");
    int num = stdIn.nextInt();     // 要素数
    int[] x = new int[num];        // 要素数numの配列

    for (int i = 0; i < num; i++) {
      System.out.print("x[" + i + "] : ");
      x[i] = stdIn.nextInt();
    }
    System.out.println("sum(1, 3, x) = " + sum(1, 3, x));               ―2
  }
}
```

実行例

```
sum(1, 2)          = 3
sum(1, 2, 3)       = 6
sum(1, 2, 3, 4, 5) = 15
配列xの要素数は：3
x[0] : 5
x[1] : 7
x[2] : 9
sum(1, 3, x) = 25
```

メソッド **sum** は、2個以上の、自由な個数の仮引数の総和を求めるように定義されたメソッドです。そのため、呼出し側は、2個、3個、4個、… と自由な個数の **int** 型の値を与えることができます。

最初の二つの引数 **a** と **b** は、これまで通りの仮引数です。そして、仮引数 **no** のように、宣言に **...** が付いた引数が、**0個以上の任意の個数の値を受け取る仮引数**です。

1では、2個、3個、5個の実引数を与えて呼び出しています。そのやりとりのイメージを示したのが、**Fig.7-15** です。

どの呼出しにおいても、1番目と2番目の実引数 **1** と **2** は、仮引数 **a** と **b** に渡されます。そして、それ以降の引数は、配列にまとめられた上で渡されるのです。

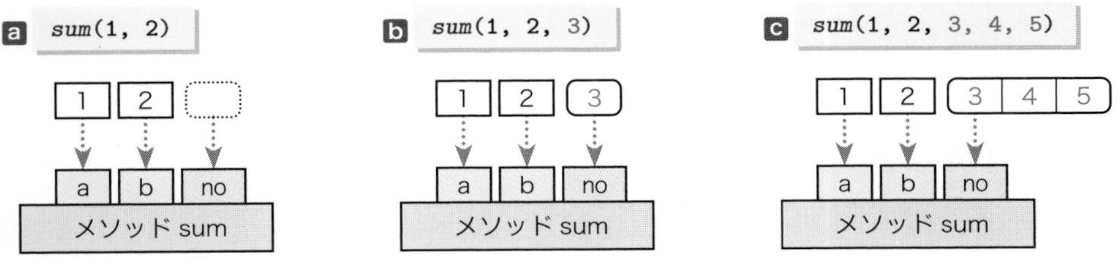


**Fig.7-15　可変個引数の受渡し**



すなわち、次のようになります。

- 図a　要素数 0 の配列 {} が作られて、その参照が引数 **no** に渡される。
- 図b　要素数 1 の配列 {3} が作られて、その参照が引数 **no** に渡される。
- 図c　要素数 3 の配列 {3, 4, 5} が作られて、その参照が引数 **no** に渡される。

... で宣言された仮引数 **no** が、事実上配列であることが分かりました。

さて、第3引数 **no** が配列ということは、この引数に対して《配列そのもの》を与えることもできるはずです。それを行っているのが、プログラムの2です。配列 **x**（への参照）がメソッド **sum** の第3引数 **no** に渡されます。

▶　その結果、第3引数 **no** は、**x** の配列本体を参照するようになります。

その性格上、**...** による可変個引数は、最大1個だけをメソッド最後の引数として、指定できます。

**重要** 可変個の仮引数を受け取る必要があるメソッドでは、最終引数を ... 形式で宣言して、配列として受け取る。呼び出し側では、この引数に対して、**コンマで区切った0個以上の任意の個数の実引数**、あるいは、**配列**を与えることができる。

さて、**main** メソッドの引数が **String[] args** ではなく、**String... args** と宣言されていることに気付きましたか。16-3 節で学習しますが、この引数 **args** に対しては、プログラム起動時にコマンドラインから渡される引数が与えられます（p.470）。

# 7-4 多重定義

よく似たメソッドの一つ一つに異なる名前を与えると、プログラムは膨大な数の名前であふれかえります。本節では、異なるメソッドに同じ名前を与える多重定義を学習します。

## メソッドの多重定義

本章の冒頭で作成したメソッド **max** は、3個の **int** 型引数を受け取って、その最大値を返却するものでした。将来的には、『2個の **long** 型の最大値を求めるメソッド』や、『4個の **double** 型の最大値を求めるメソッド』などが必要となるかもしれません。

それらのメソッドに対して個別に名前を与えていくと、名前を覚えること、管理すること、使い分けることなど、各種のコストが増えます。

Java では、クラス中に、同じ名前のメソッドが複数個存在することが許されます。同じ名前のメソッドを、同一クラス内で複数宣言するのが、**メソッドの多重定義**（overload）です。

たとえば、2個の **int** 型の最大値を求めるメソッドと、3個の **int** 型の最大値を求めるメソッドを多重定義したプログラムは、**List 7-20** のようになります。

**List 7-20** chap07/Max.java

```
// 2値の最大値と3値の最大値を求めるメソッド（多重定義）

import java.util.Scanner;

class Max {

  //--- a, bの最大値を返却 ---//                                   1
  static int max(int a, int b) {
    return a > b ? a : b;
  }

  //--- a, b, cの最大値を返却 ---//                                2
  static int max(int a, int b, int c) {
    int max = a;
    if (b > max) max = b;
    if (c > max) max = c;
    return max;
  }

  public static void main(String[] args) {
    Scanner stdIn = new Scanner(System.in);

    System.out.print("xの値："); int x = stdIn.nextInt();
    System.out.print("yの値："); int y = stdIn.nextInt();
    System.out.print("zの値："); int z = stdIn.nextInt();

    // 2値の最大値
    System.out.println("x, yの最大値は" + max(x, y) + "です。");

    // 3値の最大値
    System.out.println("x, y, zの最大値は" + max(x, y, z) + "です。");
  }
}
```

実行例

```
xの値：15
yの値：30
zの値：42
x, yの最大値は30です。
x, y, zの最大値は42です。
```

メソッド呼出し時に、どのメソッドを呼び出すかといった指定は不要です。それぞれに適したメソッドが自動的に選択されて呼び出されるからです。

そのため、赤網部のメソッド呼出しでは、1のメソッド **max** が呼び出され、青網部のメソッド呼出しでは、2のメソッド **max** が呼び出されます。

２値の最大値を求めるメソッドを ***max2*** と命名して、３値の最大値を求めるメソッドを ***max3*** と命名することもできます。しかし、銀行口座の名義人氏名を、銀行によって使い分けて、『福岡太郎Ａ銀行』、『福岡太郎Ｂ銀行』とするようなものです。

類似した処理を行うメソッドを多重定義すれば、プログラムが多くのメソッド名であふれるのを抑止できます。



**重要** 類似した処理を行うメソッドには、同じ名前を与えて多重定義しよう。

▶ 当たり前のことですが、**main** メソッドを多重定義することはできません。

＊

なお、**『同じシグネチャ**（signature）**のメソッドは多重定義できない』**という制約があります。

シグネチャとは、**Fig.7-16** に示すように、メソッドの名前と仮引数の個数と型を合わせたものです（返却型が**含まれない**ことに注意しましょう）。

同じシグネチャのメソッドを多重定義できないということは、**どのメソッドを呼び出すべきかが区別できるように、仮引数の型や個数が異なっていなければならない**、ということです。

**重要** メソッドのシグネチャとは、メソッド名と仮引数の個数と型の組合せである。多重定義は、同一クラス内の同一のシグネチャのメソッドに対しては行えない。

なお、**多重定義**は、英語をそのままカナ表記した**オーバロード**という用語も頻繁に使われますので、両方の用語を覚えておきましょう。

▶ overload は、『過積載する』『過剰に詰め込む』といった意味の単語です。本書で『多重定義』を採用しているのは、第 12 章で学習する『オーバライド』と区別しやすくするためです。
　なお、メソッドの多重定義は、同一クラス内に同一名のメソッドを複数定義することであり、異なるクラスに同一名のメソッドを定義しても、多重定義とはなりません。

シグネチャ

```
static int max(int a, int b, int c) {
  int max = a;
  if (b > max) max = b;
  if (c > max) max = c;
  return max;
}
```

○メソッド名
○仮引数の型と個数の組合せ
×返却型はシグネチャに含まれない
×仮引数の名前はシグネチャに含まれない

**Fig.7-16　メソッドのシグネチャ**

シグネチャについて、実例を通して理解を深めましょう。

まず最初に検討するのは、次の例です。二つのメソッドは、int 型の引数 x と y を受け取って、その平均を求めます。異なるのは返却型です。❶は int 型で、❷は double 型です。

✕

```
// ❶：整数xとyの平均値を整数で求める
static int ave(int x, int y) {
  return (x + y) / 2;
}

// ❷：整数xとyの平均値を実数で求める
static double ave(int x, int y) {
  return (double)(x + y) / 2;
}
```



これは、**コンパイル時エラー**となります。というのも、二つのメソッドのシグネチャが同一だからです。なぜ、シグネチャに返却型が含まれないのかは、メソッド ave を呼び出そうとする、次の呼出し式を考えると分かります。

```
ave(5, 3)
```

この呼出し式に出会っても、コンパイラは、❶と❷のどちらのメソッドを呼び出せばいいのかを判定することができません。

なお、次のように、仮引数の名前だけが異なる例も、**コンパイル時エラー**となります。

✕

```
// 整数xとyの和を整数で求める
static int sumOf(int x, int y) {
  return x + y;
}

// 整数aとbの和を整数で求める
static int sumOf(int a, int b) {
  return a + b;
}
```

### Column 7-4　短絡評価とプログラムの実行結果

**Column 4-5**（p.117）では、短絡評価（p.65）が、プログラムの実行結果に影響を与える例を学習しました。次のコードも、短絡評価がプログラムの実行結果に影響を与えます。

```
x = (a == 5) ? (b = 3) : (c = 4);
```

代入は、次のように行われます。

- a の値が 5 であるとき … まず b に 3 が代入される。
  その後、代入式 b = 3 を評価した値である 3 が x に代入される。
  ※ c への代入は行われない。
- a の値が 5 でないとき … まず c に 4 が代入される。
  その後、代入式 c = 4 を評価した値である 4 が x に代入される。
  ※ b への代入は行われない。

## Column 7-5 APIのドキュメント

Javaでは、文字列を始めとして、日付や時刻を表すクラスなど、膨大な数のクラスが、標準的なAPI（Application Programming Interface）として、提供されています。APIのドキュメントはインターネット上で公開されています。**Fig.7C-2**に示すのは、Java 14のAPIドキュメントを表示した様子です。

https://docs.oracle.com/javase/jp/14/docs/api/index.html

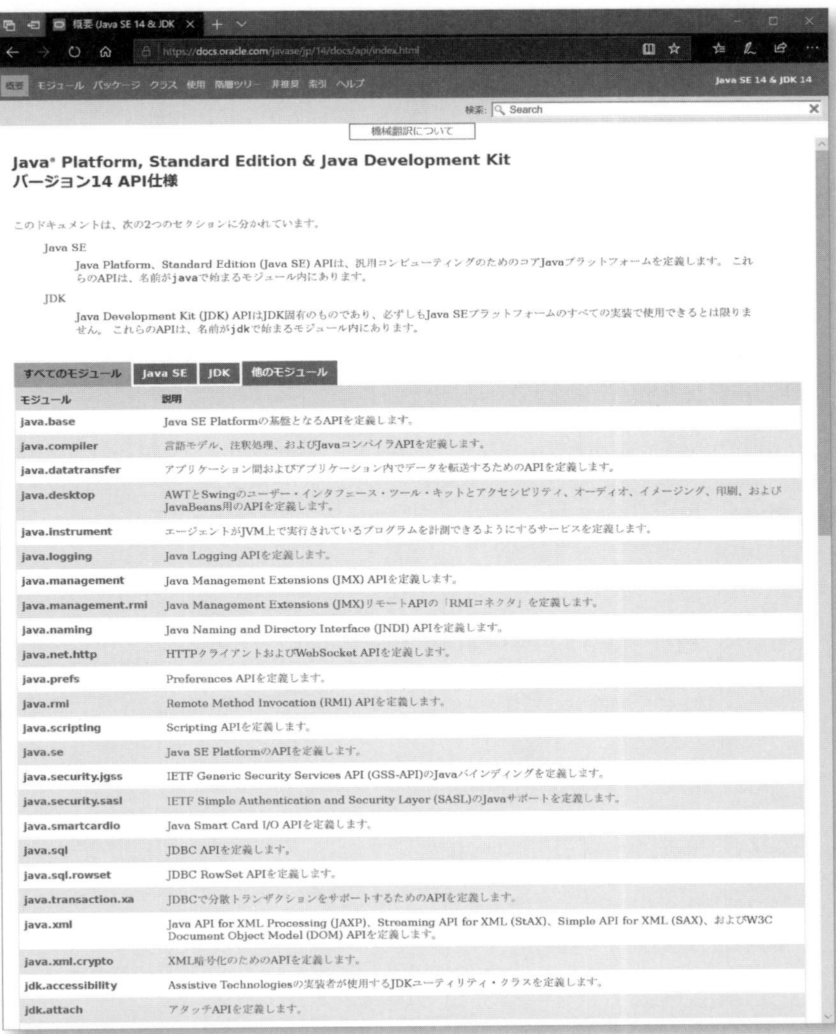



**Java® Platform, Standard Edition & Java Development Kit**
**バージョン14 API仕様**

このドキュメントは、次の2つのセクションに分かれています。

Java SE
Java Platform、Standard Edition (Java SE) APIは、汎用コンピューティングのためのコアJavaプラットフォームを定義します。 これらのAPIは、名前がjavaで始まるモジュール内にあります。

JDK
Java Development Kit (JDK) APIはJDK固有のものであり、必ずしもJava SEプラットフォームのすべての実装で使用できるとは限りません。 これらのAPIは、名前がjdkで始まるモジュール内にあります。

すべてのモジュール　Java SE　JDK　他のモジュール

| モジュール | 説明 |
|---|---|
| java.base | Java SE Platformの基盤となるAPIを定義します。 |
| java.compiler | 言語モデル、注釈処理、およびJavaコンパイラAPIを定義します。 |
| java.datatransfer | アプリケーション間およびアプリケーション内でデータを転送するためのAPIを定義します。 |
| java.desktop | AWTとSwingのユーザー・インタフェース・ツール・キットとアクセシビリティ、オーディオ、イメージング、印刷、およびJavaBeans用のAPIを定義します。 |
| java.instrument | エージェントがJVM上で実行されているプログラムを計測できるようにするサービスを定義します。 |
| java.logging | Java Logging APIを定義します。 |
| java.management | Java Management Extensions (JMX) APIを定義します。 |
| java.management.rmi | Java Management Extensions (JMX)リモートAPIの「RMIコネクタ」を定義します。 |
| java.naming | Java Naming and Directory Interface (JNDI) APIを定義します。 |
| java.net.http | HTTPクライアントおよびWebSocket APIを定義します。 |
| java.prefs | Preferences APIを定義します。 |
| java.rmi | Remote Method Invocation (RMI) APIを定義します。 |
| java.scripting | Scripting APIを定義します。 |
| java.se | Java SE PlatformのAPIを定義します。 |
| java.security.jgss | IETF Generic Security Services API (GSS-API)のJavaバインディングを定義します。 |
| java.security.sasl | IETF Simple Authentication and Security Layer (SASL)のJavaサポートを定義します。 |
| java.smartcardio | Java Smart Card I/O APIを定義します。 |
| java.sql | JDBC APIを定義します。 |
| java.sql.rowset | JDBC RowSet APIを定義します。 |
| java.transaction.xa | JDBCで分散トランザクションをサポートするためのAPIを定義します。 |
| java.xml | Java API for XML Processing (JAXP)、Streaming API for XML (StAX)、Simple API for XML (SAX)、およびW3C Document Object Model (DOM) APIを定義します。 |
| java.xml.crypto | XML暗号化のためのAPIを定義します。 |
| jdk.accessibility | Assistive Technologiesの実装者が使用するJDKユーティリティ・クラスを定義します。 |
| jdk.attach | アタッチAPIを定義します。 |

**Fig.7C-2** Javaの標準ライブラリ（API）のドキュメント

# まとめ

- メソッドは、ひとまとまりの手続きを行う部品である。

- メソッド宣言では、メソッドの名前・返却型・仮引数並び・メソッド本体を定義する。

- メソッドの呼出しでは、メソッド名の後ろに**メソッド呼出し演算子 ()** を適用する。メソッドを呼び出すと、プログラムの流れは、呼出し元から、呼び出されたメソッドへと移る。

- メソッド呼出しにおける引数は、**値渡し**でやりとりされる。メソッドが受け取る**仮引数**は、呼出し側が与えた**実引数の値**で**初期化**される。呼び出されたメソッド内で仮引数の値を書きかえても、呼出し側の実引数の値は変わらない。

- メソッドは **return** 文によって、値を返却できる。**return** 文が実行されると、プログラムの流れは、呼出し元へ戻る。返却された値は、メソッド呼出し式の評価によって得られる。

- 値を返却しないメソッドの返却型は **void** とする。

- 仮引数や返却型を配列型とすれば、配列を受け取ったり、配列を返却したりできる。その際にやり取りされるのは、**配列への参照**である。

- **可変個の仮引数**を受け取る必要があるメソッドでは、最終引数を ... 形式で宣言して、配列として受け取る。呼び出し側では、この引数に対して、コンマで区切った**0個以上の任意の個数の実引数**、あるいは、**配列**を与えることができる。



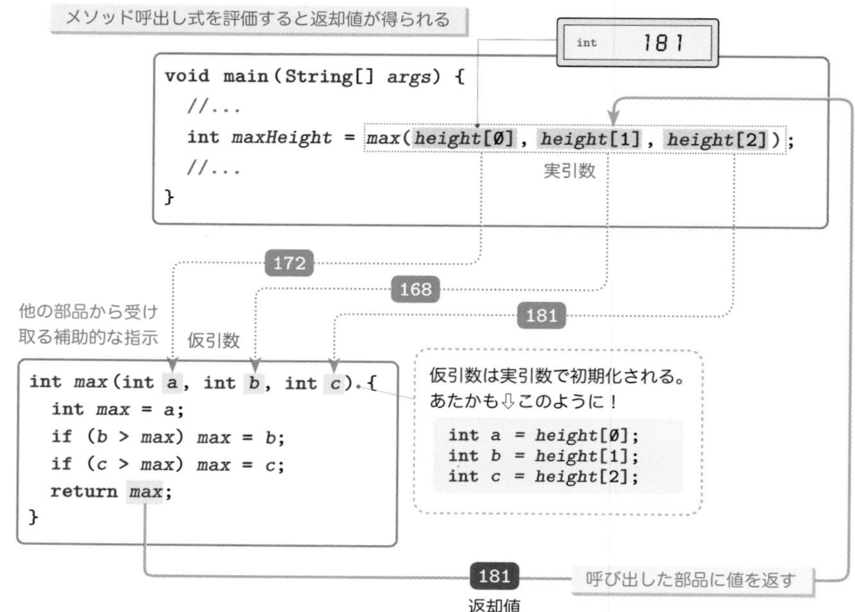

- メソッドの**シグネチャ**とは、メソッド名と仮引数の個数と型の組合せのことである。シグネチャには、返却型は含まれない。

- 同一クラス内のシグネチャが異なるメソッドに対して、同じ名前を与える多重定義（オーバロード）を行える。多重定義すれば、メソッドの名前が増え過ぎるのを抑制できる。

- メソッドの外で宣言された変数＝フィールドは、そのクラス内の全メソッドに通用する。メソッドの中で宣言された変数＝局所変数は、そのメソッドの中でのみ通用する。

- 同一名のフィールドと局所変数が存在する場合、フィールドは隠される。ただし、隠されたフィールドも、“**クラス名 . フィールド名**”によってアクセスできる。



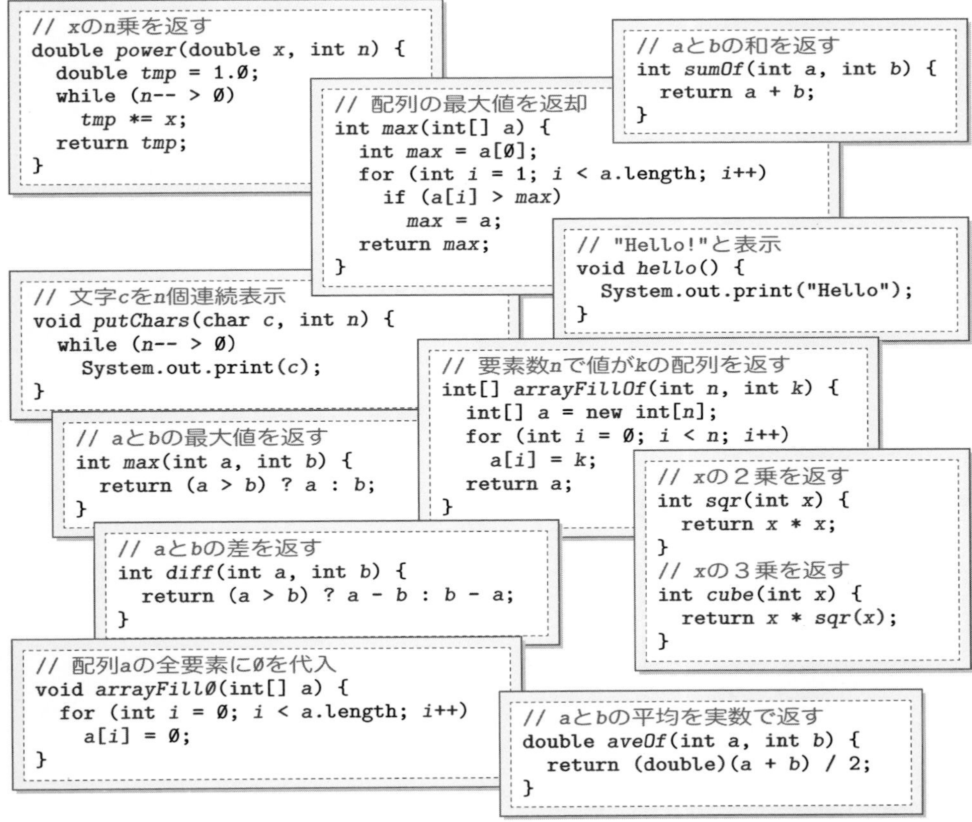

```
// xのn乗を返す
double power(double x, int n) {
  double tmp = 1.0;
  while (n-- > 0)
    tmp *= x;
  return tmp;
}
```

```
// aとbの和を返す
int sumOf(int a, int b) {
  return a + b;
}
```

```
// 配列の最大値を返却
int max(int[] a) {
  int max = a[0];
  for (int i = 1; i < a.length; i++)
    if (a[i] > max)
      max = a;
  return max;
}
```

```
// "Hello!"と表示
void hello() {
  System.out.print("Hello");
}
```

```
// 文字cをn個連続表示
void putChars(char c, int n) {
  while (n-- > 0)
    System.out.print(c);
}
```

```
// 要素数nで値がkの配列を返す
int[] arrayFillOf(int n, int k) {
  int[] a = new int[n];
  for (int i = 0; i < n; i++)
    a[i] = k;
  return a;
}
```

```
// aとbの最大値を返す
int max(int a, int b) {
  return (a > b) ? a : b;
}
```

```
// xの２乗を返す
int sqr(int x) {
  return x * x;
}
// xの３乗を返す
int cube(int x) {
  return x * sqr(x);
}
```

```
// aとbの差を返す
int diff(int a, int b) {
  return (a > b) ? a - b : b - a;
}
```

```
// 配列aの全要素に0を代入
void arrayFill0(int[] a) {
  for (int i = 0; i < a.length; i++)
    a[i] = 0;
}
```

```
// aとbの平均を実数で返す
double aveOf(int a, int b) {
  return (double)(a + b) / 2;
}
```

| ビット単位の論理演算子 | 論理積 x & y | 論理和 x \| y | 排他的論理和 x ^ y | 補数 ~x |
|---|---|---|---|---|

| シフト演算子 | 左シフト x << y | 右算術シフト x >> y | 右論理シフト x >>> y |
|---|---|---|---|

# 第８章

# クラスの基本

オブジェクト指向プログラミングを支える最も根幹的で基礎的な技術を提供するのが、クラスの考え方です。本章では、銀行口座を扱うプログラムと自動車を扱うプログラムを通じて、クラスの基本を学習します。

□クラス
□クラス型変数
□メンバアクセス演算子
□インスタンスとオブジェクト
□フィールドとインスタンス変数
□コンストラクタ
□インスタンスメソッド
□this
□データ隠蔽とカプセル化

# 8-1 クラスとは

前章では、一連の処理をまとめたプログラムの部品である《メソッド》を学習しました。そのメソッドと、処理対象のデータとを組み合わせたのが、《クラス》です。メソッドより一回り大きな単位の部品であるクラスは、オブジェクト指向プログラミングを支える最も根幹的で基礎的な技術です。本節では、クラスの基礎を学習します。

## データの扱い

**List 8-1** のプログラムを考えましょう。これは、足立君と仲田君の銀行口座のデータを表す変数に対して、値を入れて表示する、というだけの単純なプログラムです。



**List 8-1** chap08/Accounts.java

```
// 二人分の銀行口座データを扱うプログラム

class Accounts {

  public static void main(String[] args) {
    String adachiAccountName    = "足立幸一";    // 足立君の口座名義
    String adachiAccountNo      = "123456";      //    〃   の口座番号
    long   adachiAccountBalance = 1000;          //    〃   の預金残高

    String nakataAccountName    = "仲田真二";    // 仲田君の口座名義
    String nakataAccountNo      = "654321";      //    〃   の口座番号
    long   nakataAccountBalance = 200;           //    〃   の預金残高

    adachiAccountBalance -= 200;                 // 足立君が200円おろす
    nakataAccountBalance += 100;                 // 仲田君が100円預ける

    System.out.println("■足立君の口座");
    System.out.println("  口座名義：" + adachiAccountName);
    System.out.println("  口座番号：" + adachiAccountNo);
    System.out.println("  預金残高：" + adachiAccountBalance);

    System.out.println("■仲田君の口座");
    System.out.println("  口座名義：" + nakataAccountName);
    System.out.println("  口座番号：" + nakataAccountNo);
    System.out.println("  預金残高：" + nakataAccountBalance);
  }
}
```

実行結果

```
■足立君の口座
  口座名義：足立幸一
  口座番号：123456
  預金残高：800
■仲田君の口座
  口座名義：仲田真二
  口座番号：654321
  預金残高：300
```

2人分の銀行口座データを6個の変数で表しています。たとえば、変数 `adachiAccountName` は**口座名義**、`adachiAccountNo` は**口座番号**、`adachiAccountBalance` は**預金残高**です。

> 名前が `adachi` で始まる変数は、**足立君の銀行口座に関するデータである。**

ことは、変数名とコメントから推測できます。

とはいえ、足立君の口座名義の変数名を `nakataAccountNo` にしたり、仲田君の口座番号の変数名を `adachiAccountName` にしたりすることも不可能ではありません。

問題は、変数間の関係が、変数名から推測できるものの確定できないことです。バラバラに宣言された口座名義・口座番号・預金残高の変数が、一つの銀行口座に関するものであるという関係が、プログラムのコードとして表現されていません。

### クラス

私たちがプログラムを作る際は、**現実世界のオブジェクト（物）や概念を、何らかの形でプログラムの世界のオブジェクト（変数）に投影します。**

本プログラムでは、**Fig.8-1** ⓐに示すように、一つの口座に関する口座名義・口座番号・預金残高のデータが、個別の変数に投影されています。

▶ これは、一般化した図です。足立君の口座と仲田君の口座に対して、3個のデータが別々の変数として投影されます。

口座の一側面ではなく、複数の側面に着目しましょう。そうすると、図ⓑに示すように、口座名義と口座番号と預金残高を、ひとまとめにしたオブジェクトとして投影できます。

このような投影を行うのが、**クラス**（class）の考え方の基本です。

ⓐ 口座に関するデータを個別に投影

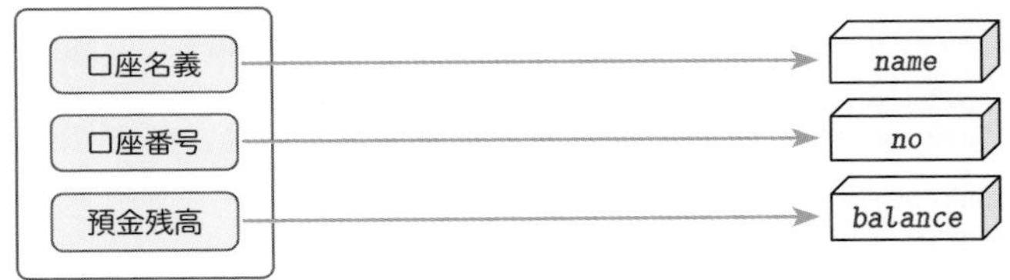


ⓑ 口座に関するデータをひとまとめにして投影（クラス）

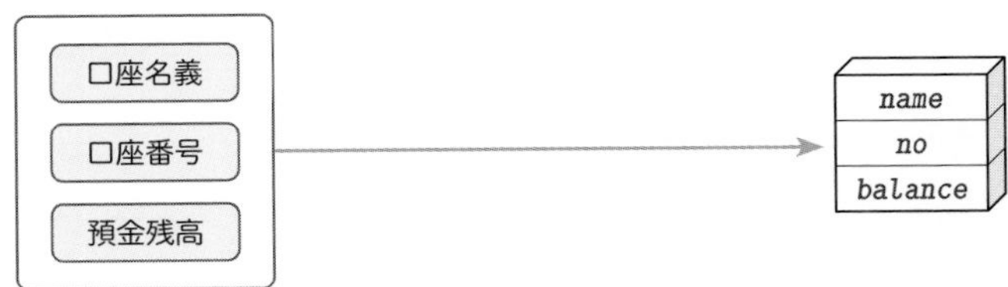


**Fig.8-1　オブジェクトの投影とクラス**

プログラムで扱う問題の種類や範囲によっても異なりますが、現実の世界からプログラムの世界への投影は、

- まとめるべきものは、まとめる。
- 本来まとまっているものは、まとまったままにする。

といった方針にのっとると、より自然で素直なものとなります。

## クラス

前ページの方針に基づいて書き直しましょう。それが、**List 8-2** のプログラムです。

**List 8-2** chap08/AccountTester.java

```
// 銀行口座クラス【第1版】とそれをテストするクラス

// 銀行口座クラス【第1版】
class Account {
  String name;     // 口座名義
  String no;       // 口座番号
  long balance;    // 預金残高
}

// 銀行口座クラスをテストするクラス
class AccountTester {

  public static void main(String[] args) {
    Account adachi = new Account();    // 足立君の口座
    Account nakata = new Account();    // 仲田君の口座

    adachi.name    = "足立幸一";        // 足立君の口座名義
    adachi.no      = "123456";         //   〃  の口座番号
    adachi.balance = 1000;             //   〃  の預金残高

    nakata.name    = "仲田真二";        // 仲田君の口座名義
    nakata.no      = "654321";         //   〃  の口座番号
    nakata.balance = 200;              //   〃  の預金残高

    adachi.balance -= 200;             // 足立君が200円おろす
    nakata.balance += 100;             // 仲田君が100円預ける

    System.out.println("■足立君の口座");
    System.out.println("  口座名義：" + adachi.name);
    System.out.println("  口座番号：" + adachi.no);
    System.out.println("  預金残高：" + adachi.balance);

    System.out.println("■仲田君の口座");
    System.out.println("  口座名義：" + nakata.name);
    System.out.println("  口座番号：" + nakata.no);
    System.out.println("  預金残高：" + nakata.balance);
  }
}
```

クラス宣言 ―1（class Account）　―2（Account生成）　―3（フィールドへの代入）

実行結果

```
■足立君の口座
  口座名義：足立幸一
  口座番号：123456
  預金残高：800
■仲田君の口座
  口座名義：仲田真二
  口座番号：654321
  預金残高：300
```

このプログラムは、2個のクラスで構成されるという点で、これまでのプログラムとは大きく異なります。各クラスの概要は、次のとおりです。

- クラス *Account*　：銀行口座クラス
- クラス *AccountTester*　：クラス *Account* をテストするためのクラス

これまでのプログラムのクラスは、**main メソッド**を中心とする構造でした。それに相当するクラスは、本プログラムでは、クラス *AccountTester* です。

ソースプログラムのファイル名は、このクラス名に拡張子 **.java** を付けた AccountTester.java です（**Account.java** ではありません）。また、プログラムを起動して実行されるのも、このクラス *AccountTester* 中の **main** メソッドです。

本プログラムのコンパイルは、次のように行います（カレントディレクトリは、第８章用のディレクトリ chap08 とします）。

```
▶javac AccountTester.java ↵
```

**クラスファイルは、クラスごとに作られます。**そのため、**Fig.8-2** に示すように、生成されるのは、２個のクラスファイル Account.class と AccountTester.class です。

もちろん、java コマンドでプログラムを実行する際は、main メソッドを含んでいるほうのクラス *AccountTester* を指定します。

```
▶java AccountTester ↵
```

▶ java コマンドで、クラスファイルではなく、ソースファイルを直接実行する（**Column 1-3**：p.9）場合は、main メソッドを含むクラスを先頭側に置く必要があります。

そのため、**List 8-2** を、次のコマンドで実行しようとすると、エラーになります。

```
▶java AccountTester.java ↵
```

クラス *AccountTester* の宣言と、クラス *Account* の宣言の順序を逆にすれば、上記のコマンドで直接実行できるようになります。みなさん自身で確認してみましょう。

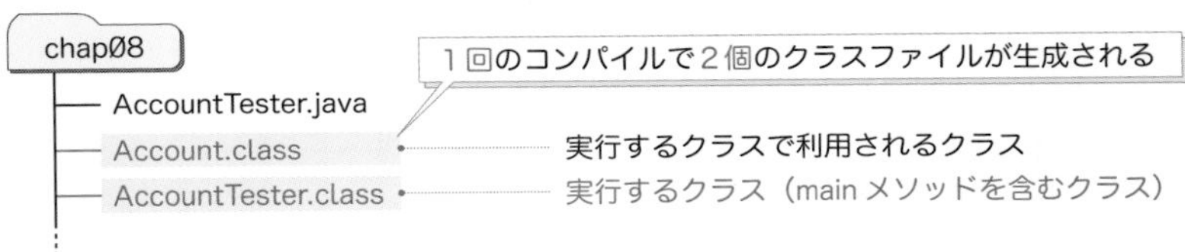


**Fig.8-2　複数のクラスを含むプログラムのソースファイルとクラスファイル**

## クラス宣言

プログラムを理解していきましょう。最初に着目するのは、❶です。

先頭の "**class *Account* {**" が宣言の開始であって、その宣言は "**}**" まで続きます。このような宣言を、**クラス宣言**（class declaration）と呼ぶことは、第１章で学習しました（p.12）。

**{ }** の中に置かれているのは、クラスを構成するデータ用の変数である**フィールド**（field）の宣言です。ここでは、３個のフィールドが宣言されています。

**Fig.8-3** に示すように、クラス *Account* が "**口座名義と口座番号と預金残高をセットにした型**" であることを宣言しているわけです。

▶ クラス宣言の **{ }** が、ブロックの指定ではないことも、学習ずみです（p.13）。また、**フィールド**という用語については、前章で学習しました（p.206）。

銀行口座クラス Account は３個のフィールドがセットになったもの

**Fig.8-3　クラスとフィールド**

## クラスとオブジェクト

クラス宣言が、**型**の宣言にすぎないことが分かりました。次に示すのが、クラス **Account** 型の**変数**の宣言です。

```
Account adachi;        // 足立君の口座（クラス型変数）
Account nakata;        // 仲田君の口座（クラス型変数）
```

ただし、この宣言で作られる **adachi** と **nakata** は、銀行口座クラスの本体ではなく、それを**参照する**クラス型変数（class type variable）です。

▶ ちょうど、配列本体を参照する**配列変数**の宣言と同じです。

クラスを、タコ焼きを焼くための「カタ」と考えましょう。本物のタコ焼きである本体＝実体は、カタをもとにして、プログラムの実行時に動的に生成する必要があります。

実体の動的な生成を行うのが、**new** 演算子を使った **new** 式です。

---

new **クラス名** ()

---

銀行口座クラス **Account** の本体の生成を行う式は、"**new Account()**" です。クラス型変数 **adachi** と **nakata** の宣言と、それぞれの本体の生成の様子は、**Fig.8-4** のようになります。

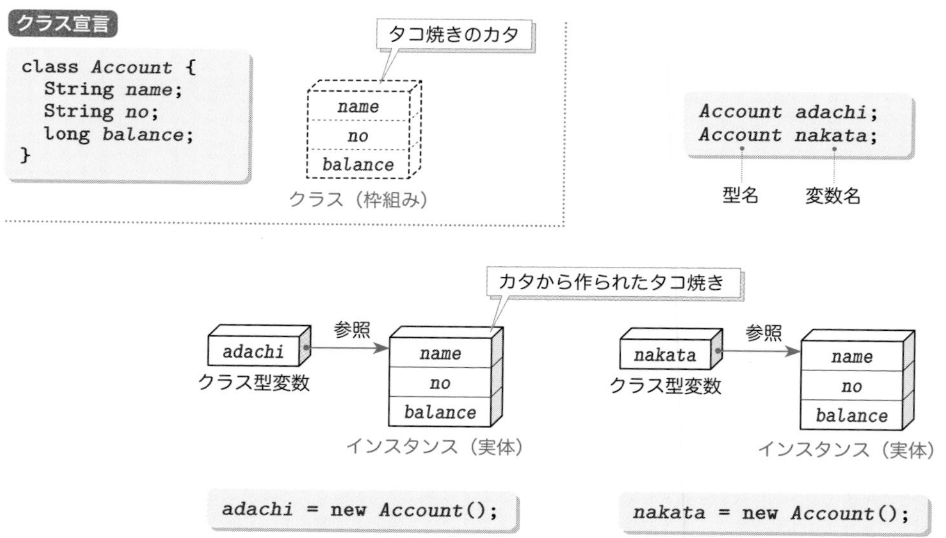


**Fig.8-4　クラスとインスタンス**

**new** 演算子を使って生成されたクラス型の**実体**は**インスタンス**（instance）と呼ばれ、インスタンスを生成することは**インスタンス化**（instantiation）と呼ばれます。

いずれも、必ず覚えるべき**基本用語**です。

**重要** クラス型の実体のことをインスタンスといい、インスタンスを生成することをインスタンス化という。

別々の存在である、クラス型変数とインスタンスは、関連付けを行う必要があります。それを行うのが、次の代入です。

```
adachi = new Account();
nakata = new Account();
```

これで、**adachi** と **nakata** は、生成されたインスタンスを参照することになります。

▶ **new** 式を評価すると、生成された**インスタンスへの参照**が得られます。その参照が、変数 **adachi** と **nakata** に代入されます。

＊

数多くの点で、**配列**と似ていることに気付いたでしょう。

配列型と同様に、クラス型は参照型の一種です（p.128 ／ p.178）から、本体（実体）を生成して、その本体を変数と関連付ける手順も、**配列とほぼ同じです。**

なお、**Fig.8-5** ⓐに示すように、クラス型変数の宣言の際に、本体を生成する **new** 式を初期化子として与えると、プログラムは簡潔になります。これも、図ⓑの配列と同じです。本プログラムの❷の箇所も、そのようになっています。

ⓐ クラス

型　クラス型変数　=　生成式;

```
Account adachi = new Account();    // Account型のadachi
Account nakata = new Account();    // Account型のnakata
```

ⓑ 配列

型　配列変数　=　生成式;

```
int[]    a    = new int[10];     // int[]型の配列a
```

**Fig.8-5　配列とクラスにおける本体の生成と変数の関連付け**

配列の本体を**オブジェクト**（object）と呼ぶことを第 6 章で学習しました。クラスのインスタンスと配列の本体のいずれも、**new** 式によって、プログラム実行時に動的に記憶域を確保して生成します。オブジェクトとは、**プログラム実行時に動的に生成される実体の総称**です。

**重要** オブジェクトは、《**クラスのインスタンス**》と《**配列の本体**》のことである。

▶ たくさんの専門用語を学習しました。英語の class、instance、object の意味は、次のとおりです。
class　…『組』『部類』『項目』
instance …『実例』『事実』
object　…『物体』『対象』『目的』

### インスタンス変数とフィールドアクセス

クラス *Account* 型のインスタンスは、口座名義と口座番号と預金残高が " セット " になった実体です。そこに含まれるフィールドのアクセスに使うのが、**Table 8-1** に概要を示している、**メンバアクセス演算子**（member access operator）です。

なお、**ドット演算子**という通称のほうがよく使われますので、こちらも覚えておきます。

**Table 8-1　メンバアクセス演算子（ドット演算子）**

| | |
|---|---|
| *x.y* | *x* が参照するインスタンス内のメンバ（要素）*y* をアクセスする。 |

▶　フィールドを特定することからフィールドアクセス演算子とも呼ばれます。ただし、この演算子は、メソッドの特定でも利用されます（p.247）。なお、ドット（dot）は『点』という意味です。

次に示すのが、足立君の口座の各フィールドをアクセスする式です。

```
adachi.name        // 足立君の口座名義
adachi.no          //    〃   の口座番号
adachi.balance     //    〃   の預金残高
```

もちろん、仲田君の口座のフィールドも同様です（**Fig.8-6**）。

▶　メンバアクセス演算子は、日本語の " の " と考えればよいでしょう。たとえば、**adachi.name** は " 足立君の口座名義 " で、**nakata.balance** は " 仲田君の預金残高 " です。

＊

さて、インスタンス内のフィールドは、個々のインスタンスごとに作られることから、**インスタンス変数**（instance variable）と呼ばれます。

すなわち、**adachi.name** も、**nakata.balance** も、インスタンス変数です。

**重要** インスタンス内のフィールドであるインスタンス変数は、メンバアクセス演算子 . を使った式 " **クラス型変数名 . フィールド名** " でアクセスする。

▶　field には、『範囲』『分野』『野原』『戦場』などの意味があります。

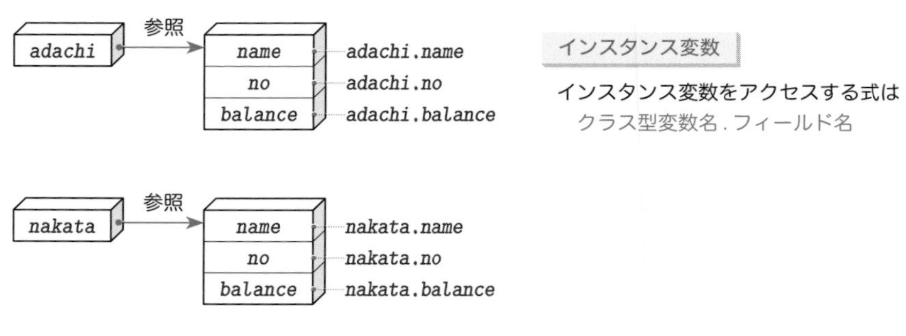


**Fig.8-6　フィールド（インスタンス変数）のアクセス**

### フィールドの初期化

ここで、実験をします。プログラムから、各インスタンス変数に値を代入する❸の部分を削除しましょう。出力される実行結果から、次のことが分かります。

- `String` 型のインスタンス変数は空参照 `null` で初期化され、`long` 型のインスタンス変数は `0` で初期化される。
- インスタンス変数に値を代入することなく、値を取り出すことができる（エラーにならない）。

プログラムの❸を削ると…

実行結果

```
■足立君の口座
  口座名義：null
  口座番号：null
  預金残高：0
■仲田君の口座
  口座名義：null
  口座番号：null
  預金残高：0
```

このようになるのは、**クラス内の個々のインスタンス変数が、既定値で初期化されるからです。**

これは、配列内の個々の構成要素が、**既定値**で初期化される（p.164）のとまったく同じです。

**重要** クラスインスタンス内のフィールドであるインスタンス変数は、配列の構成要素と同様に、既定値で初期化される。

▶ クラス型である `String` 型は、一種の**参照型**です。参照型の既定値は、空参照 `null` です（p.164）から、口座名義と口座番号を出力すると「`null`」と表示されます（p.179）。

### 問題点

クラスの導入によって、口座のデータを表す変数間の関係がプログラム中に明確に埋め込まれました（バラバラな3個の変数がセットになりました）。しかし、まだ問題が残っています。

#### ① 確実な初期化に対する無保証

口座インスタンスの各フィールドは、明示的に**初期化されていません**。インスタンスを作った後で値を**代入**しているだけです。

値を設定するかどうかがプログラマに委（ゆだ）ねられている状態となっていますので、初期化を忘れた場合は、思いもよらぬ結果が生じる危険性があります。実際、先ほど実験した例では、口座名義と口座番号が `null` になりました。

初期化すべきフィールドは、初期化を強制するとよさそうです。

#### ② データの保護に対する無保証

足立君の預金残高である `adachi.balance` の値は、プログラム（*Account* 以外のクラス）で自由に読み書きできます。このことを現実の世界に置きかえると、足立君でなくても（通帳や印鑑がなくても）、足立君の口座から、勝手にお金をおろせることになります。

一般に、口座番号を公開することはあっても、預金残高を操作できるような状態で、口座の情報を公開することは、現実の世界ではあり得ません。

クラスを改良して、上記の問題点を解決しましょう。

### 銀行口座クラス 第2版

改良したプログラムが、右ページの **List 8-3** です。クラス ***Account*** が複雑になった一方で、それを利用するクラス ***AccountTester*** が極めて簡潔になっています。

▶　本書では、クラスを改良していくたびに、【第?版】と付けます。

＊

本ソースプログラムの格納先ディレクトリは、**chap08** ではなく **account2** とします（**Fig.8-7**）。第1版と第2版を同一ディレクトリに格納すると、問題が発生するからです。

なお、次章以降も同様にします。"***Abc***" という名前のクラスの【第?版】のソースファイルの格納先ディレクトリは、abc? とします。

▶　クラス名の先頭文字は大文字ですが、ディレクトリの先頭文字は小文字です（その理由は、第11章で学習します）。
　なお、テスト的な小規模のプログラムは、これまでどおり chap?? ディレクトリに格納します。

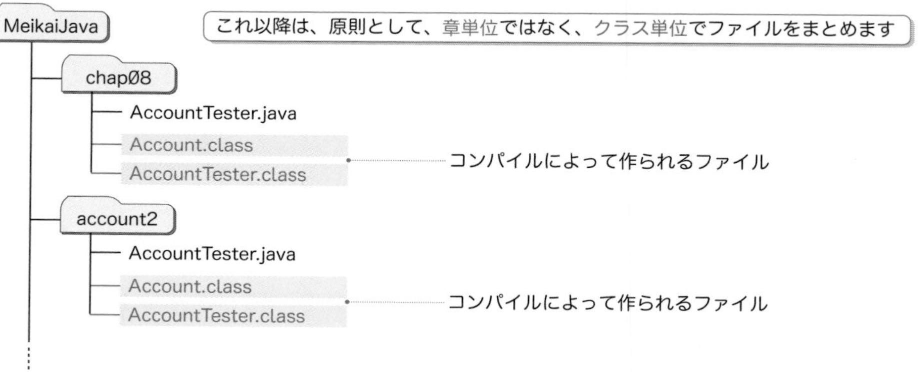


**Fig.8-7　クラスとディレクトリの構成**

▶　同一名のクラスを含むソースファイルを、同一ディレクトリ中に入れると問題が発生する理由を考えましょう。

　第2版のテストクラス名を ***AccountTester2*** として、ファイル名を **AccountTester2.java** とした上で、**Fig.8-8** に示すように、第1版と同じフォルダに入れたらどうなるか、という具体例で検討します。

　**AccountTester.java** と **AccountTester2.java** の両方のソースプログラムに、***Account*** という名前の銀行口座クラスが含まれています。

　そのため、第1版 **"AccountTester.java"** のコンパイルで **Account.class** が作られますし、第2版 **"AccountTester2.java"** のコンパイルでも **Account.class** が作られます。

　中身が異なるものが、同一のクラスファイルとなってしまいます。これは、マズいです。

異なるソースプログラムから
同一名のクラスが作られる

chap08
AccountTester.java
AccountTester.class
Account.class
AccountTester2.java
AccountTester2.class

**Fig.8-8　誤った構成**

List 8-3　account2/AccountTester.java

```
// 銀行口座クラス【第２版】とテスト用クラス

// 銀行口座クラス【第２版】
class Account {
  private String name;      // 口座名義
  private String no;        // 口座番号
  private long balance;     // 預金残高

  //--- コンストラクタ ---//
  Account(String n, String num, long z) {
    name = n;         // 口座名義
    no = num;         // 口座番号
    balance = z;      // 預金残高
  }

  //--- 口座名義を調べる ---//
  String getName() {
    return name;
  }

  //--- 口座番号を調べる ---//
  String getNo() {
    return no;
  }

  //--- 預金残高を調べる ---//
  long getBalance() {
    return balance;
  }

  //--- k円預ける ---//
  void deposit(long k) {
    balance += k;
  }

  //--- k円おろす ---//
  void withdraw(long k) {
    balance -= k;
  }
}

// 銀行口座クラス【第２版】をテストするクラス
class AccountTester {

  public static void main(String[] args) {
    // 足立君の口座
    Account adachi = new Account("足立幸一", "123456", 1000);
    // 仲田君の口座
    Account nakata = new Account("仲田真二", "654321",  200);

    adachi.withdraw(200);          // 足立君が200円おろす
    nakata.deposit(100);           // 仲田君が100円預ける

    System.out.println("■足立君の口座");
    System.out.println("  口座名義：" + adachi.getName());
    System.out.println("  口座番号：" + adachi.getNo());
    System.out.println("  預金残高：" + adachi.getBalance());

    System.out.println("■仲田君の口座");
    System.out.println("  口座名義：" + nakata.getName());
    System.out.println("  口座番号：" + nakata.getNo());
    System.out.println("  預金残高：" + nakata.getBalance());
  }
}
```

実行結果

```
■足立君の口座
  口座名義：足立幸一
  口座番号：123456
  預金残高：800
■仲田君の口座
  口座名義：仲田真二
  口座番号：654321
  預金残高：300
```

## メンバのアクセス性とデータ隠蔽

第2版のクラス **Account** の構造を示したのが、**Fig.8-9** です。クラス宣言の内部は、大きく三つの部分で構成されています。

▶ このクラス宣言では、"**フィールド ⇨ コンストラクタ ⇨ メソッド**" の順に宣言しています。これら三つの部分は、それぞれがまとまっている必要もありませんし、順序も任意です。

```
class Account {

    private String name;     // 口座名義
    private String no;       // 口座番号
    private long balance;    // 預金残高

    Account(String n, String num, long z) {
        name = n;            // 口座名義
        no = num;            // 口座番号
        balance = z;         // 預金残高
    }

    String getName()          { /* … */ }

    String getNo()            { /* … */ }

    long getBalance()         { /* … */ }

    void deposit(long k)      { /* … */ }

    void withdraw(long k)     { /* … */ }
}
```

a フィールド
クラスを構成するデータ。
インスタンスの状態を表す変数。

b コンストラクタ
クラスのインスタンスが生成される際に呼び出される。

c メソッド
クラスのインスタンスの振舞いを部品としてまとめたもの。

**Fig.8-9 クラス Account の構造**



### a フィールド

3個のフィールド **name**, **no**, **balance** が宣言されている点は、第1版と同じです。ただし、すべての宣言に、キーワード private が付いている点が異なります。

このように **private** 付きで宣言されたフィールドは、非公開アクセス（private access）と呼ばれるアクセス性が与えられ、**クラスの外部に対して存在が隠されます。**

**重要** **private** 宣言されたフィールドは、クラスの外部に対して非公開となり、外部からアクセスできない非公開アクセスのアクセス性が与えられる。

具体的には、クラス **Account** にとって外部である、クラス **AccountTester** の **main** メソッドでは、非公開のフィールド **name**, **no**, **balance** をアクセスできない、ということです。

そのため、クラス AccountTester の main メソッドの中に、次のようなコードを置くと、コンパイル時エラーとなります。

```
adachi.name = "柴田望洋";                 // エラー：足立君の口座名義を書きかえる
adachi.no = "999999";                    // エラー：足立君の口座番号を書きかえる
System.out.println(adachi.balance);     // エラー：足立君の預金残高を表示
```

『お願いですから、このデータを特別に見せてください。』と、クラスの外部から頼むことができないのは、**情報を公開するかどうかを決定するのがクラス側だからです。**

みなさんは、各種のパスワードや暗証番号などを秘密にしているでしょう。それと同じです。データを外部に隠し、不正なアクセスから守るのが、**データ隠蔽**（data hiding）です。

フィールドを非公開にしてデータ隠蔽を行えば、**データの保護性・隠蔽性だけでなく、プログラムの保守性の向上も期待できます。**

**すべてのフィールドは、非公開とするのが原則です。**

**重要** データ隠蔽を実現して、プログラムの品質を向上させるために、クラス内のすべてのフィールドには、原則として非公開（private）のアクセス性を与える。

▶ この後で学習するように、フィールドの値は、コンストラクタとメソッドを通じて間接的に読み書きできます。

なお、**private** なしで宣言されたフィールドのアクセス性は、**デフォルトアクセス**（default access）となります。デフォルトアクセスは、《公開》のことです。

▶ もう少し厳密に説明すると、パッケージ内で《公開》され、パッケージ外部に対して《非公開》となります。このことから、デフォルトアクセスは、**パッケージアクセス**（package access）とも呼ばれます。詳細は、第 11 章で学習します。



### b コンストラクタ

このb部で宣言されているのは、**コンストラクタ**（constructor）です。見た目はメソッドと似ていますが、次の点で異なります。

- 名前がクラス名と同じである。
- 宣言に返却型がない。

➡ 詳細は、次ページで学習します。

### c メソッド

このc部では、5個のメソッドが宣言されています。ただし、前章で学習したメソッドとは異なり、宣言に **static** が付いていません。

➡ コンストラクタを学習した後に、p.246 で学習します。

＊

なお、フィールドやメソッドのことを**メンバ**（member）と総称します。

▶ member は、『会員』『構成員』『一部』といった意味です。後の章で学習しますが、文法の定義上、コンストラクタはメンバには含まれません。

## コンストラクタ

メソッドと似た形をした**コンストラクタ**（constructor）の役割は、**クラスのインスタンスを確実かつ適切に初期化すること**です。

▶ constructは、『構築する』という意味です。そのため、コンストラクタは構築子（こうちくし）とも呼ばれます。

そのコンストラクタが呼び出されるのは、インスタンスの生成時です。具体的には、プログラムの流れが、次の宣言文を通過して網かけ部の **new** 式が評価されるときに、呼び出されて実行されます。

```
1 Account adachi = new Account("足立幸一", "123456", 1000);
2 Account nakata = new Account("仲田真二", "654321",  200);
```



これらの呼出しと、その実行の様子を示したのが、**Fig.8-10** です。

呼び出されたコンストラクタは、仮引数 **n** と **num** と **z** に受け取った値を、フィールド **name** と **no** と **balance** に代入します。

代入先が、**adachi.name** や **nakata.name** ではなく、フィールド名だけの"単なる **name**"であることに注意しましょう。

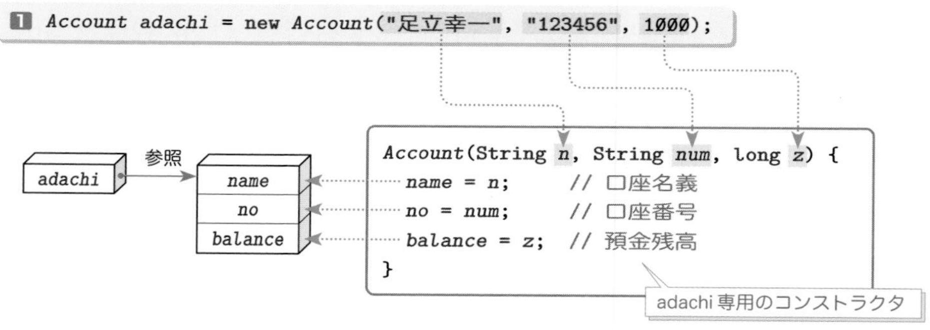


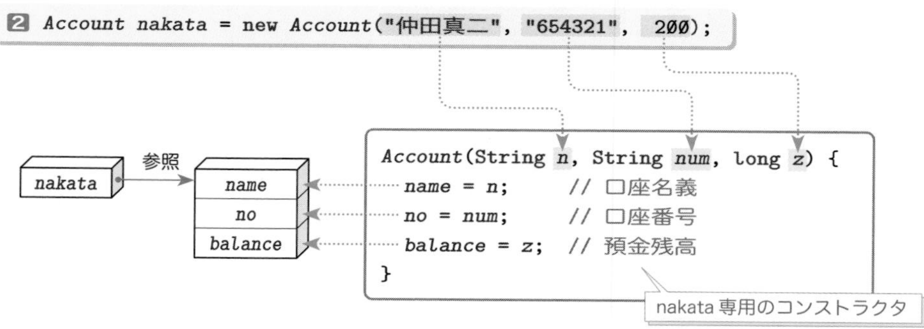


**Fig.8-10　クラスのインスタンスとコンストラクタ**

フィールド名だけでよいのは、個々のインスタンスに、専用のコンストラクタが存在するからです。すなわち、コンストラクタは、**自身のインスタンスが何者かを知っています。**

▶ 『個々のインスタンスに専用のコンストラクタが存在する』のは、概念上のことです。コンパイルの結果として、コンストラクタ用のコードが複数個生成されるわけではありません。

＊

さて、1と2の宣言を、次のように書きかえてみましょう。コンパイル時エラーとなって、プログラムが実行できなくなります。

```
Account adachi = new Account();              // エラー：引数がない
Account nakata = new Account("仲田真二");    // エラー：引数が不足
```

コンストラクタの存在が、**不正な初期化を抑止します。**

**重要** クラスを宣言するときは、必ずコンストラクタを用意して、インスタンスを確実かつ適切に初期化する手段を提供する。

＊

なお、コンストラクタは、メソッドとは異なり、**値を返却できません。**誤って返却型を指定しないようにしましょう（**Column 8-1**：p.249）。

### デフォルトコンストラクタ

さて、第1版のクラス *Account* では、コンストラクタを定義していませんでした。コンストラクタが存在しないはずなのに、どうしてインスタンスを生成できたのでしょうか。

実は、コンストラクタを定義しないクラスには、引数を受け取らず、その本体が空であるデフォルトコンストラクタ（default constructor）が、コンパイラによって暗黙裏に作られることになっています。

**重要** クラスにコンストラクタを定義しなければ、本体が空のデフォルトコンストラクタがコンパイラによって暗黙裏に定義される。

すなわち、第1版のクラス *Account* では、次のデフォルトコンストラクタが、コンパイラによって暗黙裏に作られていたのです。

```
Account() { }
```

第1版では、このデフォルトコンストラクタが勝手に作られていた！

第1版のクラス *AccountTester* では、次のように ( ) の中を空にしてインスタンスを生成していました。呼び出すのが引数を受け取らないデフォルトコンストラクタであるため、実引数を与える必要がない（与えてはならない）からでした。

```
Account adachi = new Account(); // 引数を受け取らないコンストラクタを呼び出す
```

▶ default は、『既定の』という意味です。デフォルトコンストラクタと呼ばれるのは、プログラマが宣言しなかった際に、自動的に“既定の形式”として宣言されるからです。
　なお、デフォルトコンストラクタの内部は、本当は空ではありません。第12章で学習します。

## メソッド

フィールドとコンストラクタを学習しました。最後に残ったのが、メソッドです。まずは、クラス **Account** のメソッドの概要を理解しましょう。

■ getName

口座名義を調べるメソッドです。フィールド **name** の値を **String** 型で返します。

■ getNo

口座番号を調べるメソッドです。フィールド **no** の値を **String** 型で返します。

■ getBalance

預金残高を調べるメソッドです。フィールド **balance** の値を **long** 型で返します。

■ deposit

お金を預けるメソッドです。預金残高が **k** 円だけ増えます。

■ withdraw

お金をおろすメソッドです。預金残高が **k** 円だけ減ります。

```
// 口座名義を調べる
String getName() {
  return name;
}

// 口座番号を調べる
String getNo() {
  return no;
}

// 預金残高を調べる
long getBalance() {
  return balance;
}

// k円預ける
void deposit(long k) {
  balance += k;
}

// k円おろす
void withdraw(long k) {
  balance -= k;
}
```



前章のメソッドとは異なり、メソッドの宣言には **static** が付いていません。

**static** を付けずに宣言するのは、メソッドを、個々のインスタンスにもたせるためです。そのため、**adachi** も **nakata** も、自分専用のメソッド **getName**, **getNo**, **getBalance**, … をもつことになります。

▶ 個々のインスタンスごとにメソッドが作られるというのは、あくまでも概念上のことです。コンストラクタと同様に、コンパイルの結果、メソッド用のコードが複数個生成されるわけではありません。

**static** を付けずに宣言されたメソッドは、個々のインスタンスに所属することから、**インスタンスメソッド**（instance method）と呼ばれます。

**重要** **static** を付けずに宣言された**インスタンスメソッド**は、概念的には、個々のインスタンスごとに作られて、そのインスタンスに**所属**する。

インスタンスメソッドの中では、**adachi.name** や **nakata.name** ではなく、フィールド名だけの“単なる **name**”で、自身が所属するインスタンスの口座名義フィールドをアクセスします。この点は、コンストラクタと同じです。

また、メソッドはクラス **Account** にとって内部＝内輪（うちわ）の存在ですので、非公開フィールドにもアクセスできます。この点も、コンストラクタと同じです。

さて、インスタンスメソッドの呼出しでは、フィールドのアクセスと同様に、**メンバアクセス演算子**すなわち**ドット演算子** . を使います。次に示すのが、具体例です。

```
adachi.getBalance()      // 足立君の預金残高を調べる
adachi.withdraw(200)     // 足立君の口座から200円おろす
nakata.deposit(100)      // 仲田君の口座に100円預ける
```

メソッド呼出し式 **adachi.getBalance()** によって、足立君の預金残高を調べて表示する様子を示したのが、**Fig.8-11** です。

呼び出されたメソッド **getBalance** は、フィールド **balance** の値をそのまま返却します。返却された値は、メソッド呼出し式 **adachi.getBalance()** の評価によって得られますので、その値が **println** メソッドで表示されます。

クラスの外部から直接アクセスできない**非公開**の預金残高の値を、**メソッドを通じて間接的にアクセスできることが分かりました。**

▶ 前章で学習した **static** 付きで宣言されたメソッドは、インスタンスメソッドと区別して、クラスメソッド（class method）と呼ばれます（詳細は第 10 章で学習します）。



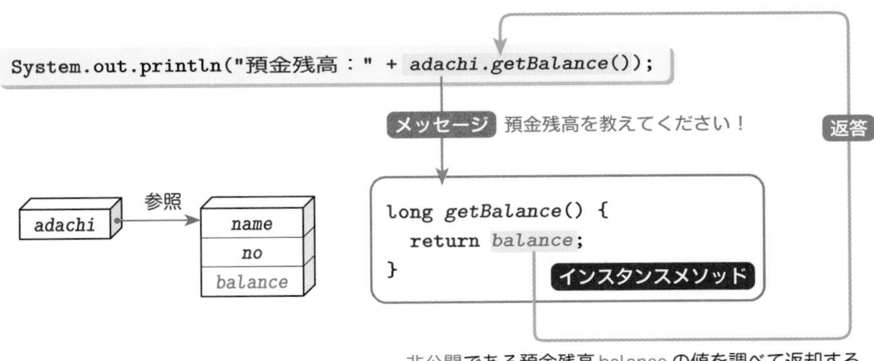


**Fig.8-11　インスタンスメソッドの呼出しとメッセージ**

## メソッドとメッセージ

**オブジェクト指向プログラミング**（object oriented programming）の世界では、インスタンスメソッドを呼び出すことを、次のように表現します。

オブジェクトに " メッセージを送る "

メソッド呼出し式 **adachi.getBalance()** を評価すると、オブジェクト（インスタンス）**adachi** に対して『預金残高を教えてください！』というメッセージが送られます。

メッセージを受け取った **adachi** は、『預金残高を返却してあげればいいのだな。』と**能動的に意思決定を行って**、『預金残高は、〇〇円ですよ。』と返答します。

## カプセル化

メソッドは、多くの場合、フィールドの値をもとに処理を行って、必要に応じてフィールドの値を更新します。フィールドを非公開として外部から保護した上で、メソッドとフィールドとをうまく連係させせることを**カプセル化**（encapsulation）といいます。

それでは、**Fig.8-12** を見ながら、これまでの学習内容を整理しましょう。

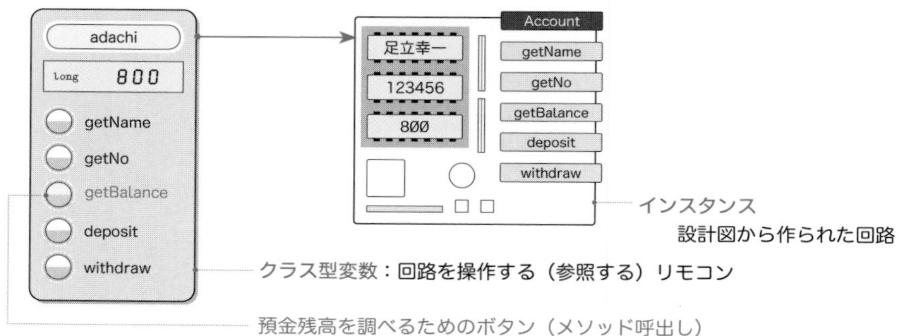


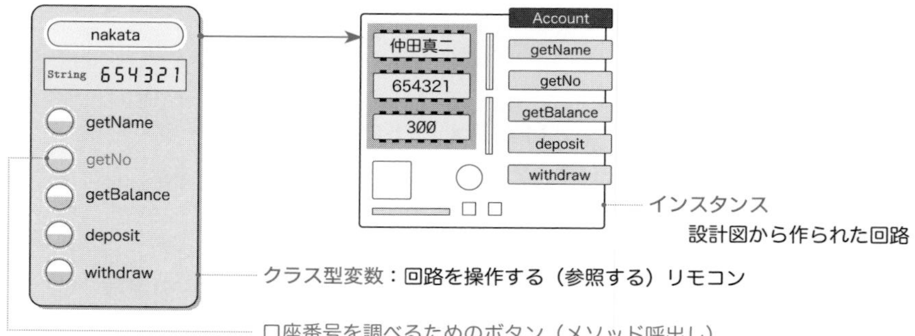


**Fig.8-12　クラスとインスタンスとクラス型変数**

## クラスとインスタンスとクラス型変数

**クラス**は「回路」の設計図に相当します（図a）。その設計図に基づいて作られた実体としての回路が、クラスのオブジェクトである**インスタンス**です（図b）。

そして、インスタンスを参照する**クラス型変数**は、回路を操るための**リモコン**です。

▶ adachi リモコン（クラス型変数）は adachi の回路（インスタンス）を操作し、nakata リモコンは nakata の回路を操作します。

### コンストラクタ

**コンストラクタ**は、電源ボタンで呼び出されるチップ（小型の回路）と考えればよいでしょう。インスタンスの回路を起動するとともに、受け取った口座名義・口座番号・預金残高を各フィールドにセットします。

### フィールド

**フィールド**（インスタンス変数）の値は、その**回路（インスタンス）の現在の**状態を表します。そのため、フィールドの値は、ステート（state）とも呼ばれます。

▶ state は、『状態』『ありさま』『様子』という意味です。

### メソッド

**メソッド**は、回路の振舞い(ふるまい)（behavior）を表します。各メソッドは、回路の現在のステート（状態）を調べたり、変更したりするためのチップです。

そして、各チップ（メソッド）を間接的に操るのが、リモコン上のボタンです。

▶ リモコン（クラス型変数）がもっているのは、メソッドを呼び出すためのボタンであって、メソッドそのものではありません。
　リモコンを操る側では、private な預金残高の値（状態）を直接見ることはできません。その代わり、getBalance ボタンを押すことで調べられるようになっている、という仕組みです。

前章までのプログラムは、実質的には**メソッドの集合**であり、クラスは、メソッドを包むだけの存在でした。本来の Java プログラムは、**クラスの集合**です。クラスを優れたものとすれば、Java がもつ強大なパワーを発揮できます。

▶ 文法上は、Java のプログラムは、クラスの集合ではなく、パッケージの集合ということになっています。パッケージについては第 11 章で学習します。

#### Column 8-1　コンストラクタとメソッド

文法上、クラス名と同一名のメソッドを定義することができます。そのため、右に示すように、返却型が指定されていなければコンストラクタとみなされ、返却型が指定されていればメソッドとみなされます。

```
class Abc {
     Abc() { /*コンストラクタ*/ }
 int Abc() { /*メソッド*/ }
}
```

ただし、コンストラクタと見分けが付きづらくなるため、このようなメソッドを定義することは推奨されません。

なお、コンストラクタはメソッドではありませんので、生成ずみのインスタンスに対してメソッドと同様な方法でコンストラクタを呼び出すことは**できません**。

```
adachi.Account("足立幸一", "123456", 5000)    // エラー
```

# 8-2 自動車クラス

前節の銀行口座クラスは、フィールドが３個の単純な構造でした。本節では、フィールドが７個の自動車クラスを作成しながら、クラスに対する理解を深めていきます。

## クラスの独立

銀行口座クラスと、それを使う（テストする）クラスは、単一のソースファイルに収められていました。しかし、よほど小規模なものでない限り、クラス宣言を行うプログラムと、そのクラスを使うプログラムを単一のソースファイルに収める、ということは稀（まれ）です。



クラスを作りやすく、かつ、使いやすくするには、**個々のクラスを独立したソースファイルとして実現すべきです。**

そのあたりのことを含め、いろいろなことを、クラスを作りながら学習していきましょう。作成するのは、７個のフィールドをもつ自動車クラス *Car* です（**Fig.8-13**）。

```
class Car {
  private String name;   // 名前
  private int width;     // 幅
  private int height;    // 高さ
  private int length;    // 長さ
  private double x;      // 現在位置X座標
  private double y;      // 現在位置Y座標
  private double fuel;   // 残り燃料
}
```

X座標とY座標が表すのは、図**b**の平面上の位置です。なお、車の移動に伴って燃料は減り、燃料が残っているあいだのみ移動できるものとします。

各フィールドの値は、車のステート（状態）を表します。すべてのフィールドは外部からアクセスできないように、`private` 付きで宣言して“**非公開**”とします。

その結果、たとえば燃料が盗まれて０になる、といったことが避けられます。

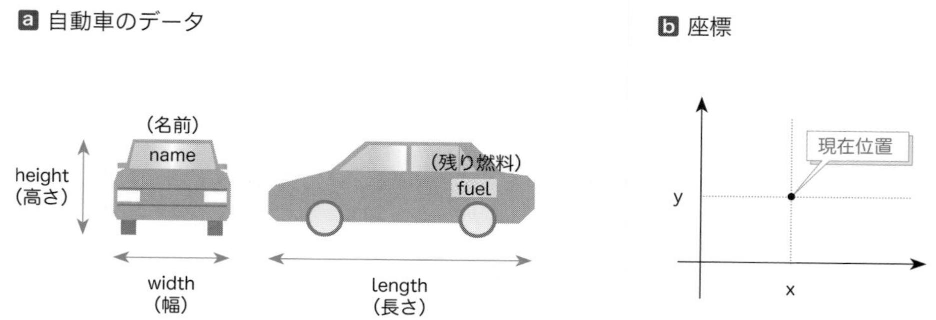


**Fig.8-13　自動車クラスCarのデータ**

コンストラクタとメソッドの仕様は、次のようにします。

▪ コンストラクタ

現在位置の座標を、原点（**0**, **0**）にセットする。

座標以外の５個のフィールドに対しては仮引数に受け取った値を、そのまま設定する。

▪ メソッド

- **getX** … 現在位置のX座標を調べる。
- **getY** … 現在位置のY座標を調べる。
- **getFuel** … 残り燃料を調べる。
- **putSpec** … 車のスペックを表示する。
- **move** … 自動車を移動する。

### this参照

まずはコンストラクタを作りましょう。座標を原点（**0**, **0**）にセットし、座標以外のフィールドには、仮引数に受け取った値を設定します。

```
Car(String n, int w, int h, int l, double f) {
  name = n;      width = w;    height = h;
  length = l;    fuel = f;
  x = y = 0.0;
}
```



仮引数の名前**n**, **w**, **h**, **l**, **f**は、対応するフィールドの頭文字です。もっとも、このような名前からは、引数が何のデータなのかが分かりません。特に、４番目の**l**（エル）にいたっては、数字の**1**（いち）と読み間違えられる可能性すらあります。

仮引数の名前をフィールドと同じにすると、分かりやすくなるはずです。そのように変更してみましょう。

✕
```
Car(String name, int width, int height, int length, double fuel) {
  name = name;        width = width;    height = height;
  length = length;    fuel = fuel;
  x = y = 0.0;
}
```



ところが、これはNGです。次の規則があるからです。

**重要** クラスのフィールドと同名の、仮引数あるいは局所変数をもっている、コンストラクタとメソッドの本体では、フィールドの名前が隠される。

すなわち、コンストラクタ本体での**height**は、自動車クラスのフィールド**height**ではなく、仮引数**height**です。そのため、『**仮引数に対して、自身の値を代入する**』という、まったく無意味なことが行われてしまいます。

さて、このようなケースで効果を発揮するのが**this**です。これは、自分自身のインスタンスへの参照です。

**重要** コンストラクタとメソッドは、自身を呼び出したインスタンスへの参照を**this**としてもっている。

**Fig.8-14** に示すのが、**this** のイメージです。**this** は、**自身のインスタンスを参照する変数**であって、その型は自身のクラス型です（この場合は、クラス *Car* 型です）。

**this** 参照を使えば、インスタンス変数 *abc* をアクセスする式は、**this.*abc*** となります。そのため、正しいコンストラクタは、次のようになります。

```
Car(String name, int width, int height, int length, double fuel) {
  this.name = name;     this.width = width;   this.height = height;
  this.length = length; this.fuel = fuel;
  x = y = 0.0;
}
```

仮引数
フィールド

クラスのフィールドは **this.*height*** で表し、仮引数は単なる ***height*** で表します。同一名の変数を、**this.** の有無で使い分けるのです。



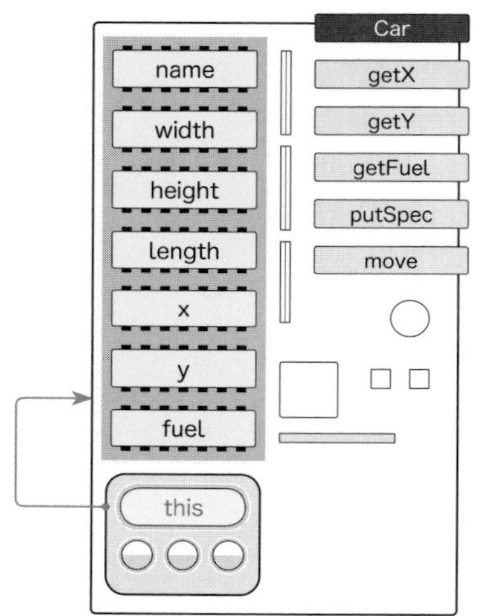


this は、特別な内部リモコンなので、
非公開部にも自由にアクセスできる。

インスタンスは自身を参照する this 参照をもつ

この図では this リモコンのボタンをすべて書かずに、
３個だけにしています（スペース上の都合です）。
次章以降の図でも、リモコンのボタンの数は少なく表記します。

**Fig.8-14　this 参照**

仮引数の名前を、フィールドと同じにするテクニックには、次のメリットがあります。

- 仮引数の名前を何にするのか悩まなくてよい。
- どのフィールドに値を設定するための引数であるのか分かりやすい。

ただし、フィールドを表す式の **this.** を書き忘れると、フィールドではなく、仮引数を表すことになってしまいます。**this.** **を書き忘れないように細心の注意が必要です。**

▶　他にも注意すべき点があります。**Column 8-2**（p.255）で学習します。

フィールドとコンストラクタの設計が終わりました。メソッドを追加して完成させたのが、右ページの **List 8-4** の自動車クラス *Car* です。

▶　１行でも多く見渡せるように、プログラムをかなり詰めて表記しています。みなさんがプログラムを書く際は、適度な空白を入れたり、丁寧なコメントを記入したりしましょう。

List 8-4 car1/Car.java

```
// 自動車クラス【第1版】                    このプログラム単独では実行できない

class Car {
  private String name;    // 名前
  private int width;      // 幅
  private int height;     // 高さ
  private int length;     // 長さ
  private double x;       // 現在位置X座標
  private double y;       // 現在位置Y座標
  private double fuel;    // 残り燃料

  //--- コンストラクタ ---//
  Car(String name, int width, int height, int length, double fuel) {
    this.name = name;     this.width = width;   this.height = height;
    this.length = length; this.fuel = fuel;
    x = y = 0.0;
  }

  double getX() { return x; }          // 現在位置X座標を取得
  double getY() { return y; }          // 現在位置Y座標を取得
  double getFuel() { return fuel; } // 残り燃料を取得

  //--- スペック表示 ---//
  void putSpec() {
    System.out.println("名前：" + name);
    System.out.println("車幅：" + width  + "mm");
    System.out.println("車高：" + height + "mm");
    System.out.println("車長：" + length + "mm");
  }

  //--- X方向にdx・Y方向にdy移動 ---//
  boolean move(double dx, double dy) {
    double dist = Math.sqrt(dx * dx + dy * dy);   // 移動距離
    if (dist > fuel)
      return false;         // 移動できない … 燃料不足
    else {
      fuel -= dist;         // 移動距離の分だけ燃料が減る
      x += dx;
      y += dy;
      return true;          // 移動完了
    }
  }
}
```

各メソッドの概要は、次のとおりです。

### ■ メソッド getX と getY と getFuel

現在位置の座標と、残り燃料を調べるメソッドです。**getX** は X 座標の値 **x** を返し、**getY** は Y 座標の値 **y** を返します。また、**getFuel** は残り燃料 **fuel** の値を返します。

### ■ メソッド putSpec

車の名前と幅・高さ・長さを表示するメソッドです。

### ■ メソッド move

自動車を X 方向に **dx**、Y 方向に **dy** だけ移動させるメソッドです。移動距離 **dist** は次ページの **Fig.8-15** の計算で求めます。なお、距離 **1** を移動すると、燃料が **1** だけ減ります。

▶ 移動距離の計算に使っている Math クラスの sqrt メソッドは、引数の**平方根**を返却するメソッドです。
呼出しの形式が“**クラス名 . メソッド名** (...)”となる理由は、第 10 章で学習します。

なお、本メソッドは、残り燃料が不足していれば移動不能と判断して false を返し、そうでなければ現在位置と残り燃料を更新して true を返却します。

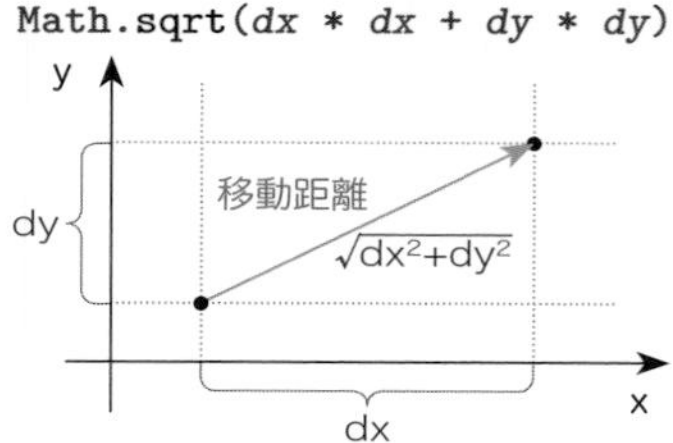


**Fig.8-15 自動車の移動距離**

＊

自動車クラス *Car* を利用するプログラムを作りましょう。まずは、**List 8-5** です。クラス *Car* 型のインスタンスを２個生成して、それぞれの車のスペックを表示します。

**List 8-5** car1/CarTester1.java

```
// 自動車クラス【第１版】の利用例（その１）

class CarTester1 {

  public static void main(String[] args) {
    Car vitz  = new Car("ビッツ", 1660, 1500, 3640, 40.0);
    Car march = new Car("マーチ", 1660, 1525, 3695, 41.0);

    vitz.putSpec();           // vitzのスペックを表示
    System.out.println();
    march.putSpec();          // marchのスペックを表示
  }
}
```

実行結果

```
名前：ビッツ
車幅：1660mm
車高：1500mm
車長：3640mm

名前：マーチ
車幅：1660mm
車高：1525mm
車長：3695mm
```

なお、このソースファイルは、*Car* と同じディレクトリに入れます。java コマンドで *CarTester1* を起動すると、同一ディレクトリ上のクラスファイル Car.class からクラス *Car* のバイトコードが自動的に読み込まれる仕組みとなっています。

**重要** ソースプログラム内で宣言されていないクラスがある場合、そのクラスは、プログラム実行時に、同一ディレクトリのクラスファイルから読み込まれる。

次に、自動車を対話的に移動するプログラムを作りましょう。それが **List 8-6** です。

1 車の名前や幅などのデータを読み込みます。

2 読み込んだ値をもとにクラス *Car* 型のインスタンス *myCar* を作ります。コンストラクタの働きによって、名前や幅などの値がセットされ、座標が (0, 0) にセットされます。

続く while 文では、現在位置の移動を対話的に繰り返します。現在地と残り燃料を表示して、移動する距離を読み込みます。

3 車をＸ方向に *dx*、Ｙ方向に *dy* だけ移動します。燃料不足の場合は false が返却されますので、『燃料が足りません！』と表示します。

＊

自動車クラス *Car* を独立したソースプログラムで実現し、二つの利用例のプログラムを作りました。もちろん、これら以外のプログラム（クラス）からも、クラス *Car* は利用できます。

**List 8-6** car1/CarTester2.java

```
// 自動車クラス【第１版】の利用例（その２：対話的に自動車を移動）

import java.util.Scanner;

class CarTester2 {

  public static void main(String[] args) {
    Scanner stdIn = new Scanner(System.in);

    System.out.println("車のデータを入力せよ。");
    System.out.print("名前は：");        String name = stdIn.next();
    System.out.print("車幅は：");        int width = stdIn.nextInt();
    System.out.print("高さは：");        int height = stdIn.nextInt();          ─1
    System.out.print("長さは：");        int length = stdIn.nextInt();
    System.out.print("ガソリン量は："); double fuel = stdIn.nextDouble();

    Car myCar = new Car(name, width, height, length, fuel);  ─2

    while (true) {
      System.out.println("現在地(" + myCar.getX() + ", " + myCar.getY() +
                         ")・残り燃料 " + myCar.getFuel());
      System.out.print("移動しますか[0…No／1…Yes]：");
      if (stdIn.nextInt() == 0) break;

      System.out.print("Ｘ方向の移動距離：");
      double dx = stdIn.nextDouble();
      System.out.print("Ｙ方向の移動距離：");
      double dy = stdIn.nextDouble();

      if (!myCar.move(dx, dy))
        System.out.println("燃料が足りません！");  ─3
    }
  }
}
```

**実行例**

```
車のデータを入力せよ。
名前は：僕の愛車
車幅は：1885
高さは：1490
長さは：5220
ガソリン量は：90
現在値(0.0, 0.0)・残り燃料 90.0
移動しますか[0…No／1…Yes]：1
Ｘ方向の移動距離：5.5
Ｙ方向の移動距離：12.3
現在地(5.5, 12.3)・残り燃料 76.52632195723825
移動しますか[0…No／1…Yes]：0
```

次に示す方針を採用すれば、使い勝手のよいクラスが実現できます。

**重要** 個々のクラスは、独立したソースプログラムで実現する。

▶ ただし、テスト的なプログラムや、小規模で使い捨てのプログラムは、この限りではありません。

## Column 8-2 thisを利用する際のもう一つの注意点

次のように宣言されたコンストラクタを考えましょう。第3引数にどのような値を渡しても、フィールド**height**の値が必ず**0**となります。その理由は分かりますか？

```
Car(String name, int width, int heigth, int length, double fuel) {
  this.name = name;   this.width = width;   this.height = height;
  // ...
}
```

仮引数名が、**height**ではなく**heigth**となっています。コンストラクタの本体では、**this.height**に対して、自身の値（既定値**0**で初期化ずみの**height**すなわち**this.height**の値）が代入されます。すなわち、仮引数の**heigth**は、宣言されているだけであって使われていないのです。

コンパイル時エラーにはならないため、エラー原因の発見は、意外と困難です。

8-2 自動車クラス

## 識別子の命名

変数・メソッド・クラスに対する命名法については、これまで詳しくは言及してきませんでした。

Javaでは、命名に関して、考慮すべき数多くの事項が推奨されています。その中の基本的なことを学習します。

※ここに示すのは、単なる**慣習**ではなく、**推奨**です。そのため、ここに示す方針にしたがうのを原則とすべきです。
　なお、ここでは、本書で学習しない内容に関してもまとめています。

●クラス

- クラスの内容を簡潔に表す名詞とする。
- 単語の頭文字は大文字、2文字目以降は小文字とする。
  例 *Thread*
  *Dictionary*
- 複数の単語を並べてもよい。ただし、あまり長くなりすぎないようにする。
  例 *ClassLoader*
  *SecurityManager*
  *BufferedInputStream*

※ 本書の第7章までのクラス名は、ここに示す方針にしたがっていないものもあります（名詞ではないクラス名もあります）。

●インタフェース

- インタフェースの命名は、原則としてクラスに準ずる。
- インタフェースの内容を簡潔に表す名詞とする。
- 単語の頭文字は大文字、2文字目以降は小文字とする。
  例 *Activator*
  *Icon*
- 複数の単語を並べてもよい。ただし、あまり長くなりすぎないようにする。
  例 *ViewFactory*
  *XMLWriter*
- 振舞いを表すインタフェースの名前は、形容詞とする。“～可能な”という意味のインタフェース名は、語尾を“～able”とする。
  例 *Runnable*
  *Cloneable*

●メソッド

- 内容を簡潔に表す小文字の動詞とする。
  例 *move*
- 複数の単語を連続させる場合は、2個目以降の単語の頭文字は大文字とする。
  例 *moveTo*
- 変数 *v* の値や属性を取得（get）するメソッドであるゲッタの名前は、*getV* とする。
  例 *getPriority*
- boolean 型の値や属性を取得するゲッタを含め、オブジェクトに関する論理値 *v* を判定するメソッドの名前は、*isV* とする。
  例 *isInterrupted*
- 変数 *v* の値や属性を設定（set）するメソッドであるセッタの名前は、*setV* とする。
  例 *setPriority*
- オブジェクトを特定の形式 *F* へと変換するメソッド名は、*toF* とする。
  例 *toString*
  *toLocaleString*
  *toGMTString*
- 配列の要素数や文字列の文字数などの“長さ”を返すメソッド名は length とする。
- 数学関数などは、例外的に名詞あるいはその省略形を使う。
  例 *sin*
  *cos*

●フィールド（final を除く）

- 内容を簡潔に表す小文字の名詞の単語、あるいは名詞の省略形とする。
  例 *buf*
  *pos*
  *count*
- 複数の単語を連続させる場合は、2個目以降の単語の頭文字は大文字とする。
  例 *bytesTransferred*

●定数（final 変数）

- どの品詞を使用してもよい。
- 理解しやすいようにすべきであって、不必要に省略しない（フィールドやメソッドに比べて、多少長くなってもよい）。

- 1個以上の単語・頭字語・略語をすべて大文字で表し、各要素をアンダスコア"_"で区切ったものとする。
  例 *MIN_VALUE*
  *MAX_VALUE*
  *MIN_RADIX*
  *MAX_RADIX*

- 集合や、同じカテゴリに属する定数のグループに対しては、共通の頭字語が名前の接頭語となるようにする。
  例 *PS_RUNNING*
  *PS_SUSPENDED*

●局所変数と仮引数

- 分かりやすく短い、小文字の名前とする。完全な単語とはならなくてもよい。

- 語の並びの頭文字を連ねた頭字語。
  例 *cp* *ColoredPoint* への参照

- 略語。
  例 *buf* 何らかのバッファ（**buffer**）へのポインタを保持する。

- ある規則に基づいて覚えやすく理解しやすい形態にされたニーモニックとする。
  その際、広く利用されているクラスの引数名をパターン化した『局所変数名規約集』を用いるなどの手段をとるとよい。
  例 *in* *out*
  何らかの入出力を含む場合。**System** クラスのフィールドに準じた例。
  例 *off* *len*
  オフセットや長さを含む場合。**java.io** パッケージに所属するインタフェース ***DataInput*** や ***DataOutput*** のメソッド **read** や **write** の引数名に準じた例。

- 名前は2文字以上とするのが原則である。ただし、一時的な用途や、ループ制御用の変数は1文字としてよい。1文字の名前の規約として、以下のものがある：
  - **byte** の場合は *b*
  - **char** の場合は *c*
  - **double** の場合は *d*
  - **Exception** の場合は *e*
  - **float** の場合は *f*
  - 整数の場合は *i*, *j*, *k*
  - **long** の場合は *l*
  - **Object** の場合は *o*
  - **String** の場合は *s*
  - 何らかの型における任意の値である場合は *v*

- 2字または3字の小文字のみからなるローカル変数名やパラメータ名は、一意なパッケージ名の最初の構成要素である国別コードやドメイン名（**com** や **jp** など）と衝突することがないようにする。

●パッケージ

**◆広範囲で利用可能とすべきパッケージ名：**

- 第11章（p.332）で解説している形式とする。

- 最初の識別子はインターネット・ドメイン名を表した **com**、**edu**、**gov**、**mil**、**net**、**org**、あるいは2文字のISO国別コードを表した **uk** や **jp** のように、2文字または3文字の小文字となる。
  以下の例は、この規約にしたがった架空の一意な名前である：
  例 **com.JavaSoft.jag.Oak**
  **org.npr.pledge.driver**
  **uk.ac.city.rugby.game**

**◆ローカルでの使用を目的としたパッケージ名：**

- 最初の識別子の先頭文字は小文字とする。ただし、最初の識別子として **java** を使用してはならない。というのも、識別子 **java** で始まるパッケージ名は、Javaプラットフォーム・パッケージの名前として予約されているからである。
  ※ 通常、型名の頭文字は大文字となるため、パッケージ名の最初の構成要素と型名とが混同されることが避けられる。

●型変数

- 簡潔かつ想起しやすいものとする。

- できるだけ1文字として、小文字を含めるべきではない。

- コンテナ型の場合、その要素型として *E* という名前を使用する。またマップの場合、キーの型として *K*、値の型として *V* を使用する。任意の例外型として、*X* を使用する。特に区別する必要がない型の場合は *T* とする。
  例 *Stack<E>*
  *Map<K, V>*

# まとめ



- クラスは、フィールド・コンストラクタ・メソッドなどがカプセル化されたものであり、プログラムで作られた《**回路の設計図**》に相当する。

- 個々のクラスは、独立したソースプログラムで実現すべきである。

- 設計図であるクラスから作られた**実体**が、インスタンスであり、《**回路**》に相当する。インスタンス化（インスタンスの生成）は、**new** 演算子を使った **new** 式で行う。

- クラス型変数は、インスタンスを参照する変数である。回路を操作する《**リモコン**》に相当する。

- **static** を付けずに宣言されたフィールドは、個々のインスタンスに所属するため、インスタンス変数と呼ばれる。インスタンス変数の**値**は、インスタンスの状態（ステート）を表す。

- フィールドのアクセス性は、原則として非公開（**private**）とすべきである。クラスの外部に対して存在が隠されるため、データ隠蔽が実現できる。

- コンストラクタは、クラスと同名であって、返却型をもたない。コンストラクタの目的は、インスタンスを確実かつ適切に初期化することである。

- コンストラクタを定義しないクラスには、引数を受け取らない形式のデフォルトコンストラクタが暗黙裏に定義される。

- **static** なしで宣言されたメソッドは、個々のインスタンスに所属することからインスタンスメソッドと呼ばれ、インスタンスの振舞いを表す。インスタンスメソッドを呼び出すと、インスタンスに対してメッセージが送られる。

- クラスのメンバ（フィールドやメソッドなど）のアクセスは、メンバアクセス演算子 **.** を用いた式“ **クラス型変数名 . メンバ名** ”で行う。

- クラスのフィールドと同名の仮引数や局所変数をもっている、コンストラクタとインスタンスメソッドの本体では、フィールドのほうの名前が隠される。

- コンストラクタとインスタンスメソッドは、自身が所属するインスタンスへの参照 this をもっている。

- コンストラクタとインスタンスメソッドの中では、そのクラスのフィールド **a** を、その名前 **a** としてアクセスできるだけでなく、**this.a** としてもアクセスできる。

クラス

chap08/Member.java

```
//--- 会員クラス ---//
class Member {
  private String name;   // 名前
  private int no;        // 会員番号
  private int age;       // 年齢

  Member(String name, int no, int age) {
    this.name = name;
    this.no = no;
    this.age = age;
  }

  void print() {
    System.out.println("No." + no + " : " + name +
                       " (" + age + "歳) ");
  }
}
```

フィールド（インスタンス変数）

コンストラクタ

インスタンスメソッド

非公開（private）なフィールドやメソッドは外部からアクセスできない

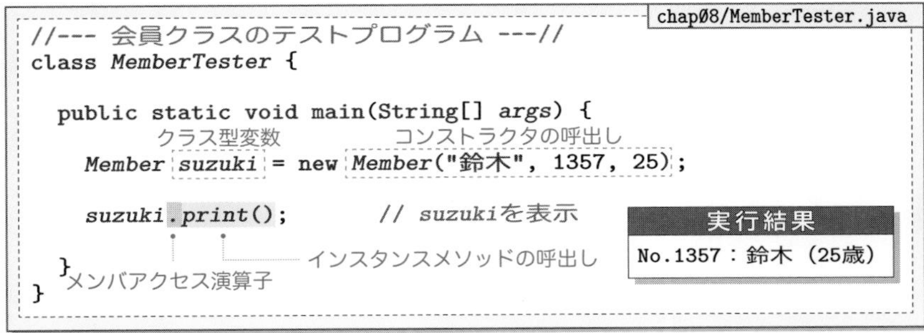

chap08/MemberTester.java

```
//--- 会員クラスのテストプログラム ---//
class MemberTester {

  public static void main(String[] args) {
    Member suzuki = new Member("鈴木", 1357, 25);

    suzuki.print();         // suzukiを表示

  }
}
```



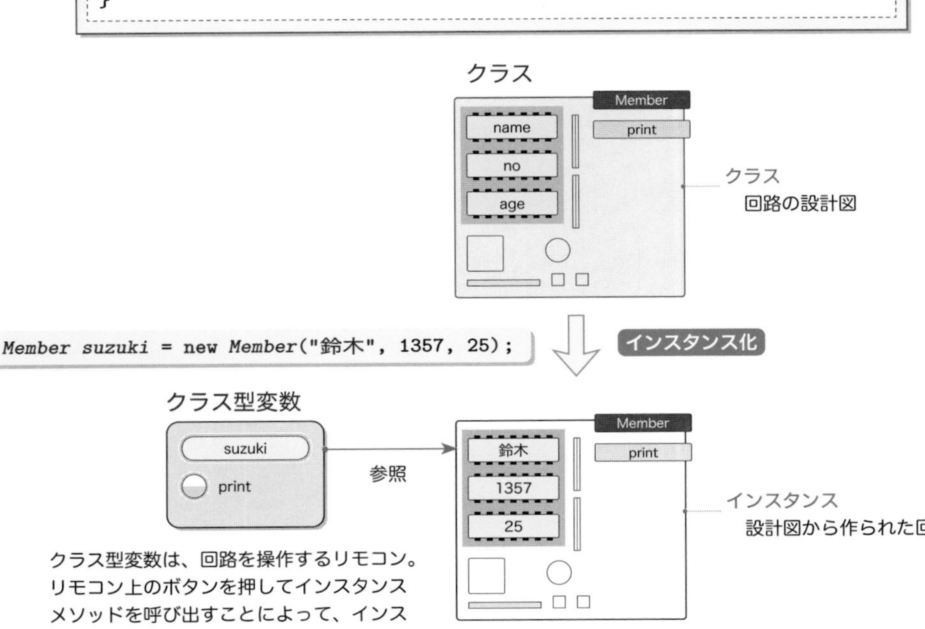

# 第 9 章

# 単純なクラスの作成

本章では、単純な構造の日付クラスと、それを部分として含む自動車クラスの作成を通じて、クラスについて前章よりもディープな領域まで詳しく学習します。

- □ アクセッサ（ゲッタとセッタ）
- □ クラス型変数とインスタンスへの参照
- □ クラスインスタンスの配列
- □ コンストラクタの多重定義
- □ コピーコンストラクタ
- □ 文字列化と toString メソッド
- □ クラスインスタンスの比較
- □ クラス型のフィールド
- □ has-A の関係

# 9-1 日付クラスの作成

本節では、単純な構造のクラスの作成をとおして、クラスについて、前章よりもディープな領域まで学習を進めていきます。

## 日付クラス

本節では、年・月・日の３項目を int 型フィールドとしてもつ、日付クラス Day を作ります。

フィールドだけを考えたのが、右に示すクラス宣言です。なお、クラス Day のイメージを、右ページの **Fig.9-1** ⓐに示しています。

```
class Day {
  private int year;    // 年
  private int month;   // 月
  private int date;    // 日
}
```

前章で学習した原則に基づき、すべてのフィールドは、非公開（private）とし、フィールドへのクラス外部からのアクセスは、コンストラクタとメソッドを通じて間接的にのみ行えるようにします。

それでは、コンストラクタとメソッドを作っていきましょう。



## コンストラクタとメソッド

コンストラクタは、インスタンスの生成時に、確実かつ適切な初期化を行うための、**電源ボタン**に相当する部品でした。

右に示すのが、コンストラクタの定義です。

仮引数 year と month と date に受け取った３個の整数値を、対応するフィールド this.year と this.month と this.date に代入します。

```
Day(int year, int month, int date) {
  this.year  = year;     // 年
  this.month = month;    // 月
  this.date  = date;     // 日
}
```

▶ 変数名の前に this. が付くのがフィールドで、付かないのが仮引数です（p.252）。

クラス Day 型のインスタンスの生成時には、このコンストラクタに対して、年・月・日の３個の int 型の実引数を与えます。たとえば、次に示す宣言で行います（図ⓑ）。

```
Day birthday = new Day(2007, 11, 18);    // 誕生日
```

起動されたコンストラクタは、birthday のフィールド year, month, date に対して、それぞれ 2007, 11, 18 を代入します。

なお、次の宣言は許されず、**コンパイル時エラー**となります。

```
✕
Day xDay = new Day(740);            // エラー：月と日が与えられていない
Day yDay = new Day(3.14);           // エラー：実数が与えられている
Day zDay = new Day(1, 2, 3, 4);     // エラー：引数が多すぎる
```

コンストラクタの存在が、不正な方法でのインスタンスの生成を抑止することは、前章で学習したとおりです。

**a** クラスDay

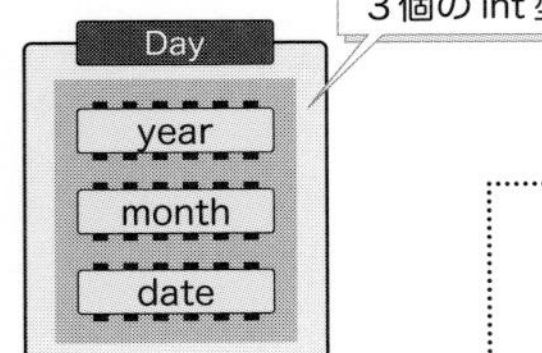


**b** クラスDay型のインスタンスの生成

```
Day birthday = new Day(2007, 11, 18);
```

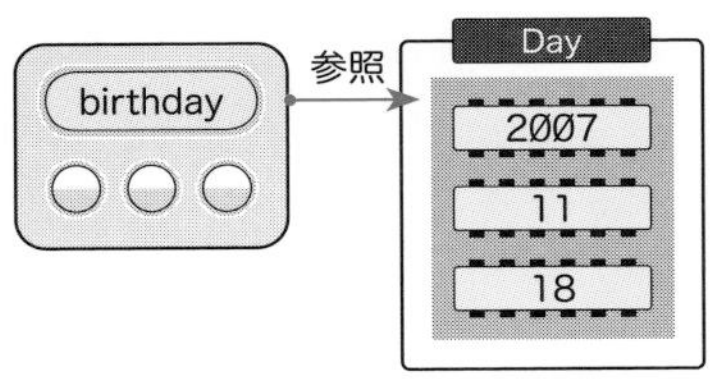


- birthday は Day 型インスタンスを参照する。
- Day 型インスタンスを生成。
- コンストラクタによってフィールド year, month, date に年・月・日を設定。
- birthday は生成されたインスタンスを参照するように初期化される。

**Fig.9-1　日付クラスの変数とインスタンス**

コンストラクタが完成しました。メソッドは、次の８個を作りましょう。

- ***getYear*** … 年を取得する。
- ***getMonth*** … 月を取得する。
- ***getDate*** … 日を取得する。
- ***dayOfWeek*** … 曜日を求める。
- ***setYear*** … 年を設定する。
- ***setMonth*** … 月を設定する。
- ***setDate*** … 日を設定する。
- ***set*** … 年月日を設定する。

次ページの **List 9-1** が、コンストラクタとメソッドを追加して完成させたクラス **Day** です。

なお、メソッド ***dayOfWeek*** は、日付の曜日を **0** ～ **6** の整数値として返す仕様です。

▶　このメソッドでは、**ツェラーの公式**と呼ばれる計算法で曜日を求めています。返す値は、日曜日であれば **0**、月曜日であれば **1**、… 、土曜日であれば **6** です。

### Column 9-1　クラス型のオペランドに適用できる演算子

クラスインスタンスへの参照であるクラス型変数に対して、加算や減算などの算術演算を行えないのはいうまでもないでしょう。クラス型のオペランドに適用できる演算子は、限定されています。次のとおりです。

| | |
|---|---|
| **.** 演算子 | … メンバアクセス（フィールドアクセスおよびメソッド呼出し） |
| **()** 演算子 | … キャスト |
| **+** 演算子 | … 文字列連結 |
| **instanceof** 演算子 | … クラス型の判定 |
| **==** 演算子と **!=** 演算子 | … 参照の等価性の判定 |
| **? :** 演算子 | … 条件演算子 |

List 9-1 day1/Day.java

```
// 日付クラスDay【第1版】

class Day {
  private int year;       // 年
  private int month;      // 月
  private int date;       // 日

  //--- コンストラクタ ---//
  Day(int year, int month, int date) {
    this.year  = year;    // 年
    this.month = month;   // 月
    this.date  = date;    // 日
  }

  //--- 年・月・日を取得 ---//
  int getYear()  { return year; }   // 年を取得
  int getMonth() { return month; }  // 月を取得
  int getDate()  { return date; }   // 日を取得

  //--- 年・月・日を設定 ---//
  void setYear(int year)   { this.year  = year; }   // 年を設定
  void setMonth(int month) { this.month = month; }  // 月を設定
  void setDate(int date)   { this.date  = date; }   // 日を設定

  void set(int year, int month, int date) {         // 年月日を設定
    this.year  = year;    // 年
    this.month = month;   // 月
    this.date  = date;    // 日
  }

  //--- 曜日を求める（日曜日～土曜日を0～6で返却） --//
  int dayOfWeek() {
    int y = year;
    int m = month;
    if (m == 1 || m == 2) {
      y--;
      m += 12;
    }
    return (y + y / 4 - y / 100 + y / 400 + (13 * m + 8) / 5 + date) % 7;
  }
}
```

アクセッサ
ゲッタ
セッタ



## アクセッサ

網かけ部のメソッド群に着目しましょう。次のようになっています。

- 名前が **get** で始まるメソッド：フィールドの値を取得して返却する。 ➡ **ゲッタ**
- 名前が **set** で始まるメソッド：フィールドに値を設定する。 ➡ **セッタ**

右ページの **Fig.9-2** に示すように、フィールドの値を**取得**（ゲット）するメソッドは**ゲッタ**（getter）と呼ばれ、フィールドに値を**設定**（セット）するメソッドは**セッタ**（setter）と呼ばれます。

ゲッタとセッタの総称は、**アクセッサ**（accessor）です。

なお、フィールド abc のセッタ名は ***setAbc*** として、ゲッタ名は ***getAbc*** とすることが推奨されています（p.256）ので、その命名法に準じています。

▶ フィールド abc が boolean 型の場合は、ゲッタの名前は ***getAbc*** ではなく ***isAbc*** とします。

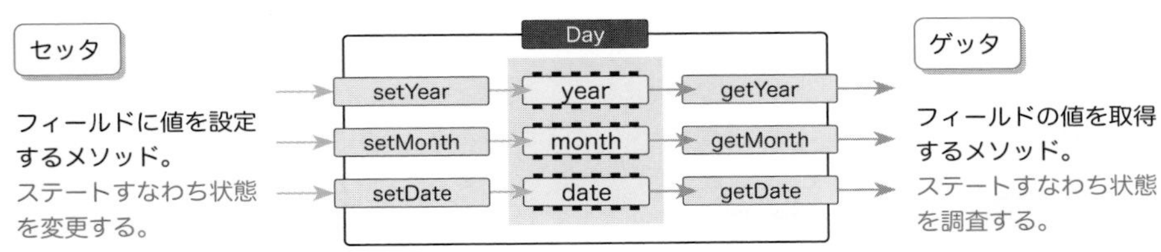


**Fig.9-2　アクセッサ（セッタとゲッタ）**

なお、年・月・日の3個の引数を受け取って、それを全フィールドに代入するメソッド **set** も、広い意味でのセッタの一種です。

＊

それでは、クラス **Day** を利用するプログラムを作りましょう。**List 9-2** が、そのプログラムです。



**List 9-2**　day1/DayTester.java

```
// 日付クラスDay【第１版】利用例（その１：日付を表示）

import java.util.Scanner;

class DayTester {

  public static void main(String[] args) {
    Scanner stdIn = new Scanner(System.in);
    String[] wd = {"日", "月", "火", "水", "木", "金", "土"};

    System.out.println("誕生日を西暦で入力せよ。");
    System.out.print("年：");  int y = stdIn.nextInt();
    System.out.print("月：");  int m = stdIn.nextInt();
    System.out.print("日：");  int d = stdIn.nextInt();

    Day birthday = new Day(y, m, d);                    ―❶

    System.out.println("あなたの誕生日"
                    + birthday.getYear()  + "年"
                    + birthday.getMonth() + "月"      ―❷
                    + birthday.getDate()  + "日は"
                    + wd[birthday.dayOfWeek()] + "曜日です。");
  }
}
```

実行例

```
誕生日を西暦で入力せよ。
年：2007⏎
月：11⏎
日：18⏎
あなたの誕生日2007年11月18日は日曜日です。
```

❶ キーボードから読み込んだ **y**, **m**, **d** をもとにして、その日付の **birthday** を生成・初期化します。

実行例の場合、3個のフィールド **year**, **month**, **date** の値は、**2007**, **11**, **18** となります。

❷ **birthday** の日付と曜日を表示します。日付の年・月・日の値は、それぞれのゲッタである **getYear**, **getMonth**, **getDate** を呼び出して取得しています。

曜日は、メソッド **dayOfWeek** によって **0** ～ **6** の値で返却されます。実行例のように日曜日であれば、**wd[0]** すなわち **"日"** を表示します。

▶ メソッド呼出し式 **birthday.dayOfWeek()** の評価で得られる値を、**wd** のインデックスとします。

## クラス型変数の比較と代入

クラス Day を利用するプログラムをもう一つ考えましょう。**List 9-3** のプログラムです。

**List 9-3 [A]** day1/DayTester2.java

```
// 日付クラスDay【第１版】利用例（その２：クラス型変数の代入）

import java.util.Scanner;

class DayTester2 {

  public static void main(String[] args) {
    Scanner stdIn = new Scanner(System.in);

    System.out.println("day1を入力せよ。");
    System.out.print("年：");  int y = stdIn.nextInt();
    System.out.print("月：");  int m = stdIn.nextInt();
    System.out.print("日：");  int d = stdIn.nextInt();
    Day day1 = new Day(y, m, d);

    System.out.println("day2を入力せよ。");
    System.out.print("年：");  y = stdIn.nextInt();
    System.out.print("月：");  m = stdIn.nextInt();
    System.out.print("日：");  d = stdIn.nextInt();
    Day day2 = new Day(y, m, d);

    if (day1 == day2)
      System.out.println("等しいです。");
    else
      System.out.println("等しくありません。");                  ❶
```

実行例

```
day1を入力せよ。
年：2027
月：11
日：15
day2を入力せよ。
年：2027
月：11
日：15
等しくありません。
day1 = 2999年12月31日
day3 = 2999年12月31日
```

右ページに続く▶

読み込んだ値をもとに *day1* と *day2* を生成して、それらを❶で**比較**するのですが、二つの日付が同じであっても異なっていても、『等しくありません。』と表示されます。というのも、

> **重要** クラス型変数に適用された等価演算子 == と != は、参照先が同一であるか／ないかを判定する（フィールドの値が等しいかどうかの判定ではない）。

からです。**Fig.9-3** に示すように、*day1* と *day2* は別々に生成されたインスタンスですので、クラス型変数 *day1* と *day2* の参照先が等しくなることはありません。

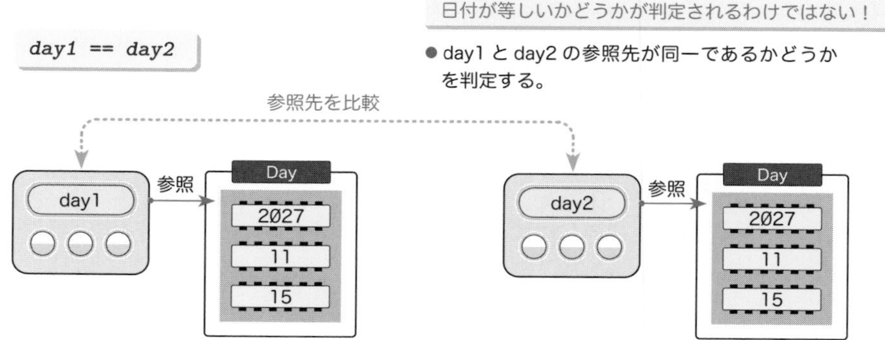


**Fig.9-3　クラス型変数の等価性の判定**

List 9-3 [B]　　day1/DayTester2.java

```
    Day day3 = day1;                                          ←2

    day3.set(2999, 12, 31);    // 2999年12月31日に設定        ←3

    System.out.printf("day1 = %d年%d月%d日\n",
                     day1.getYear(), day1.getMonth(), day1.getDate());

    System.out.printf("day3 = %d年%d月%d日\n",
                     day3.getYear(), day3.getMonth(), day3.getDate());
  }
}
```

後半に進みましょう。2で変数 **day3** を **day1** で初期化します（実行例では、この時点で、両方とも2027年11月15日となります）。3では、**day3** を2999年12月31日に書きかえます。

ところが、実行例によると、値を設定していない **day1** までもが2999年12月31日に書きかえられています。このようになる原因を考えましょう。

2　**Day** 型の変数 **day3** の初期化子 **day1** は、クラス型変数、すなわち、**インスタンスへの参照**です。**Fig.9-4** に示すように、この初期化によって、リモコン **day3** の操作対象（参照先）インスタンスは、**day1** の操作対象（参照先）インスタンスとなります。

決して**新しい日付インスタンスが作られているのではありません**。ここがポイントです。

3　メソッド **set** で、**day3** の各フィールドに **2999, 12, 31** を代入します。**day3** の参照先インスタンスへの値の設定の結果、**day1** 用に作られたインスタンスの値が変更されます。

**day1** と **day3** の両方が2999年12月31日となる理由が分かりました。ここでは、クラス型変数の初期化を例に考えましたが、代入の場合でも同じです。

**重要** クラス型の変数を同一型の変数によって**初期化**するか、同一型の変数を**代入**すると、参照先がコピーされる（全フィールドの値がコピーされるわけではない）。

▶ 初期化や代入によって"**参照**"がコピーされるのは、配列の場合（p.174）と同じです。

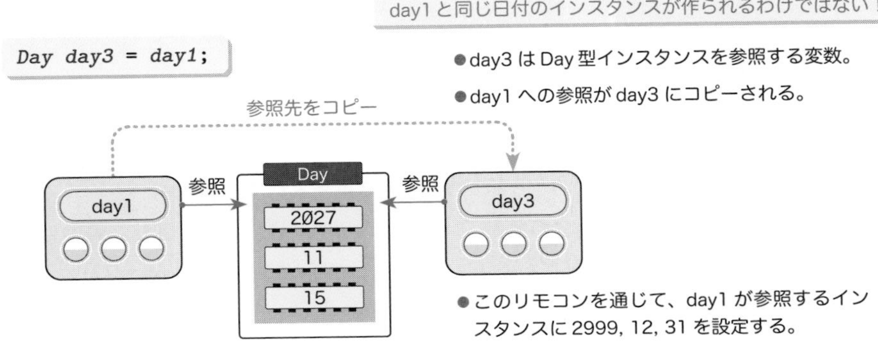


**Fig.9-4**　同一インスタンスを参照する二つのクラス型変数

## 引数としてのクラス型変数

二つの日付が等しいかどうかを判定するメソッドを作れば、日付が同一かどうかの判定が容易に行えます。**List 9-4** が、そのプログラム例です。

**List 9-4** day1/DayComparator.java

```
// 日付クラスDay【第１版】利用例（その３：二つの日付を比較するメソッド）

import java.util.Scanner;

class DayComparator {

  //--- d1とd2の日付は等しいか？ ---//
  static boolean compDay(Day d1, Day d2) {
    return d1.getYear()  == d2.getYear()  &&
           d1.getMonth() == d2.getMonth() &&
           d1.getDate()  == d2.getDate();          ← 1
  }

  public static void main(String[] args) {
    Scanner stdIn = new Scanner(System.in);

    // day1とday2の読込み・生成（List 9-3と同じため省略）

    if (compDay(day1, day2))          ← 2
      System.out.println("等しいです。");
    else
      System.out.println("等しくありません。");
  }
}
```

実行例

```
1 day1を入力せよ。
  年：2027
  月：10
  日：15
  day2を入力せよ。
  年：2027
  月：10
  日：15
  等しいです。
```

```
2 day1を入力せよ。
  年：2027
  月：10
  日：15
  day2を入力せよ。
  年：2001
  月：1
  日：1
  等しくありません。
```

**1** 二つの日付を比較するメソッドです。このメソッド *compDay* は、クラス *Day* の外部で宣言されています。このメソッドを理解するポイントは、次の３点です。

### ▪ クラス型の仮引数に受け取るのはインスタンスへの参照である

仮引数 *d1* と *d2* は、*Day* 型のクラス型変数として宣言されています。

右ページの **Fig.9-5** に示すように、これらの仮引数が受け取るのは、実引数で与えられた *Day* 型の**インスタンスへの参照**です（インスタンスそのものではありません）。

そのため、仮引数 *d1* は *day1* のインスタンスを参照することになり、*d2* は *day2* のインスタンスを参照することになります。

▶ 引数として参照先が渡されるのは、配列の受渡し（p.215）と同じです。

### ▪ クラス Day の外部のメソッドであって static 付きで宣言されている

メソッド *compDay* は、クラス *Day* の外部で `static` 付きで定義されています。これは、クラスの学習を開始する前の第７章で学習したメソッドと同じ形式です。もちろん、クラス *Day* の個々のインスタンス（*day1* や *day2*）には所属しません。

▶ `static` 付きで宣言されたメソッドは、クラスメソッドとなります。クラスメソッドとインスタンスメソッドの相違点などは、次章で詳しく学習します。

9 単純なクラスの作成

■ クラス Day の非公開フィールドにアクセスできない

メソッド **compDay** は、クラス **Day** の外部で定義されたメソッドですから、非公開フィールド **year**，**month**，**date** を直接アクセスすることは不可能です。

そのため、メソッド本体では、年・月・日の値を調べるために、各フィールドのゲッタである **getYear**，**getMonth**，**getDate** を呼び出しています。

メソッド **compDay** は、調べた **d1** の年月日と、**d2** の年月日の3値すべてが等しければ **true** を返却し、そうでなければ **false** を返却します。

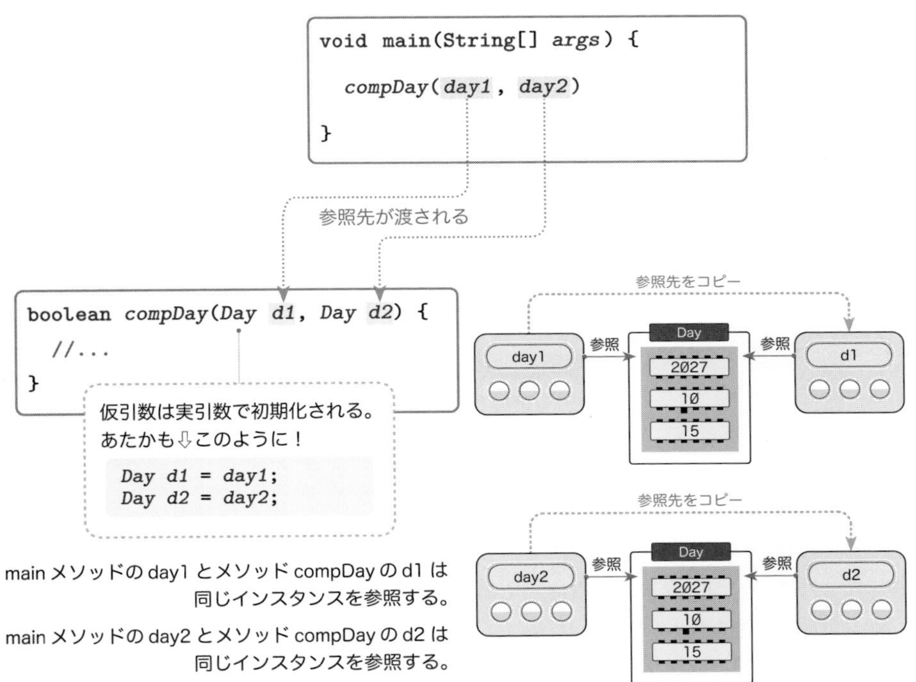


**Fig.9-5　メソッド間のクラス型変数の受渡し**

**2**　二つの日付が等しいかどうかを判定するための、メソッド **compDay** の呼出しです。

実引数として与えている **day1** と **day2** は、それぞれ、**day1** のインスタンスへの参照と、**day2** のインスタンスへの参照です。

**boolean** 型であるメソッド **compDay** の返却値に応じて、『等しいです。』と『等しくありません。』のいずれかを表示します。

## クラス型インスタンスの配列

次は、*Day* 型インスタンスの配列を作ることにしましょう。それが **List 9-5** のプログラムです。

まず最初に要素数をキーボードから読み込んだ上で配列を生成し、その後、全要素の日付を 2027 年 10 月 15 日に設定して表示します。

**List 9-5** day1/DayArrayError.java

```
// 日付クラスDay【第1版】の配列（その1：実行時エラー）

import java.util.Scanner;

class DayArrayError {

  public static void main(String[] args) {
    Scanner stdIn = new Scanner(System.in);
    String[] wd = {"日", "月", "火", "水", "木", "金", "土"};

    System.out.print("日付は何個：");
    int n = stdIn.nextInt();

❶  Day[] a = new Day[n];        // 要素数n個のDay型配列

❷  for (int i = 0; i < a.length; i++)
      a[i].set(2027, 10, 15);   // 全要素を2027年10月15日に設定     誤

    for (int i = 0; i < a.length; i++)
      System.out.println("a[" + i + "] = "       + a[i].getYear() + "年"
                        + a[i].getMonth() + "月" + a[i].getDate() + "日("
                        + wd[a[i].dayOfWeek()] + ")");
  }
}
```

**実行例**

```
日付は何個：3⏎
Exception in thread "main" java.lang.NullPointerException
        at Day1.DayArrayError.main(DayArrayError.java:17)
```

まずは、プログラムを実行しましょう。日付の個数 *n* を読み込んだ直後に**実行時エラー**が発生して、プログラムの実行が中断・終了します。

❶で a 用の配列本体を生成しています。しかし、**Fig.9-6** に示すように、要素 a[1] は、クラス型変数であって、**インスタンス（本体）ではありません**。もちろん、a[0] と a[2] も同様です。

▶ この図は、要素数 3 の例です。配列 a は、本体ではなく、リモコンが3個集まった配列です。
配列の生成時に、全要素が既定値 null で初期化されることを思い出しましょう（p.164）。❷で実行時エラーが発生するのは、何も参照していない空参照 null である a[*i*] に対して、メソッド *set* を呼び出そうとするからです。

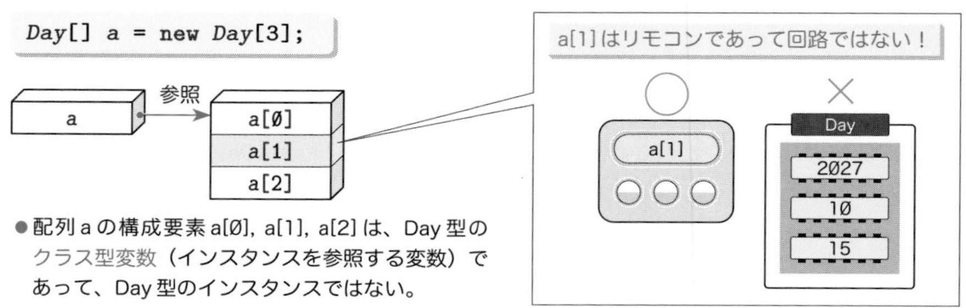


**Fig.9-6 Day 型配列の構成要素**

個々の日付インスタンスは、クラス型変数とは別に、**new** 演算子を使って生成する必要があります。そのため、**List 9-6** に示すのが、正しいプログラムです。

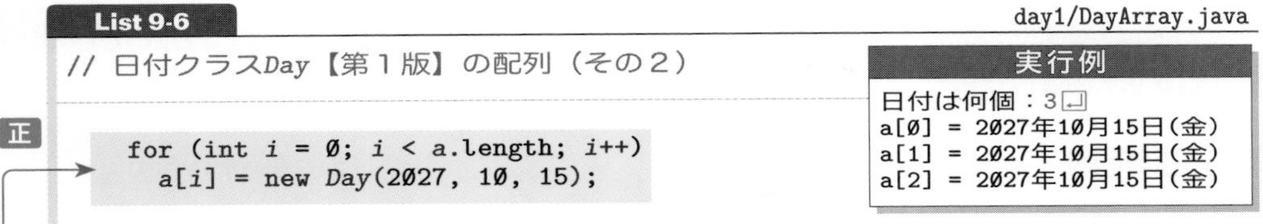

**List 9-6** day1/DayArray.java

```
// 日付クラスDay【第１版】の配列（その２）

for (int i = 0; i < a.length; i++)
  a[i] = new Day(2027, 10, 15);
```

実行例

```
日付は何個：3
a[0] = 2027年10月15日(金)
a[1] = 2027年10月15日(金)
a[2] = 2027年10月15日(金)
```

この **for** 文で行うことを分解したのが、**Fig.9-7** です。

繰返しのたびに、2027 年 10 月 15 日で初期化した **Day** 型インスタンスを生成し、そのインスタンスへの参照を、代入演算子で **a[i]** に代入する、という手順です。

**重要** クラス型インスタンスの配列を利用するためには、クラス型変数の配列だけでなく、個々の要素のインスタンスも生成しなければならない。

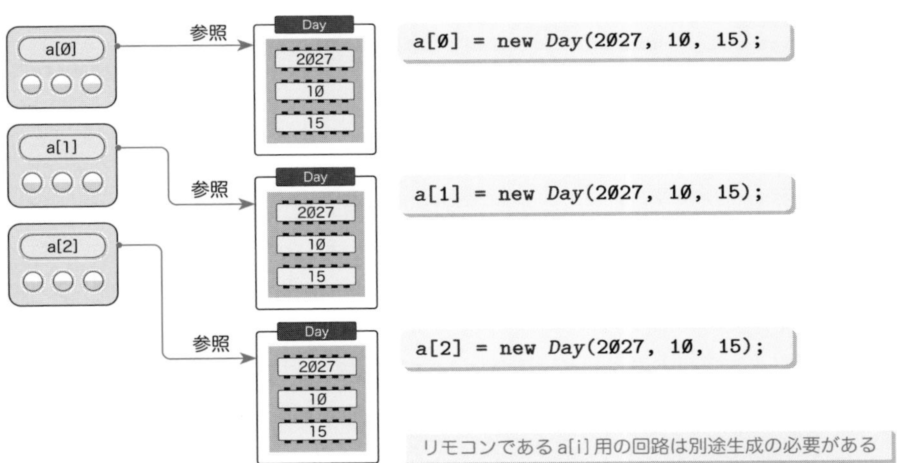


**Fig.9-7　Day 型配列の構成要素の個々のインスタンスの生成**

なお、次のように、『値不明のまま生成して、事後で値を設定する』ことはできません。

```
for (int i = 0; i < a.length; i++)     // とりあえず生成
  a[i] = new Day();                     // エラー

for (int i = 0; i < a.length; i++)     // その後で
  a[i].set(2027, 10, 15);               // 値を設定
```

理由は単純です。コンストラクタ呼出し時に、必ず3個の **int** 型引数（年月日の値）を渡さなければならないからです。

### クラス型インスタンスの配列の初期化

クラス型の配列を作るには、クラス型変数とインスタンスの２段階の生成が必要であることが分かりました。ちょうど、内部が複雑な2次元配列（p.184）と同じような感じです。

それでは、配列の生成時に、各要素のインスタンスを**初期化**するには、どうすればよいでしょう。**List 9-7** のプログラムで考えていきましょう。

**List 9-7** day1/DayArrayInit.java

```
// 日付クラスDay【第１版】の配列（その３：初期化）

class DayArrayInit {

  public static void main(String[] args) {
    String[] wd = {"日", "月", "火", "水", "木", "金", "土"};

    // 明治・大正・昭和・平成・令和の初日
    Day[] x = { new Day(1868,  9,  8),    // 明治
                new Day(1912,  7, 30),    // 大正
                new Day(1926, 12, 25),    // 昭和
                new Day(1989,  1,  8),    // 平成
                new Day(2019,  5,  1),    // 令和
              };

    for (int i = 0; i < x.length; i++)
      System.out.printf("x[%d] = %04d年%02d月%02d日(%s)\n",
                        i, x[i].getYear(), x[i].getMonth(), x[i].getDate(),
                        wd[x[i].dayOfWeek()]);
  }
}
```

実行結果

```
x[0] = 1868年09月08日(火)
x[1] = 1912年07月30日(火)
x[2] = 1926年12月25日(土)
x[3] = 1989年01月08日(日)
x[4] = 2019年05月01日(水)
```

配列 **x** の各要素に与えられている初期化子は、明治／大正／昭和／平成／令和の初日の日付です。与えられている初期化子が、単なるコンストラクタの呼出し `Day(...)` ではなくて、`new Day(...)` という形式の **new** 式となっています。これは、生成された**インスタンスへの参照**です。

各要素に対する初期化子が、**インスタンスへの参照**でなければならない理由は単純です。各要素が、クラス型変数（回路を参照するリモコン）だからです（**Column 9-2**：右ページ）。

▶ 初期化子の **new** を削除するとコンパイル時エラーとなります（**"day1/DayArrayInitError.java"**）。

なお、配列の要素を、生成と同時に**初期化**するのではなく、いったん生成した後に**代入**するのであれば、コードは、次のいずれかとなります。

"day1/DayArrayAssign1.java"

```
Day[] x;

x = new Day[] { new Day(1868,  9,  8),
                new Day(1912,  7, 30),
                new Day(1926, 12, 25),
                new Day(1989,  1,  8),
                new Day(2019,  5,  1),
              };
```

"day1/DayArrayAssign2.java"

```
Day[] x = new Day[5];

x[0] = new Day(1868,  9,  8);
x[1] = new Day(1912,  7, 30);
x[2] = new Day(1926, 12, 25);
x[3] = new Day(1989,  1,  8);
x[4] = new Day(2019,  5,  1);
```

## Column 9-2　クラスの配列と多次元配列

クラス型インスタンスの配列について、きちんと理解していきましょう。

まずは、配列の**初期化**を思い出します。個々の要素に対する初期化子を与えない宣言がaで、初期化子を与える宣言がbです。

```
a int[] a = new int[5];
b int[] a = {1, 2, 3, 4, 5};    // int[] a = new int[]{1, 2, 3, 4, 5};でも可
```

次は、配列型変数に対する**代入**を思い出しましょう。配列本体を生成して、それを参照するように**代入**するのは、cのように実現します。

```
  int[] a;
  //...
c a = new int[]{1, 2, 3, 4, 5};
```

クラス型インスタンスの生成も同様です。Day 型変数に対して、インスタンスを生成して、それを参照するように**代入**するのは、dのように実現します（この代入はcに相当します）。

```
  Day d;
  //...
d d = new Day(2027, 10, 15);
```

クラス型インスタンスの配列の個々の要素に初期化子を与えるのは、bとdの応用です。

配列の要素型は Day 型で、要素数は 5 ですから、bをもとに考えると、宣言は次のようになります。

```
Day[] x = { ○, △, ▽, □, ◇ };
```

もちろん、○、△、▽、□、◇は、x[0], x[1], x[2], x[3], x[4] に与える**初期化子**です。これらの各要素は、日付の本体を参照する**クラス型変数**（リモコン）ですから、初期化子は、インスタンスへの参照でなければなりません。

インスタンスへの参照を生成するのが、dの網かけ部に示した、new Day(y, m, d) という new 式です。そのため、配列 x の各要素の初期化子は、new 式でなければなりません。

＊

さて、配列の要素を生成と同時に**初期化**するのではなく、いったん生成した後に**代入**するように変更してみましょう。cをもとにするわけですから、次のようになります。

```
Day[] x;
//...
x = new Day[]{ ○, △, ▽, □, ◇ };
```

ここで、各要素に対する初期化子○、△、▽、□、◇は、**List 9-7** と同じものがそのまま使えますので、次のようになります。

```
Day[] x;
//...
x = new Day[] {
        new Day(1868,  9,  8),    // 明治
        new Day(1912,  7, 30),    // 大正
        new Day(1926, 12, 25),    // 昭和
        new Day(1989,  1,  8),    // 平成
        new Day(2019,  5,  1),    // 令和
    };
```

## 日付クラスの改良

日付クラスを使うプログラムを作ることで、次のような、数多くの問題点に気付きました。

1. コンストラクタ呼出し時に3個の int 型引数を必ず与えなければならないため、インスタンスの柔軟な生成が行えない。たとえば、配列を作る際などに、『値を設定せずにとりあえず要素を生成しておき、その後で値を設定する』といったことができない。
2. ある日付と同じ日付をもつインスタンスの構築が、容易に行えない。
3. 二つの日付が等しいかどうかの判定が、容易に行えない。
4. 日付の表示のたびに、数行のコードが必要となる。

これらの問題を改良しましょう。**List 9-8** に示すのが、第2版のクラス *Day* です。



**List 9-8 [A]** day2/Day.java

```
// 日付クラスDay【第２版】

public class Day {
  private int year;      // 年
  private int month;     // 月
  private int date;      // 日
```

p.276 に続く ▶

### public クラス

これまでと大きく異なる点があります。クラス宣言の冒頭にキーワード public が付いていることです。このキーワードの有無によって、クラスのアクセス性が、次のように変わります。

- public なし … そのクラスは、同一パッケージの中でのみ利用できる。
- public あり … そのクラスは、他のパッケージからも利用できる。

パッケージについての詳細は、第 11 章で学習しますので、現時点では、次のように理解しておきます。

**重要** クラスは、小規模で使い捨てのクラスでない限り、public を付けて宣言する。

それでは、クラスの中身を理解していきましょう。

#### ■ フィールド

年月日を表すフィールド *year*, *month*, *date* は、第1版と同じです。

#### ■ アクセッサ（ゲッタとセッタ）

フィールドの値を取得するゲッタと、値を設定するセッタの各メソッドは、第1版と同じです。

▶ これらのアクセッサのコードは、p.276 にあります。

ただし、第1版とは異なり、メソッドが **public** 付きで宣言されています。**public** クラスの中で **public** 付きで宣言されたメソッドは、どこからでも（同一パッケージ内からだけでなく、他のパッケージからも）呼び出せるようになります。

▶ アクセッサ以外のメソッドやコンストラクタも **public** 付きで宣言しています。

## Column 9-3　暦と Java のライブラリ

ヨーロッパでは、古くは**ユリウス暦**が使われていました。これは1回帰年（かいきねん）を 365.25 日としたもので、実際の1回帰年である 365.2422 日との差の補正を行わず、4 で割り切れる年を閏年（うるう）とするものであったことから、誤差が累積するという問題がありました。

現在、多くの国で使われている**グレゴリオ暦**は、地球が太陽を1周するのに要する日数（1回帰年＝365.2422 日）を 365 日として数え、その調整を次のように行う方法です。

1. 年が 4 で割り切れる年は閏年にする。
2. 100 で割り切れる年は平年にする。
3. 400 で割り切れる年は閏年にする。

ユリウス暦の誤差を一気に解消するために、ユリウス暦の 1582 年 10 月 4 日の翌日をグレゴリオ暦の 10 月 15 日として、現在のグレゴリオ暦に切りかえられました。

ただし、国によって異なる暦を使っているため、古い文献の日付を調べたり、プログラムで取り扱ったりする際には、いろいろと注意が必要です。

＊

Java の標準ライブラリでは、日付・時刻を扱うための *Calendar* や *GregorianCalendar* などのクラスが提供されます。**List 9C-1** に示すのが、*GregorianCalendar* クラスを利用して、現在の日付・時刻を取得して表示するプログラムです。

**List 9C-1**　chap09/Today.java

```
// 今日の日付を表示

import java.util.GregorianCalendar;
import static java.util.GregorianCalendar.*;

class Today {

  public static void main(String[] args) {
    GregorianCalendar today = new GregorianCalendar();
    System.out.printf("今日は%04d年%02d月%02d日です。\n",
                        today.get(YEAR),          // 年
                        today.get(MONTH) + 1,     // 月
                        today.get(DATE)           // 日
                     );
  }
}
```

実行結果一例

```
今日は2027年11月18日です。
```

現在の日付の取得の手順は、次のとおりです（決まり文句として覚えておきましょう）。

- 赤網部のインポート宣言を行う。
- 青網部の式で、現在の日付に設定された *GregorianCalendar* 型のインスタンスを生成する。
- *GregorianCalendar* 型の日付の年・月・日を、メソッド **get** によって取得する。その際、引数には **YEAR**, **MONTH**, **DATE** を与える。

注意：**get(MONTH)** が返却する月の値は 0 ～ 11 なので、1 を加えて 1 ～ 12 にする必要があります。

List 9-8 [B] day2/Day.java

```
//--- コンストラクタ ---//
public Day()                                   { set(1, 1, 1); }
public Day(int year)                           { set(year, 1, 1); }
public Day(int year, int month)                { set(year, month, 1); }
public Day(int year, int month, int date)      { set(year, month, date); }
public Day(Day d)                              { set(d.year, d.month, d.date); }

//--- 年・月・日を取得 ---//
public int getYear()  { return year; }    // 年
public int getMonth() { return month; }   // 月
public int getDate()  { return date; }    // 日

//--- 年・月・日を設定 ---//
public void setYear(int year)   { this.year  = year; }    // 年
public void setMonth(int month) { this.month = month; }   // 月
public void setDate(int date)   { this.date  = date; }    // 日

public void set(int year, int month, int date) {  // 年月日
  this.year  = year;       // 年
  this.month = month;      // 月
  this.date  = date;       // 日
}
```

p.278 に続く▶



### ▪ コンストラクタ

年・月・日を1個も受け取らないものから3個受け取るものまでを含め、5個のコンストラクタを多重定義しています。**複数のコンストラクタが提供されると、クラスの利用者にとって、クラスインスタンスの構築法の選択肢が広がります。**

**重要** コンストラクタは多重定義できる。必要であればコンストラクタを多重定義して、クラスインスタンス構築のための複数の方法を提供するとよい。

各コンストラクタの仕様は、次のとおりです。コンストラクタⒶ～Ⓒは、年・月・日のうち、引数として値を受け取っていないフィールドを **1** とします。

| | | |
|---|---|---|
| Ⓐ | `public Day()` | 1年1月1日で初期化。 |
| Ⓑ | `public Day(int year)` | ***year*** 年1月1日で初期化。 |
| Ⓒ | `public Day(int year, int month)` | ***year*** 年 ***month*** 月1日で初期化。 |
| Ⓓ | `public Day(int year, int month, int date)` | ***year*** 年 ***month*** 月 ***date*** 日で初期化。 |
| Ⓔ | `public Day(Day d)` | ***d*** と同じ日付で初期化。 |

コンストラクタの本体に着目しましょう。すべてのコンストラクタの本体内で、日付の設定を行うために、メソッド呼出し式 **set(...)** によってメソッド **set** を呼び出しています。

**重要** 同一クラス内のメソッドは、"**メソッド名** (...)" という形式で呼び出せる。

▶ ちなみに、前章で学習したメソッド呼出しは、クラスの外部から行う呼出しであったため、その形式が "**クラス型変数名** . **メソッド名** (...)" となっていました。

さて、コンストラクタの多重定義によって、二つの問題点が解決しています。

▪問題点①

日付を１年１月１日に設定するコンストラクタⒶは、引数を１個も受け取りません。そのため、第１版のクラス**Day**でコンパイル時エラーとなっていた次のコード（p.271）が、第２版では正しく動作します。

```
for (int i = 0; i < a.length; i++)     // とりあえず生成
  a[i] = new Day();                    // 第１版ではエラー／第２版ではＯＫ

for (int i = 0; i < a.length; i++)     // その後で
  a[i].set(2027, 10, 15);              // 値を設定
```

インスタンスをとりあえず生成しておき、後から値を設定する、といったことが可能になったため、配列の生成が柔軟に行えます。

▪問題点②

コンストラクタⒺは、引数**d**の型が**Day**であり、その**d**の日付のフィールド**d.year**, **d.month**, **d.date**の値を、フィールド**y**, **m**, **d**にコピーします。

**Fig.9-8**の例であれば、既存のインスタンス**day1**のフィールドの値が、宣言されている（新しく生成される）**day2**の各フィールドにコピーされます。

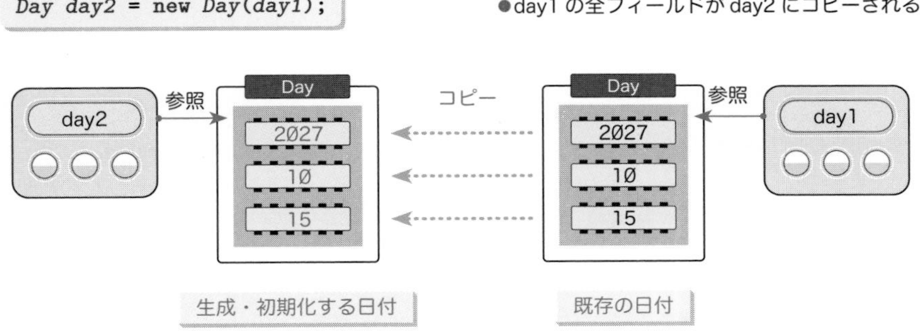


**Fig.9-8　同一型のインスタンスのコピーを生成するコピーコンストラクタ**

このように、自身と同じクラス型の引数を受け取って、全フィールドの値をコピーするコンストラクタは、**コピーコンストラクタ**（copy constructor）と呼ばれます。コピーコンストラクタの導入によって、同一日付のインスタンスの生成が容易になっています。

**重要** 必要に応じてコピーコンストラクタを定義しよう。

▶ Javaのライブラリでは、**String**クラス、**PriorityQueue**クラス、**EnumMap**クラスなどでコピーコンストラクタが定義されているものの、大部分のクラスでは、コピーコンストラクタは定義されていません。というのも、**clone**というメソッドによって、同等なことが実現可能だからです。

**List 9-8 [C]** day2/Day.java

```
  //--- 曜日を求める（日曜日〜土曜日を0〜6で返却） --//
  int dayOfWeek() {
    /* 省略（第１版と同じ） */
  }

  //--- 日付dと等しいか ---//
  public boolean equalTo(Day d) {
    return year == d.year && month == d.month && date == d.date;
  }

  //--- 文字列表現を返却 ---//
  public String toString() {
    String[] wd = {"日", "月", "火", "水", "木", "金", "土"};
    return String.format("%04d年%02d月%02d日(%s)",
                          year, month, date, wd[dayOfWeek()]);
  }
}
```



■ equalTo … 日付の等価性の判定を行うメソッド

*equalTo* は、日付が等しいかどうかを判定するメソッドです。自身の日付と、仮引数 *d* に受け取った日付の、年・月・日の3値すべてが等しければ **true** を返却し、そうでなければ **false** を返却します。

このメソッドを使って、二つの日付 *day1* が *day2* と等しいかどうかを判定する様子を示したのが、**Fig.9-9** です。このメソッドによって、問題点③が解決しています。

▶ 等価演算子 == で比較すると、参照先の等価性が判定されるのでした。

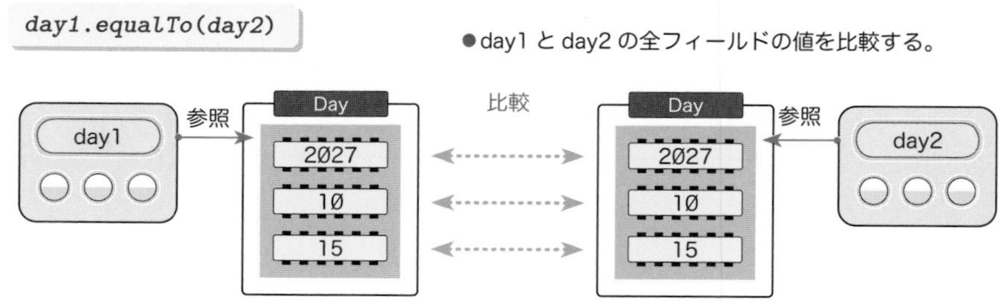


**Fig.9-9 equalTo メソッドによる比較**

■ toString … 文字列表現を返すメソッド

**toString** は、日付の文字列表現を返却するメソッドです。返す文字列は、年が4桁で、月と日を2桁とした、**"2027年05月04日(火)"** という形式です。

文字列作成のために使っているのが、**String.format** メソッドです。これは、**System.out.printf** の出力先を、画面から文字列に変えたメソッドです。

**toString** メソッドが返却する文字列をそのまま画面に表示することによって、問題点④が解決します。

なお、**toString** を斜体ではなく、立体で表記しているのは、**toString** が"特別なメソッド"だからです。とりあえずは、次のように覚えておきましょう（**Column 9-4**）。

**重要** そのクラスのインスタンスの"**現在の状態**"の文字列表現が必要であれば、その文字列を返却する **toString** メソッドを次の形式で定義するとよい。

```
public String toString() { /* … */ }
```

▶ **toString** メソッドを作ったのは初めてですが、すでに使っていたことを覚えていますか。
　それは、第6章で学習した、配列の要素の値を文字列表現で返却する **Arrays.toString** メソッドです（p.166）。



## Column 9-4　toString メソッドについて

ここでは、**toString** メソッドに関して補足します。
※後半の章の知識が必要です。後半の章の学習が終わってから、読むようにしましょう。

### ▪ toString メソッドを定義しないクラスでの toString メソッドの挙動

クラス内で **toString** メソッドを定義しなければ、**toString** メソッドが暗黙裏に定義されます。その場合、**toString** メソッドが返すのは、次の文字列です。

```
getClass().getName() + '@' + Integer.toHexString(hashCode())
```

これは、クラス名と、記号文字 **@** と、インスタンスのハッシュコードの符号無し16進表現とを連結したものです。

*Day* クラス型の場合であれば、**"Day@e09713"** といった文字列となります（16進数値 **e09713** の部分は、インスタンスごとに異なります）。

### ▪ toString メソッドを public メソッドとして定義しなければならない理由

**toString** メソッドは、必ず public メソッドとして定義しなければなりません。その理由は、次のとおりです。

- **toString** は、**java.lang.Object** クラス内で **public String toString()** として定義されたメソッドである。
- すべてのクラスは、**java.lang.Object** クラスの下位クラス（サブクラス）である。
- クラス内で **String toString()** メソッドを定義することは、**java.lang.Object** クラス内のメソッドをオーバライドすることである。
- メソッドをオーバライドする際にアクセス制限を強めることはできない。そのため、いかなるクラスであっても、**String toString()** は、**public** メソッドとして定義しなければならない。

＊

**toString** メソッドについては、**Column 12-5**（p.372）でも学習します。

日付クラス第２版を利用するプログラムを作りましょう。**List 9-9** が、そのプログラムです。

**List 9-9** day2/DayTester.java

```
// 日付クラスDay【第２版】利用例

import java.util.Scanner;

class DayTester {

  public static void main(String[] args) {
    Scanner stdIn = new Scanner(System.in);

    System.out.println("day1を入力せよ。");
    System.out.print("年："); int y = stdIn.nextInt();
    System.out.print("月："); int m = stdIn.nextInt();
    System.out.print("日："); int d = stdIn.nextInt();

    Day day1 = new Day(y, m, d); // 読み込んだ日付
    System.out.println("day1 = " + day1);                              ―1

    Day day2 = new Day(day1);    // day1と同じ日付
    System.out.println("day2をday1と同じ日付として作りました。");
    System.out.println("day2 = " + day2);

    if (day1.equalTo(day2))
      System.out.println("day1とday2は等しいです。");                  ―2
    else
      System.out.println("day1とday2は等しくありません。");

    Day d1 = new Day();                 //    1年 1月 1日
    Day d2 = new Day(2027);             // 2027年 1月 1日
    Day d3 = new Day(2027, 10);         // 2027年10月 1日
    Day d4 = new Day(2027, 10, 15);     // 2027年10月15日

    System.out.println("d1   = " + d1);
    System.out.println("d2   = " + d2);
    System.out.println("d3   = " + d3);
    System.out.println("d4   = " + d4);

    Day[] a = new Day[3];      // 要素数3のDay型配列
    for (int i = 0; i < a.length; i++)                                 ―3
      a[i] = new Day();        // 全要素を1年1月1日にする

    for (int i = 0; i < a.length; i++)
      System.out.println("a[" + i + "] = " + a[i]);
  }
}
```

実行例

```
day1を入力せよ。
年：2027⏎
月：10⏎
日：15⏎
day1 = 2027年10月15日(金)
day2をday1と同じ日付として作りました。
day2 = 2027年10月15日(金)
day1とday2は等しいです。
d1   = 0001年01月01日(月)
d2   = 2027年01月01日(金)
d3   = 2027年10月01日(金)
d4   = 2027年10月15日(金)
a[0] = 0001年01月01日(月)
a[1] = 0001年01月01日(月)
a[2] = 0001年01月01日(月)
```

1 *Day* 型インスタンス *day1* の日付の表示です。第１版では数行のコードが必要でしたが、たったの１行に収まっています。

これが可能なのは、**toString メソッドが暗黙裏に呼び出される**からです。

『数値 + 文字列』あるいは『文字列 + 数値』の演算を行うと、数値が文字列に**変換**された上で**連結**されることを第２章で学習しました。まさに、それと同じ要領です。

**重要** 『文字列 + クラス型変数』あるいは『クラス型変数 + 文字列』の演算では、そのクラス型変数に対して toString メソッドが暗黙裏に呼び出されて文字列に変換された上で、文字列の連結が行われる。

もちろん、次のように、toString メソッドを明示的に呼び出しても構いません。

```
System.out.println("day1 = " + day1.toString());
```

ただし、プログラムが長くなって、読みづらくなるだけです。

2 日付 *day1* が、日付 *day2* と等しいかどうかを、メソッド *equalTo* によって判定します。行われる判定は、年・月・日の**全フィールドの値が等しいか**どうかです。

▶ 第１版で数行必要だったコードが、１行に収まっています。

3 *Day* 型の配列を生成します。引数を受け取らないコンストラクタを呼び出していますので、全要素が西暦１年１月１日で初期化されます。

＊

p.274 で検討した、第１版の四つの問題点が、第２版ですべて解決しています。しかし、問題は、まだ残っています。

コンストラクタⒶ〜Ⓒは、仮引数を受け取っていない年・月・日の項目を 1 で初期化する仕様です。そのため、複数のコンストラクタの定義内に、1 というマジックナンバーが埋め込まれています。

この値を、他の値に変えるといった仕様変更を行うのであれば、すべてのコンストラクタを手作業で修正しなければなりません。

また、すべてのコンストラクタが“似て非なる”ものとなっています。プログラムの保守性や拡張性を考えると、同一あるいは類似したコードは、なるべく一箇所に集中させるべきです。

＊

日付クラスを改良しましょう。改良した第３版の日付クラスが、**List 9-10**（次ページ）です。

### Column 9-5　Java の文法と用語について（その2）

Java の文法と用語に関する **Column 3-4**（p.69）の続きです。ここでは、**演算子**と**式の評価**について解説します。

たとえば、加算を行う **+ 演算子**を用いた式を考えましょう。本書をお読みのみなさんは、加算を行う式 5 + 7 を評価すると、int 型の 12 が得られる、ということはお分かりでしょう。

ところが、多くの書籍やインターネットのサイトで、『+ 演算子は、加算を行った結果を返す。』と解説されています。演算子は、メソッド呼出しとは異なり、**呼び出されることもありませんし、値を返すこともありません**（返しようがありません）。完全に誤った表現であることが分かるでしょう。

当然のことですが、『演算子が値を**返す**』といった表現は、Java の言語仕様でも使われていません。

**List 9-10** day3/Day.java

```
// 日付クラスDay【第３版】

public class Day {
  private int year  = 1;     // 年
  private int month = 1;     // 月               ←各フィールドは初期化子の値で初期化される
  private int date  = 1;     // 日

  //--- コンストラクタ ---//
  public Day()                                    { }                                          1
  public Day(int year)                            { this.year = year; }                        2
  public Day(int year, int month)                 { this(year); this.month = month; }          3
  public Day(int year, int month, int date) { this(year, month); this.date = date; }           4
  public Day(Day d)                               { this(d.year, d.month, d.date); }           5

    /* 省略（第２版と同じ） */
}
```



第２版から変更されているのは、フィールドの宣言と、コンストラクタの宣言のみです。

### フィールドの初期値

フィールドの宣言である網かけ部では、フィールド **year**, **month**, **date** の宣言に対して、初期化子 1 が与えられています。

このように、**明示的に初期化子が与えられたフィールドは、インスタンスの生成時に、その初期化子によって初期化されます。**

**重要** フィールドの宣言に初期化子を与えておけば、そのフィールドはインスタンス生成時に、与えられた初期化子の値で初期化される。

▶ 初期化のタイミングをもう少し厳密に説明すると、『インスタンスの生成直後で、コンストラクタの本体が実行される直前』です。フィールド **year**, **month**, **date** はインスタンス生成時に既定値 0 で初期化され、その直後に 1 が代入されます。

### 同一クラス内のコンストラクタの呼出し（委譲コンストラクト）

次は、コンストラクタ1に着目します。フィールド **year**, **month**, **date** が 1 で初期化される結果として、行うべきことがなくなったことから、コンストラクタ本体が空になっています。

＊

それでは、残りのコンストラクタを理解していきましょう。

コンストラクタ2では、年 **year** の値のみを明示的に設定しています。

コンストラクタ3・4・5には、this(...) という式があります。これは、同一クラス内のコンストラクタの呼出しです。次のように数珠（じゅず）つなぎになっているわけです。

- コンストラクタ3：コンストラクタ2を **this(year)** で呼び出す。
- コンストラクタ4：コンストラクタ3を **this(year, month)** で呼び出す。
- コンストラクタ5：コンストラクタ4を **this(d.year, d.month, d.date)** で呼び出す。

たとえば、コンストラクタ❸であれば、年 ***year*** の設定は、❷におまかせして、月 ***month*** のみを自前で設定する、という仕組みです。

このようなコーディングは、面倒に感じられるかもしれません。しかし、**メリットのほうが大きい**のです。具体例で検証しましょう。

西暦には“0 年”という年は存在しませんから、『***year*** に対して **0** が与えられた場合は、強制的に **1** に調整する』という変更を施すとします。

その場合、コンストラクタ❷を次のように書きかえます。

```
public Day(int year) { if (year == 0) year = 1;  this.year = year; }
```

なお、コンストラクタ❸と❹と❺は、変更の必要がありません。

改良前の第2版のクラス ***Day*** であれば、コンストラクタやメソッド ***set*** など、数多くの箇所の変更を余儀なくされます。

**重要** 同一あるいは類似のコードをクラス中に散在させるべきではない。行うべき処理が、他のメソッドやコンストラクタで実現されていれば、そのメソッドやコンストラクタを呼び出して、処理を委譲(いじょう)すべき（委(ゆだ)ねるべき）である。

なお、**this(...)** の呼出しが行えるのは、**コンストラクタの先頭のみです。**

**重要** コンストラクタの中で、クラス内の他のコンストラクタを呼び出して処理を委譲するには、**this(...)** の呼出しをコンストラクタの先頭で行う。

▶ ダウンロードプログラムには、**List 9-9**（p.280）と同じものが、**"day3/DayTester.java"** として含まれています。

### Column 9-6　Java の文法と用語について（その3）

Java の文法と用語に関する解説の続きです。ここでは、用語の定義が、プログラミング言語によって異なることについて解説します。例として取りあげる用語は、オブジェクト（object）です。

Java 言語仕様では、次のように定義されています。

**オブジェクトは、クラスインスタンスまたは配列である。**

このことは、本書の p.237 で学習しました。ちなみに、**C 言語**では、オブジェクトが、次のように定義されています（JIS の定義です）。

**その内容によって、値を表現することができる実行環境中の記憶域の部分。**

C 言語では、記憶域を占有して値を表現するものは、すべてオブジェクトです。そのため、基本型である **int** 型や **double** 型の変数は、Java ではオブジェクトではないのですが、C 言語ではオブジェクトとして扱われます。

ここでは用語の定義について考えましたが、用語だけでなく、各種の概念や構文なども、プログラミング言語によって、（場合によっては、まったく）異なります。

用語や概念や構文などを、正確に学習する必要性が分かるでしょう。

# 9-2 クラス型のフィールド

ここまでのクラスのフィールドは、すべて基本型とString型の変数でした。本節では、自作のクラス型のフィールドをもつクラスを学習します。

## クラス型のフィールド

前章で作成した自動車クラス *Car* に《購入日》のデータを追加することを考えます。もちろん、その購入日は、本章で作成した第3版の日付クラス *Day* で表すことにします。

そのように変更した自動車クラス *Car* が、**List 9-11** のプログラムです。

**List 9-11** car2/Car.java

```
// 自動車クラス【第2版】

public class Car {
  private String name;       // 名前
  private int width;         // 幅
  private int height;        // 高さ
  private int length;        // 長さ
  private double x;          // 現在位置X座標
  private double y;          // 現在位置Y座標
  private double fuel;       // 残り燃料
  private Day purchaseDay;   // 購入日                    ―❶

  //--- コンストラクタ ---//
  public Car(String name, int width, int height, int length, double fuel,
             Day purchaseDay) {
    this.name = name;     this.width = width; this.height = height;
    this.length = length; this.fuel = fuel;   x = y = 0.0;
    this.purchaseDay = new Day(purchaseDay);              ―❷
  }                                  仮引数のコピーをフィールドに代入

  public double getX() { return x; }           // 現在位置X座標を取得
  public double getY() { return y; }           // 現在位置Y座標を取得
  public double getFuel() { return fuel; }     // 残り燃料を取得

  public Day getPurchaseDay() {          // 購入日を取得
    return new Day(purchaseDay);                          ―❸
  }                                  フィールドのコピーを返却

  /* メソッドputSpecとmoveは第1版と同じため省略 */
}
```

▶ クラス *Car* は日付クラス第3版を利用しますので、本ソースファイルを格納するディレクトリ car2 の中に、日付クラス第3版のクラスファイルが必要です。

主な変更点は、3箇所です。それぞれを理解していきましょう。

❶ 新しく追加した購入日用のフィールド *purchaseDay* の宣言です。

このフィールドは**クラス型**です。そのため、右ページの **Fig.9-10** に示すように、*Day* 型の回路（インスタンス）ではなく、**リモコン（インスタンスを参照する変数）**となります。

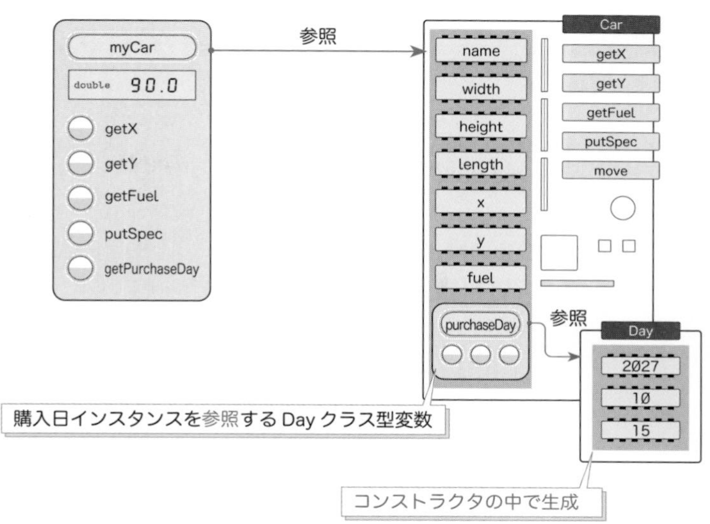


**Fig.9-10　クラスCarとクラスDay**

2　コンストラクタ内で、日付を設定する箇所です。

クラス*Day*の**コピーコンストラクタ**（自身と同じ*Day*型の引数を受け取って、そのコピーで初期化するコンストラクタ）を呼び出す**new**式によって、購入日のインスタンスを生成・初期化しています。

すなわち、仮引数***purchaseDay***に受け取った日付のコピーを作って、その**コピーへの参照**をフィールド***purchaseDay***に代入しているわけです。

▶　もし、**new**式によってインスタンスを生成せず、**this.*purchaseDay* = *purchaseDay*;**という単純な代入になっていると、p.267で遭遇した問題と、同じ問題が発生します。

3　新しく追加したメソッド***getPurchaseDay***の宣言です。

購入日***purchaseDay***のゲッタです。ただし、コンストラクタと同様に、**コピーコンストラクタ**で購入日フィールドのコピーを作って、その**コピーへの参照**を返却していることに注意しましょう。

## 参照を返すメソッド

購入日のゲッタ***getPurchaseDay***が、フィールド***purchaseDay***の値そのものではなく、**コピーコンストラクタを呼び出してコピーを作った上で、そのコピーへの参照を返却する**理由を考えていきましょう。

ここでは、次ページの**List 9-12**で検証していきます。まずは実行してみましょう。

▶　メソッド***getPurchaseDay***が、フィールド***purchaseDay***の値をそのまま返すように改変したクラス*Car*のプログラムは、**"car2X/Car.java"**です。

**List 9-12** car2/CarTester1.java car2X/CarTester1.java

```
// 自動車クラス【第２版】の利用例（その１）

class CarTester1 {

  public static void main(String[] args) {
    Day d = new Day(2027, 10, 15);
    Car myCar = new Car("愛車", 1885, 1490, 5220, 90.0, d);

    Day p = myCar.getPurchaseDay();                           ─❶
    System.out.println("愛車の購入日：" + p);

    p.set(1999, 12, 31);    // 購入日を書きかえる（？）       ─❷

    Day q = myCar.getPurchaseDay();                           ─❸
    System.out.println("愛車の購入日：" + q);
  }
}
```



右ページの **Fig.9-11** ⓐが、プログラムの実行結果です。なお、メソッド ***getPurchaseDay*** がフィールド ***purchaseDay*** の値をそのまま返すのであれば、図ⓑの実行結果となります。

***myCar*** の購入日は 2027 年 10 月 15 日です。❶では、メソッド ***getPurchaseDay*** で購入日を取得して表示しています。❷では、取得した日付 ***p*** に対してメソッド ***set*** を呼び出して、その日付を 1999 年 12 月 31 日に書きかえます。最後の❸では、購入日を再取得・表示しています。

さて、図ⓐは購入日は 2027 年 10 月 15 日のままですが、図ⓑは購入日が 1999 年 12 月 31 日になっています。この違いを理解していきます。

### ▪ 図ⓐ … メソッド getPurchaseDay が new Day(purchaseDay) を返却

メソッド ***getPurchaseDay*** は、***purchaseDay*** が参照するインスタンスの**コピー**を生成して、そのコピーへの参照を返却します。❶では、そのコピーを参照するように ***p*** が初期化されるため、❷で書きかえられるのは、**購入日のフィールドのコピー**です。

購入日を調べる❸では、購入日のコピーが再び作られ、***q*** は、そのコピーを参照することになります。そのため、フィールド ***purchaseDay*** の日付は、2027 年 10 月 15 日のままです。

### ▪ 図ⓑ … メソッド getPurchaseDay が purchaseDay を返却

メソッド ***getPurchaseDay*** は、***purchaseDay*** への参照を**そのまま**返します。❶では、フィールド ***purchaseDay*** を参照するように ***p*** が初期化されますので、❷で書きかえられるのは、**購入日のフィールドそのもの**です。

購入日を調べる❸では、その日付を ***q*** が参照することになります。そのため、フィールド ***purchaseDay*** の日付は、書きかえられた 1999 年 12 月 31 日となります。

＊

購入日そのものではなく、そのコピーを返却している理由が分かりました。

**重要** 参照型のフィールドをそのまま返却すると、その**参照**を通じて外部から間接的に値を書きかえられてしまいかねない。返却するのは、コピーへの参照とする。

**a** 正しいプログラム（List 9-11）

```
// 購入日を取得
public Day getPurchaseDay() {
  return new Day(purchaseDay);
}
```

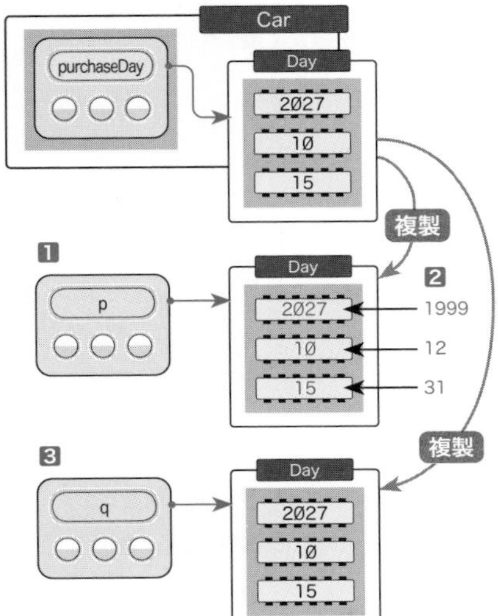


**実行結果**

```
愛車の購入日：2027年10月15日(金)
愛車の購入日：2027年10月15日(金)
```

メソッドgetPurchaseDayは、購入日フィールドのコピーへの参照を返却する。

返却された参照を通じて、外部から購入日フィールドの値が書きかえられることはない。

**b** 誤ったプログラム

```
// 購入日を取得
public Day getPurchaseDay() {
  return purchaseDay;
}
```

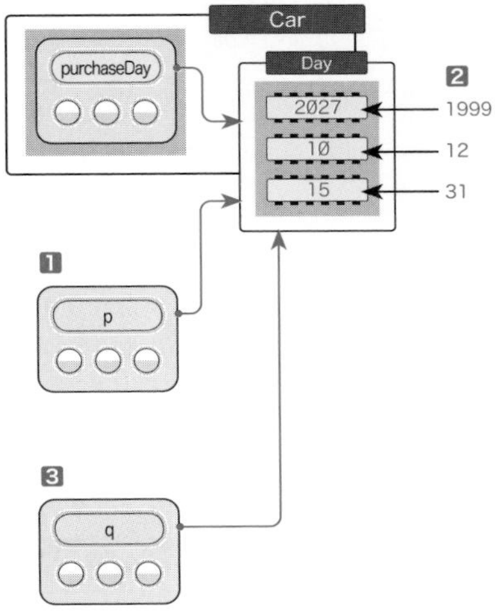


**実行結果**

```
愛車の購入日：2027年10月15日(金)
愛車の購入日：1999年12月31日(金)
```

メソッドgetPurchaseDayは、購入日フィールドそのものへの参照を返却する。

返却された参照を通じて、外部から購入日フィールドの値が書きかえられる可能性がある。

**Fig.9-11　クラスCarのメソッドgetPurchaseDayの働き**

## has-Aとコンポジション

自動車クラス第２版と日付クラスの関係を考えましょう。**Fig.9-12** のようになります。

クラス *Car* はその部分としてクラス *Day* をもつ。

ことが示されています。

このように、“あるクラスがその一部分として別のクラスをもつ”ことをhas-Aの関係と呼びます。

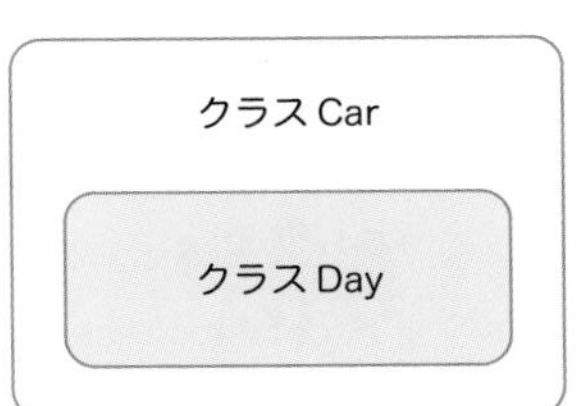


**Fig.9-12　has-Aの関係**

もちろん、設計図であるクラスだけでなく、クラスから作られた実体としての**インスタンス**にも同じ関係が成立します。

実際、自動車クラス *Car* 型のインスタンスは、その部分として、日付クラス *Day* 型のインスタンスを含んでいます。

▶ 前ページの **Fig.9-11** からも分かるように、*Car* 型インスタンスが含むのは、厳密には、*Day* 型インスタンスではなく、*Day* 型のクラス型変数（インスタンスを参照する変数）です。

インスタンスが内部に別のインスタンスをもつ構造のことを**コンポジション**（合成）と呼びます。has-A はコンポジションを実現する一手段です。

＊

次は、クラス *Car* 型のインスタンスを生成して、スペックと購入日を表示するだけの、単純なプログラムを作りましょう。**List 9-13** に示すのが、そのプログラムです。



**List 9-13** car2/CarTester2.java

```
// 自動車クラス【第２版】の利用例（その２）

class CarTester2 {

  public static void main(String[] args) {                     ❶
    Car myCar = new Car("愛車", 1885, 1490, 5220, 90.0, new Day(2000, 11, 18));

    myCar.putSpec();
    System.out.println("購入日：" + myCar.getPurchaseDay().toString());
  }
}                                   ❷
```

実行結果

```
名前：愛車
車幅：1885mm
車高：1490mm
車長：5220mm
購入日：2000年11月18日(土)
```

❶ *Day* 型インスタンスを生成する **new** 式です。そのため、生成したインスタンスへの参照が、コンストラクタに渡されます。

呼び出されたコンストラクタは、受け取った日付の**コピー**を作って、そのインスタンスを参照するようにフィールド *purchaseDay* を設定します。

▶ 第７章で、**new** によって生成した配列に名前を与えることなく、そのままメソッドの引数として渡す手法を学習しました（p.217）。

このコードは、その原理と同じであって、生成したインスタンスに名前を与えていません。もし名前を与えるのであれば、次のようになります（"car2/CarTester2a.java"）。

```
Day pd = new Day(2000, 11, 18);
Car myCar = new Car("愛車", 1885, 1490, 5220, 90.0, pd);
```

*myCar* を作った後に、クラス型変数 *pd* が必要であれば、これでもよいでしょう。しかし、*myCar* を作った後に、*pd* が不要になるのであれば、わざわざクラス型変数を導入するまでもありません。

❷ 購入日の文字列表現を取得するためのメソッド呼出し式です。このメソッド呼出し式では、メンバアクセス演算子 **.** が２重に適用されています。

メソッド *getPurchaseDay* の呼出し *myCar.getPurchaseDay()* によって返却されるのは、*Day* 型の日付（購入日のコピー）への参照です。その参照に対して、クラス *Day* の **toString** メソッドを呼び出す、という構造です。

**重要** クラス型インスタンス a のメソッド b が Type 型インスタンスへの参照を返却するのであれば、a.b().c() によって Type 型のメソッド c を呼び出せる。

▶ 難しく感じられるかもしれませんが、次のように分解すると理解しやすくなります。

```
Day temp = myCar.getPurchaseDay();              // myCarの購入日のコピー
System.out.println("購入日：" + temp.toString());
```

次に、自動車の各フィールドに設定すべき値をキーボードから読み込んで、インスタンスを生成・表示することにしましょう。**List 9-14** に示すのが、そのプログラムです。

**List 9-14** car2/CarTester3.java

```
// 自動車クラス【第２版】の利用例（その３）

import java.util.Scanner;

class CarTester3 {

  public static void main(String[] args) {
    Scanner stdIn = new Scanner(System.in);

    System.out.println("車のデータを入力せよ。");
    System.out.print("名前は：");      String name = stdIn.next();
    System.out.print("車幅は：");      int width = stdIn.nextInt();
    System.out.print("高さは：");      int height = stdIn.nextInt();
    System.out.print("長さは：");      int length = stdIn.nextInt();
    System.out.print("ガソリン量は："); double fuel = stdIn.nextDouble();
    System.out.print("購入年：");      int y = stdIn.nextInt();
    System.out.print("購入月：");      int m = stdIn.nextInt();
    System.out.print("購入日：");      int d = stdIn.nextInt();

    Car car2 = new Car(name, width, height, length, fuel, new Day(y, m, d));

    car2.putSpec();
    System.out.println("購入日：" + car2.getPurchaseDay());
  }
}
```

実行例

```
車のデータを入力せよ。
名前は：ビッツ⏎
車幅は：1650⏎
高さは：1430⏎
長さは：4000⏎
ガソリン量は：40⏎
購入年：2025⏎
購入月：6⏎
購入日：21⏎
名前：ビッツ
車幅：1650mm
車高：1430mm
車長：4000mm
購入日：2025年06月21日(土)
```

網かけ部に着目します。前のプログラムとは異なって、“.toString()”がありません。

『文字列 + クラス型変数』の演算では、クラス型変数に対して toString() が暗黙裏に呼び出されるため、明示的な呼出しは省略可能です（p.280）。

▶ もちろん、List 9-13 の2の“.toString()”も省略可能です。

本章では、構造が単純な日付クラスと、それを含む自動車クラスを通じて、クラスのディープな領域を学習しました。**クラス型**と**配列型**は、**参照型**です。参照型は、リモコン（配列変数／クラス型変数）と、本体（配列本体／インスタンス）が別々に存在するため、取扱いが難しいのです（難しいところを避けて学習しても、Java の本質は理解できません）。

# まとめ

- 使い捨ての小規模でテスト的なものでない限り、クラスやメソッドには`public`を付けて宣言する。パッケージを越えて利用できるようになる。

- クラスには、必要に応じてアクセッサを定義するとよい。フィールド`abc`の値を取得するゲッタの名前は*`getAbc`*とし、設定するセッタの名前は*`setAbc`*とする。

- 代入もしくは初期化によってクラス型変数の値をコピーすると、全フィールドの値ではなく、**参照先**がコピーされる。

- メソッドの引数としてクラス型変数をやり取りする際は、インスタンスへの**参照**が受け渡しされる。

- クラス型変数を等価演算子`==`あるいは`!=`で比較すると、**参照先**の等価性が判定される。全フィールドの値が等しいかどうかは判定されない。

- 同一あるいは類似のコードをクラス中に散在させるべきではない。行うべき処理が、他のメソッドやコンストラクタで実現されていれば、そのメソッドやコンストラクタを呼び出して処理を委譲すべきである。

- コンストラクタを多重定義すれば、インスタンスの構築法の選択肢が広がる。

- コンストラクタの先頭では、同一クラス内のコンストラクタを、`this(...)`によって呼び出して**委譲**できる。

- 同一クラス型の引数を受け取り、その全フィールドの値をコピーして、**同一状態のインスタンス**の構築を行うコピーコンストラクタを、必要に応じて定義するとよい。

- インスタンスの現在の**状態**を文字列で返却するメソッドが必要であれば、`toString`メソッドを`public String toString() { /*…*/ }`として定義する。このメソッドは、『クラス型変数 + 文字列』および『文字列 + クラス型変数』の演算で暗黙裏に呼び出される。

- クラス型の配列を生成すると、クラス型変数の全要素が空参照`null`で初期化される。

- クラス型の配列の個々の要素はクラス型変数であって、インスタンスではない。初期化あるいは代入によって、各要素にインスタンスへの**参照**を入れなければならない。

- クラスのフィールドが、他のクラス型となっているときhas-Aの関係が成立する。

- 不用意に参照型フィールドの値を返却してはならない。その**参照**を通じて外部から間接的に値が書きかえられてしまうからである。

chap09/Point2D.java

```
//--- 2次元座標クラス ---//
public class Point2D {
  private int x = 0;        // X座標
  private int y = 0;        // Y座標

  public Point2D() { }
  public Point2D(int x, int y) { set(x, y); }
  public Point2D(Point2D p)    { this(p.x, p.y); }

  public int getX() { return x; }
  public int getY() { return y; }

  public void setX(int x)        { this.x = x; }
  public void setY(int y)        { this.y = y; }
  public void set(int x, int y) { setX(x);  setY(y); }

  public String toString() { return "(" + x + "," + y + ")"; }
}
```

多重定義されたコンストラクタ

コピーコンストラクタ

他のコンストラクタの呼出し

ゲッタ

セッタ

インスタンスの状態を簡潔に表現した文字列を返却

has-A：クラス Circle は、クラス Point2D をもっている。

chap09/Circle.java

```
//--- 円クラス ---//
public class Circle {
  private Point2D center;      // 中心の座標
  private int radius = 0;      // 半径

  public Circle() { center = new Point2D(); }

  public Circle(Point2D c, int radius) {
    center = new Point2D(c);  this.radius = radius;
  }

  public Point2D getCenter() { return new Point2D(center); }
  public int getRadius() { return radius; }

  public void setCenter(Point2D c) {
    center.set(c.getX(), c.getY());
  }
  public void setRadius(int radius) { this.radius = radius; }

  public String toString() {
    return "中心座標：" + center.toString() + " 半径：" + radius;
  }
}
```

ゲッタ

セッタ

省略可

chap09/CircleTester.java

```
//--- 円クラスと2次元座標クラスのテスト ---//
public class CircleTester {

  public static void main(String[] args) {
    Point2D[] p = new Point2D[] {
      new Point2D(3, 7), new Point2D(4, 6)
    };
    Circle c1 = new Circle();
    Circle c2 = new Circle(new Point2D(10,15), 5);

    for (int i = 0; i < p.length; i++)
      System.out.println("p[" + i + "] = " + p[i].toString());

    c1.setRadius(10);
    System.out.println("c1 = " + c1.toString());
    System.out.println("c2 = " + c2.toString());
  }
}
```

省略可

省略可

実行結果

```
p[0] = (3,7)
p[1] = (4,6)
c1 = 中心座標：(0,0) 半径：10
c2 = 中心座標：(10,15) 半径：5
```

9

まとめ

# 第 10 章

# クラス変数とクラスメソッド

　本章で学習するのは、クラス変数とクラスメソッドです。これらは、個々のクラスのインスタンスに所属するインスタンス変数・インスタンスメソッドとは異なり、クラスに所属して、そのクラスのインスタンスから共有される変数・メソッドです。

□ クラス変数（静的フィールド）
□ クラスメソッド（静的メソッド）
□ クラス初期化子（静的初期化子）
□ インスタンス初期化子
□ ユーティリティクラス

# 10-1 クラス変数

前章までのフィールド＝インスタンス変数は、クラスの個々のインスタンスに所属するデータでした。本節では、同一クラスのインスタンス間で共有するデータを表す静的フィールド＝クラス変数について学習します。

## クラス変数（静的フィールド）

第８章で作った《銀行口座クラス》の個々のインスタンスに、《識別番号》を与えることを考えましょう。与える識別番号は、インスタンス生成の順に、1, 2, 3 … という連続した整数値とします。

たとえば、**Fig.10-1** に示すようにインスタンスを生成すると、adachi の識別番号を 1 として、nakata の識別番号を 2 とします。



生成したインスタンスに連番を与える

```
Account adachi = new Account("足立幸一", "123456", 1000);
Account nakata = new Account("仲田真二", "654321",  200);
```

識別番号：１番
識別番号：２番

**Fig.10-1　銀行口座のインスタンスに与える識別番号**

その実現には、クラス Account に識別番号用のフィールドの追加が必要です。型を int 型として、名前を id にしましょう。これに加えて、もう一つ、次のデータが必要です。

---

**現時点で何番までの識別番号を与えたのか。**

---

これは、adachi がもつべきものではなく、nakata がもつべきものでもありません。**個々のインスタンスがもつのではなく、クラス Account の全インスタンスで共有すべきデータです。**

このようなデータは、フィールドの宣言に static を付けるだけで実現できます。クラスで共有する変数であることから、**クラス変数**（class variable）と呼ばれます。また、宣言に static が付くことから、**静的フィールド**（static field）という別称もあります。

**重要** static を付けて宣言されたフィールドは、そのクラスの全インスタンスで共有するクラス変数（静的フィールド）となる。

▶ static は、『静的な』『変化がない』『固定された』という意味です。**クラス変数／静的フィールド／static フィールド**のいずれの用語も使われますので、すべてを覚えておく必要があります。
また、**クラス変数**を、**クラス型変数**（p.236）と混同しないようにしましょう。

クラス変数を導入したクラス Account と、そこから作られるインスタンスのイメージを表したのが、右ページの **Fig.10-2** です。

▶ この図は、**Fig.10-1** のコードにしたがってインスタンスを２個生成した後の状態です。

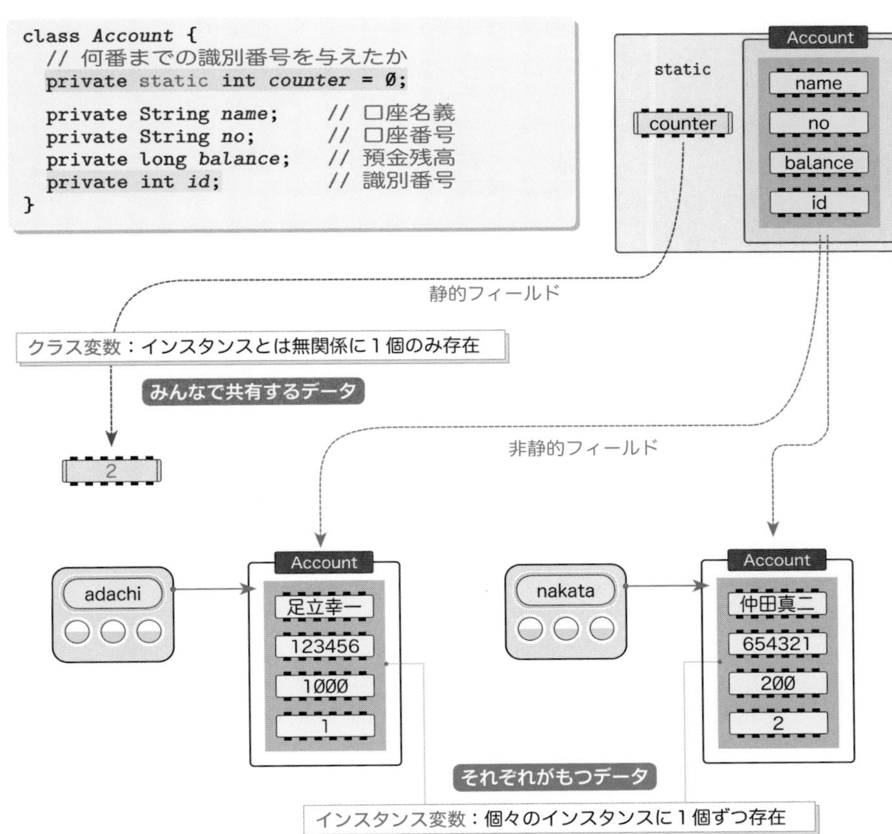


**Fig.10-2　インスタンスとクラス変数**

追加した二つのフィールドについて、理解を深めましょう。

### ▪ クラス変数 counter … 現時点で何番までの識別番号を与えたのか

現時点で何番までの識別番号を与えたのかを表すのが、**static** 付きで宣言されたクラス変数 ***counter*** です。

クラス ***Account*** 型を利用するプログラム内で、***Account*** 型のインスタンスがいくつ生成されても（たとえ１個も生成されなくても）、そのクラスに所属する**クラス変数（静的フィールド）の実体は、１個だけ作られます。**

### ▪ インスタンス変数 id … 個々のインスタンスの識別番号

個々のインスタンスの識別番号を表すのが、**static** を付けずに宣言された ***id*** です。

静的でないフィールド（非静的フィールド）の実体は、個々のインスタンスごとに作られることから、**インスタンス変数**と呼ばれることは、第８章で学習しました（p.238）。

各口座に識別番号を与える銀行口座クラスを作りましょう。**List 10-1** に示すのが、p.241 の第２版に追加を行って作成した銀行口座クラス ***Account*** 第３版です。

▶ 前章で学習した方針（p.274）に基づいて、クラスと全メソッドを **public** に変更しています。

**List 10-1** account3/Account.java

```
// 銀行口座クラス【第３版】

public class Account {                          クラス変数（静的フィールド）
  private static int counter = 0;   // 何番までの識別番号を与えたか        1

  private String name;       // 口座名義
  private String no;         // 口座番号           インスタンス変数（非静的フィールド）
  private long balance;      // 預金残高
  private int id;            // 識別番号                                 2

  //-- コンストラクタ --//
  public Account(String n, String num, long z) {
    name = n;                // 口座名義
    no = num;                // 口座番号
    balance = z;             // 預金残高
    id = ++counter;          // 識別番号   ←3
  }

  //--- 識別番号を取得 ---//
  public int getId() {
    return id;                             ←4
  }

  /* 中略（第２版と同じ） */
}
```

第３版で追加された、❶～❹の箇所を理解していきましょう。

❶ 全口座（すべての ***Account*** 型のインスタンス）で共有するクラス変数 ***counter*** の宣言です。

この値が外部から書きかえられると、インスタンスに正しく連番を与えることができなくなるため、非公開のフィールドとしています。

初期化子 **0** が与えられているため、**0** で初期化されます。

▶ 初期化子の **0** を **100** に変更すれば、識別番号は **101, 102,** … となります。

❷ 各口座（個々の ***Account*** 型インスタンス）がもつインスタンス変数 ***id*** の宣言です。具体的な値の設定は、コンストラクタで行います。

❸ コンストラクタ内で、インスタンス変数 ***id*** に値を設定する箇所です。

クラス変数 ***counter*** の値をインクリメントした値を識別番号 ***id*** に代入していますので、インスタンスごとに与えられる識別番号 ***id*** は１ずつ増えていきます。

▶ コンストラクタが初めて呼び出されたときの ***counter*** の値は **0** ですから、それをインクリメントした値 **1** が、そのインスタンスの ***id*** にセットされます。そして、２番目に作られた ***Account*** インスタンスの ***id*** フィールドの値は **2** となります。

❹ 識別番号 ***id*** のゲッタです。このメソッドを呼び出すことによって、そのインスタンスの識別番号が調べられます。

銀行口座の識別番号について、**List 10-2** のプログラムで検証しましょう。

**List 10-2** account3/AccountTester.java

```
// 銀行口座クラス【第３版】の利用例

class AccountTester {

  public static void main(String[] args) {
    // 足立君の口座
    Account adachi = new Account("足立幸一", "123456", 1000);

    // 仲田君の口座
    Account nakata = new Account("仲田真二", "654321",  200);

    System.out.println("■足立君の口座");
    System.out.println("  口座名義：" + adachi.getName());
    System.out.println("  口座番号：" + adachi.getNo());
    System.out.println("  預金残高：" + adachi.getBalance());
    System.out.println("  識別番号：" + adachi.getId());

    System.out.println("■仲田君の口座");
    System.out.println("  口座名義：" + nakata.getName());
    System.out.println("  口座番号：" + nakata.getNo());
    System.out.println("  預金残高：" + nakata.getBalance());
    System.out.println("  識別番号：" + nakata.getId());
  }
}
```

実行結果

```
■足立君の口座
  口座名義：足立幸一
  口座番号：123456
  預金残高：1000
  識別番号：1
■仲田君の口座
  口座名義：仲田真二
  口座番号：654321
  預金残高：200
  識別番号：2
```

二つの口座の識別番号を、ゲッタ **getId** を呼び出す２箇所の網かけ部で取得しています。

最初に作られた **adachi** の識別番号が **1** となり、その後で作られた **nakata** の識別番号が **2** となっていることが、実行結果からも確認できます。

▶ クラス変数 counter の値が、Account 型**インスタンスの個数と一致するとは限りません。**というのも、構築されたインスタンスがプログラムの途中で破棄される可能性があるからです。
すなわち、クラス変数を利用して、『そのクラス型の全インスタンスの個数を格納しておく』といったことは不可能、ということです。

## Column 10-1 クラスの実体と Class クラス

第８章では、『クラスは“回路の設計図”に相当するものであって実体ではない』ことを学習しました。しかし、本当は、プログラム実行時のクラスには、実体があります。

第３版のクラス Account を例に考えましょう。このクラスを使うプログラムでは、実行時にクラスが記憶域上に読み込まれ、クラス変数である counter が 0 で初期化されます。また、p.308 で学習するクラス RandId であれば、**クラス初期化子**の実行が行われます。たとえクラスのインスタンスを１個も作っていなくても、クラス運用のための何らかのデータや手続きが必要となることは想像できるでしょう。

プログラム実行時のクラスの実体を表すのが、Class という名前のクラスです（先頭の C は大文字です）。その Class クラスは、

『《“回路の設計図”であるクラスを運用するための》回路の設計図』

ということになります。なお、実行中のプログラムのクラスおよびインタフェース（第 14 章）を表すのは、Class クラス型のインスタンスです。

## クラス変数のアクセス

クラス変数は、名前が示すように、個々のインスタンスではなく、**クラスに所属します**。そのため、クラス変数のアクセスは、次の式で行えるようになっています。

```
クラス名 . フィールド名                                  // 形式A
```

銀行口座クラスのクラス変数 ***counter*** は、非公開であって外部からのアクセスが不可能ですから、**List 10-3** のプログラムで検証しましょう。

ここに示す識別番号クラス ***Id*** は、銀行口座クラス ***Account*** から、識別番号以外のフィールドやメソッドを削除して作ったものです。

**List 10-3** chap10/IdTester.java

```
// 識別番号クラス（その１）

class Id {
  static int counter = 0;   // 何番までの識別番号を与えたか

  private int id;         // 識別番号

  //--- コンストラクタ ---//
  public Id() {
    id = ++counter;       // 識別番号
  }

  //--- 識別番号を取得 ---//
  public int getId() {
    return id;
  }
}

public class IdTester {

  public static void main(String[] args) {
    Id a = new Id();     // 識別番号１番
    Id b = new Id();     // 識別番号２番

    System.out.println("aの識別番号：" + a.getId());
    System.out.println("bの識別番号：" + b.getId());

    System.out.println("Id.counter = " + Id.counter);   ―1
    System.out.println("a.counter  = " +  a.counter);
    System.out.println("b.counter  = " +  b.counter);   ―2
  }
}
```

実行結果

```
aの識別番号：1
bの識別番号：2
Id.counter = 2
a.counter  = 2
b.counter  = 2
```



### ■ クラス変数 counter

クラス変数 ***counter*** は、本来は非公開にすべきですが、本プログラムは検証実験のために、あえて **private** を付けずに宣言して、外部に公開しています。

### ■ インスタンス変数 id

インスタンス変数 ***id*** は、クラス ***Id*** の個々のインスタンスに所属するフィールドです。その値が、生成された順に **1, 2, 3,** …となるのは、銀行口座クラスと同じです。

それでは、クラス *IdTester* に着目しましょう。

❶では、式 *Id.counter* によって、クラス変数 *counter* の値を調べ、2 が得られています。

ただし、この変数は、*a.counter* と *b.counter* でもアクセスできることが❷から分かります。すなわち、クラス変数は、次の式でもアクセスできるのです。

---

**クラス型変数名 . フィールド名** // 形式Ⓑ

---

『みんなの *counter*』は、『*a* の *counter*』でもあり『*b* の *counter*』でもある、といえますので、このような式が許容されています。

ただし、見た目が紛らわしい形式Ⓑの使用は、お勧めできません。**形式Ⓐを使うのが原則です。**

**重要** クラスに所属する**クラス変数**は、“ **クラス名 . フィールド名** ” でアクセスする。



## ソースファイルと public クラス

さて、このプログラムでは、二つのクラスが宣言されていますが、その宣言には大きな違いがあります。クラスは **public** 宣言する方針（p.274）であったにもかかわらず、クラス *Id* は、**public** なしで宣言されています。

▶ **public** 付きのクラスは、パッケージという単位を越えてプログラムのどこにでも通用するのに対し、**public** が付かないクラスは、同一パッケージの中でしか通用しないことを学習していました。

ここで実験をします。クラス *Id* の宣言にも **public** を付けてみましょう（**"chap10/IdTesterError.java"**）。そうすると、**コンパイル時エラー**になります。

そうなるのは、次の規則があるからです。

**重要** 単一のソースプログラムの中では、2個以上の **public** クラスは宣言できない。

つまり、2個以上のクラスを宣言するソースプログラムでは、**public** は最大1個のクラスにしか付けられないのです。

これ以降、次の方針を採用します（前章の方針を少し変更しています）。

### 1 一般的な方針

パッケージ内に通用させるべき内輪（うちわ）的なものを除き、クラスは原則として **public** クラスとし、単一のソースプログラムとして実現する。

### 2 本書独自の方針

小規模でテスト的なクラスは、複数のクラスを一つのソースプログラムにまとめる。その場合、**main** メソッドを含むクラスを **public** として、それ以外のクラスは非 **public** とする。

▶ 小規模でテスト的なプログラムの個々のクラスを別ファイルに分けると、プログラムリスト提示のスペースが広くなり、みなさんのファイル管理やコンパイル・実行の作業も面倒となるからです。

# 10-2 クラスメソッド

前節で学習した、個々のインスタンスに所属しないクラス変数（静的フィールド）と同様に、個々のインスタンスに所属しないメソッドが、本節で学習するクラスメソッドです。

## クラスメソッド（静的メソッド）

第９章で作成した日付クラスに、《閏年》の判定を行うメソッドを追加することを考えます。次に示すように、２種類のメソッドがあると、使い勝手がよくなります。

### 1 任意の年の判定

任意の年（たとえば 2025 年）が閏年かどうかを判定するメソッドです。

### 2 任意の日付の判定

日付クラスのインスタンスの年（たとえば、2037 年 10 月 15 日と設定された日付の年である 2037 年）が閏年かどうかを判定するメソッドです。

インスタンスに対して起動される2のメソッドは、第８章と第９章で学習したメソッドと同じ要領で定義できます。このように、個々のインスタンスに所属するメソッドは、**インスタンスメソッド**と呼ばれるのでした（p.246）。

一方、1のメソッドは、特定のインスタンスに対して起動されるものではありません。その点で、クラス変数（静的フィールド）と同じようなものです。

このような処理の実現に適しているのが、**クラスメソッド**（class method）です。なお、このメソッドは、**静的メソッド**（static method）とも呼ばれます。

> **重要** クラス全体に関わる処理や、そのクラスに所属する個々のインスタンスの状態とは無関係な処理は、**クラスメソッド（静的メソッド）**として実現する。

＊

1のクラスメソッド、2のインスタンスメソッドの名前は、両方とも ***isLeap*** とします。これら二つのメソッドを**多重定義**できるのは、次の規則のおかげです。

> **重要** 異なるシグネチャで同一名のメソッドを定義する**多重定義**は、**クラスメソッド**と**インスタンスメソッド**にまたがって行える。

それでは、二つのメソッドを作っていきましょう。

### 1 任意の年の判定（クラスメソッド＝静的メソッド）

静的メソッド版の ***isLeap*** は、**『ある年が閏年であるかどうか』**を調べます。

日付クラスのインスタンスに対して呼び出すものではなく、**int** 型を受け取って、それが閏年であるかどうかを判定するだけのものです。

次に示すのが、クラスメソッド版 **isLeap** の定義であり、仮引数 **y** に受け取った年が、閏年であるかどうかを判定します。

```
//--- クラスメソッド：y年は閏年か？ ---//
public static boolean isLeap(int y) {
  return y % 4 == 0 && y % 100 != 0 || y % 400 == 0;
}
```

Date.isLeap

クラスメソッド（静的メソッド）の宣言に **static** が必要なのは、クラス変数（静的フィールド）の場合と同じです。クラスの学習を開始する前に、第７章で作ったメソッドは、すべて **static** 付きで宣言されていました。それらはすべて、クラスメソッド（静的メソッド）だったわけです。

## 2 任意の日付の年の判定（インスタンスメソッド＝非静的メソッド）

インスタンスメソッド（非静的メソッド）版の **isLeap** は、**『クラスのインスタンスの日付の年が閏年であるかどうか』**を調べるメソッドです。

判定の対象は、メソッドが所属しているインスタンスのフィールド **year** であって、引数を受け取る必要がないため、その定義は、次のようになります。

```
//--- インスタンスメソッド：自身の日付は閏年か？ ---//
public boolean isLeap() {
  return year % 4 == 0 && year % 100 != 0 || year % 400 == 0;
}
```

Date#isLeap

もちろん、メソッド本体内の **year** は、インスタンスメソッド **isLeap** が所属するインスタンス中のフィールド **year** のことです。

さて、ここで行う判定は、クラスメソッド版と実質的に同じです。類似したコードがプログラムに散在するのは、保守などの面で好ましくありません。

せっかくクラスメソッドがあるわけですから、それを使わない手はありません。そうすると、プログラムは次のようになります。

```
//--- インスタンスメソッド：自分自身の日付は閏年か？ ---//
public boolean isLeap() {
  return isLeap(year);        // クラスメソッド版isLeapを呼び出す
}
```

Date#isLeap

**year** 年が閏年であるかどうかの判定を、クラスメソッド版 **isLeap** に委（ゆだ）ねるわけです。

▶ ここでは、インスタンスメソッドからクラスメソッドを呼び出しています。その逆の『クラスメソッドからインスタンスメソッドを呼び出すこと』はできません。p.304 で詳しく学習します。

クラスメソッドとインスタンスメソッドを区別するために、次のような表記が用いられます。

- クラスメソッド　　　　：**クラス名 . メソッド名**（例：*Date.isLeap*）
- インスタンスメソッド　：**クラス名 # メソッド名**（例：*Date#isLeap*）

▶ これは、文書による解説で使う表記です（プログラムのコードとしての表記でありません）。

＊

二つのメソッド **isLeap** が完成しました。これらのメソッドを追加して書きかえた、第４版の日付クラス **Day** が、次ページの **List 10-4** です。

List 10-4 day4/Day.java

```
// 日付クラスDay【第４版】

public class Day {
  private int year  = 1;    // 年
  private int month = 1;    // 月
  private int date  = 1;    // 日

  //--- y年は閏年か？ ---//
  public static boolean isLeap(int y) {
    return y % 4 == 0 && y % 100 != 0 || y % 400 == 0;
  }

  //--- 閏年か？ ---//
  public boolean isLeap() { return isLeap(year); }

  /* 中略（第３版と同じ） */
}
```

クラスメソッド（静的メソッド）

インスタンスメソッド



多重定義されたメソッド *isLeap* を呼び出してテストしましょう。**List 10-5** に示すのが、そのプログラムです。

List 10-5 day4/DayTester.java

```
// 日付クラスDay【第４版】の利用例

import java.util.Scanner;

class DayTester {

  public static void main(String[] args) {
    Scanner stdIn = new Scanner(System.in);
    int y, m, d;

    System.out.print("西暦年：");
    y = stdIn.nextInt();
    System.out.println("その年は閏年" +
                       (Day.isLeap(y) ? "です。" : "ではありません。"));

    System.out.println("日付を入力せよ。");
    System.out.print("年："); y = stdIn.nextInt();
    System.out.print("月："); m = stdIn.nextInt();
    System.out.print("日："); d = stdIn.nextInt();
    Day a = new Day(y, m, d); // 読み込んだ日付
    System.out.println(a.getYear() + "年は閏年" +
                       (a.isLeap() ? "です。" : "ではありません。"));
  }
}
```

1 クラスメソッド（静的メソッド）の呼出し

2 インスタンスメソッドの呼出し

実行例

```
西暦年：2028
その年は閏年です。
日付を入力せよ。
年：2037
月：10
日：15
2037年は閏年ではありません。
```

### 1 クラスメソッド（静的メソッド）の呼出し

*y* 年が閏年であるかどうかを判定するクラスメソッド版 *isLeap* の呼出しです。

クラスメソッドは、特定のインスタンスに対して起動されるものではないため、その呼出しの形式は、次のようになります。

**クラス名 . メソッド名 (...)**　　クラスメソッド（静的メソッド）の呼出し

これは、p.298 で学習した、クラス変数をアクセスする形式Ⓐの式に相当します。

▶ クラス変数をアクセスする形式Ⓑ（p.299）と同様に、**a** や **b** が **Day** 型のインスタンスであれば、**a.isLeap(y)** や **b.isLeap(y)** によってもクラスメソッドの呼出しが可能です。もっとも、この形式は紛らわしいため、原則として使うべきではありません。

### 2 インスタンスメソッドの呼出し

日付 **a** が閏年であるかどうかを判定するインスタンスメソッド版 ***isLeap*** の呼出しです。第８章と第９章で学習したように、インスタンスメソッドの呼出しは、次の形式で行います。

**クラス型変数名 . メソッド名 (...)** インスタンスメソッドの呼出し

実行例の場合、**a** の日付は 2037 年 10 月 15 日ですから、その 2037 年が閏年かどうかの判定が行われます。



#### Column 10-2 クラスメソッド isLeap が提供されなければ…

日付クラス **Day** で、クラスメソッド版 ***isLeap*** が提供されず、インスタンスメソッド版 ***isLeap*** のみが提供されているとします。その場合、『ある年が閏年であるかどうか』の判定は、どのように行えばよいでしょうか。

そのプログラムが、**List 10C-1** です。インスタンスメソッド版 ***isLeap*** を使って判定しています。

**List 10C-1** day4/IsLeapTester.java

```
// 日付クラスDay【第４版】の利用例：インスタンスメソッド版による閏年の判定
import java.util.Scanner;
class IsLeapTester {

  public static void main(String[] args) {
    Scanner stdIn = new Scanner(System.in);

    System.out.print("西暦年：");
    int y = stdIn.nextInt();
    System.out.println("その年は閏年" + (new Day(y).isLeap() ? "です。"
                                              : "ではありません。"));
  }
}
```

実行例

```
西暦年：2028
その年は閏年です。
```

判定を行う網かけ部に着目しましょう。“**new Day(y)**” は、**Day(int)** 形式のコンストラクタの呼出しであって、**Day** 型インスタンスを生成して **y** 年 **1** 月 **1** 日で初期化します。この式の評価で得られるのは、生成されたインスタンスへの参照です。その参照に対して、“**.isLeap()**” を適用することで、インスタンスメソッドを呼び出す、という仕組みです。

無名のオブジェクトを生成して利用するテクニックは、p.217 で学習したプログラムや、**List 9-13**（p.288）でも使いました。

なお、次のように分割すれば理解しやすくなります（ただしプログラムは冗長になります）。

```
Day temp = new Day(y);
System.out.println("その年は閏年" + (temp.isLeap()
                             ? "です。" : "ではありません。"));
```

## クラス変数とクラスメソッド

フィールドとメソッドは、静的であるか／非静的であるかによって、互いにアクセスできるかどうかが異なってきます。そのことを、**List 10-6** のプログラムで学習します。

クラス *Static* には、静的フィールドと非静的フィールドが１個ずつ、静的メソッドと非静的メソッドが２個ずつ存在します。なお、コメントアウトした箇所は、不正なアクセスです（コメントアウトしなければ、コンパイル時エラーとなります）。

各フィールドとメソッドの関係を、右ページの **Fig.10-3** を見ながら理解していきましょう。

非静的フィールド（インスタンス変数）と非静的メソッド（インスタンスメソッド）は、それぞれのインスタンス *c1* と *c2* に所属します。一方、静的フィールド（クラス変数）と静的メソッド（クラスメソッド）は、インスタンスとは独立に１個のみが存在します。

アクセスの可否は、次のとおりです。



### ▪ インスタンスメソッド（非静的メソッド）

**インスタンスメソッドでは、『自身が所有する変数／メソッド』と『みんなで共有する変数／メソッド』の両方にアクセスできます。**

▶ たとえば、メソッド *f2* からは、非静的フィールド a、静的フィールド s、非静的メソッド *f1*、静的メソッド *m1* のすべてにアクセスできます）。

### ▪ クラスメソッド（静的メソッド）

**クラスメソッドでは、静的変数と静的メソッドにアクセスできます。**

**ただし、非静的フィールドと非静的メソッドにはアクセスできません。**

というのも、フィールド a やメソッド *f1* にアクセスしようにも、*c1* に所属する a や *f1* のことなのか、*c2* に所属する a や *f1* のことなのかが判断できないからです。

『自身が所有する変数／メソッド』をもたないクラスメソッドでは、『みんなで共有する変数／メソッド』にしかアクセスできません。これは、当然のことです。

**List 10-6** chap10/StaticTester.java

```
// クラス／インスタンス フィールドと
// クラス／インスタンス メソッド

class Static {
  private static int s;
  private int a;

  public static void m1() { }
  public        void f1() { }

  //--- クラスメソッド ---//
  public static void m2(int x) {
    s = x;     // ＯＫ！
//  a = x;     // エラー
    m1();      // ＯＫ！
//  f1();      // エラー
  }

  //--- インスタンスメソッド ---//
  public void f2(int x) {
    s = x;     // ＯＫ！
    a = x;     // ＯＫ！
    m1();      // ＯＫ！
    f1();      // ＯＫ！
    System.out.printf("s = %d  " +
                      "a = %d\n", s, a);
  }
}

public class StaticTester {
  public static void main(String[] args) {
    Static c1 = new Static();
    Static c2 = new Static();

    Static.m2(5);
    c1.f2(10);
    c2.f2(20);
  }
}
```

実行結果

```
s = 10  a = 10
s = 20  a = 20
```

**重要** クラスメソッドでは、同一クラス内のインスタンス変数（非静的フィールド）やインスタンスメソッド（非静的メソッド）にはアクセスできない。

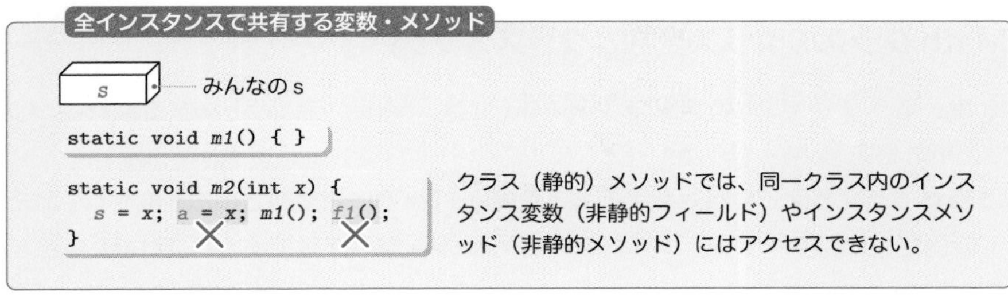


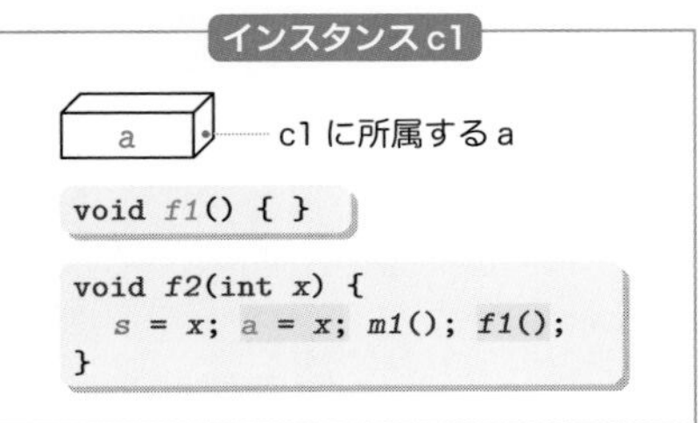


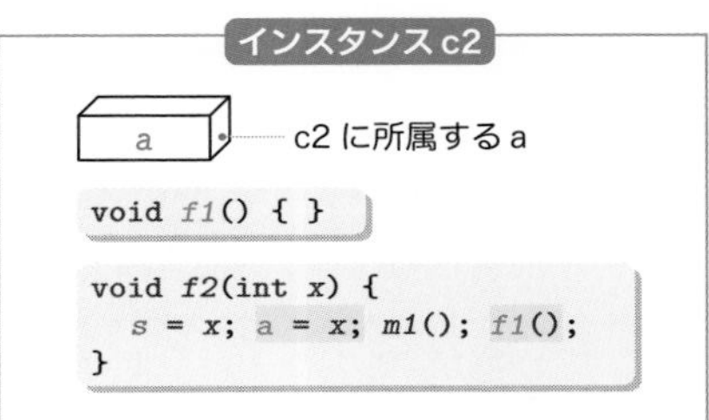


**Fig.10-3　静的メソッドと非静的メソッド**

さて、第7章のプログラムでは、すべてのメソッドが **static** 付きで宣言されていました。そのことについて、**List 10-7** のプログラムで理解を深めましょう。

**List 10-7**　chap10/Max3.java

```
// 三つの整数値の最大値を求める
class Max3 {
  //--- a, b, cの最大値を返却 ---//
  static int max(int a, int b, int c) {
    int max = a;
    if (b > max) max = b;
    if (c > max) max = c;
    return max;
  }

  public static void main(String[] args) {
    /* 中略 */
    System.out.println("最大値は" +
             max(a, b, c) + "です。");
  }
}
```

## ▪ maxをクラスメソッドとする理由

**static** 付きで宣言されている **main** メソッドは、クラスメソッドです。クラスメソッドからインスタンスメソッドは呼び出せませんので、***max*** もクラスメソッドでなければなりません。

▶ ***max*** をインスタンスメソッドとして宣言すると、**main** メソッドから呼び出せなくなります（コンパイル時エラーとなります）。

## ▪ mainメソッドからmax(...)で呼び出せる理由

クラスメソッドの呼出しの形式は、“**クラス名 . メソッド名**（. . .）”です（p.302）が、**main** メソッドの網かけ部では、単なる“**メソッド名**（. . .）”で呼び出しています。

このようにクラス名を省略してメソッド名だけで呼び出せる理由は単純です。**main** メソッドと ***max*** が**同一クラスに所属している**からです（p.276）。

▶ 網かけ部の呼出し ***max*(a, *b*, *c*)** は、***Max3.max*(a, *b*, *c*)** とすることも可能ですが、そうすべきではありません。クラス名を変更すると、呼び出せなくなる（コンパイル時エラーとなる）からです。

　なお、**main** メソッドの **public** を省略すると、プログラムが動作しなくなります（**"chap10/StaticTesterX.java"**）。

## Math クラスのクラス変数とクラスメソッド

第 8 章と第 9 章で作成した自動車クラス **Car** では、**Math** クラスに所属する **sqrt** メソッドを使って、平方根を求めていました。

その **Math** クラスでは、自然対数の底（てい）**E** と円周率 **PI** が**クラス変数**として定義されています。その定義例が、**Fig.10-4** です。いずれの値も、**double** 型の定数であって、**final** 付きで宣言されています。

▶ クラスそのものを **final** と宣言することについては、第 12 章で学習します。

```
public final class Math {
  // 自然対数の底eに最も近いdouble値
  public static final double E = 2.7182818284590452354;

  // 円周とその直径の比πに最も近いdouble値
  public static final double PI = 3.14159265358979323846;

  //--- 絶対値を求める ---//
  public static double abs(double a) {
    return (a <= 0.0D) ? 0.0D - a : a;
  }

  /*--- 数多くのクラスメソッドの定義 ---*/
}
```

**Fig.10-4** Math クラスのクラス変数とクラスメソッド



### public かつ final なクラス変数

円周率を表す **Math.PI** を使えば、第 2 章で作成した『円周の長さと円の面積を求めるプログラム』は、次のように実現できます（**"chap10/Circle.java"**）。

```
System.out.println("円周の長さは" + 2 * Math.PI * r + "です。");
System.out.println("面積は" + Math.PI * r * r + "です。");
```

フィールドは**非公開**とするのが原則であることを第 8 章で学習しました。しかし、**PI** や **E** のような、クラスの利用者に積極的に公開すべき《便利な定数》には、当てはまりません。

**重要** クラスの利用者に提供すべき定数があれば、**public** かつ **final** な**クラス変数**として提供する。

### public なクラスメソッド

**Math** クラスでは、絶対値を求める **abs**、平方根を求める **sqrt** など、多くのメソッドが定義されています（**abs** の定義例を **Fig.10-4** の中に示しています）。

自動車クラス **Car** では、**Math.sqrt(...)** によって、自動車の移動距離を求めていました。これは、**Math** クラスに所属するクラスメソッド **sqrt** の呼出しです。

ここまでの学習によって、呼出しの形式が、“**クラス名.メソッド名(...)**”となっている理由が、ようやく分かりました。

**Table 10-1** に示すのが、**Math** クラスが提供する主なメソッドの概要です。

**Table 10-1　Math クラスの主なメソッド**

| | メソッド | 概略 |
|---|---|---|
| a | abs(x) | x の絶対値を返す。 |
| a | max(x, y)　min(x, y) | x, y の大きいほうの値／小さいほうの値を返す。 |
| b | acos(x)　asin(x)　atan(x) | x の逆余弦／逆正弦／逆正接を返す。 |
| b | cbrt(x) | x の立方根を返す。 |
| b | ceil(x) | x の小数点部を切り上げた値を返す。 |
| b | cos(x)　cosh(x) | x の余弦／双曲線余弦を返す。 |
| b | exp(x) | オイラー数 e を x で累乗した値を返す。 |
| b | floor(x) | x の小数点部を切り捨てた値を返す。 |
| b | log(x)　log10(x) | x の自然対数値／10 を底とする対数を返す。 |
| b | pow(x, y) | x を y 乗した値を返す。 |
| b | random() | 0.0 以上で 1.0 より小さい正の符号の付いた乱数を返す。 |
| b | rint(x) | x に最も近い整数値を返す。 |
| b | sin(x)　sinh(x) | x の正弦／双曲線正弦を返す。 |
| b | sqrt(x) | x の平方根を返す。 |
| b | tan(x)　tanh(x) | x の正接／双曲線正接を返す。 |
| b | toDegrees(x) | ラジアンの角度 x を、度に変換した値を返す。 |
| b | toRadians(x) | 度の角度 x を、ラジアンに変換した値を返す。 |
| c | long round(double x) | x に最も近い long 値を返す。 |
| c | int round(float x) | x に最も近い int 値を返す。 |

▶ aのメソッドは、引数・返却値ともに、すべて **int** 型・すべて **long** 型・すべて **float** 型・すべて **double** 型の 4 種類が多重定義されています。
bのメソッドの引数・返却値の型はすべて **double** 型です。

## ユーティリティクラス

絶対値を求めたり、平方根を求めたりする処理の対象は実数値であって、特定のクラス型インスタンスではありません。そのため、**Math** クラスは、クラスメソッドとクラス変数のみを提供し、インスタンスメソッドとインスタンス変数は一切提供しません。このようなクラスは、**ユーティリティクラス**（utility class）と呼ばれます。

内部に**ステート＝状態**（p.249）をもたないユーティリティクラスは、『データとそれを処理するための手続きをカプセル化する』という、クラス本来の目的をもちません。その性格は、『類似した機能のメソッドや定数を、集めてグループ化したもの』です。

**Math** クラスは、**『数値計算関連のメソッドと定数の寄せ集め』**といえます。

すなわち、ユーティリティクラスは、第 8 章で学習した『回路の設計図』というイメージではなく、『類似したパーツを集めた部品』といったイメージです。

# 10-3 クラス初期化子とインスタンス初期化子

本節では、クラスやインスタンスの初期化を行うためのクラス初期化子とインスタンス初期化子について学習します。

## クラス初期化子（静的初期化子）

**List 10-3**（p.298）のクラス *Id* は、インスタンス生成のたびに与える連番の識別番号を **1** から開始していました。その開始番号を、ランダムな値に変更しましょう。

そのように実現したのが、**List 10-8** のプログラムです。

**List 10-8** chap10/RandIdTester.java

```
// 識別番号クラス（その２：開始番号を乱数で決定）

import java.util.Random;

class RandId {
  private static int counter;    // 何番までの識別番号を与えたか

  private int id;           // 識別番号

  static {
    Random rand = new Random();
    counter = rand.nextInt(10) * 100;
  }

  //--- コンストラクタ ---//
  public RandId() {
    id = ++counter;       // 識別番号
  }

  //--- 識別番号を取得 ---//
  public int getId() {
    return id;
  }
}

public class RandIdTester {

  public static void main(String[] args) {
    RandId a = new RandId();
    RandId b = new RandId();
    RandId c = new RandId();

    System.out.println("aの識別番号：" + a.getId());
    System.out.println("bの識別番号：" + b.getId());
    System.out.println("cの識別番号：" + c.getId());
  }
}
```

クラス（静的）初期化子

実行例
```
aの識別番号：301
bの識別番号：302
cの識別番号：303
```

網かけ部は、初めての形式です。これは、**クラス初期化子**（class initializer）あるいは**静的初期化子**（static initializer）と呼ばれる**初期化子**であり、**Fig.10-5** に示す構文をもちます。

▶ クラス初期化子は、静的ブロックあるいは static ブロックなどとも呼ばれます。

クラス初期化子 ─ static → ブロック

**Fig.10-5 クラス初期化子の構文図**

クラス初期化子は、その名前が示すように、『**クラスが初期化される**』際に実行されます。具体的には、次のようなタイミングです。

- そのクラスのインスタンスが生成される。
- そのクラスのクラスメソッドが呼び出される。
- そのクラスのクラス変数に値が代入される。
- そのクラスの定数でないクラス変数の値が取り出される。

細かなことはさておき、次のように理解しておくとよいでしょう。

**重要** 何らかの形でクラスを初めて利用する時点では、そのクラスのクラス初期化子の実行が完了している。

▶ プログラム中にクラスが宣言されていても、まったく使われなければ、そのクラスが初期化されることはありませんし、クラス初期化子も実行されません。

**List 10-3**（p.298）のクラス *Id* では、クラス変数（静的フィールド）を定数で初期化するために、宣言に初期化子を与えていました。

しかし、本プログラムのように、クラス変数に与えるべき値が、何らかの計算によって決定される場合などは、初期化子として与えるのは不可能です。そこで、クラス初期化子の出番となるわけです。

**重要** クラス変数を定数ではない値で初期化するのであれば、クラス初期化子で何らかの計算を行った上で初期化する。

▶ クラス初期化子内では、**return** 文を使うことはできませんし、**this** や **super**（第 12 章）を使うこともできません（コンパイル時エラーとなります）。

クラス *RandId* のクラス初期化子を理解しましょう。ここでは、**0, 100, 200, …, 900** のいずれかの乱数を生成し、その値をクラス変数 *counter* に代入しています。

実行例に示しているのは、*counter* に代入された値が **300** の場合です。クラス *RandId* 型のインスタンス生成のたびに、**301, 302, …** が識別番号として与えられていることが確認できます。

コンストラクタが、インスタンス生成のたびに実行される（生成されたインスタンスの個数と等しい回数だけ実行される）のとは異なり、クラス初期化子が実行されるのは１回だけです。

▶ あるクラスのコンストラクタが初めて呼び出されるときには、そのクラスのクラス初期化子の実行は、必ず完了しています。

クラス初期化子では、クラス変数の初期化以外のことを行っても構いません。たとえば、クラスに関する情報が書き込まれたファイルを開いて、そこから情報を取り出す、といったことを行えます。

実際にプログラムを作成して、検証しましょう。

ここでは、画面への表示を行ってみます。**List 10-9** は、前のプログラムのクラス（静的）初期化子を少し書きかえて作ったプログラムです。

**List 10-9** chap10/DateIdTester.java

```
// 識別番号クラス（その３：開始番号を今日の日付から決定）

import java.util.GregorianCalendar;
import static java.util.GregorianCalendar.*;

class DateId {
  private static int counter; // 何番までの識別番号を与えたか

  private int id;          // 識別番号

  static {
    GregorianCalendar today = new GregorianCalendar();
    int y = today.get(YEAR);         // 年
    int m = today.get(MONTH) + 1;    // 月
    int d = today.get(DATE);         // 日

    System.out.printf("今日は%04d年%02d月%02d日です。\n", y, m, d);
    counter = y * 1000000 + m * 10000 + d * 100;
  }
  //-- コンストラクタ --//
  public DateId() {
    id = ++counter;      // 識別番号
  }
  //--- 識別番号を取得 ---//
  public int getId() {
    return id;
  }
}

public class DateIdTester {

  public static void main(String[] args) {
    DateId a = new DateId();
    DateId b = new DateId();
    DateId c = new DateId();

    System.out.println("aの識別番号：" + a.getId());
    System.out.println("bの識別番号：" + b.getId());
    System.out.println("cの識別番号：" + c.getId());
  }
}
```

クラス（静的）初期化子

実行例

```
今日は2037年12月03日です。
aの識別番号：2037120301
bの識別番号：2037120302
cの識別番号：2037120303
```

まずは、実行しましょう。プログラムを実行している日付をもとにして、インスタンスに与える識別番号を決定していることが分かります。

▶ 本プログラムは Day クラス第４版を利用しますので、同一フォルダにそのクラスファイルが必要です。

クラス（静的）初期化子で行っているのは、次のことです。

- 現在（プログラム実行時）の日付を取得する。
- 取得した日付を『今日は *yyyy* 年 *mm* 月 *dd* 日です。』と表示する。
- 日付をもとにして counter の初期値を決定する。日付が *yyyy* 年 *mm* 月 *dd* 日であれば、変数 counter に *yyyymmdd00* を代入する。

実行例は、2037年12月3日に実行したものであり、クラス（静的）初期化子の実行によって、クラス変数 *counter* に **2037120300** が代入されています。

そのため、生成されたインスタンスには、**2037120301, 2037120302,** … の識別番号が順に与えられます。

▶ *GregorianCalendar* クラスを用いて、プログラム実行時の日付を取得する方法は、**Column 9-3** （p.275）で学習しました。

## Column 10-3　Character／Byte／Short／Integer／Longクラス

Character クラス、Byte クラス、Short クラス、Integer クラス、Long クラスという、整数関連のユーティリティクラスがあります。

これらのクラスでは、char 型、byte 型、short 型、int 型、long 型で表現できる最小値と最大値が、MIN_VALUE および MAX_VALUE という名前のクラス変数として定義されています。

その宣言を示したのが **Fig.10C-1** です。

※ ここで使われている extends は第12章で、implements は第14章で学習します。

```
// java.lang.Integerその他のクラスより改変抜粋

public final class Character extends Object implements Comparable<Character> {
  public static final char MIN_VALUE = '\u0000';     // char型の最小値
  public static final char MAX_VALUE = '\uffff';     // char型の最大値
  //...
}

public final class Byte extends Number implements Comparable<Byte> {
  public static final byte MIN_VALUE = -128;         // byte型の最小値
  public static final byte MAX_VALUE = 127;          // byte型の最大値
  //...
}

public final class Short extends Number implements Comparable<Short> {
  public static final short MIN_VALUE = -32768;      // short型の最小値
  public static final short MAX_VALUE = 32767;       // short型の最大値
  //...
}

public final class Integer extends Number implements Comparable<Integer> {
  public static final int MIN_VALUE = 0x80000000;    // int型の最小値
  public static final int MAX_VALUE = 0x7fffffff;    // int型の最大値
  //...
}

public final class Long extends Number implements Comparable<Long> {
  public static final long MIN_VALUE = 0x8000000000000000L; // long型の最小値
  public static final long MAX_VALUE = 0x7fffffffffffffffL; // long型の最大値
  //...
}
```

**Fig.10C-1**　Character／Byte／Short／Integer／Longクラスの宣言例

## インスタンス初期化子

メソッドと変数にクラス版とインスタンス版があるのと同じで、初期化子も、クラス（静的）初期化子だけでなく、インスタンス初期化子（instance initializer）があります。

**インスタンス初期化子は、名前のとおりインスタンスを初期化するための初期化子です。**

**List 10-10** に示すのが、インスタンス初期化子を利用して実現されたクラスと、それを利用するプログラム例です。

**List 10-10** chap10/XYTester.java

```
// 識別番号付きＸＹクラス

class XY {
  private static int counter = 0; // 何番までの識別番号を与えたか
  private int id;                  // 識別番号

  private int x = 0;  // X
  private int y = 0;  // Y

  {
    id = ++counter;                               インスタンス初期化子
  }

  public XY()             { }
  public XY(int x)        { this.x = x; }
  public XY(int x, int y) { this.x = x; this.y = y; }

  public String toString() {
    return "No." + id + " … (" + x  + ", " + y + ")";
  }
}

public class XYTester {

  public static void main(String[] args) {
    XY a = new XY();          // ( 0,  0)で初期化
    XY b = new XY(10);        // (10,  0)で初期化
    XY c = new XY(20, 30);    // (20, 30)で初期化

    System.out.println("a = " + a);
    System.out.println("b = " + b);
    System.out.println("c = " + c);
  }
}
```

各コンストラクタの冒頭でインスタンス初期化子が実行される

実行結果

```
a = No.1 … (0, 0)
b = No.2 … (10, 0)
c = No.3 … (20, 30)
```

クラス*XY*には、2個のフィールド`x`と`y`があり、いずれも`0`で初期化されます。ただし、多重定義されたコンストラクタによって、`x`のみ、あるいは、`x`と`y`の両方に値が指定できます。

クラスの個々のインスタンスには、`1, 2, 3,` … という識別番号を与えるのですが、その与え方は、これまで本章で学習してきたのと同じ要領です。

それでは、網かけ部に着目します。このように、クラス宣言中に、`static`なしで`{ ... }`と書かれた部分が、**インスタンス初期化子**です（その構文は**Fig.10-6** です）。

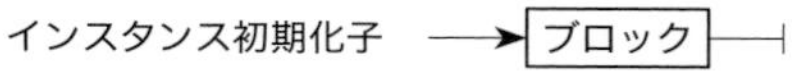

インスタンス初期化子 ──→ ブロック ─┤

**Fig.10-6　インスタンス初期化子の構文図**

**インスタンス初期化子が実行されるのは、コンストラクタ本体の実行開始時です。**

すなわち、三つのコンストラクタのどれが呼び出されても、まずインスタンス初期化子が実行され、それからコンストラクタの本体が実行されます（**Column 10-4**）。

すべてのコンストラクタで、最初にインスタンス初期化子が実行されますので、`counter` のインクリメントと、その値の `id` への代入が行われます。

連番を与える処理をインスタンス初期化子に委ねているため、それぞれのコンストラクタでは、その処理を行う必要性から解放されているわけです。

＊

もしインスタンス初期化子を使わずに実現するのであれば、三つのコンストラクタは、次のように定義しなければなりません。

```
// もしインスタンス初期化子がなければ…
public XY()             { id = ++counter; }
public XY(int x)        { id = ++counter; this.x = x; }
public XY(int x, int y) { id = ++counter; this.x = x; this.y = y; }
```

すなわち、`counter` のインクリメントと `id` への代入処理を、**すべてのコンストラクタに埋め込む必要があります。**

そうなると、一部のコンストラクタに処理を書き忘れる、新しくコンストラクタを追加する際に処理を書き忘れる、といったミスを犯す危険性が生じます。

**重要** クラス内の全コンストラクタで共通に行うべき処理（インスタンス生成のたびに必ず行うべき処理）があれば、インスタンス初期化子として独立させる。

＊

フィールド、メソッド、初期化子のそれぞれに、クラス版（`static` 付き）と、インスタンス版（`static` なし）があることを、本章で学習しました。これらの違いを、きちんと把握しておきましょう。

### Column 10-4　インスタンス初期化子実行のタイミング

第12章で学習しますが、コンストラクタ本体中では、『スーパークラスのコンストラクタの呼出し』が、まず最初に暗黙裏に実行されます。

そのため、クラス `XY` のコンストラクタは、コンパイラによって、次のように書きかえられます。

```
public XY()             { super(); ★ }
public XY(int x)        { super(); ★ this.x = x; }
public XY(int x, int y) { super(); ★ this.x = x; this.y = y; }
```

挿入される `super()` が、スーパークラスのコンストラクタの呼出しです。インスタンス初期化子は、スーパークラスのコンストラクタを呼び出した後に実行されます。

すなわち、インスタンス初期化子が実行されるのは、厳密にはコンストラクタの実行開始時ではなく、上記の“★”の箇所です。

# まとめ

- **static** 付きで宣言されたフィールドとメソッドは、**クラス変数（静的フィールド）**あるいは**クラスメソッド（静的メソッド）**となる。

- **クラス変数（静的フィールド）**は、個々のインスタンスがもつデータではなく、そのクラスに所属している全インスタンスで共有するデータを表すのに適している。インスタンスの個数とは無関係に（たとえインスタンスが存在しなくても）、クラス変数は1個のみ存在する。そのアクセスは、“**クラス名 . フィールド名**”で行う。

- クラスの利用者に提供すべき**定数**は、**public** かつ **final** な**クラス変数**として提供するとよい。

- **クラスメソッド（静的メソッド）**は、特定のインスタンスではなく、クラス全体に関わる処理や、インスタンスの状態とは無関係な処理を実現するのに適している。その呼出しは、“**クラス名 . メソッド名**(...)”で行う。

- 異なるシグネチャで同一名のメソッドを定義する**多重定義**は、クラスメソッドとインスタンスメソッドにまたがって行える。

- **インスタンスメソッド**では、同一クラスの**インスタンス変数（非静的フィールド）**と、**インスタンスメソッド（非静的メソッド）**にアクセスできる。

- **クラスメソッド**では、同一クラスの**インスタンス変数（非静的フィールド）**と、**インスタンスメソッド（非静的メソッド）**にはアクセスできない。

- 内部に状態（インスタンス変数）をもっておらず、クラスメソッドのみを提供するクラスは、**ユーティリティクラス**と呼ばれる。数値計算など、特定のカテゴリのメソッドや定数をグループ化するのに適している。

- ユーティリティクラスである **Math** クラスは、数値計算に必要とされる定数や数多くのメソッドを提供する。

- クラス宣言内の **{** /* … */ **}** は、**インスタンス初期化子**である。インスタンス初期化子は、コンストラクタの先頭で自動的に呼び出される。クラス内の全コンストラクタで共通に行うべき処理（インスタンス生成のたびに必ず行うべき処理）は、インスタンス初期化子として独立させておくとよい。

- クラス宣言内の **static** **{** /* … */ **}** は、**クラス初期化子（静的初期化子）**である。クラス変数の初期化は、クラス初期化子内で行うとよい。何らかの形でクラスを初めて利用する時点では、そのクラスのクラス初期化子の実行は完了している。

chap10/Point3D.java

```
//--- 識別番号付き３次元座標クラス ---//
import java.util.Random;

public class Point3D {
  private static int counter = 0;    // 何番までの識別番号を与えたか     クラス変数
  private int id;                    // 識別番号
  private int x = 0, y = 0, z = 0;   // 座標                           インスタンス変数

  static { Random r = new Random(); counter = r.nextInt(10)*100;}     クラス初期化子

  { id = ++counter; }                                                  インスタンス初期化子

  public Point3D()                      { }                            コンストラクタ
  public Point3D(int x)                 { this.x = x; }
  public Point3D(int x, int y)          { this.x = x;  this.y = y; }
  public Point3D(int x, int y, int z)   { this.x = x;  this.y = y;  this.z = z; }

  public static int getCounter() { return counter; }                   クラスメソッド

  public int getId() { return id; }

  public String toString() {                                           インスタンスメソッド
    return "(" + x  + "," + y + "," + z + ")";
  }
}
```

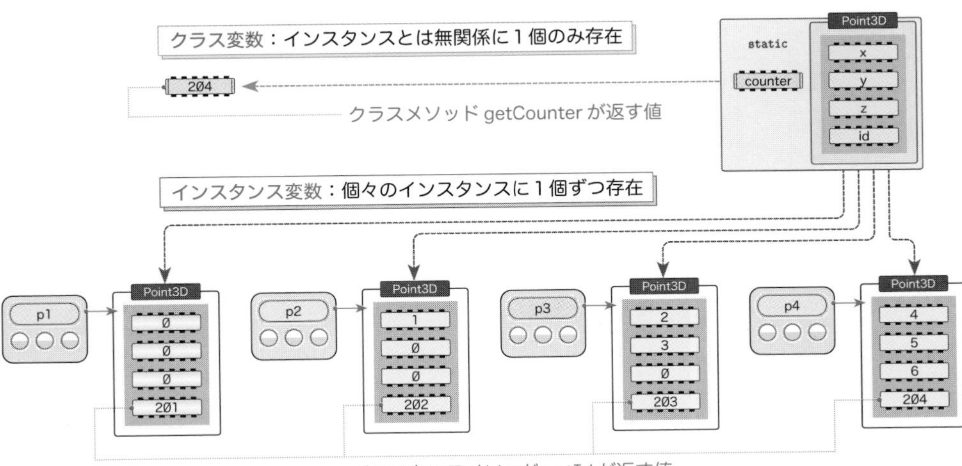


chap10/Point3DTester.java

```
//--- 識別番号付き３次元座標クラスのテスト ---//
public class Point3DTester {

  public static void main(String[] args) {
    Point3D p1 = new Point3D();
    Point3D p2 = new Point3D(1);
    Point3D p3 = new Point3D(2, 3);
    Point3D p4 = new Point3D(4, 5, 6);

    System.out.println("最後に与えた識別番号：" + Point3D.getCounter());
    System.out.println("p1 = " + p1 + " … 識別番号：" + p1.getId());
    System.out.println("p2 = " + p2 + " … 識別番号：" + p2.getId());
    System.out.println("p3 = " + p3 + " … 識別番号：" + p3.getId());
    System.out.println("p4 = " + p4 + " … 識別番号：" + p4.getId());
  }
}
```

実行例

```
最後に与えた識別番号：204
p1 = (0,0,0) … 識別番号：201
p2 = (1,0,0) … 識別番号：202
p3 = (2,3,0) … 識別番号：203
p4 = (4,5,6) … 識別番号：204
```

10

まとめ

# 第11章

# パッケージ

　データとメソッドとを包んでカプセル化したものが《クラス》です。そのクラスを集めてカプセル化したものが《パッケージ》です。本章では、パッケージの使い方や作り方などを学習します。

- □パッケージ
- □単純名
- □完全限定名
- □型インポート宣言（単一／オンデマンド）
- □静的インポート宣言（単一／オンデマンド）
- □パッケージ宣言
- □パッケージとディレクトリ
- □パッケージとアクセス制御
- □一意なパッケージ名

# 11-1 パッケージとインポート宣言

データとメソッドを集めて包んだものが《クラス》ですが、そのクラスを集めて包んだものが、本節で学習する《パッケージ》です。

## パッケージ

前章までに作ってきたクラスの名前は、*Account*、*Car*、*Day*、… と平凡なものばかりでした。当然、誰か別の人が同じ名前のクラスを作るかもしれません。

あるプログラマが作ったクラス *Car* と、別のプログラマが作ったクラス *Car* の両方を、一つのソースプログラムで使おうとすると、名前が衝突するはずです。

しかし、衝突は回避できます。**パッケージ**（package）という、論理的な**名前空間**によって、それぞれの名前が通用する範囲を自由に制御できるからです。

まずは、パッケージの基本的な考え方を、**Fig.11-1** を見ながら理解しましょう。この図は、『*fukuoka* パッケージに所属する *Car*』と『*nagasaki* パッケージに所属する *Car*』とが使い分けられることを表しています。



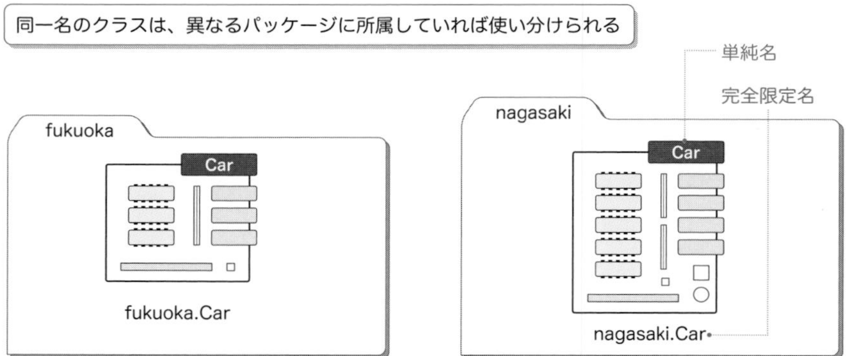


**Fig.11-1　パッケージとクラス名**

図に示すように、各クラスの名前が、*fukuoka.Car* と *nagasaki.Car* となりますので、同じ *Car* であっても、**名前の衝突回避・使い分け**が可能です。

一般に、パッケージ *p* に所属するクラス *Type* は、*p.Type* と表記します。すなわち、名前には、次の二つがあります。

- フルネーム　　*p.Type*　… 完全限定名（fully qualified name）
- 単なるクラス名　*Type*　… 単純名（simple name）

パッケージとクラスの関係は、OS のディレクトリ（フォルダ）とファイルの関係に似ています。

ディレクトリ **fukuoka** に格納されているファイル **Car** と、ディレクトリ **nagasaki** に格納されているファイル **Car** は区別できます。それと同じです。

なお、パッケージは**階層化できる**という点でもディレクトリと似ています。

たとえば、ここまでの多くのプログラムで利用してきた ***Scanner*** クラスは、**java** パッケージの中の **util** パッケージに所属します（**Fig.11-2**）。階層的なパッケージの名前は、各パッケージ名を **.** で区切って表しますので、そのパッケージ名は、**java.util** です。

『**java.util** パッケージに所属する ***Scanner*** クラス』の完全限定名は **java.util.*Scanner*** であり、単純名は ***Scanner*** です。

▶ 完全限定名の表現法も、ディレクトリとファイル名のパス表記と似ています。たとえば、**java** ディレクトリ中の **util** ディレクトリ中に格納されたファイル **Scanner** は、**java/util/Scanner** と表します。

なお、パッケージの階層と、次章で学習する**クラス階層**は、無関係です。

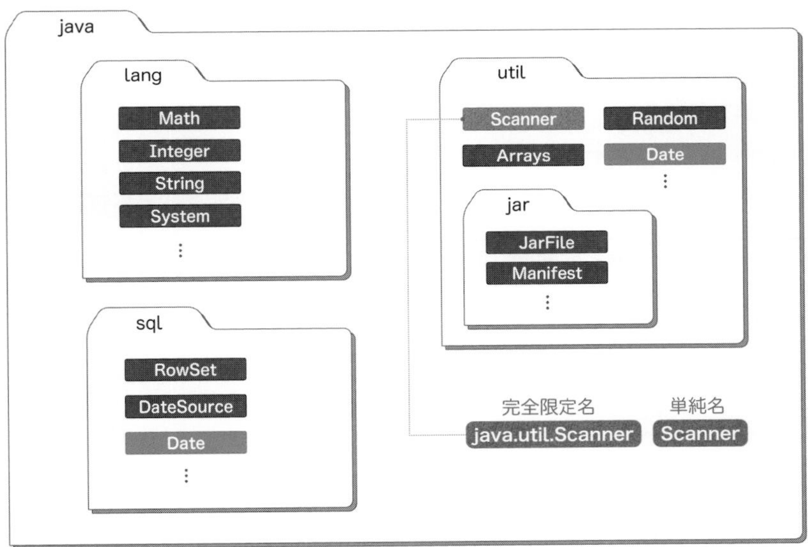


**Fig.11-2　Java 標準 API のパッケージとクラスの一例**

この図を見ると、パッケージによって、クラスがカテゴリ別に分類されていることも分かります。

パッケージの主な役割は、次の三つです。

---

1. 名前の衝突回避
2. カテゴリによる分類
3. カプセル化（アクセス制御）

---

▶ クラスだけでなく、第 12 章で学習するアナテイションや、第 14 章で学習するインタフェースも、パッケージによって分類できます。

## 型インポート宣言

型のフルネームである完全限定名は、綴（つづ）りが長くなります。パッケージ名を省略した単純名だけで呼べるようにするのが、**型インポート宣言**（type import declaration）です。

この宣言には、2種類があります。順に学習しましょう。

### 単一型インポート宣言（single-type-import declaration）

次の形式で単一の型名をインポートします（第2章から利用してきました）。

```
import 完全限定名 ;
```

この形式でインポートされた型名は、そのソースプログラム内では**単純名で表せます。**

**List 11-1** に示すのが、具体的なプログラム例です。円の半径を読み込んで、その円の面積を求めて表示します。



**List 11-1** chap11/Circle1.java

```
// 円の面積を求める

import java.util.Scanner;    ← 単一型インポート宣言

class Circle1 {

  public static void main(String[] args) {
    Scanner stdIn = new Scanner(System.in);

    System.out.println("円の面積を求めます。");
    System.out.print("半径：");
    double r = stdIn.nextDouble();
    System.out.println("面積は" + (Math.PI * r * r) + "です。");
  }
}
```

実行例

```
円の面積を求めます。
半径：5.5
面積は95.03317777109123です。
```

冒頭で`java.util.Scanner`のインポート宣言を行っているため、このソースプログラム内では、`Scanner`を単純名で表せます（**Fig.11-3** の図**a**）。

なお、インポート宣言がなければ、図**b**のように、完全限定名を使う必要があります。

**a** import宣言あり

```
import java.util.Scanner;
//...
Scanner stdIn = new Scanner(System.in);
```

単純名

**b** import宣言なし

```
// import宣言がなければ…
java.util.Scanner stdIn = new java.util.Scanner(System.in);
```

完全限定名

**Fig.11-3　インポート宣言と名前のアクセス**

### オンデマンド型インポート宣言（type-import-on-demand declaration）

ソースファイル中で利用する全クラスに対して単一型インポート宣言を行うと、プログラムの行数が多くなります。そのため、次に示す簡略的なインポート法が用意されています。

```
import パッケージ名 .*;
```

この宣言を行ったプログラムでは、《パッケージ名》で指定された**パッケージに所属する型名**が、単純名で表せるようになります。

**List 11-2** に示すのが、オンデマンド型インポート宣言を行うプログラム例です。

**List 11-2** chap11/Kazuate.java

```
// 数当てゲーム（0〜99を当てさせる）

import java.util.*;   ← オンデマンド型インポート宣言

class Kazuate {

  public static void main(String[] args) {
    Random rand = new Random();
    Scanner stdIn = new Scanner(System.in);

    int no = rand.nextInt(100); // 当てるべき数：0〜99の乱数として生成

    System.out.println("数当てゲーム開始!!");
    System.out.println("0〜99の数を当ててください。");

    int x;                  // プレーヤが入力した数
    do {
      System.out.print("いくつかな：");
      x = stdIn.nextInt();

      if (x > no)
        System.out.println("もっと小さな数だよ。");
      else if (x < no)
        System.out.println("もっと大きな数だよ。");
    } while (x != no);

    System.out.println("正解です。");
  }
}
```

実行例

```
数当てゲーム開始!!
0〜99の数を当ててください。
いくつかな：50↵
もっと大きな数だよ。
いくつかな：75↵
もっと小さな数だよ。
いくつかな：62↵
正解です。
```

本プログラムでは、`java.util` パッケージに所属する *Random* クラスと *Scanner* クラスの両方を単純名で表しています（前章までのプログラムでは、単一型インポート宣言を使って、二つのクラスを別々にインポートしていました）。

▶ オンデマンドは、『必要に応じて』という意味です。そのため、

`import java.util.*;`

は、『ソースプログラム中で使っている型名の中に、`java.util` パッケージに所属するものが**あれば**、それを単純名だけで呼べるようにしてください。』というニュアンスの指示です。決して『`java.util` パッケージの**全型名**を無条件にインポートしてください。』という指示ではありません。

**List 11-2** でインポートされるのは、`java.util.Random` と `java.util.Scanner` だけであり、使われていない型名（たとえば `java.util.Date`）がインポートされることはありません。

ここで、標準APIの構成を示した、p.319の**Fig.11-2**に再び着目します。

*Date*という名前のクラスが、**java.util**パッケージと、**java.sql**パッケージの両方に存在します。もちろん、これらは同名ですが"別もの"です。

それでは、次のようにオンデマンド型インポートを行ったら、どうなるでしょう。

```
× import java.util.*;
  import java.sql.*;
  // ...
  Date a = new Date();        // エラー：java.util.Dateそれともjava.sql.Date？
```

単純名*Date*だけでは、どちらのパッケージのクラスなのかの特定ができません。そのため、上記のコードは、コンパイル時エラーとなります。

曖昧さを避けるには、完全限定名を使わなければなりません。そのため、正しいコードは、次のようになります。

```
import java.util.*;
import java.sql.*;
// ...
java.util.Date a = new java.util.Date();     // 完全限定名を使う
```



この例から、次の教訓が得られます。

**重要** オンデマンド型インポート宣言を多用すべきではない。

▶ ちなみに、次のようにインポートすると、**java.util.*Date***を単純名*Date*で呼べるようになります。

```
import java.util.*;
import java.sql.*;
import java.util.Date;
```

ただし、紛らわしくなるため、このような方法は、あまりお勧めできません。

### ▪ パッケージ階層とオンデマンド型インポート

再び**Fig.11-2**を検討します。おなじみの*Scanner*クラスの所属先は、**java.util**パッケージです。その**java.util**パッケージの中の**jar**パッケージの中に、*JarFile*と*Manifest*が所属しています。

さて、これら三つのクラスを同時にインポートしようとして、

```
import java.util.*;
```

と宣言することはできません。というのも、次の規則があるからです。

**重要** オンデマンド型インポートでは、異なる階層のパッケージ中の型名はインポートできない。

インポートの際は、クラスが入っているパッケージの、個々の階層の指定が必要です。そのため、正しい宣言は、次のようになります。

```
import java.util.*;                // Scannerクラス
import java.util.jar.*;            // JarFileクラスとManifestクラス
```

### java.lang パッケージの自動インポート

インポートが不要であって、暗黙裏にインポートされるという特別なパッケージがあります。それは、Java 言語に密接に関連した重要なクラスが集められた java.lang パッケージです。

Java のすべてのソースプログラムでは、次の宣言が " こっそりと " 行われているのです。

```
import java.lang.*;       // すべてのJavaプログラムで行われる暗黙の宣言
```

第 8 章と第 9 章で作成した自動車クラス ***Car*** では、**Math.sqrt(*dx* * *dx* + *dy* * *dy*)** というメソッド呼出し式で移動距離を求めていました（前章でも学習しました）。

**java.lang.Math** クラスを、インポートすることなく、単純名 **Math** だけで表せるのは、**Math** クラスが **java.lang** パッケージに所属するからです。

**重要** java.lang パッケージ内の型名は、インポートしなくても単純名で表せる。

▶ もちろん、完全限定名を使った **java.lang.Math.sqrt(*dx* * *dx* + *dy* * *dy*)** としても構いませんが、冗長になるだけです。

**java.lang** パッケージに含まれる主な型（インタフェース型／クラス型／アナテイション）をまとめたのが **Table 11-1** です。

▶ パッケージ名の lang は、『言語』という意味の language に由来します。

**Table 11-1 java.lang パッケージ内の主なインタフェース／クラス／アナテイション**

| | |
|---|---|
| インタフェース | Appendable CharSequence Cloneable Comparable<T> Iterable<T> Readable Runnable Thread.UncaughtExceptionHandler |
| クラス | Boolean Byte Character Character.Subset Character.UnicodeBlock Class<T> ClassLoader Compiler Double Enum<E extends Enum<E>> Float InheritableThreadLocal<T> Integer Long Math Number Object Package Process ProcessBuilder Runtime RuntimePermission SecurityManager Short StackTraceElement StrictMath String StringBuffer StringBuilder System Thread ThreadGroup ThreadLocal<T> Throwable Void |
| アナテイション | Deprecated Override SuppressWarnings |

▶ この他にも、各種の列挙型や例外が **java.lang** パッケージに所属します。

おなじみの **System** も、**java.lang** パッケージに所属するクラスです。もし **java.lang** が暗黙裏にインポートされないのであれば、画面への表示を行うコードは、次のようになります。

```
java.lang.System.out.println("Hello!");
```

▶ 本書では、標準で提供されるクラスライブラリのうち、**java.lang** パッケージに所属する **System** や **String** などの型名を青文字で表し、それ以外のパッケージに所属する ***Random*** や ***Scanner*** などを太字の斜体で表しています。

## 静的インポート宣言

次は、クラスの**静的なメンバ**である、**クラス変数（静的フィールド）**と**クラスメソッド（静的メソッド）**のインポートを学習しましょう。

静的メンバのインポートを行うのは、**静的インポート**（static import）です。

型インポートの宣言と同様に、静的インポートの宣言も２種類あります。その宣言の形式は、次のとおりであり、**import** の後ろに **static** を置きます。

- 単一静的インポート宣言　　**import static パッケージ名 . 型名 . 識別子名 ;**
- オンデマンド静的インポート宣言　　**import static パッケージ名 . 型名 .*;**

**List 11-3** に示すのが、静的インポートを利用したプログラム例です。

**List 11-3**　　chap11/Circle2.java

```
// 円の面積を求める（円周率Math.PIを静的インポート）

import java.util.Scanner;
import static java.lang.Math.PI;

class Circle2 {

  public static void main(String[] args) {
    Scanner stdIn = new Scanner(System.in);

    System.out.println("円の面積を求めます。");
    System.out.print("半径：");
    double r = stdIn.nextDouble();
    System.out.println("面積は" + (PI * r * r) + "です。");
  }
}
```

実行例

```
円の面積を求めます。
半径：5.5
面積は95.03317777109123です。
```



網かけ部で **java.lang.Math.PI** を静的インポートしていますので、**java.lang.Math** クラスに所属するクラス変数 **PI** （p.306）が、単純名で表せるようになっています。

＊

ユーティリティクラスである **Math** クラスが、三角関数を計算する **sin, cos, tan** や、絶対値を求める **abs** など、数多くのクラスメソッドを提供することを前章で学習しました。

**Fig.11-4** に示すのは、その中の三つのメソッドを呼び出すコードの例です。

ａ 静的インポート宣言なし

```
// 静的インポートしなければ…
// ...
x = Math.sqrt(Math.abs(y));
z = Math.sin(a) + Math.cos(b);
```

すべてのメソッド呼出しに Math. が必要

ｂ 静的インポート宣言あり

```
import static java.lang.Math.*;
// ...
x = sqrt(abs(y));
z = sin(a) + cos(b);
```

**Fig.11-4　クラスメソッドの静的インポート（オンデマンド静的インポート）**

図aでは、すべてのメソッド呼出しに **Math.** が付いています。このように、**Math** クラスに所属するメソッドを何度も呼び出すプログラムは、図bのように実現するとよいでしょう。オンデマンド静的インポート宣言を使うことによって、個々のメソッドを別々にインポートすることなく、単純名であるメソッド名だけで表せます。

**重要** ユーティリティクラスなどの特定のクラスに所属する**クラス変数**または**クラスメソッド**を多用するプログラムでは、オンデマンド静的インポート宣言を行うとよい。

*

画面への表示とキーボードからの読込みで利用する **System.out** と **System.in** は、**System** クラスに所属する**クラス変数**です。それらを静的インポートすると、単純名 **out** と **in** とでアクセスできます。**List 11-4** に示すのが、そのように実現したプログラム例です。

**List 11-4** chap11/Circle3.java

```
// 円の面積を求める（System.inとSystem.outを静的インポート）

import java.util.Scanner;
import static java.lang.Math.PI;
import static java.lang.System.in;
import static java.lang.System.out;

class Circle3 {

  public static void main(String[] args) {
    Scanner stdIn = new Scanner(in);
    out.println("円の面積を求めます。");
    out.print("半径：");
    double r = stdIn.nextDouble();
    out.println("面積は" + (PI * r * r) + "です。");
  }
}
```

実行例

```
円の面積を求めます。
半径：5.5
面積は95.03317777109123です。
```

▶ 本プログラムは、文法を理解するためのものです。ただの **out** と **in** では、何のことだか分からないため、このようなプログラムを書くことはお勧めしません。

なお、プログラムを次のように実現することは**できません**。

```
import static java.lang.System.out.println;    // コンパイル時エラー
//...
println("円の面積を求めます。");
```

このプログラムがエラーとなる理由は単純です。**println** が**クラス**（静的）メソッドではなく、**インスタンス**メソッドだからです。

▶ **System.out.println** の個々の要素は、次のとおりです。

| | |
|---|---|
| System | … java.lang パッケージに所属する**クラス**。 |
| System.out | … System クラスの**クラス（静的）変数**（型は *PrintStream* クラス型）。 |
| System.out.println | … *PrintStream* クラスの**インスタンスメソッド**。 |

# 11-2 パッケージの宣言

前節では、パッケージの概要と、パッケージに所属するクラスや静的メンバのインポート法などを学習しました。すなわち、パッケージを使う側の立場での学習でした。本節では、パッケージを作る側の立場に立って、パッケージの構築法を学習します。

## パッケージ

本節では、パッケージを作るための学習をしていきます。

まずは、**パッケージ宣言**（package declaration）です。次の形式で宣言します。

```
package パッケージ名 ;
```

この宣言は、インポート宣言やクラス宣言よりも前に置かなければなりません。というのも、**翻訳単位**（translation unit）の構文が **Fig.11-5** のようになっているからです。

▶ 翻訳単位とは、個々のソースファイルに収められたソースプログラム（の字句）のことです。

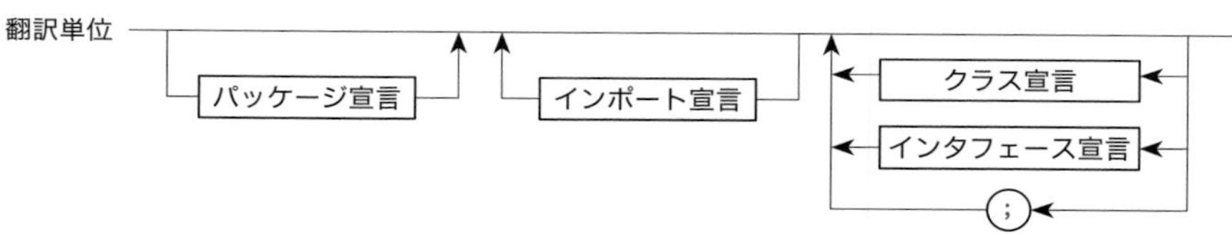


**Fig.11-5　翻訳単位の構文図**

構文図から、次のことが分かります。

**ソースプログラムに置くことるのできるパッケージ宣言は、Ø個または1個である。**

Ø個のときと、1個のときを順に理解していきましょう。

▶ なお、パッケージ宣言より前に記述できるのは、コメントのみです。

### ■ 無名パッケージ

まずは、パッケージ宣言がØ個のときです。

ソースファイルにパッケージ宣言がなければ、そのソースファイルの中で定義したクラスの所属先は、**無名パッケージ**（unnamed package）となります。

**重要** パッケージ宣言のないソースプログラムで定義されたクラスの所属先は、無名パッケージとなる。

▶ 無名パッケージに所属するのであって、『いかなるパッケージにも所属しない』のではありません。クラスは、必ず何らかのパッケージに所属するからです。前章までのクラスは、『無名パッケージ』という同一パッケージに所属しています。

**無名パッケージに所属するクラスの完全限定名は、単純名と一致します。**無名パッケージをディレクトリにたとえると、ルートディレクトリに相当します。

### ■ パッケージ宣言

次は、パッケージ宣言が1個のときです。次のようになります。

**重要** ソースプログラムの冒頭に（1個の）パッケージ宣言を置くと、そのソースプログラム内で定義されるすべてのクラスは、そのパッケージに所属する。

小規模でテスト的な使い捨てのクラスでない限り、名前の衝突回避や分類といった点からも、クラスは、何らかの名前のついたパッケージに入れるのが基本です。

このことを、**Fig.11-6** で考えていきましょう。冒頭にパッケージ宣言が置かれています。

クラス `Abc` とクラス `Def` の両方のクラスの所属先は、パッケージ `japan` となります。

もちろん、二つのクラスの名前は次のとおりです。

- 単純名は `Abc`。完全限定名は `japan.Abc`。
- 単純名は `Def`。完全限定名は `japan.Def`。

```
package japan;

class Abc {
  // ···
}

class Def {
  // ···
}
```

**Fig.11-6　パッケージ宣言**

なお、クラス `Abc` とクラス `Def` の中では、互いのクラスを単純名でアクセスできます。というのも、次の規則があるからです。

**重要** 同一のパッケージ内に所属するクラスは、単純名でアクセスできる。

▶ たとえば、**List 8-2**（p.234）で、クラス `AccountTester` の中で、クラス `Account` を単純名で表せるのは、両方のクラスが“無名パッケージ”という同一のパッケージに所属するからです（このプログラムを始め、前章までのほとんどのプログラムが、同じ構造でした）。

## □ パッケージの命名

パッケージとクラスの命名にあたって、注意点があります。**一つのパッケージには、同一名の《パッケージ》と《クラス》が混在できないことです。**

ちょうど、あるディレクトリ中に、同一名のディレクトリとファイルが存在できないのと同じです。

もっとも、パッケージ名とクラス名が衝突する事態が生じることは稀（まれ）です。

というのも、命名法として推奨されている、次の原則にのっとればよいからです（p.257）。

**重要** パッケージ名の先頭文字は小文字とする。

そのため、あるパッケージの中に、`date` パッケージと、`Date` クラスを入れることは可能です（**Fig.11-7**）。

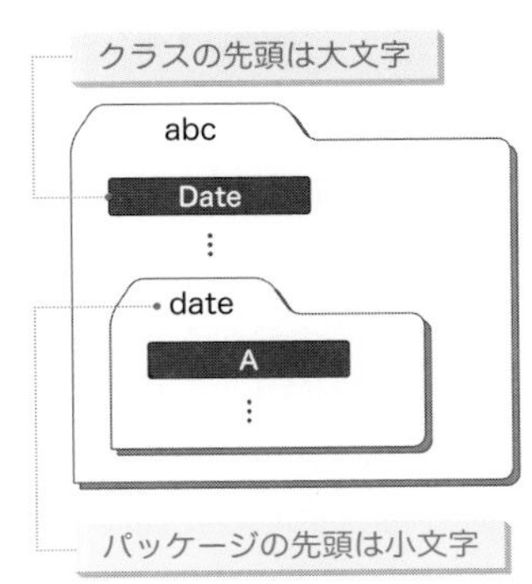


**Fig.11-7　パッケージとクラス**

## パッケージとディレクトリ

パッケージを作成する場合は、**パッケージ名と同一名のディレクトリの中にソースファイルとクラスファイルを置く**のが基本的な構成です。**Fig.11-8** を例に考えていきましょう。

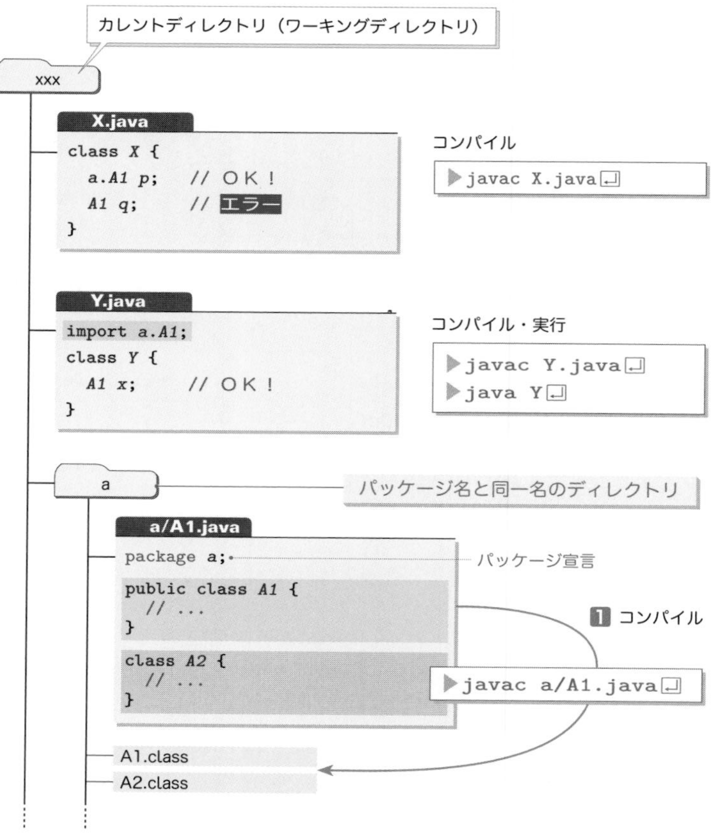


**Fig.11-8　パッケージとディレクトリの構成とコンパイル・実行手順**

まず最初に、ソースファイル **A1.java** に着目します。パッケージ宣言と、二つのクラス ***A1*** と ***A2*** の宣言が含まれています。パッケージ名が **a** ですから、**A1.java** の格納先は、**a** という名前のディレクトリとしています。

なお、コンパイルを行う際のカレントディレクトリ（ワーキングディレクトリ）は、ディレクトリ **a** の上位ディレクトリである **xxx** です。図**1**の手順でコンパイルを行うと、ディレクトリ **a** 内にクラスファイル **A1.class** と **A2.class** が作成されます。

これで、カレントディレクトリ **xxx** 上のプログラム（クラス）から、**クラス *A1* を a.*A1* としてアクセスできる**ようになります。

クラス **a.A1** は、次の二つのプログラムで利用されています。

■ X.java

クラス **A1** を、完全限定名 **a.A1** で表しています。

▶ インポート宣言がないため、クラス **A1** を単純名 **A1** で利用することはできません。そのため、**A1** だけで利用しようとする **q** の宣言は、コンパイル時にエラーとなります。

■ Y.java

**a.A1** を、インポートする宣言を行った上で、クラス **A1** を単純名で表しています。

▶ 単一のソースファイルでは、複数の **public** クラスは宣言できません。また、**public** でないクラスは、他のパッケージに対して非公開となります。そのため、ディレクトリ **xxx** 上のプログラムからクラス **A2** を利用することはできません（次節で詳しく学習します）。

このプログラムを実行すると、サブディレクトリ **a** 中のクラスファイル **A1.class** からクラス **A1** が自動的に読み込まれます。

**重要** パッケージ **p** に所属するクラスのクラスファイルの格納先は、サブディレクトリ **p** とする。パッケージ **p** に所属するクラス **Type** を利用するプログラムを起動すると、サブディレクトリ **p** 中の **Type.class** からクラスが自動的に読み込まれる。



## Column 11-1 ソースファイルとクラスファイルの配置

ソースファイルとクラスファイルを異なるディレクトリに置くこともできます。

**Fig.11C-1** が、その一例です。これは、カレントディレクトリ **xxx** にソースファイルを置いたまま、クラスファイルをパッケージ名の構造に合わせた場所に作る（サブディレクトリ **a** の中に **A1.class** と **A2.class** を作成する）例です。

コンパイル時に、javac コマンドに対して **-d** オプションを指定します（**-d** に続いて、クラスファイルを出力するディレクトリ名を指定します）。

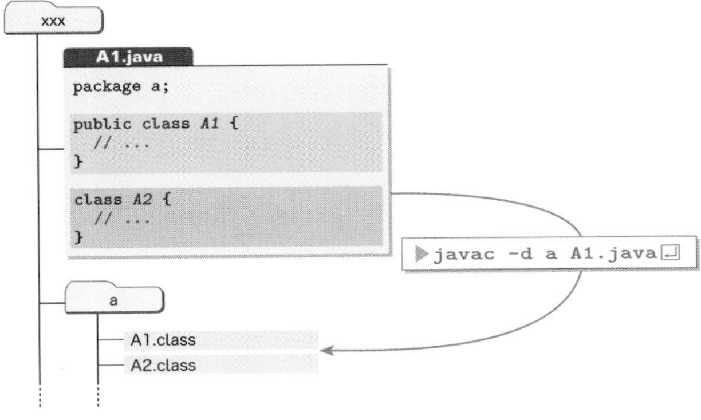


**Fig.11C-1 ソースファイルとクラスファイルの格納場所の分離**

実際にパッケージを作りましょう。**List 11-5** は、パッケージ *id* を作り、その中に前章で作ったクラス *RandId*（p.308）を所属させるプログラムです。

**List 11-5** chap11/id/RandId.java

```
// 識別番号クラス（パッケージに入れて実現）

package id;  ←1

import java.util.Random;                クラス RandId は、パッケージ id に所属する

public class RandId {

  private static int counter; // 何番までの識別番号を与えたか

  private int id;          // 識別番号

  static {
    Random rand = new Random();
    counter = rand.nextInt(10) * 100;
  }
                                                              ←2
  //-- コンストラクタ --//
  public RandId() {
    id = ++counter;       // 識別番号
  }

  //--- 識別番号を取得 ---//
  public int getId() {
    return id;
  }
}
```

1　パッケージを作るためのパッケージ宣言です。名前が *id* ですから、このソースプログラム内で定義されるクラス *RandId* の所属先は、パッケージ *id* となります。

▶　この宣言を、import 宣言よりも後ろに置くことはできません（**Fig.11-5**：p.326）。

2　識別番号クラス *RandId* の宣言です。所属先がパッケージ *id* ですから、単純名は *RandId* で、完全限定名は *id.RandId* です。

public クラスとして宣言されていますので、他のパッケージからも利用できます（もし宣言に public がなければ、*id* 以外のパッケージからは利用できません）。

▶　これまでのプログラムと同様に、乱数の生成のために、*Random* クラスのインスタンスを生成しています。変数 *rand* を使っているのは1回限りですから、わざわざクラス型変数を割り当てる必要はありません。クラス初期化子は、次のように短くできます。

```
static { counter = (new Random()).nextInt(10) * 100; }
```

＊

クラス *RandId* を利用するプログラムを作りましょう。**List 11-6** が、そのプログラムです。

このプログラムには package 宣言がありませんので、クラス *RandIdTester* の所属先は**無名パッケージ**です。

網かけ部は、パッケージ *id* に所属するクラス *RandId* を単純名で利用するための単一型インポート宣言です。

**List 11-6** chap11/RandIdTester.java

```
// 識別番号クラスRandIdの利用例

import id.RandId;

public class RandIdTester {

  public static void main(String[] args) {
    RandId a = new RandId();
    RandId b = new RandId();
    RandId c = new RandId();

    System.out.println("aの識別番号：" + a.getId());
    System.out.println("bの識別番号：" + b.getId());
    System.out.println("cの識別番号：" + c.getId());
  }
}
```

パッケージ id に所属するクラス RandId を型インポート

このクラス RandIdTester の所属先は無名パッケージ

実行例

```
aの識別番号：301
bの識別番号：302
cの識別番号：303
```

**Fig.11-9** が、二つのプログラムのディレクトリ構成の例です。**RandIdTester.java** の格納先である **chap11** をカレントディレクトリとして、コンパイル・実行を行います。



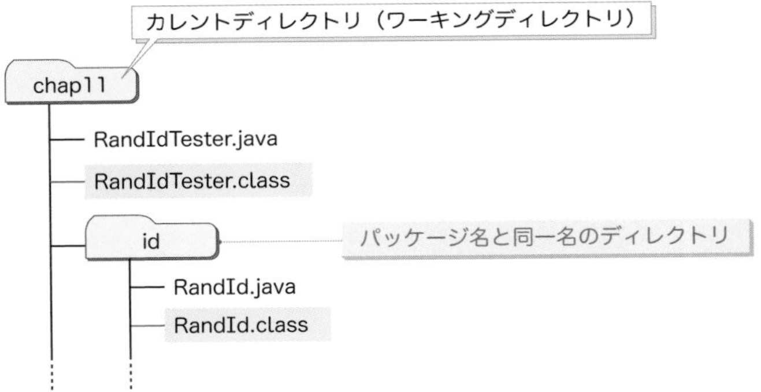


**Fig.11-9 識別番号クラスのパッケージとディレクトリの構成**

▶ コンパイルと実行の手順は、次のとおりです（カレントディレクトリは **chap11** であるとします）。

- **RandId.java** のコンパイル ▶ `javac id/RandId.java`⏎
- **RandIdTester.java** のコンパイル ▶ `javac RandIdTester.java`⏎
- **RandIdTester** の実行 ▶ `java RandIdTester`⏎

**RandIdTester** を起動すると、その実行に必要な、パッケージ **id** に所属するクラス ***RandId*** が、サブディレクトリ **id** 中の **RandId.class** から読み込まれます。

なお、`jdeps` コマンドを使うと、パッケージやクラス間の依存関係の表示を行えます。

## 一意なパッケージ名

ここまで学習したのは、自作のクラスやパッケージを自分自身で利用する方法でした。自作したクラス群をパッケージ化して広く公開する際に、***id*** や **day** などという、誰もが使いそうな名前とするわけにはいきません。

パッケージに与える名前は、**一意な名前**であることが望まれます。そのために推奨されているのが、インターネットのアドレスを逆順に並べる方法です。

この方法であれば、**bohyoh.com** のパッケージ ***math*** に与える名前は、"***com.bohyoh.math***"となります。

なお、パッケージ名とインターネット上の位置は無関係です。たとえば、***com.bohyoh.math*** パッケージが、本当に **bohyoh.com** からダウンロードできるようになっていなければならない、ということではありません。

▶ 識別子として許されていない、ハイフンなどの特殊文字がドメイン名に含まれている場合は、下線文字 _ に置きかえます。また、キーワードと一致する単語には、その後ろに下線文字 _ を付加します。また、先頭文字が識別子の開始文字として許されていない、数字やその他の特殊文字で開始されている場合、その単語の前に下線文字 _ を付加します。



### Column 11-2 クラスファイルの検索とクラスパス

パッケージ ***p*** に所属するクラス ***Type*** を利用するには、プログラムを実行するカレントディレクトリのサブディレクトリ **p** に、クラス ***Type*** のクラスファイル **Type.class** が必要であることが分かりました（p.329）。そうすると、次のような疑問がわき上がってくるでしょう。

Ⓐ **java.lang.System** クラスを利用するためには、カレントディレクトリのサブディレクトリ **java** のサブディレクトリ **lang** に、**System** クラスのクラスファイルが必要である。
そうなっていないのに、どうして **System** クラスを利用できるのだろうか。

Ⓑ 異なるディレクトリに置かれたクラス ***A*** とクラス ***B*** の両方から、パッケージ ***p*** に所属するクラス ***Type*** を利用したい。クラス ***A*** が格納されているディレクトリと、クラス ***B*** が格納されているディレクトリの両方に、サブディレクトリ **p** を作成して、そこにクラス ***Type*** のクラスファイル **Type.class** をコピーしなければならないのだろうか。

これらの疑問の解決は容易です。というのも、**実行ディレクトリ以外からも、クラスファイルの検索が自動的に行われますし、任意の場所を検索するように指定することもできる**からです。

実行時に必要なクラスファイルの検索が行われるのは、次の3箇所です：

#### ① ブートストラップクラスパス

Java プラットフォームを構成するクラスです。Java の中核的なライブラリである **rt.jar** ファイルと、その他のいくつかの重要な JAR ファイル内のクラスが含まれています。

#### ② インストール型拡張機能

Java 拡張機能の機構を使用するクラスです。拡張機能用ディレクトリに **.jar** ファイルとしてバンドルされています。

③ ユーザクラスパス

開発者とサードパーティーによって定義された、拡張機能の機構を利用しないクラスです。

標準的なライブラリのクラスファイルは、JDK や JRE がインストールされたディレクトリの中に置かれており（①および②）、そこから検索されます。そのため、**System**、**Object**、**String** などのクラスは、①の検索で見つけられます。

もっとも、クラスファイルが数百個あるいは数千個も存在すると管理が大変ですので、複数のクラスファイルがまとめられた拡張子 **.jar** の書庫ファイルとして置かれています。

これで、疑問点Ⓐは解決しました。

残る疑問点は、Ⓑです。自作したパッケージ *p* に所属するクラス *Type* のクラスファイルを、ある特定の場所に置いておき、**利用する側の場所（ディレクトリ）に依存することなく、クラス *Type* を利用できるようにしましょう。**

そのための検索パスが、③です。その指定には、二つの方法があります。

- **a** コマンドラインで **-classpath** オプションを使用する方法。
- **b** **CLASSPATH** 環境変数を使って指定する方法。

**b**の方法は、MS–Windows や Linux などのシステム全体や他のアプリケーションソフトに影響を与えるため、**a**が推奨されます。実行するプログラムごとにパスの設定を変更するのが容易であり、柔軟に運用できるからです。以下では、具体例を交えながら、解説することにします。

**List 11-5**（p.330）の、"パッケージ *id* に所属するクラス *RandId*" を、どこからでも利用できるようにすることを考えます。

まず、コンパイルした**RandId.class**を、ハードディスク（ドライブ**C**）上の、適当なディレクトリにコピーします。

ここでは、自作パッケージをディレクトリ **MyClass** に保存することにします。クラス *RandId* が所属するパッケージは *id* ですから、ディレクトリ **MyClass** の中にサブディレクトリ **id** を作成し、そこに保存します（すなわち **C:\MyClass\id\RandId.class** として保存します）。

これで準備が完了しました。次は、クラス *RandId* を、任意の場所から利用する方法です。

ここでは、**List 11-6**（p.331）の *RandIdTester* を例にとります。このプログラムが、どのディレクトリに保存されていても実行できるようにするには、**java** コマンドを次のように起動します。

```
▶ java -classpath .;C:\MyClass RandIdTester⏎
```

**-classpath** の後ろに指定するのが、**クラスファイルを検索するディレクトリ**であり、ディレクトリが複数の場合は、セミコロン **;** で区切ります。ここでは、まずカレントディレクトリ（**.**）から検索し、見つからなければ **C:\MyClass** を検索するように指定しています。

この例であれば、**RandIdTester.class** がカレントディレクトリから検索され、その実行に必要な **RandId.class** が、ディレクトリ **C:\MyClass** から（*RandId* はパッケージ *id* に所属しているため、**C:\MyClass** のサブディレクトリである **C:\MyClass\id** から）検索されます。

取るべき方針を一般的にまとめると、次のようになります：

**ディレクトリに依存することなくどこからでも利用したい自作パッケージを、ディレクトリ lib に集めておく（lib は適当な名前を自分で与えます）。各パッケージのクラスファイルは、ディレクトリ lib 中の、パッケージ名と同名のサブディレクトリの中に格納しておく。**

**格納された自作パッケージを利用するクラス *A* の実行は、次のように行う。**

```
▶ java -classpath .;lib A⏎
```

# 11-3 クラスとメンバのアクセス性

パッケージの目的の一つが『カプセル化』であることを11-1節で学習しました。本節では、パッケージによるカプセル化について学習します。

## クラスのアクセス制御

前章でも簡単に学習したように、クラスのアクセス性は、パッケージという観点から、次に示す2種類に分類されます。

- **public** クラス
- 非 **public** クラス

まずは、これらの違いを、きちんと理解しましょう。



### ▪ public クラス

キーワード **public** 付きで宣言されたクラスです。

パッケージとは無関係に、そのクラスが所属するパッケージの中からも外からも利用できます。このアクセス性は、**公開アクセス**（public access）と呼ばれます。

### ▪ 非 public クラス

キーワード **public** を付けずに宣言されたクラスです。

そのクラスが所属するパッケージの中からは利用できますが、外部のパッケージからは利用できません。このアクセス性は、**パッケージアクセス**（package access）とも**デフォルトアクセス**（default access）とも呼ばれます。

▶ defaultは、『既定の』という意味の単語でした。デフォルトアクセスと呼ばれるのは、キーワードを付けずに宣言されたときの“既定値”として自動的に与えられるアクセス性だからです。

2種類のアクセス性の違いを、右ページの**Fig.11-10**で理解していきましょう。この図には、二つのパッケージ **a** と **b** とがあります。

### ▪ パッケージa

クラス ***A1*** と ***A2*** がパッケージ **a** に所属しています。**public** 付きで宣言された ***A1*** は公開アクセスで、**public** なしで宣言された ***A2*** はパッケージアクセスです。

クラス ***P*** も、同じパッケージ **a** に所属しています。クラス ***P*** のフィールド ***f1*** と ***f2*** の型は、それぞれ ***A1*** と ***A2*** です。同一パッケージ中のクラスですから、**public** クラスである ***A1*** と、非 **public** クラスである ***A2*** の両方が利用できます（正しくコンパイルできます）。

▶ 同一パッケージですから、型インポートすることなく単純名 ***A1*** でアクセスできます。

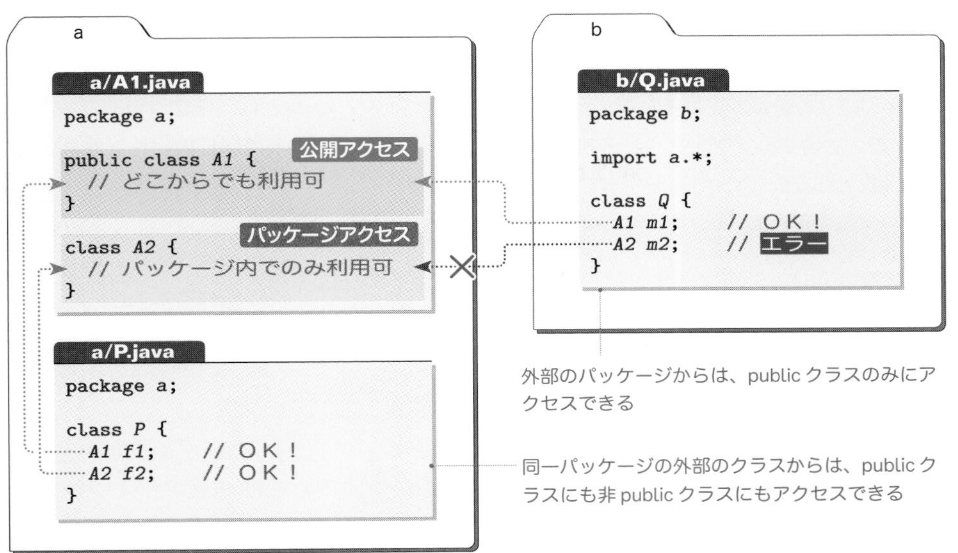


**Fig.11-10　パッケージとクラスのアクセス性**

■ パッケージb

このパッケージに所属するのは、クラス *Q* だけです。異なるパッケージに所属するクラスは、単純名で表せないため、パッケージ a に所属するクラスをオンデマンド型インポートした上で、単純名 *A1* と *A2* で表しています。

▶　もし明示的なインポートを行わなければ、*A1* は単純名ではなく、完全限定名 **a.*A1*** で表さなければなりません。

クラス *Q* の二つのフィールド *m1* と *m2* の型は *A1* と *A2* です。公開アクセス性をもつクラス *A1* は利用できますが、パッケージアクセス性をもつクラス *A2* は利用できません。そのため、フィールド *m2* の宣言は、コンパイル時エラーとなります。

**public** なクラスと、そうでないクラスの違いが分かりました。

なお、**public** なクラスに関しては、ソースプログラムの作り方に、次の制約があります。

■ **public** クラスの名前とソースプログラムのファイル名は一致していなければならない

**public** クラス *A1* と非 **public** クラス *A2* を宣言するソースプログラムのファイル名は、**A1.java** とします。**A2.java** とすることはできません。

■ 単一のソースプログラムには **public** なクラスを 0 個または 1 個しか定義できない

ソースファイル中には、非 **public** クラスは何個でも定義できますが、**public** クラスを宣言できる個数は 0 個もしくは 1 個に限られます。

## メンバのアクセス制御

クラスに所属する、クラス変数・インスタンス変数・メソッドなどは、そのクラスの**メンバ**であることを学習ずみです。アクセス制御に関しては、変数とメソッドは同じ扱いを受けますので、ここでは、メンバという用語を使って説明していきます。

▶ 文法の定義上、コンストラクタはメンバに含まれませんが、アクセス制御に関してはメンバと同じ扱いを受けます。

メンバのアクセス性には、次の４種類があります。

- 公開（public）アクセス
- 限定公開（protected）アクセス
- パッケージ（デフォルト）アクセス
- 非公開（private）アクセス

公開（**public**）アクセス性をもつのは、**public** クラス内で、キーワード **public** 付きで宣言されたメンバのみです。

キーワード **protected** と **private** を付けて宣言されたメンバは、そのキーワードと同じ名前のアクセス性が与えられます。たとえば、**protected** 付きで宣言されたメンバは、限定公開（**protected**）アクセス性をもちます。

また、パッケージアクセス（デフォルトアクセス）をもつのは、次のメンバです。

- **public** クラスに所属する、キーワードなしで宣言されたメンバ
- 非 **public** クラスに所属する、**public** 付きで宣言されたメンバ

以上の規則は、表にすると分かりやすくなります。それが、**Table 11-2** の表です。

**Table 11-2　メンバの宣言とアクセス性**

| キーワード＼クラス | public クラス | 非 public クラス |
|---|---|---|
| **public** | 公開（**public**）アクセス | パッケージ（デフォルト）アクセス |
| **protected** | 限定公開（**protected**）アクセス | |
| （なし） | パッケージ（デフォルト）アクセス | |
| **private** | 非公開（**private**）アクセス | |

右ページの **Fig.11-11** を見ながら、具体的に理解していきましょう。パッケージ ***x*** に所属するクラス ***X*** 中のメソッド ***m1***, ***m2***, ***m3***, ***m4*** には、それぞれ異なるアクセス性が与えられています。

### ■ 公開（public）アクセス … メソッド m1

パッケージの中からも外からも利用できます。そのため、同一パッケージに所属するクラス ***P*** からも、異なるパッケージに所属するクラス ***Q*** からも、メソッド ***m1*** を呼び出せます。

11 パッケージ

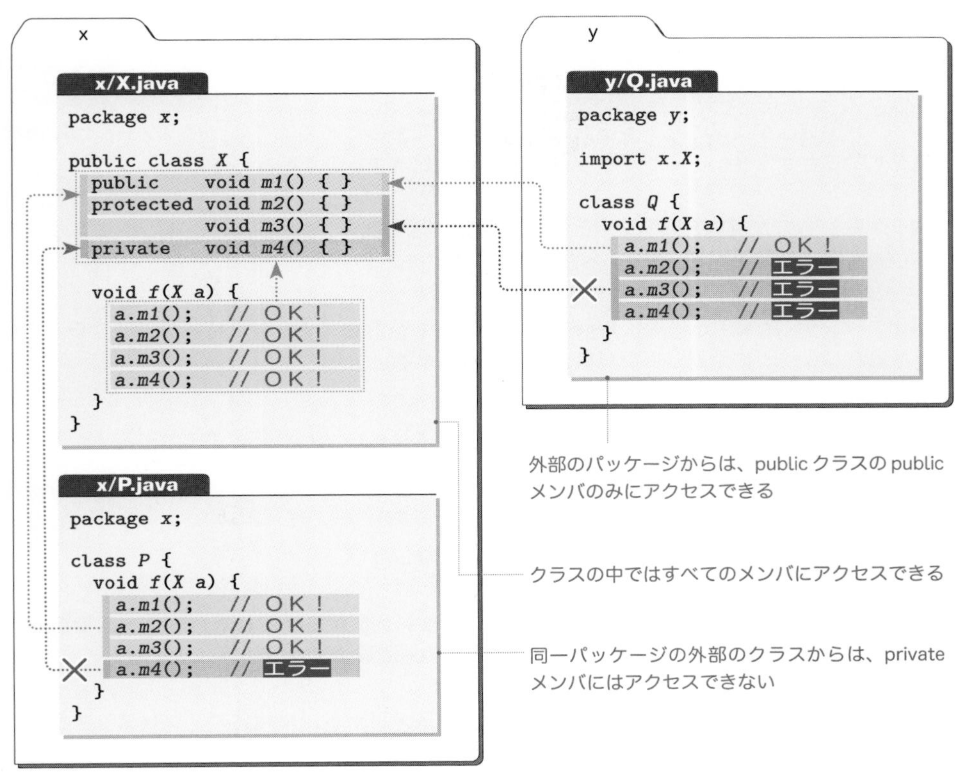


**Fig.11-11　パッケージとメンバのアクセス性**

### ▪ 限定公開（protected）アクセス … メソッド m2

パッケージの中でのみ利用できます。そのため、異なるパッケージに所属するクラス **Q** からメソッド **m2** を呼び出すことはできません。

▶ パッケージの内部からだけではなく、そのクラスから派生した、異なるパッケージに所属するサブクラスからも利用できる点が、パッケージアクセスと異なります。

### ▪ パッケージ（デフォルト）アクセス … メソッド m3

パッケージの中でのみ利用できます。そのため、異なるパッケージに所属するクラス **Q** からメソッド **m3** を呼び出すことはできません。

### ▪ 非公開（private）アクセス … メソッド m4

クラスの内部でのみ利用できます。そのため、同じパッケージに所属するクラス **P** からメソッド **m4** を呼び出すことはできません。

▶ Java 9 からは、パッケージをまとめた上でアクセス制御を行うための**モジュール**（module）という考え方が導入されています。

# まとめ

- パッケージは、クラスやインタフェースなどの型を集めたものである。パッケージは階層構造をもつことができ、ディレクトリと対応させて配置するのが基本である。

- パッケージ名の先頭文字は小文字とする。広く公開するパッケージには、インターネットアドレスを逆順に並べた"一意なパッケージ名"を与える。

- パッケージ`p`に所属する単純名*Type*の完全限定名は*p.Type*である。単純名が同じであっても、異なるパッケージに所属していれば、使い分けられる。

- 同一パッケージに所属する型名は、単純名で表せる。

- 異なるパッケージに所属する型名は、完全限定名で表す。ただし、型インポート宣言を行うと、単純名で表せるようになる。その宣言には、単一型インポート宣言とオンデマンド型インポート宣言とがある。後者の宣言を多用してはならない。

- `java.lang`パッケージは、Java言語に密接に関連する型が集められたパッケージである。このパッケージに所属する型名は、インポートしなくても単純名で利用できる。

- 静的インポート宣言を行うと、**クラス変数**と**クラスメソッド**が単純名でアクセスできるようになる。その宣言には、単一静的インポート宣言とオンデマンド静的インポート宣言とがある。

- ソースプログラムには、パッケージ宣言を0個または1個だけ置ける。
  - パッケージ宣言のないソースプログラム中のクラスは無名パッケージに所属する。無名パッケージに所属するクラスの完全限定名は単純名と一致する。
  - パッケージ宣言が置かれたソースプログラム中のすべてのクラスは、そのパッケージに所属する。

- `public`クラスは、パッケージの中からも外からもアクセスできる。`public`でないクラスは、パッケージの中でのみアクセスできる。単一のソースプログラム内で宣言できる`public`クラスは、最大で1個である。

- 公開（public）アクセス性をもつメンバは、パッケージの中からも外からもアクセスできる。

- 限定公開（protected）アクセス性をもつメンバは、パッケージの中と、そのクラスから派生したクラスからアクセスできる。

- パッケージ（デフォルト）アクセス性をもつメンバは、パッケージの中でのみアクセスできる。

- 非公開（private）アクセス性をもつメンバは、そのクラスの中でのみアクセスできる。

```
import java.util.Scanner;          // 単一型インポート宣言
import java.util.*;                // オンデマンド型インポート宣言
import static java.lang.Math.PI;   // 単一静的インポート宣言
import static java.lang.Math.*;    // オンデマンド静的インポート宣言
```

chap11

Point2DTester.java

chap11/Point2DTester.java

```
//--- 2次元座標クラスのテスト ---//
import point.Point2D;

public class Point2DTester {

  public static void main(String[] args) {
    Point2D p1 = new Point2D();
    Point2D p2 = new Point2D(10, 15);

    System.out.println("p1 = " + p1);
    System.out.println("p2 = " + p2);
  }
}
```

実行結果

```
p1 = (0,0)
p2 = (10,15)
```

パッケージpointのクラスPoint2Dを単純名で利用できるようにする

Point2DTester.class　このクラスの実行時に、サブディレクトリpointのPoint2D.classからクラスPoint2Dが読み込まれる

point　パッケージpoint用のディレクトリ

Point2D.java

chap11/point/Point2D.java

```
//--- 2次元座標クラス ---//
package point;

public class Point2D {
  private int x = 0;      // X座標
  private int y = 0;      // Y座標

  public Point2D() { }
  public Point2D(int x, int y) { this.x = x; this.y = y; }
  public Point2D(Point2D p)    { this(p.x, p.y); }

  public String toString() { return "(" + x + "," + y + ")"; }
}
```

package point; ← このソースプログラムで宣言するクラスをパッケージpointに所属させる

Point2D.class

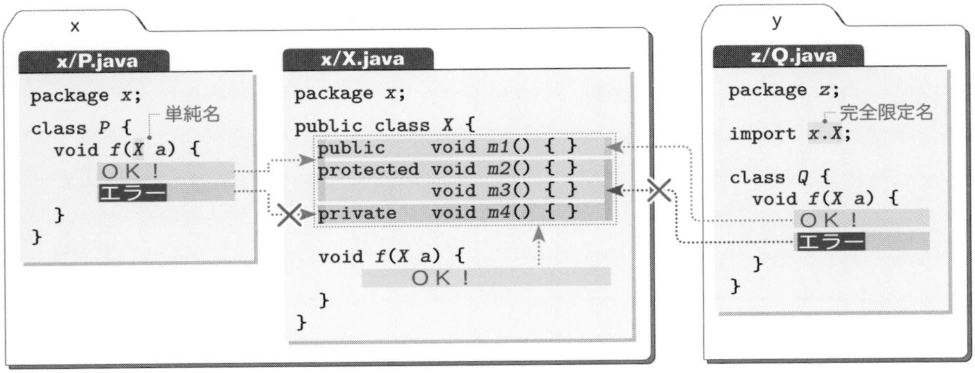

x

x/P.java

```
package x;

class P {
  void f(X a) {       // 単純名
    OK!
    エラー
  }
}
```

x/X.java

```
package x;

public class X {
  public    void m1() { }
  protected void m2() { }
            void m3() { }
  private   void m4() { }

  void f(X a) {
    OK!
  }
}
```

y

z/Q.java

```
package z;

import x.X;           // 完全限定名

class Q {
  void f(X a) {
    OK!
    エラー
  }
}
```

# 第 12 章

# クラスの派生と多相性

本章では、既存クラスの資産を継承して新しいクラスを作るクラスの派生と、それを応用した多相性について学習します。

□ 派生による資産の継承
□ 上位クラス／スーパークラス
□ 下位クラス／サブクラス
□ super(...) によるスーパークラスのコンストラクタの呼出し
□ super によるスーパークラスのメンバアクセス
□ is-A と多相性
□ 参照型のキャスト（アップキャスト／ダウンキャスト）
□ オーバライドと @Override アナテイション
□ final クラス
□ 継承とアクセス性

# 12-1 継承

本節では、既存クラスの資産を継承しつつ、新しくクラスを作るための技術である、クラスの派生について学習します。

## 銀行口座クラス

第８章で《銀行口座》クラス Account を作成しました。ここでは、“定期預金”を取り扱えるように、クラスの仕様を変更することにします。

次に示す、フィールドとメソッドを追加するとよさそうです。

- 定期預金の残高を表すフィールド
- 定期預金の残高を調べるメソッド
- 定期預金を解約して全額を普通預金に移すメソッド

▶ 現実の銀行口座では、複数の定期預金をもつことができますが、ここでは簡単のために１個だけにしています（定期預金の期日なども省略しています）。



上記のフィールドとメソッドを追加した《定期預金付き銀行口座》クラス *TimeAccount* のクラス宣言が、**List 12-1** です。

▶ このクラスは、銀行口座クラスの第２版（p.241）をもとにして書きかえたものです。個々の口座に識別番号を与える第３版（p.296）をもとにしたものではありません。

**List 12-1** chap12/TimeAccount.java

```
// 定期預金付き銀行口座クラス【試作版】

class TimeAccount {
  private String name;          // 口座名義
  private String no;            // 口座番号
  private long balance;         // 預金残高
  private long timeBalance;     // 預金残高（定期預金）

  //--- コンストラクタ ---//
  TimeAccount(String n, String num, long z, long timeBalance) {
    name = n;                         // 口座名義
    no = num;                         // 口座番号
    balance = z;                      // 預金残高
    this.timeBalance = timeBalance;   // 預金残高（定期預金）
  }

  //--- 口座名義を調べる ---//
  String getName() {
    return name;
  }

  //--- 口座番号を調べる ---//
  String getNo() {
    return no;
  }
```

```
  //--- 預金残高を調べる ---//
  long getBalance() {
    return balance;
  }

  //--- 定期預金残高を調べる ---//
  long getTimeBalance() {
    return timeBalance;
  }

  //--- k円預ける ---//
  void deposit(long k) {
    balance += k;
  }

  //--- k円おろす ---//
  void withdraw(long k) {
    balance -= k;
  }

  //--- 定期預金を解約して全額を普通預金に移す ---//
  void cancel() {
    balance += timeBalance;
    timeBalance = 0;
  }
}
```



このプログラムの作成は、極めて容易に行えます。**Account**のソースプログラムをコピーした上で、ファイル名を変更して、網かけ部を追加・修正するだけだからです。

＊

さて、このクラス**TimeAccount**は、『定期預金を扱う』という目的を確かに満たしています。しかし、**銀行口座クラスAccountとの互換性がない**という、致命的な欠陥があります。

その検証は容易です。二つの銀行口座**a**と**b**の預金残高を比較して、その大小関係を整数値**1, -1, 0**として返すメソッドを考えます。

```
// どちらの預金残高が多いか
static int compBalance(Account a, Account b) {
  if (a.getBalance() > b.getBalance())         // aのほうが多い
    return 1;
  else if (a.getBalance() < b.getBalance())    // bのほうが多い
    return -1;
  return 0;                                    // aとbは同じ
}
```

このメソッドには、**Account**型インスタンスの引数は渡せますが、**TimeAccount**型インスタンスの引数は渡せません。仮引数の型が**Account**であって、異なる型の引数は受け取れないからです。

既存のクラスをコピーして、部分的な追加や修正を施すプログラミングだと、互換性のない“似て非なる”クラスがあふれかえります。

その結果として、プログラムの開発効率・拡張性・保守性が低下します。

**重要** ソースプログラムの安易な切り貼りによって、新しいクラスを作るべきではない。

## 派生と継承

この問題を解決する手段の一つが、クラスの**派生**（derivation）です。派生は、既存のクラスのフィールドやメソッドなどの**資産**を**継承**（inheritance）したクラスを、新しく作り出すことです。

**Fig.12-1** に示すのが、既存のクラス `Base` から、新しいクラス `Derived` を派生する例です。新しく作る派生先のクラス宣言では、“**extends 派生元のクラス名**”が必要です。

extend は『拡張する』という意味の動詞ですから、クラス `Derived` の宣言は、

ここで宣言するクラス *Derived* は、*Base* を拡張したクラスですよ！

と読めます。

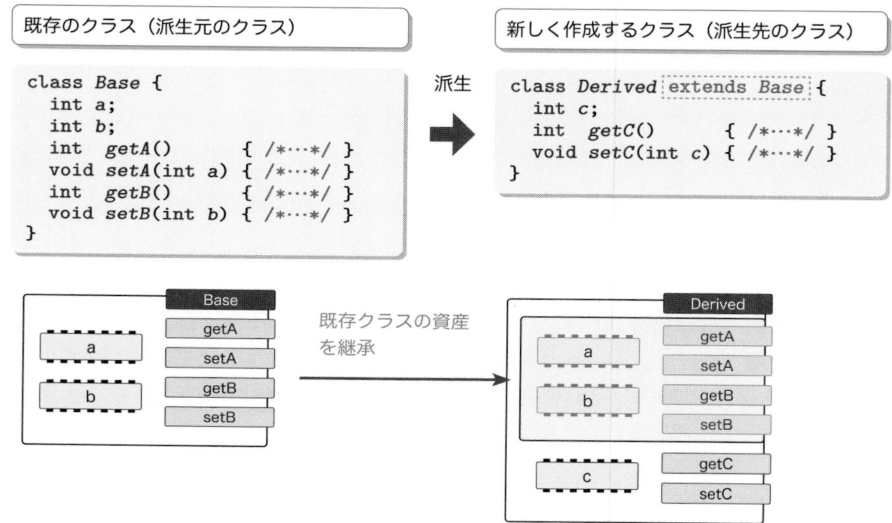


**Fig.12-1　クラスの派生**

なお、派生のもとになるクラスと、派生で作られたクラスは、次のように表現します（いろいろな呼び方があります）。

- 派生元のクラス … **親クラス** ／ **上位クラス** ／ **基底クラス** ／ **スーパークラス**
- 派生したクラス … **子クラス** ／ **下位クラス** ／ **派生クラス** ／ **サブクラス**

『クラス `Base` からクラス `Derived` が派生している』ことは、次のように表現されます。

- クラス `Derived` にとって、クラス `Base` は**スーパークラス**（**上位クラス**）である。
- クラス `Base` にとって、クラス `Derived` は**サブクラス**（**下位クラス**）である。

▶　本書では、**親**／**上位**／**スーパー**と、**子**／**下位**／**サブ**の用語を中心に使っていきます。

さて、二つのクラスの資産は、次のようになっています。

■ クラス Base

フィールドは、**a** と **b** の2個で、メソッドは、**a** と **b** のセッタとゲッタの4個です。

■ クラス Derived

このクラスでは、フィールド **c** と、そのセッタとゲッタが宣言されています。

とはいえ、クラス **Base** のフィールドとメソッドを**継承**しているため、それらを合わせると、フィールドは3個でメソッドは6個です。

サブクラスは、スーパークラスのフィールドやメソッドなどの資産を継承しますので、その資産は、**Fig.12-2** ⓐに示す関係となります。

> **重要** サブクラス（下位クラス）は、スーパークラス（上位クラス）の資産を継承するとともに、それを**部分**として含むクラスである。

サブクラスは、スーパークラスから生み出された“子供”にたとえられます。この親子関係を表したのが、図ⓑの**クラス階層図**です。**クラス階層図では、サブクラスからスーパークラスに向かって矢印を結びます。資産の継承とは逆向きです**（**Column 12-2**：p.353）。

**Fig.12-2　派生による資産の継承とクラス階層図**

**Column 12-1　スーパークラスとサブクラス**

スーパークラスとサブクラスというネーミングについて考えましょう。

sub は『部分』という意味で、super は『部分を含んだ全体・完全』という意味です。

“資産の量”という観点では、スーパークラスはサブクラスの**部分**ですから、sub や super のニュアンスとは反対です。紛らわしいため、混同しがちです。

このような混同を避けるため、プログラミング言語 C++ では、サブクラス／スーパークラスとは呼ばずに、派生クラス／基底クラスと呼んでいます。

## 派生とコンストラクタ

派生を行うだけで、資産を継承した新しいクラスを容易に作成できることが分かりました。

**List 12-2** に示す実例で、学習を進めていきましょう。このプログラムでは、2次元座標クラス *Point2D*、3次元座標クラス *Point3D*、それらをテストするクラスが定義されています。

▶ フィールド名やメソッド名などは異なりますが、クラス *Point2D* とクラス *Point3D* の構造と関係は、**Fig.12-1**（p.344）のクラス *Base* とクラス *Derived* の構造と関係とほぼ同じです。

**List 12-2** chap12/PointTester.java

```
// 2次元座標クラスと3次元座標クラス

// 2次元座標クラス
class Point2D {
  int x;  // X座標
  int y;  // Y座標

  Point2D(int x, int y) { this.x = x; this.y = y; }

  void setX(int x) { this.x = x; }  // X座標を設定
  void setY(int y) { this.y = y; }  // Y座標を設定

  int getX() { return x; }          // X座標を取得
  int getY() { return y; }          // Y座標を取得
}

// 3次元座標クラス
class Point3D extends Point2D {
  int z;  // Z座標

  Point3D(int x, int y, int z) { super(x, y); this.z = z; }

  void setZ(int z) { this.z = z; }    // Z座標を設定
  int getZ() { return z; }            // Z座標を取得
}

public class PointTester {

  public static void main(String[] args) {

    Point2D a = new Point2D(10, 15);
    Point3D b = new Point3D(20, 30, 40);

    System.out.printf("a = (%d, %d)\n",     a.getX(), a.getY());
    System.out.printf("b = (%d, %d, %d)\n", b.getX(), b.getY(), b.getZ());
  }
}
```

継承される

スーパークラスのコンストラクタの呼出し

実行結果

```
a = (10, 15)
b = (20, 30, 40)
```

二つの座標クラスの詳細は後回しにして、まずは、それらをテストする **main** メソッドの黒網部に注目しましょう。変数 **a** は2次元座標クラス、変数 **b** は3次元座標クラスです。

まず、2次元の **a** に対して、ゲッタ ***getX*** と ***getY*** を呼び出して、X座標とY座標を取得します。さらに、3次元の **b** に対しても、***getX*** と ***getY*** を呼び出してX座標とY座標を取得しています。スーパークラス *Point2D* の資産であるメソッド ***getX*** と ***getY*** が、クラス *Point3D* で**継承**されていることが、このコードから確認できました。

それでは、二つの座標クラスの詳細を学習しましょう。

▪ クラス ***Point2D*** … 2次元座標クラス（X座標＋Y座標）

座標を表す2個のフィールド **x**, **y** と、4個のセッタ・ゲッタと、コンストラクタとで構成されるクラスです。

コンストラクタは、仮引数 **x**, **y** に受け取ったX座標とY座標の値を、フィールド **x** と **y** に設定します。

▪ クラス ***Point3D*** … 3次元座標クラス（X座標＋Y座標＋Z座標）

2次元座標クラス ***Point2D*** のサブクラスです。X座標とY座標のフィールド（***x*** と ***y***）と、メソッド（セッタ ***setX*** と ***setY***、ゲッタ ***getX*** と ***getY***）は、そのまま継承しています。

新規に追加されているのが、Z座標のフィールド ***z*** と、そのセッタ・ゲッタです。

さらに、コンストラクタも定義されています。**サブクラスでは、コンストラクタを定義するのが原則です。**次の規則があるからです。

**重要** クラスの派生において、コンストラクタは継承されない。

▶ コンストラクタは、電源スイッチ用のチップに相当するのでした。スーパークラスの電源スイッチが、それを拡張した（データや機能が増えている）サブクラスで、そのまま使えるはずがない、ということは、しっくりくるのではないでしょうか。

コンストラクタが派生で継承されないことから、数多くの規則を理解する必要があります。少々難しくなりますが、一つ一つ押さえていきましょう。



### ① スーパークラスのコンストラクタは super(...) によって呼び出せる

コンストラクタ内の赤網部の式 `super(x, y)` に着目しましょう。式 **super(...)** とは、**スーパークラスのコンストラクタの呼出し**です。

ここで **super(x, y)** を実行するのは、“仮引数 **x**, **y** に受け取った値をフィールド **x** と **y** に代入する”作業を、スーパークラス ***Point2D*** のコンストラクタに委（ゆだ）ねるためです。ちょうど、

**お父さん、あなたから引き継いだデータの初期設定は、お父さんにお願いしますね！**

といった感じです。

**x** と **y** の初期化を、親クラスのコンストラクタに委ねるため、クラス ***Point3D*** のコンストラクタ内で値を設定するのが、追加されたZ座標用フィールド ***z*** だけですんでいます。

なお、**super(...)** の呼出しが行えるのは、**コンストラクタの先頭に限られます。**

**重要** コンストラクタの先頭で super(...) を実行することによって、スーパークラスのコンストラクタを呼び出せる。

▶ スーパークラスのコンストラクタを呼び出す **super(...)** は、同一クラス内の別のコンストラクタを呼び出す **this(...)** と、形が似ています。
なお、一つのコンストラクタの中で、**super** と **this** の両方を呼び出すことはできません。

### ② サブクラスのコンストラクタでは、スーパークラスに所属する“引数を受け取らないコンストラクタ”が暗黙裏に呼び出される

クラス *Point3D* のコンストラクタから super(...) の呼出しを削除するとどうなるか、検証してみましょう。次のように書きかえてみます。

```
// コンパイル時エラー
Point3D(int x, int y, int z) { this.x = x; this.y = y; this.z = z; }
```

コンパイル時エラーが発生して、プログラムは実行できなくなります。そうなるのは、このコンストラクタが、暗黙裏に次のように**書きかえられる**からです。

```
// コンパイル時エラー                          コンパイラが挿入
Point3D(int x, int y, int z) { super(); this.x = x; this.y = y; this.z = z; }
```

この《**書きかえ**》は、次の規則に基づいて行われます。

**重要** 明示的に super(...) を呼び出さないコンストラクタの冒頭には、super() が暗黙裏に挿入されて、スーパークラスの“**引数を受け取らないコンストラクタ**”が呼び出される。

コンパイル時エラーとなる理由が分かりました。スーパークラス *Point2D* に“引数を受け取らないコンストラクタ”が存在せず、それを呼び出せないからです。



### ③ コンストラクタを1個も定義しなければ、super() を呼び出すだけのデフォルトコンストラクタが暗黙裏に定義される

コンストラクタを1個も定義しないクラス *X* には、本体が空(から)の**デフォルトコンストラクタ**が、次の形式でコンパイラによって暗黙裏に定義されることを、第8章で学習しました（p.245）。

```
X() { }
```

実は、その学習内容は、厳密には誤りです。暗黙裏に定義されるデフォルトコンストラクタは、次のようになっています。

```
X() { super(); }    // 暗黙裏に定義されるデフォルトコンストラクタ
```

すなわち、デフォルトコンストラクタは、スーパークラスの“**引数を受け取らないコンストラクタ**”を呼び出すものとして、暗黙裏に定義されるのです。

**重要** コンストラクタを1個も定義しないクラス *X* には、次の形式のデフォルトコンストラクタが暗黙裏に定義される。

```
X() { super(); }
```

すなわち、デフォルトコンストラクタは、スーパークラスの“**引数を受け取らないコンストラクタ**”を暗黙裏に呼び出す。

このことを検証してみましょう。**List 12-3** に示すのが、そのためのプログラムです。

List 12-3　chap12/DefaultConstructor.java

```
// スーパークラスとサブクラス（デフォルトコンストラクタの働きを確認）

// スーパークラス
class A {
  private int a;

  A() { a = 50; }

  int getA() { return a; }
}

// サブクラス
class B extends A {
  // コンストラクタを定義していない（デフォルトコンストラクタが生成される）
}

public class DefaultConstructor {

  public static void main(String[] args) {
    B x = new B();

    System.out.println("x.getA() = " + x.getA());
  }
}
```

実行結果

```
x.getA() = 50
```



クラス**A**がもつ唯一のフィールドが、**int**型の**a**です。コンストラクタは、そのフィールド**a**に**50**を代入します。メソッド***getA***は、その**a**のゲッタです。

クラス*B*は、クラス**A**から派生したサブクラスです。コンストラクタが1個も定義されていないため、次に示すデフォルトコンストラクタが暗黙裏に定義されます。

```
B() { super(); }      // 暗黙裏に定義されるデフォルトコンストラクタ
```

クラス*B*のインスタンス生成時は、このコンストラクタが実行されます。その際、**super()**によってクラス**A**のコンストラクタが呼び出されますので、フィールド**a**には**50**が代入されます。このことは、実行結果で確認できます。

スーパークラスのコンストラクタが継承されないとはいえ、**“引数を受け取らないコンストラクタ”が間接的な形で引き継がれる**ことが分かりました。

＊

ここで、実験をします。クラス*A*のコンストラクタを次の定義に置きかえてみましょう。そうすると、クラス*B*がコンパイル時エラーとなります。

```
A(int x) { a = x; }    // クラスBがコンパイル時エラーとなる
```

理由は単純です。クラス*B*のコンストラクタで、**super()**を呼び出せなくなるからです。

このことから、次の注意点が得られます。

**重要** クラスにコンストラクタを定義しないのであれば、そのスーパークラスが、**“引数を受け取らないコンストラクタ”**をもっていなければならない。

## メソッドの上書きと super の正体

次は、super に関する理解を深めましょう。**List 12-4** のプログラムで学習します。

**List 12-4** chap12/SuperTester.java

```
// スーパークラスとサブクラス

// スーパークラス
class Base {
  protected int x;  // 限定公開（このクラスと下位クラスからアクセスできる）

  Base()      { this.x = 0; }
  Base(int x) { this.x = x; }

  void print() { System.out.println("Base.x = " + x); }
}

// サブクラス
class Derived extends Base {
  int x;    // スーパークラスと同一名のフィールド

  Derived(int x1, int x2) { super.x = x1; this.x = x2; }

  // スーパークラスのメソッドを上書き（オーバライド）
  void print() { super.print(); System.out.println("Derived.x = " + x); }
}

public class SuperTester {

  public static void main(String[] args) {
    Base a = new Base(10);
    System.out.println("-- a --");  a.print();

    Derived b = new Derived(20, 30);
    System.out.println("-- b --");  b.print();
  }
}
```

Base の x（super.x）／Derived の x（this.x）／Base の print（super.print()）

実行結果

```
-- a --
Base.x = 10
-- b --
Base.x = 20
Derived.x = 30
```



二つのクラス Base と Derived を理解していきます。

### ▪ クラス Base

このクラスでは、フィールド x が、protected 付きで宣言されています。そのため、x には、サブクラスからのみアクセスできる限定公開の**アクセス性**が与えられます（p.336）。

そのフィールド x の値を表示するのが、メソッド *print* です。

▶ アクセス性の検証を目的としている本プログラムは、フィールド x を protected にしていますが、フィールドは private としておき、そのフィールドをアクセスするセッタやゲッタなどのメソッドを protected にするのが、本来の手法です。

なお、限定公開アクセスのアクセス性は、パッケージとは無関係です（クラス Base と Derived の所属先パッケージが異なっていても、クラス Derived からクラス Base の x にアクセスできます）。

### ▪ クラス Derived

このクラスでも、フィールド x が宣言されています。クラス Base のフィールド x と同名ですが、**Fig.12-3** に示すように、クラス Base から継承したものとは“別もの”として扱われます。

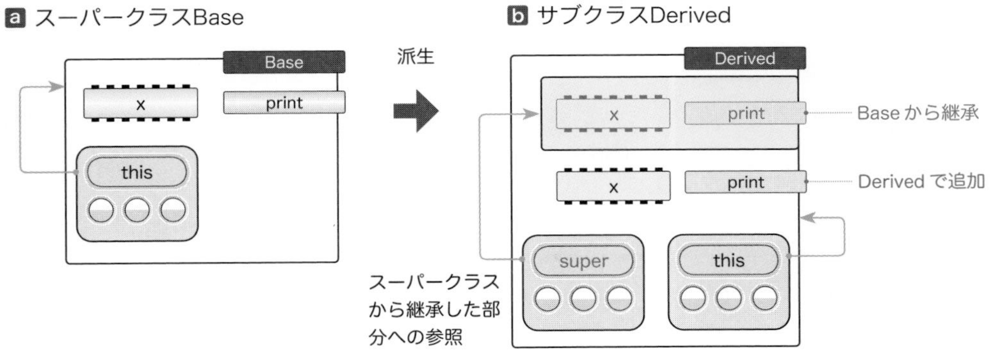

**Fig.12-3 クラスの派生とsuper**

それでは、コンストラクタの本体に注目しましょう。

仮引数 ***x1*** と ***x2*** に受け取った値の代入先は、super.*x* と **this.*x*** です。図からも分かるように、super は、そのクラスに部分として含まれるスーパークラス部への参照であり、super.*x* は、その部分に含まれる *x* です。

**重要** スーパークラスから継承したメンバは、"super.**メンバ名**" でアクセスできる。

ここでは、二つの ***x*** を、次のように使い分けていることが分かりました。

- super.*x* … スーパークラス ***Base*** から継承したフィールド *x*
- **this.*x*** … 自身のクラス ***Derived*** で宣言したフィールド ***x***

▶ なお、super. も **this.** も付かない、ただの ***x*** は、**this.*x*** を指します。同名のフィールドやメソッドがある場合、スーパークラスのほうの名前が**隠される**からです。

次は、メソッド ***print*** を理解します。

このメソッド中でも **super** を使っています。図からも分かるように、super.*print*() は、スーパークラス ***Base*** のメソッド ***print*** の呼出しです。

そのため、クラス ***Derived*** のメソッド ***print*** を呼び出すと、まず最初に super.*print*() によってクラス ***Base*** の ***x*** が表示され、それからクラス ***Derived*** の ***x*** が表示されます。

▶ スーパークラスのメソッドと同一形式のメソッドをサブクラスで定義することを『オーバライドする(override)』と表現します。オーバライドについては、次節で詳しく学習します。

## クラス階層と Object クラス

ここまでの例は、あるクラスから別のクラスを派生する例でした。派生したクラスからさらに派生を行うこともできます。すなわち、何段階もの派生が可能です。

そのような派生の例を、次ページの **Fig.12-4** に示しています。

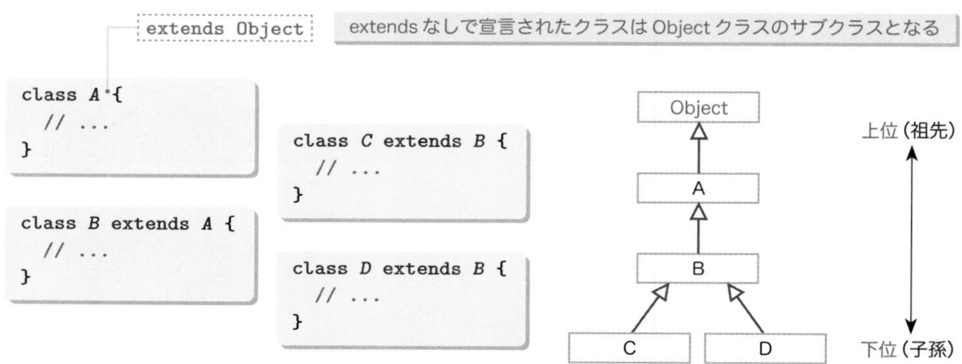


**Fig.12-4　クラスの派生**

クラス*A*からクラス*B*を派生し、クラス*B*からクラス*C*と*D*を派生しています。

クラス*B*は*A*の**子**です。そして、クラス*C*と*D*は、*B*の**子**であると同時に、*A*の**孫**です。すべてのクラスに《**血縁関係**》があるわけです。

親を含めた上側のクラスを**祖先**、子を含めた下側のクラスを**子孫**と呼ぶことにすると、上位クラスと下位クラスは、次のように定義されます。

- **上位クラス**（super class）　… **祖先**クラス（親・お爺さん・曾お爺さん…）のこと。
- **下位クラス**（sub class）　… **子孫**クラス（子・孫・曾孫…）のこと。
- **直接上位クラス**（direct super class）… **親**クラスのこと。
- **直接下位クラス**（direct sub class）　… **子**クラスのこと。

ただし、この表現は紛らわしいため、これ以降は**Table 12-1**のように表現します。

**Table 12-1　スーパー／上位クラス と サブ／下位クラス（本書の定義）**

| 名称 | 定義 |
|---|---|
| スーパークラス | 派生のもとになったクラス（親）のこと。 |
| サブクラス | 派生によって作られたクラス（子）のこと。 |
| 上位クラス | 親を含めた祖先クラス（親・お爺さん・曾お爺さん…）のこと。 |
| 下位クラス | 子を含めた子孫クラス（子・孫・曾孫…）のこと。 |
| 間接上位クラス | 親を除いた祖先クラス（お爺さん・曾お爺さん…）のこと。 |
| 間接下位クラス | 子を除いた子孫クラス（孫・曾孫…）のこと。 |

▶　紛らわしい理由の一つが、文法用語としての“**スーパー**”が、**親を含めた祖先**を意味するのに対して、キーワードとしての“`super`”が、**親のみ**を指すことです。

キーワード`super`は、親クラス（直接上位クラス）への参照で、`super()`は親クラスのコンストラクタの呼出しです。決して、親より上の世代のスーパークラスへの参照や、それらのクラスのコンストラクタの呼出しではありません。

さて、クラス階層図の最上位は、`Object` **クラス**です。クラス *A* のように、**extends** なしで宣言されたクラスは、`Object` クラスのサブクラスになる、という規則があるのです。

そのため、`Object` 以外の**すべての**クラスは、`Ojbect` クラスの下位クラスとなります。たとえば、クラス *A* は `Object` の子で、クラス *B* は孫です。

**重要** 明示的な派生の宣言をしないクラスは `Object` クラスのサブクラスとなる。Java のすべてのクラスは、`Object` クラスの下位クラスである。

すべてのクラスが、`Object` という共通の祖先をもった**親戚クラス**であることが分かりました。

▶ これまで作ってきたクラス *Account* や *Car* や *Day* は、何の関係もないように見えますが、`Object` という共通の親をもった " **兄弟** " ということです。
　なお、`Object` クラスについては、**Column 12-5**（p.372）で学習します。

なお、**Fig.12-5** に示すように、クラスが複数の親をもつことはできず、コンパイル時エラーとなります。このような多重継承は、Java ではサポートされていません。

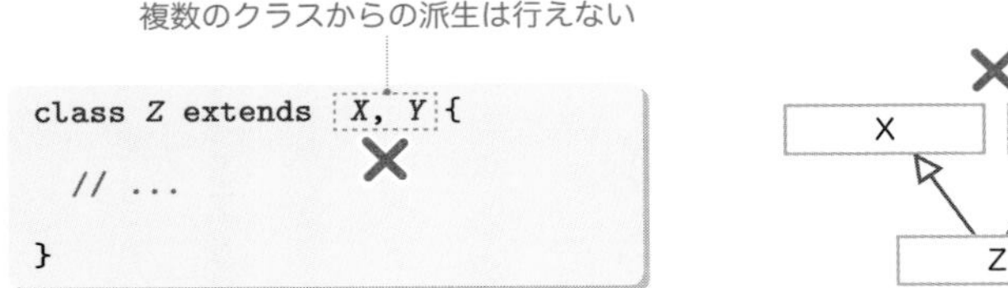


**Fig.12-5　Java は多重継承をサポートしない**

▶ プログラミング言語 C++ では、多重継承がサポートされています。多重継承のサポートは、言語の仕様を大きくし、コンパイラに負担をかけますが、忌み嫌うべきものではありません。
　たとえば、C++ の標準ライブラリでは、入力ストリームと出力ストリームから多重継承によって入出力ストリームを作り出すという、素晴らしいお手本が示されています。

### Column 12-2　クラス階層図における矢印の向き

クラス階層図の矢印の向きが、《サブクラス ⇨ スーパークラス》すなわち《子 ⇨ 親》となる理由を考えましょう。

たとえば、クラス *A* から派生しているクラス *B* の宣言の " **extends *A*** " は、『私は *A* を親にします。』という宣言です。すなわち、親であるクラス *A* の知らないところで、勝手に子供が作られているのです。

子供（サブクラス）は親（スーパークラス）を知っています。しかし、親（スーパークラス）は子供（サブクラス）のことを知りません。そもそも子供がいるのか、いるのであれば何人いるのか、といった情報を、親はもつことができないのです。

スーパークラス側で「このクラスを私の子供にしますよ。」といった宣言はできません。

**サブクラス側で行うのは「このクラスを私の親にしますよ。」という宣言ですから、必然的に矢印の向きは《サブクラス ⇨ スーパークラス》となります。**

## 差分プログラミング

本章の最初の話題に戻りましょう。銀行口座クラスに対して、定期預金を追加する例を検討していました。

互換性のない、別のクラスとして作り直すのではなく、資産を継承したクラスを、派生によって作ることにします。それが、**List 12-5** に示すクラス *TimeAccount* です。

**List 12-5** account2/TimeAccount.java

```
// 定期預金付き銀行口座クラス【第1版】

class TimeAccount extends Account {
  private long timeBalance;        // 預金残高（定期預金）

  // コンストラクタ
  TimeAccount(String name, String no, long balance, long timeBalance) {
    super(name, no, balance);        // クラスAccountのコンストラクタの呼出し
    this.timeBalance = timeBalance; // 預金残高（定期預金）
  }

  // 定期預金残高を調べる
  long getTimeBalance() {
    return timeBalance;
  }

  // 定期預金を解約して全額を普通預金に移す
  void cancel() {
    deposit(timeBalance);
    timeBalance = 0;
  }
}
```

▶ 本プログラムのコンパイル・実行の際は、銀行口座クラス第2版（p.241）のクラスファイルが同一ディレクトリ上に必要です。

クラス *TimeAccount* で宣言されているのは、フィールドが1個で、コンストラクタが1個で、メソッドが2個です。それ以外のフィールドとメソッドは、*Account* から継承しています。

当然、*Account* をコピーして書きかえた **List 12-1**（p.342）よりも、短く実現できています。

＊

継承のメリットの一つが、"**既存プログラムに対する必要最低限の追加・修正だけで新しいプログラムが完成する**"という差分プログラミング（incremental programming）が行えることです。プログラム開発時の効率アップや保守性の向上が図れます。

**重要** 互換性のない"似て非なる"クラスの作成を検討するよりも、"継承"による解決の可能性を検討しよう。

▶ 2次元座標クラスから3次元座標クラスを派生する **List 12-2**（p.346）も、差分プログラミングの例でした（X座標とY座標だけのクラスに、Z座標を追加するだけで新しいクラスを作りました）。
　なお、継承が効果を発揮するのは、差分プログラミングではなく、次節で学習する**多相性**です。

## is–A の関係とインスタンスへの参照

それでは、クラス *TimeAccount* をテストしましょう。**List 12-6** のプログラムです。

List 12-6　account2/TimeAccountTester1.java

```
// is–Aの関係とインスタンスへの参照（メソッドの引数で検証）

class TimeAccountTester1 {

  // どちらの預金残高が多いか
  static int compBalance(Account a, Account b) {
    if (a.getBalance() > b.getBalance())          // aのほうが多い
      return 1;
    else if (a.getBalance() < b.getBalance())     // bのほうが多い
      return -1;
    return 0;                                     // aとbは同じ
  }

  public static void main(String[] args) {
    Account adachi = new Account("足立幸一", "123456", 1000);
    TimeAccount nakata = new TimeAccount("仲田真二", "654321", 200, 500);

    switch (compBalance(adachi, nakata)) {
     case  0 : System.out.println("足立君と仲田君の預金残高は同じ。");  break;
     case  1 : System.out.println("足立君のほうが預金残高が多い。");  break;
     case -1 : System.out.println("仲田君のほうが預金残高が多い。");  break;
    }
  }
}
```

TimeAccount 試作版（p.342）ではエラー／第１版では動作

実行結果
```
足立君のほうが預金残高が多い。
```

網かけ部の **compBalance** は、p.343 で検討したメソッドです。二つの口座 **a** と **b** の普通預金の預金残高を比較して、その結果に応じて、**1, -1, 0** のいずれかを返却します。

仮引数 **a** と **b** の型は *Account* です。**main** メソッドの赤網部では、それらの引数に対して、

- *Account* 型インスタンス **adachi** への参照
- *TimeAccount* 型インスタンス **nakata** への参照

を渡して、メソッド **compBalance** を呼び出しています。そのため、次のことが分かります。

> **重要**　クラス型の引数に対しては、そのクラス型のインスタンスへの参照だけでなく、そのクラスの下位クラス型のインスタンスへの参照も渡せる。

次ページで詳しく学習しますが、*Account* 型の変数は、*Account* 型インスタンスだけでなく、下位クラスである *TimeAccount* 型インスタンスも**参照**できるのです。

▶　ただし、逆は成立しません。もし仮引数 **a** と **b** の型が *TimeAccount* であれば、**main** メソッドから *TimeAccount* インスタンスへの参照は渡せますが、*Account* インスタンスへの参照を渡せなくなってしまいます。

試作版 *TimeAccount*（p.342）は、クラス *Account* との**互換性**がありませんでしたが、*Account* から派生した第１版の *TimeAccount* は、*Account* との互換性があることが確認できました。

この互換性について、その仕組みを理解していきましょう。

### is–A の関係

*TimeAccount* は、*Account* の子供であり、*Account* 家（*Account* 一族）に所属していると考えられます。このことは、is–A の関係と呼ばれ、次のように表現します。

*TimeAccount* は一種の *Account* である。

この関係の逆は成立しないことに注意しましょう。*Account* は一種の *TimeAccount* ではありません。なお、is–A の関係は、kind–of–A の関係とも呼ばれます。

▶ いずれも、is–a や kind–of–a のように、A を小文字で表すこともあります。

### 代入可能

is–A の関係が成立することと、その逆が成立しないことを、**List 12-7** のプログラムで検証していきます（赤網部は、コメントアウトしなければコンパイル時エラーとなる箇所です）。

**List 12-7** account2/TimeAccountTester2.java

```
// is–Aの関係とインスタンスへの参照（組合せの検証）

class TimeAccountTester2 {

  public static void main(String[] args) {
    Account adachi = new Account("足立幸一", "123456", 1000);
    TimeAccount nakata = new TimeAccount("仲田真二", "654321", 200, 500);

    Account x;        // クラス型変数は …
    x = adachi;       // 自分自身の型のインスタンスを参照できる（当たり前）  1
    x = nakata;       // 下位クラス型のインスタンスも参照できる！  2

    System.out.println("xの預金残高：" + x.getBalance());

    TimeAccount y;    // クラス型変数は …
//  y = adachi;       // 上位クラス型のインスタンスは参照できない！  3
    y = nakata;       // 自分自身の型のインスタンスを参照できる（当たり前）  4

    System.out.println("yの預金残高：" + y.getBalance());
    System.out.println("yの定期預金残高：" + y.getTimeBalance());
  }
}
```

実行結果
```
xの預金残高：200
yの預金残高：200
yの定期預金残高：500
```



main メソッドの冒頭では、二つのインスタンスを生成しています。

- *adachi* … 銀行口座クラス *Account* 型のインスタンス
- *nakata* … 定期預金付き銀行口座クラス *TimeAccount* 型のインスタンス

その後で宣言されている変数 *x* は *Account* 型のクラス型変数で、変数 *y* は *TimeAccount* 型のクラス型変数です。1～4では、*x* と *y* に対して、*adachi* や *nakata* のインスタンスへの参照を代入しています。これらについて、右ページの **Fig.12-6** を見ながら考察していきます。

1と4 *Account* 型の変数 *x* が同一型の *adachi* インスタンスを参照して、*TimeAccount* 型の変数 *y* が同一型の *nakata* インスタンスを参照しています。

変数の型と、参照先の型が同一であり、自然な代入です。

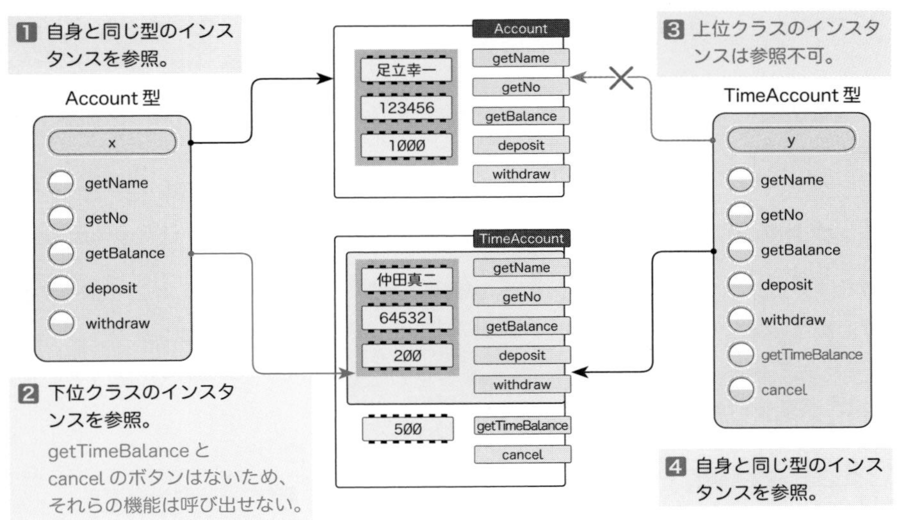


**Fig.12-6 スーパークラス／サブクラスのインスタンスへの参照**



2 ***Account*** 型の変数 ***x*** が、（一種の ***Account*** である）下位クラス ***TimeAccount*** 型のインスタンス ***nakata*** を参照しています。

図に示すように、***x*** の参照先は、サブクラス ***TimeAccount*** の中に含まれるクラス ***Account*** の**部分**の箇所です。そのため、***TimeAccount*** 型のインスタンスを、***Account*** 型のリモコンで操作できるのは、自然なことです。

▶ ***Account*** 型リモコンには、***TimeAccount*** 特有の ***getTimeBalance*** と ***cancel*** ボタンがなく、それらの機能は使えません。***TimeAccount*** 型インスタンスが、“***Account*** 型として”操作できる状態です。

3 これは、2と逆の関係です。***TimeAccount*** 型の変数 ***y*** は、スーパークラスである ***Account*** 型の ***adachi*** インスタンスを参照することは**できません**（コメントアウトしています）。

仮に、変数 ***y*** が ***adachi*** を参照することができたら、どうなるでしょう。

リモコン ***y*** の**定期預金**の残高を調べるボタン ***getTimeBalance*** を実行すること、すなわち ***y.getTimeBalance()*** の呼出しが可能になってしまいます。しかし、リモコン ***y*** の参照先である ***adachi*** は、定期預金をもたないクラス ***Account*** 型のインスタンスですから、そのようなことが許されるはずがありません。

ここでは親子関係を例に考えましたが、お爺さんや孫などにも同じ規則が適用されます。下位クラスの参照は、上位クラス型の変数に**代入可能**であり、その逆は不可能です。

**重要** 上位クラス型の変数は下位クラスのインスタンスを参照できるが、下位クラス型の変数は上位クラスのインスタンスを参照できない。

▶ 明示的なキャスト演算子を適用すれば、参照は可能です。p.364 で学習します。

# 12-2 多相性

本節では、《クラスの派生》の真の価値を引き出す《多相性》について、ペットクラスを例にとって学習します。

## メソッドのオーバライド

前節では、クラスの派生における、資産の**継承**と**追加**を学習しました。本節で学習するのは、資産の**上書き**です。右ページの **List 12-8** のプログラムで考えていきましょう。

ここで定義されているのは、クラス `Pet` と、それから派生したクラス `RobotPet` です。まずは、各クラスの概要を理解していきます。

**a** クラスPet

```
■僕の名前は++++です!
■ご主人様は****です!
```

**b** クラスRobotPet

```
◇私はロボット。名前は++++。
◇ご主人様は****。
```

**Fig.12-7　メソッドintroduce**

### ■ クラスPet（ペット）

■ フィールド

*`name`* … ペットの名前です。

*`masterName`* … 飼い主の名前です。

■ コンストラクタ

ペットと飼い主の名前を設定します。

■ メソッド

*`getName`* … ペットの名前を調べる *`name`* のゲッタです。

*`getMasterName`* … 飼い主の名前を調べる *`masterName`* のゲッタです。

*`introduce`* … 自己紹介をするメソッドで、**Fig.12-7** **a**の形式の表示を行います。

### ■ クラスRobotPet（ロボットペット）

■ フィールド

クラス `Pet` のフィールド（*`name`* と *`masterName`*）を、そのまま継承しています。

■ コンストラクタ

ペットと飼い主の名前を設定します。その処理は、`super(...)` の呼出しによって、スーパークラス `Pet` のコンストラクタに委ねます。

■ メソッド

クラス `Pet` の資産との関係で、大きく三つに分類されます。

- *`getName`* と *`getMasterName`* … クラス `Pet` から、そのまま継承しています。
- *`introduce`* … 自己紹介をするメソッドです（図**b**の形式の表示を行います）。クラス `Pet` のメソッドを継承せずに、上書きしています。
- *`work`* … 家事をするメソッドです。家事の種類（掃除／洗濯／炊事）は、引数で `0`, `1`, `2` の値として指定します。クラス `Pet` に対して**追加**しています。

List 12-8 　pet/Pet.java

```
// ペットクラス

class Pet {
  private String name;          // ペットの名前
  private String masterName;    // 飼い主の名前

  // コンストラクタ
  public Pet(String name, String masterName) {
    this.name = name;                  // ペットの名前
    this.masterName = masterName;      // 飼い主の名前
  }

  // ペットの名前を調べる
  public String getName() { return name; }

  // 飼い主の名前を調べる
  public String getMasterName() { return masterName; }

  // 自己紹介
  public void introduce() {
    System.out.println("■僕の名前は" + name + "です！");
    System.out.println("■ご主人様は" + masterName + "です！");
  }
}

class RobotPet extends Pet {
  // コンストラクタ
  public RobotPet(String name, String masterName) {
    super(name, masterName);      // スーパークラスのコンストラクタ
  }

  // 自己紹介
  public void introduce() {
    System.out.println("◇私はロボット。名前は" + getName() + "。");
    System.out.println("◇ご主人様は" + getMasterName() + "。");
  }

  // 家事をする
  public void work(int sw) {
    switch (sw) {
     case 0: System.out.println("掃除します。"); break;
     case 1: System.out.println("洗濯します。"); break;
     case 2: System.out.println("炊事します。"); break;
    }
  }
}
```

サブクラスに継承される

オーバライド（上書き）する

新規追加 … RobotPet専用のメソッド

メソッド **introduce** のように、上位クラスのメソッドと同じ形式のメソッドを、下位クラスで上書きする（新しい定義を与える）ことを、**オーバライドする**（override）と表現します。

この場合は、次のようになっているわけです。

---

サブクラス ***RobotPet*** のメソッド **introduce** は、スーパークラス ***Pet*** のメソッド **introduce** をオーバライドする。

---

▶ override には、『決定ずみのことをくつがえす』といったニュアンスがあります。オーバライドは、上位クラスのメソッドの定義を無効にして、新しい内容に上書きします。

## 多相性

オーバライドされたメソッドの挙動は、コードの見かけよりも複雑です。**List 12-9** のプログラムで考えていきます。

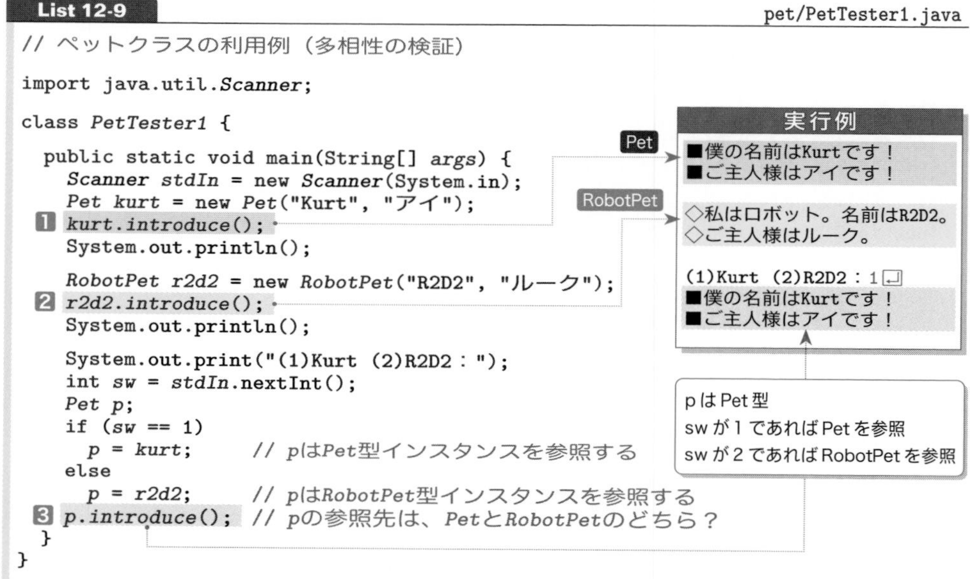
List 12-9　pet/PetTester1.java

```
// ペットクラスの利用例（多相性の検証）

import java.util.Scanner;

class PetTester1 {

  public static void main(String[] args) {
    Scanner stdIn = new Scanner(System.in);
    Pet kurt = new Pet("Kurt", "アイ");
❶  kurt.introduce();
    System.out.println();

    RobotPet r2d2 = new RobotPet("R2D2", "ルーク");
❷  r2d2.introduce();
    System.out.println();

    System.out.print("(1)Kurt (2)R2D2：");
    int sw = stdIn.nextInt();
    Pet p;
    if (sw == 1)
      p = kurt;        // pはPet型インスタンスを参照する
    else
      p = r2d2;        // pはRobotPet型インスタンスを参照する
❸  p.introduce();     // pの参照先は、PetとRobotPetのどちら？
  }
}
```





ペットに自己紹介を行わせるプログラムであり、３箇所でメソッド **introduce** を呼び出しています。それぞれの呼出しを理解していきましょう。

❶ クラス **Pet** のインスタンス **kurt** に自己紹介させます。呼び出されるのは、クラス **Pet** に所属するメソッド **introduce** です。

❷ クラス **RobotPet** のインスタンス **r2d2** に自己紹介させます。呼び出されるのは、クラス **RobotPet** に所属するメソッド **introduce** です。

❸ さて、ここからが本題です。

キーボードから読み込む **sw** の値は、プログラム実行時に決定するため、赤網部が実行される際の **p** の参照先が、**Pet** 型の **kurt** なのか、それとも **RobotPet** 型の **r2d2** なのかの決定も、プログラムのコンパイル時ではなく、実行時に行われます。

**sw** が１であれば、**Pet** 型変数 **p** の参照先が **Pet** 型ですから、❶と同様に、クラス **Pet** に所属するメソッド **introduce** が呼び出されます。

しかし、**sw** が２であれば、**Pet** 型の **p** が、**RobotPet** 型インスタンスを参照することになります。すなわち、変数の型と参照先の型が異なる点で、❶や❷とは異なります。

さて、その場合、メソッド呼出し**p.introduce**は、次に示すⒶ方式とⒷ方式の、どちらになるでしょうか？

```
p.introduce();
```

Ⓐ ペットPet用の自己紹介メソッドが呼び出される

**変数pの型**が**Pet**型であることを根拠に、**Pet**型の自己紹介用メソッド**introduce**が呼び出されます。そのため、右のように表示されます。

```
(1)Kurt (2)R2D2 : 2
■僕の名前はR2D2です！
■ご主人様はルークです！
```

Ⓑ ロボットペットRobotPet用の自己紹介メソッドが呼び出される

**変数pの参照先インスタンスの型**が**RobotPet**型であることを根拠に、**RobotPet**型の自己紹介用メソッド**introduce**が呼び出されます。そのため、右のように表示されます。

```
(1)Kurt (2)R2D2 : 2
◇私はロボット。名前はR2D2。
◇ご主人様はルーク。
```

ここで、コンパイラである**javac**の立場に立って検討してみましょう。

■ Ⓐ方式

変数**p**が、**kurt**を参照しているか、**r2d2**を参照しているかにかかわらず、変数**p**の型である**Pet**型のメソッド**introduce**を呼び出すコードを生成します。

そのため、生成するコードは単純であり、コンパイル作業は容易です。

■ Ⓑ方式

生成するコードは、次のようになります。

- **sw**が**1**のとき … クラス**Pet**型のメソッド**introduce**を呼び出す。
- そうでないとき … クラス**RobotPet**型のメソッド**introduce**を呼び出す。

すなわち、呼び出すメソッドをプログラム実行時に切りかえるようなコードを生成します。生成されるコードは複雑になり、コンパイル作業も面倒です。

▶ ソースプログラムの表面上は単なる『メソッド呼出し』ですが、クラスファイル中のコードは、呼び出すメソッドを条件によって切りかえるという、条件分岐を含んだコードとなります。
　そのため、Ⓐ方式に比べると、ほんの少しだけとはいえ、**プログラムの実行速度も低下します。**

＊

これまでの考察から、次のことが分かります。

**Ⓐ方式では、呼び出すメソッドがコンパイル時に決定する。**
➡ **リモコンの型**のメソッドが呼び出される。

**Ⓑ方式では、呼び出すメソッドが実行時に決定する。**
➡ リモコンが“現在”参照している**回路の型**のメソッドが呼び出される。

コンパイラの立場だと、単純なⒶ方式のほうが楽なのですが、**コンパイラが実際に生成するコードは**、Ⓑ方式です。

Ⓐ方式は、呼び出すメソッドがコンパイル時に静的に決定されることから、その呼出しメカニズムは、**静的結合**（static binding）や、**早期結合**（early binding）と呼ばれます。

もう一方のⒷ方式は、呼び出すメソッドが実行時に動的に決定されることから、そのメカニズムは、**動的結合**（dynamic binding）や、**遅延結合**（late binding）と呼ばれます。

**重要** メソッド呼出しは、**動的結合**によって行われる。

▶ bindingには『**束縛**（そくばく）』という訳語が当てられることもあります。そのため、静的結合は、**静的束縛**や**早期束縛**とも呼ばれ、動的結合は、**動的束縛**や**遅延束縛**とも呼ばれます。

なお、プログラミング言語C++では、関数（メソッド）呼出しは、静的結合が基本であり、特別に宣言された**仮想関数**の呼出しのみが動的結合になる、というハイブリッドな構成です。

クラス型変数が、派生関係にある様々なクラス型のインスタンスを参照できることを、**多相性＝ポリモーフィズム**（polymorphism）といいます。

▶ polyは『多くの』、morphは『形態』という意味です。多相性は、**多態性**、**多様性**、**同名異型**、**ポリモルフィズム**などとも呼ばれます。



多相性が絡んだメソッド呼出しでは、呼び出されるメソッドがプログラムの実行時に決定します（**Fig.12-8**）。

このような複雑な方式がJavaで採用されているのは、次のようなメリットがあるからです。

- 異なるクラス型のインスタンスに対して、同一のメッセージを送れる。
- メッセージを受け取ったインスタンスは、自分自身の型が何であるかを知っており、適切な行動を起こす。

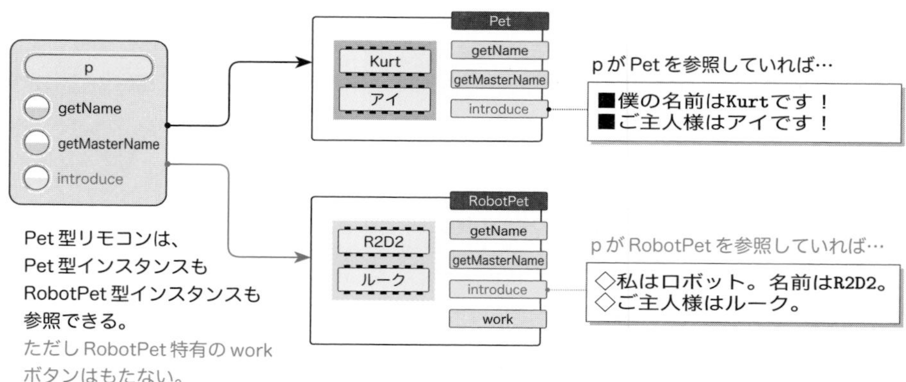


**Fig.12-8　多相性と動的結合**

動的結合をメソッドの引数に応用しましょう。**List 12-10** が、そのプログラム例です。

**List 12-10** pet/PetTester2.java

```
// ペットクラスの利用例（メソッドの引数で多相性を検証）

class PetTester2 {

  // pが参照するインスタンスに自己紹介させる
  static void intro(Pet p) {
    p.introduce();
  }

  public static void main(String[] args) {
    Pet[] a = {
      new Pet("Kurt", "アイ"),
      new RobotPet("R2D2", "ルーク"),
      new Pet("マイケル", "英男"),
    };

    for (Pet p : a) {
      intro(p);          // pが参照するインスタンスに自己紹介させる
      System.out.println();
    }
  }
}
```

実行結果

```
■僕の名前はKurtです！
■ご主人様はアイです！

◇私はロボット。名前はR2D2。
◇ご主人様はルーク。

■僕の名前はマイケルです！
■ご主人様は英男です！
```

別解 pet/PetTester2a.java

```
for (int i = 0; i < a.length; i++) {
  intro(a[i]);
  System.out.println();
}
```

実質的に1行だけのメソッド ***intro*** は、***Pet*** 型の仮引数に受け取った ***p*** に対して、メソッド ***introduce*** を起動します。

**main** メソッドでは、***Pet*** 型のインスタンスと ***RobotPet*** 型のインスタンスが混在した配列を生成して、各要素（のインスタンスへの参照）をメソッド ***intro*** に渡しています。

***Pet*** 型のインスタンスである **a[0]** と **a[2]** に対しては、***Pet*** 型のメソッド ***introduce*** が呼び出され、***RobotPet*** 型のインスタンスである **a[1]** に対しては、***RobotPet*** 型のメソッド ***introduce*** が呼び出されることが、実行結果からも確認できます。

▶ プログラムは拡張 **for** 文を利用しています。基本 **for** 文に書きかえたのが、別解です。

## オブジェクト指向の三大要素

**クラス**について、第8章から少しずつ学習してきました。また、本章のここまでで、**継承**と**多相性**を学習しました。

以下の三つは、**オブジェクト指向の三大要素**と呼ばれます。

- クラス（カプセル化）
- 継承
- 多相性

したがって、本書のこれまでの内容をマスターしていれば、**オブジェクト指向の基礎が身についている**ことになります。

## 参照型のキャスト

引き続き、クラス *Pet* とクラス *RobotPet* について考えます。まずは、次の宣言です。

```
Pet p = new RobotPet("R2D2", "ルーク");
```

初期化子である *RobotPet* 型への参照が、宣言されている変数 *p* の型である *Pet* 型への参照へと暗黙裏にキャストされています。これは、**参照型の拡大変換**（widening reference conversion）あるいは**アップキャスト**（up cast）と呼ばれる型変換です（**Fig.12-9 a**）。

もちろん、次のようにキャスト演算子を明示的に適用しても構いません。

```
Pet p = (Pet)new RobotPet("R2D2", "ルーク");        // 明示的なキャスト
```

▶ 拡大変換が暗黙裏に行われるのは、**基本型の拡大変換**（p.148）と共通です。図にも示すように、より上位側は“大きい”と呼ばれ、より下位側は“小さい”と呼ばれます。

さて、サブクラス型の変数はスーパークラスのインスタンスを参照できない（p.357）のですが、次のように、**キャスト演算子を明示的に適用すれば、型変換は可能です。**

```
RobotPet r1 =            new Pet("Kurt", "アイ");   // エラー
RobotPet r2 = (RobotPet)new Pet("Kurt", "アイ");   // OK!
```

ここで行われる型変換が、図**b**の**参照型の縮小変換**（narrowing reference conversion）すなわち**ダウンキャスト**（down cast）です。

▶ **参照型の拡大変換／参照型の縮小変換**は Java の文法用語で、**アップキャスト／ダウンキャスト**は一般的なプログラミングの用語です。両方を覚える必要があります。
なお、アップ／ダウンは、変換先がクラス階層の上位／下位であることに由来します。

**Fig.12-9　アップキャストとダウンキャスト**

さて、変数 *r2* の参照先は**ロボットではない**ペットです。そのため、次のような、家事を命令するコードは、**プログラムの実行時**にエラーとなります。

```
r2.work(0);        // 実行時エラー
```

不用意にダウンキャストを行って、下位クラス型の変数に、上位クラス型のインスタンスを参照させるようなことは、原則として避けるべきです。

## instanceof 演算子

そうすると、変数が参照しているのが、一体どのクラスなのかを調べるのが必要となってきます。**List 12-11** に示すのが、そのプログラム例です。

**List 12-11** pet/PetInstanceOf.java

```
// instanceof演算子の利用例

class PetInstanceOf {

  public static void main(String[] args) {
    Pet[] a = {
      new Pet("Kurt", "アイ"),
      new RobotPet("R2D2", "ルーク"),
      new Pet("マイケル", "英男"),
    };

    for (int i = 0; i < a.length; i++) {
      System.out.println("a[" + i + "] ");
      if (a[i] instanceof RobotPet)    // a[i]がロボットであれば…
        ((RobotPet)a[i]).work(0);      //    家事（掃除）を命じる
      else                             // そうでなければ…
        a[i].introduce();              //    自己紹介を命じる
    }
  }
}
```

実行結果

```
a[0]
■僕の名前はKurtです！
■ご主人様はアイです！
a[1]
掃除します。
a[2]
■僕の名前はマイケルです！
■ご主人様は英男です！
```



配列 a は、*Pet* と *RobotPet* が混在した配列です。for 文では、要素が *RobotPet* であれば、家事を命じ、そうでなければ自己紹介を命じます。

型判別のために網かけ部で使っているのが、**Table 12-2** の instanceof 演算子です。これは、次の形式で使う**関係演算子**です。

**クラス型変数名** instanceof **クラス名**

要素 a[*i*] が *RobotPet* 型であれば、網かけ部が true となります。ただし、*Pet* 型である a[*i*] は家事を行う *work* メソッドをもっていませんので、*RobotPet* 型に**ダウンキャスト**した上で家事を命じています。

**Table 12-2 instanceof 演算子**

| | |
|---|---|
| *x* instanceof *t* | 変数 *x* が型 *t* に暗黙裏にキャストできる下位クラスであれば true を、そうでなければ false を生成。 |

▶ なお、本プログラムの if 文を、次のようにすることはできません（"pet/PetInstanceOfX.java"）。a[*i*] の参照先が *Pet* であっても *RobotPet* であっても、式 a[*i*] instanceof *Pet* を評価した値が true となってしまうからです。

```
if (a[i] instanceof Pet)      // Petを含めてPetの下位クラスであればtrueとなる
  a[i].introduce();           // すなわちa[i]がPetでもRobotPetでも実行される
else
  ((RobotPet)a[i]).work(0);   // 実行されない
```

## @Override アナテイション

次のクラス宣言を考えましょう。***introduce***とすべきメソッド名を、***introduction***に間違えてしまっています。

```
class RobotPet {
  // … 中略 …
  public void introduction() {          // 自己紹介
    System.out.println("◇私はロボット。名前は" + getName() + "。");
    System.out.println("◇ご主人様は" + getMasterName() + "。");
  }
  // … 中略 …
}
```

これは、人間による（単純な）ミスです。ところが、コンパイラは、『クラス***RobotPet***では、メソッド***introduction***が**追加**されている』とみなします。

そのため、新しく**追加**されたメソッド***introduction***は、スーパークラスから**継承**されているメソッド***introduce***とは無関係のものとして扱われます。

▶ その場合、**List 12-9**（p.360）の***p.introduce()***では、クラス***RobotPet***ではなく、クラス***Pet***の自己紹介メソッドが呼び出されます。

このようなミスを防ぐのに有効な手段が、アナテイション（annotation）です。

第１章では、プログラムの読み手に伝えるべきことがらをコメントとして記入することを学習しました。コメントの対象は、プログラムの作成者を含めた人間です。

一方、アナテイションは、高度な注釈であって、**私たち人間だけでなく、コンパイラにも読ませる注釈です。**

**重要** 人間とコンパイラの両方に伝えるべき注釈は、アナテイションとして記述する。

メソッドのオーバライドの際に効果を発揮するのが、@Overrideアナテイションです。使い方は簡単です。次のように、メソッド宣言の先頭に**@Override**を付けるだけです。

コンパイル時エラー

```
class RobotPet {
  // … 中略 …
  @Override public void introduction() {          // 自己紹介
    System.out.println("◇私はロボット。名前は" + getName() + "。");
    System.out.println("◇ご主人様は" + getMasterName() + "。");
  }
  // … 中略 …
}
```

このアナテイションは、人間とコンパイラに対して、次のことを伝えます。

---

**これから宣言するのは、上位クラスのメソッドをオーバライドするメソッドであって、本クラスで新しく追加するメソッドではありません。**

---

ところが、スーパークラス***Pet***にはメソッド***introduction***がありませんから、コンパイラは次のエラーを発します。

エラー：メソッドはスーパータイプのメソッドをオーバーライドまたは実装しません

▶ これは、コンパイラである javac が表示するメッセージです。直訳調のため、意味が分かりにくいでしょう。『メソッド introduction をオーバライドすると宣言されていますが、スーパークラスには、そのような名前のメソッドはありません。』という意味です。

これで、プログラマである私たち人間は、メソッド名のミスに気付いて、プログラムを修正できるようになります。

次のように修正すると、正しくコンパイルできるプログラムとなります。

```
class RobotPet {
  // … 中略 …
  @Override public void introduce() {          // 自己紹介
    System.out.println("◇私はロボット。名前は" + getName() + "。");
    System.out.println("◇ご主人様は" + getMasterName() + "。");
  }
  // … 中略 …
}
```

本書のこれ以降は、オーバライドするメソッドには、@Override アナテイションを付けて宣言していきます。

**重要** 上位クラスのメソッドをオーバライドするメソッドには、@Override アナテイションを付けて宣言するとよい。

▶ annotation は、『注釈』あるいは『注解』といった意味の語句です。多くのテキストで『アノテーション』と表記されているようです（ちなみに、発音は ænətéiʃən です）。



**Column 12-3** **@Deprecated アナテイション**

ここで学習した @Override 以外にも、いくつかのアナテイションが標準で用意されています（アナテイションは、自作することもできます）。

クラスやメソッドに改良を重ねるうちに、『よりよいクラスを作成した』『クラスの内部的な仕様変更などによって、このメソッドは使うべきでなくなった』といった状況が生じることがあります。そのような際に便利なのが @Deprecated アナテイションです。

利用が推奨されないクラスやメソッドの前に @Deprecated を付けておきます。そうすると、それを利用しようとするプログラムのコンパイル時に**警告**が発生されます。

# 12-3 継承とアクセス性

クラスの派生において、フィールドやメソッドは継承される一方で、コンストラクタは継承されないのでした。クラスの派生において、どの資産が継承されて、どの資産が継承されないのか、また、それらのアクセスがどのようになるのかなどを学習しましょう。

## メンバ

クラスの派生の際に、フィールドやメソッドが継承されるのとは異なり、コンストラクタが継承されないことを、12-1 節で学習しました。クラスの派生において、何が継承されて、何が継承されないのかを明確にしておく必要があります。

クラスの派生で継承されるのは、クラスの**メンバ**（member）に限られます。次に示すのが、クラスのメンバです。

- フィールド
- メソッド
- クラス
- インタフェース

サブクラスに継承されるメンバ

▶ ここでの『クラス』と『インタフェース（第 14 章）』は、通常のクラスやインタフェースのことでなく、クラスの中で宣言されるクラスやインタフェースのことです（入門書の範囲を越えるため、本書では学習の対象外としています）。

スーパークラスのメンバは、原則としてそのまま継承されます。ただし、非公開アクセス性をもつ **private** 宣言されたメンバには、アクセスはできません。

**重要** サブクラスでは、スーパークラスから継承した非公開メンバにはアクセスできない。

もし、サブクラスからスーパークラスの非公開（**private**）メンバを自由にアクセスできるとしたらどうなるでしょう。クラスの派生を行うだけで、スーパークラスの非公開部にアクセスできてしまいます。これでは、情報隠蔽どころではありません。

▶ なお、**private** メンバはアクセスできないだけであって、消滅するわけではありません。プログラム上からはアクセスできなくなるものの、継承された資産として内部的に存在します。

＊

さて、メンバではない、クラスの資産には、次のものがあります。

- インスタンス初期化子
- クラス（静的）初期化子
- コンストラクタ

サブクラスに継承されない非メンバ

これらの資産は、継承されません。

**重要** 派生においては、メンバではない資産、すなわち、インスタンス初期化子、クラス（静的）初期化子、コンストラクタは継承されない。

## finalなクラスとメソッド

final付きで宣言されたクラスやメンバは、派生において特別な扱いを受けます。

### finalクラス

final付きで宣言されたfinalクラスは、派生を行えないクラスです。そのため、finalクラスをスーパークラスとするクラスは作れません。**子孫を作ることを禁ずるわけです。**

たとえば、おなじみのStringクラスは、finalクラスです。

```
public final class String {             // Stringクラスはfinalクラス
  // ...
}
```

そのため、次のようにして、Stringクラスを拡張したクラスを作ることはできません。

```
class DeluxeString extends String {   // エラー
  // ...
}
```

次のことが分かりました。

**重要** 拡張すべきでない（サブクラスを作られると困る）クラスは、finalクラスとする。

finalクラスは、『僕は子供を作らない主義ですよ。』と宣言したクラスです。

### finalメソッド

final付きで宣言されたfinalメソッドは、オーバライドできないメソッドです。

```
final void f() { /*…*/ }       // このメソッドはオーバライドできない
```

もし、finalメソッドを、サブクラスでオーバライドしようとすると、コンパイル時エラーとなります。**子孫に対して、オーバライドを禁ずるわけです。**

**重要** サブクラスでオーバライドされるべきでない（オーバライドされると困る）メソッドは、finalメソッドとする。

なお、finalクラス内のすべてのメソッドは、自動的にfinalメソッドとなります。

▶ p.43でも学習したように、finalには『最終の』という意味があります。finalクラスやfinalメソッドは、『最終決定版であり、もはや拡張したり上書きしたりできない』というニュアンスがあります。

## オーバライドとメソッドのアクセス性

次は、派生と、前章で学習したメンバのアクセス性との関係です。メソッドをオーバライドする際は、アクセス性と関連して、次の規則を必ず知っておく必要があります。

**重要** メソッドをオーバライドする際は、上位クラスのメソッドと同等もしくは弱いアクセス制限をもつ修飾子を与えなければならない。

アクセス制限の強さ／弱さの関係を示したのが **Fig.12-10** です。アクセス制限が最も弱いのが、公開（`public`）アクセス制限をもつ *m1* であり、最も強いのが、非公開（`private`）アクセス制限をもつ *m4* です。

弱い（ゆるい）↑↓強い（きつい）

```
public class A {
  public    void m1() { }  // 公開（public）
  protected void m2() { }  // 限定公開（protected）
            void m3() { }  // パッケージ（デフォルト）
  private   void m4() { }  // 非公開（private）
}
```

**Fig.12-10　メソッドのアクセス制限**

オーバライドする際のアクセス制限に関する規則をまとめたのが **Table 12-3** です。

**Table 12-3　オーバライドするメソッドに与えることのできるアクセス制限（修飾子）**

| A＼B | 公開 | 限定公開 | パッケージ | 非公開 |
|---|---|---|---|---|
| 公開 | ○ | × | × | × |
| 限定公開 | ○ | ○ | × | × |
| パッケージ | ○ | ○ | ○ | × |
| 非公開 | × | × | × | × |

※A … スーパークラスにおけるメソッドのアクセス制限（修飾子）
　B … サブクラスでオーバライドするメソッドのアクセス制限（修飾子）

下位クラスでメソッドをオーバライドする際は、上位クラスのものよりも強いアクセス制限を与えることはできません。

たとえば、**Fig.12-10** のクラス *A* から派生したサブクラスでメソッド *m1* をオーバライドする際は、宣言に `public` の指定が必要です（指定がなければコンパイル時エラーとなります）。

また、メソッド *m2* をオーバライドする際は、必ず `public` あるいは `protected` の指定が必要です。

▶ 派生元スーパークラスと派生したサブクラスのそれぞれが `public` であるかどうかとは関係なく、ここに示した規則に基づいて、`public` や `protected` などのアクセス修飾子を与えます。

なお、非公開メソッドは、資産としては継承されるものの、サブクラスではアクセスできないため、当然オーバライドは行えません。

ところが、クラス A から派生したサブクラスで、メソッド m4 を定義することが可能です。というのも、次の規則があるからです（同じ名前の、別ものとして扱われるからです）。

**重要** 非公開メソッドを、下位クラスで同一シグネチャ・同一返却型のメソッドとして定義しても、オーバライドとはみなされず、同じ仕様の無関係なメソッドとなる。

＊

さて、『文字列表現を返すメソッド toString を定義する際は、public メソッドとする』ことを第９章で学習しました（**Column 9-4**：p.279）。

Java のすべてのクラスの最上位に位置する Object クラスでは、toString が public メソッドとして定義されています（**Column 12-5**：次ページ）。オーバライドの際にアクセス制限を弱めることはできませんので、toString メソッドには public の指定が必要です。

**重要** メソッド String toString() を public として定義しなければならないのは、Object クラスで public として定義されており、アクセス制限を弱められないからである。

＊

なお、スーパークラスのクラスメソッドを、インスタンスメソッドとしてオーバライドすることはできません。そのため、次のコードはエラーとなります。

✕
```
class A {
  static void f() { /* … */ }     // fはクラスメソッド
}

class B extends A {
  void f()  { /* … */ }           // エラー
}
```

### Column 12-4　宣言における修飾子の順序

クラスやフィールドなどの宣言では、アナテイションや public や final などの修飾子で属性を指定します。修飾子が複数の場合は、どのような順序で指定しても構わないのですが、**Table 12C-1** の順で指定することが推奨されています（この表は、本書で学習しない修飾子も含んでいます）。

**Table 12C-1　宣言に与える修飾子（推奨される順序）**

| | |
|---|---|
| クラス | アナテイション　public　protected　private　abstract　static　final　strictfp |
| フィールド | アナテイション　public　protected　private　static　final　transient　volatile |
| メソッド | アナテイション　public　protected　private　abstract　static　final　synchronized　native　strictfp |
| インタフェース | アナテイション　public　protected　private　abstract　static　strictfp |

## Column 12-5　Object クラスと toString メソッド

Java の全クラスの親玉ともいえる **Object** クラスの主要な特徴を学習しましょう。

### ① java.lang パッケージに所属する

**Object** クラスは、**java.lang** パッケージに所属します。完全限定名は、**java.lang.Object** ですが、明示的に型インポートすることなく、単純名 **Object** で表せます （p.323）。

### ② native メソッド

**getClass** など、いくつかのメソッドが **native** 付きで宣言されています。このように宣言されたメソッドは、MS-Windows、macOS、Linux などのプラットフォーム（環境）に依存する部分を実現するための特殊なメソッドです（一般には、Java 以外の言語で記述されています）。

### ③ hashCode メソッドとハッシュ値

**hashCode** というメソッドが定義されています。これは、ハッシュ値を返却するメソッドです。

ハッシュ値とは、個々のインスタンスを区別する**識別番号**のようなものです。計算方法は、任意ですが、同一状態の（全フィールドの値が同じである）インスタンスには同一のハッシュ値を与えて、異なる状態のインスタンスには異なるハッシュ値を与えるようにします。

### ④ equals メソッドとインスタンスの等価性

**equals** メソッドは、参照先のインスタンスが "等しい" かどうかを判定するメソッドです。等しければ **true** を、そうでなければ **false** を返します。

このメソッドによる判定は、**ハッシュ値との整合性がとれていることが原則です。** **a.equals(*b*)** が **true** となる場合は、**a** と ***b*** のハッシュ値（**a.hashCode()** と ***b*.hashCode()** の返却値）が同じ値となり、**false** となる場合は、**a** と ***b*** のハッシュ値が異なっている必要があります。自作のクラスで **equals** **メソッドを定義する際は、それに合わせて hashCode メソッドも定義しなければなりません。**

第 9 章の日付クラス ***Day*** で、**equals** メソッドを定義せずに、ニセモノのメソッド ***equalTo*** を定義していたのは、**hashCode** メソッドをオーバライドしていなかったからです（それだけでなく、**Object** クラスや派生について学習していなかった、というのも理由の一つです）。

次に示すのが、日付クラス ***Day*** 用の **hash** メソッドと **equals** メソッドの定義例です。

```
public int hashCode() {
  return (year * 372) + (month * 31) + date;
}
public boolean equals(Object obj) {
  if (this == obj)          // 比較対象が自分自身であれば…
    return true;
  if (obj instanceof Day) { // objがDayクラス（の下位クラス）型であれば…
    Day d = (Day)obj;
    return (year == d.year && month == d.month && date == d.date) ? true
                                                                  : false;
  }
  return false;
}
```

この **hashCode** メソッドを追加して、メソッド ***equalTo*** の代わりに **equals** メソッドを定義した日付クラス【第 5 版】は **"day5/Day.java"** です（テストプログラムは **"day5/DayTester.java"** です）。

### ⑤ toString メソッド

**Object** クラスの **toString** メソッドは、**"クラス名@ハッシュ値"** を返却する **public** メソッドです。

自作のクラスでこのメソッドをオーバライドする際は、クラスの特性やインスタンスの状態を表す文字列を返却するように定義します。

### ⑥ toStringメソッドと配列・クラス

**Object**クラスは、すべてのクラスの最上位クラスですから、仮引数の型が Object であれば、あらゆるクラス型のインスタンスへの参照を受け取れます（クラス型変数は、下位クラス型のインスタンスを参照できるからです）。

実際にプログラムで確認してみましょう。それが、**List 12C-1** のプログラムです。

**List 12C-1** chap12/ToString.java

```
// toStringが返却する文字列を表示するメソッド（すべてのクラス型に対応）

class X {                                     ← Objectの子
  public String toString() {
    return "Class X";
  }
}

class Y extends X {                           ← Objectの孫
  public String toString() {
    return "Class Y";
  }
}

public class ToString {

  //--- toStringメソッドが返却する文字列を表示 ---//
  static void print(Object obj) {
    System.out.println(obj);
  }

  public static void main(String[] args) {
    X x = new X();
    Y y = new Y();
    int[] c = new int[5];                     ← 配列もObjectの子

    print(x);
    print(y);
    print(c);
  }
}
```

実行結果一例

```
Class X
Class Y
[I@54bedef2
```

クラス*X*は、暗黙の内に**Object**クラスから派生し、クラス*Y*は、クラス*X*から派生しています。

メソッド***print***が受け取る仮引数*obj*の型は**Object**型ですが、あらゆるクラス型のインスタンスへの参照を受け取れます。なお、このメソッドが行うのは、*obj*に対して**toString**メソッドを起動することで得られる文字列の表示です。

＊

**main**メソッドに着目しましょう。*X*型のインスタンス*x*と、*Y*型のインスタンス*y*と、**int**型の配列*c*を生成し、それらのオブジェクトへの参照をメソッド***print***に渡しています。

変数*x*に対しては、クラス*X*の**toString**メソッドが返却する文字列**"Class X"**が表示され、変数*y*に対しては、クラス*Y*の**toString**メソッドが返却する文字列**"Class Y"**が表示されます。

ここで着目すべきは、Object型引数に対して、配列への参照を渡せることです。

実は、配列は、プログラムの内部で、クラスと実質的に同等なものとして扱われます。すなわち、配列は、**Object**クラスの下位クラス（一種の**Object**）なのです。そのため、配列クラスは、**toString**メソッドや、要素数を表す**final int**型のフィールド**length**などをもっています。

配列を出力すると、特殊な文字列が表示されることを**List 6-12**（p.178）で確認していました。実は、配列クラスの**toString**メソッドが暗黙裏に呼び出されていたのです。

# まとめ

- 既存クラスの資産を継承するクラスは、クラスの**派生**によって容易に作れる。派生クラスの宣言では、`extends` キーワードを使って派生元のクラスを指定する。

- 派生元のクラスは**スーパー（上位／親）クラス**と呼ばれ、派生によって作られたクラスは**サブ（下位／子）クラス**と呼ばれる。派生は、クラスに**《血縁関係》**を与える。

- 明示的な派生の宣言をしないクラスは、`Object` **クラス**のサブクラスとなる。そのため、Javaのすべてのクラスは、`Object` クラスの下位クラスである。

- クラスの派生において、コンストラクタは継承されない。

- コンストラクタの先頭では、スーパークラスのコンストラクタを `super(...)` 形式の式で呼び出せる。明示的に呼び出さなければ、スーパークラスの“**引数を受け取らないコンストラクタ**”の呼出しである `super()` が、暗黙裏に挿入される。

- コンストラクタを1個も定義しないクラスには、`super()` のみを実行する**デフォルトコンストラクタ**が、暗黙裏に定義される。もしスーパークラスが“**引数を受け取らないコンストラクタ**”をもっていなければ、コンパイル時エラーとなる。

- スーパークラスの公開メンバは、“`super.` **メンバ名**”でアクセスできる。

- クラス *B* がクラス *A* の下位クラスであるとき、『クラス *B* は一種の *A* である。』と表現する。この関係は、is-A の関係（あるいは is-kind-of-A の関係）と呼ばれる。

- 上位クラス型の変数が、下位クラス型のインスタンスを**参照**できること（代入可能であること）を利用すると、**多相性（多態性／ポリモーフィズム）**が実現できる。その際、呼び出すべきメソッドがプログラム実行時に動的に決定される、**動的結合**が行われる。

- 下位クラス型の変数は、キャストしない限り上位クラス型のインスタンスを参照できない。

- 下位クラス型から上位クラス型への変換が**参照型の拡大変換（アップキャスト）**であり、その逆の変換が**参照型の縮小変換（ダウンキャスト）**である。

- オーバライドするメソッドには、上位クラスのものと同等もしくは弱いアクセス制限をもつ修飾子を与えなければならない。そうでなければ、コンパイル時エラーとなる。

- **アナテイション**は、人間とコンパイラの両方に伝えるコメントである。

- 上位クラスのメソッドを**オーバライド**する（スーパークラスとは異なる定義を与えて上書きする）メソッドには、`@Override` **アナテイション**を付けて宣言するとよい。

Object クラスのサブクラス

chap12/Member.java

```
//--- 会員クラス ---//
public class Member {
  private String name;   // 名前
  private int no;        // 会員番号
  private int age;       // 年齢

  public Member(String name, int no, int age) {
    this.name = name;  this.no = no;  this.age = age;
  }

  public String getName() {
    return name;
  }

  public void print() {
    System.out.println("No." + no + " : " + name +
                       " (" + age + "歳) ");
  }
}
```

継承される

クラス Member のサブクラス

chap12/SpecialMember.java

```
//--- 優待会員クラス ---//
public class SpecialMember extends Member {
  private String privilege;   // 特典

  public SpecialMember(String name, int no, int age, String privilege) {
    super(name, no, age);  this.privilege = privilege;
  }

  @Override public void print() {
    super.print();
    System.out.println("特典 : " + privilege);
  }
}
```

スーパークラスのコンストラクタ／メソッドの呼出し

オーバライド（上書き）

すべてのクラスの上位クラス。
java.lang パッケージに所属する。

Member は Object から派生。
スーパークラスは Object。SpecialMember はサブクラス。

SpecialMember は Member から派生。
スーパークラスは Member。

chap12/MemberTester.java

```
//--- 会員クラスのテスト ---//
public class MemberTester {

  public static void main(String[] args) {
    Member[] m = {
      new Member("橋口", 101, 27),
      new SpecialMember("黒木", 102, 31, "会費無料"),
      new SpecialMember("松野", 103, 52, "会費半額免除"),
    };

    for (Member k : m) {
      k.print();
      System.out.println();
    }
  }
}
```

Member 型変数は、Member だけでなく SpecialMember も参照可能。

動的結合：参照先のクラス型のメソッドが呼び出される。

実行結果

```
No.101 : 橋口 (27歳)

No.102 : 黒木 (31歳)
特典 : 会費無料

No.103 : 松野 (52歳)
特典 : 会費半額免除
```

# 第 13 章

# 抽象クラス

本章で学習するのは、実体を作ることのできない、あるいは作るべきでない概念を表すための抽象クラスと抽象メソッドです。抽象クラスや抽象メソッドを利用すると、前章で学習した多相性を、より高度なレベルで活用できるようになります。

□ 抽象メソッド
□ 抽象クラス
□ メソッドの実装
□ 文書化コメント
□ Javadoc ツール

# 13-1 抽象クラス

第 8 章から前章までで、オブジェクト指向プログラミングの基礎を学習しました。本章と次章では、やや応用的なことを学習します。本節で学習するのは、抽象クラスです。

## 抽象クラス

前章ではクラスの派生について学習しました。本章では、派生を応用して、図形を表すクラス群を作っていきます。

最初に考えるのは、《点》と《長方形》の二つの図形です。なお、各図形クラスには、描画のためのメソッド **draw** をもたせます。それでは、二つのクラスを設計していきましょう。

### ▪ 点クラス Point

**点**を表すクラスです。フィールドはもたせず、コンストラクタは引数を受け取らない仕様とします。そのため、インスタンスの生成は、引数を与えない **new *Point*()** で行います。

描画メソッド ***draw*** は、次のように、記号文字 **'+'** を 1 個だけ表示します。

```
// 点クラスPointの描画メソッドdraw
void draw() {
  System.out.println('+');
}
```

```
+
```

### ▪ 長方形クラス Rectangle

**長方形**を表すクラスです。幅と高さ用の **int** 型フィールド ***width*** と ***height*** をもたせ、コンストラクタは、それらに対応する引数を受け取る仕様とします。そのため、幅が **4** で、高さが **3** の長方形インスタンスの生成は、**new *Rectangle*(4, 3)** で行います。

描画メソッド ***draw*** は、次のように、記号文字 **'*'** を縦横に並べて表示します。

```
// 長方形クラスRectangleの描画メソッドdraw
void draw() {
  for (int i = 1; i <= height; i++) {
    for (int j = 1; j <= width; j++)
      System.out.print('*');
    System.out.println();
  }
}
```

```
****
****
****
```

さて、二つのクラスを別々に作っても、無関係なものとなります。前章で学習した**多相性**を有効に活用しましょう。次の方針をとります。

---

**図形クラス**から、**点クラス**と**長方形クラス**を派生する。

---

それでは、上位に位置する図形クラスを設計しましょう。

13

抽象クラス

■ 図形クラス Shape

**図形**を表すクラスです。点や長方形や直線などのクラスは、このクラスから直接的または間接的に派生するものとします。それでは設計していきましょう。

■ メソッド *draw* は何を表示すればよいでしょう?

何を表示すべきか、適切なものが思いあたりません。

■ インスタンスはどのように生成すればよいのでしょう?

クラス *Shape* のコンストラクタの呼出しの際に、どのような引数を与えるべきか、適切なものが思いあたりません。

設計の最初で行き詰まりました。というのも、クラス *Shape* が、図形の**具体的な設計図**というよりも、図形の概念を表す**抽象的な設計図**だからです。

クラス *Shape* のように、

---

- インスタンスを生成できない、または生成すべきでない。
- メソッドの本体が定義できない。その内容はサブクラスで具体化すべきである。

---

といった性質のクラスを表すのに好適なのが、本章で学習する**抽象クラス** (abstract class) です。

＊

クラス *Shape* を抽象クラスとして定義するクラス宣言は、次のようになります。

```
// 図形クラス（抽象クラス）
abstract class Shape {
  abstract void draw();    // 描画（抽象メソッド）
}
```

クラス *Shape* と、メソッド *draw* の両方が、キーワード abstract 付きで宣言されています。

なお、このクラスから派生するクラス *Point* とクラス *Rectangle* は、抽象クラスではなく、普通の（非抽象の）クラスでなければなりません。

本書のクラス階層図では、抽象クラスの名前を*斜体*とします。そのため、三つのクラスのクラス階層図は、**Fig.13-1** のようになります。

図形クラス *Shape* を抽象クラスとし、そこからクラス *Point* とクラス *Rectangle* を派生するように実現したプログラムが、次ページの **List 13-1** です。

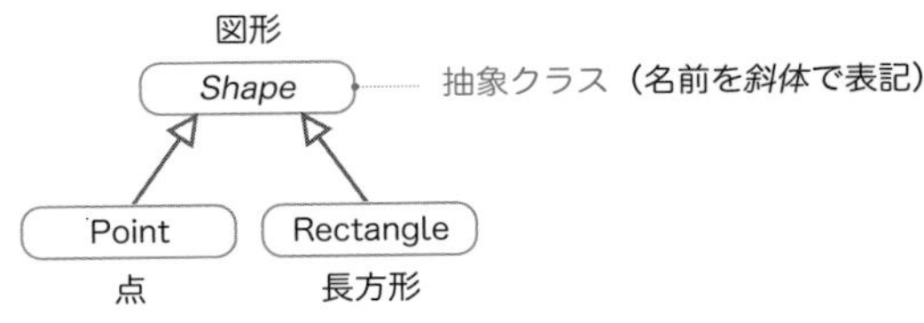


**Fig.13-1　図形クラス群のクラス階層図**

List 13-1　shape1/Shape.java

```
// 図形クラス群【第1版】

//===== 図形 =====//                                    抽象クラス
abstract class Shape {
  abstract void draw();          // 描画（抽象メソッド）
}

//===== 点 =====//
class Point extends Shape {
  Point() { }                              // コンストラクタ

  @Override void draw() {                  // 描画
    System.out.println('+');
  }
}

//===== 長方形 =====//
class Rectangle extends Shape {
  private int width;     // 幅
  private int height;    // 高さ

  Rectangle(int width, int height) {       // コンストラクタ
    this.width = width;
    this.height = height;
  }

  @Override void draw() {                  // 描画
    for (int i = 1; i <= height; i++) {
      for (int j = 1; j <= width; j++)
        System.out.print('*');
      System.out.println();
    }
  }
}
```

▶ 個々のクラスを独立したソースファイルとすべきですが、提示スペース節約のために、一つにまとめています。それにあわせて、クラスやメソッドに与えるべき **public** も省略しています。

## 抽象メソッド

前ページでも学習したように、クラス ***Shape*** のメソッド ***draw*** は、abstract 付きで宣言されています。このように宣言されたメソッドは、**抽象メソッド**（abstract method）となります。

メソッドの前に置かれた **abstract** のニュアンスは、

---

ここ（私のクラス）ではメソッドの実体を定義できませんから、私から派生したクラスで定義してください（**子供たち、お前らに任（まか）せるよ**）!!

---

といった感じです。

抽象メソッドには本体がありませんので、その宣言では、本体 **{ }** の代わりに **;** を置きます。なお、次のように **{ }** を置くと、コンパイル時エラーとなります。

```
abstract void draw() {  }    // エラー：メソッド本体は定義はできない
```

**重要** 抽象メソッドは、abstract を付けて、本体 **{ }** の代わりに **;** を置いて宣言する。

さて、点クラス *Point* と長方形クラス *Rectangle* では、メソッド *draw* をオーバライドして本体を定義しています（各メソッドの本体は、最初に設計したとおりです）。

このように、抽象クラスから派生したクラスで、抽象メソッドをオーバライドして本体を定義することを、『**抽象メソッドを**実装する（implement）』といいます。

**重要** スーパークラスの**抽象メソッド**を**オーバライド**して、メソッド本体を定義することを、**抽象メソッドを**実装するという。

クラス *Point* は抽象クラス *Shape* のメソッド *draw* を**実装**していますし、クラス *Rectangle* も抽象クラス *Shape* のメソッド *draw* を**実装**しています。

### 抽象クラス

抽象メソッドは、本体がないのですから、ある意味で不完全なメソッドです。そのため、**抽象メソッドを１個でも有するクラスは、ある意味で不完全なクラスとなるため、抽象クラスとして宣言しなければなりません。**

クラスを抽象クラスと宣言するのが、**class** の前に置く **abstract** です。

なお、極めて紛らわしいことに、抽象メソッドが１個もないクラスであっても、抽象クラスと宣言してもよいことになっています。**Fig.13-2** のように理解しましょう。

**重要** 抽象メソッドを１個でも有するクラスは、abstract を付けて抽象クラスとして定義しなければならない。

▶ 抽象クラスに対して、**final**, **static**, **private** を指定することはできません。

×
```
class P {
  abstract void a();
  void b() { /*…*/ }
}
```
抽象メソッドを１個でももつクラスは、必ず抽象クラスでなければならない。class の宣言に abstract がないため、コンパイル時エラーとなる。

○
```
abstract class Q {
  abstract void a();
  void b() { /*…*/ }
}
```
１個でも抽象メソッドをもつクラスは、必ず抽象クラスでなければならない。

○
```
abstract class R {
  void a() { /*…*/ }
  void b() { /*…*/ }
}
```
抽象クラスは、抽象メソッドをもたなくてもよい。すなわち、抽象メソッドがないクラスを抽象クラスと宣言してもよい。

**Fig.13-2　抽象クラスと抽象メソッド**

**List 13-2** のプログラムを例に、抽象クラスに関する理解を深めましょう。

**List 13-2** shape1/ShapeTester.java

```
// 図形クラス群【第1版】の利用例

class ShapeTester {

  public static void main(String[] args) {
//  次の宣言はエラー：抽象クラスはインスタンス化できない
//  Shape s = new Shape();

    Shape[] a = new Shape[2];
    a[0] = new Point();             // 点
    a[1] = new Rectangle(4, 3);  // 長方形

    for (Shape s : a) {
      s.draw();     // 描画
      System.out.println();
    }
  }
}
```

実行結果

```
+

****
****
****
```

別解 shape1/ShapeTester2.java

```
for (int i = 0; i < a.length; i++) {
  a[i].draw();     // 描画
  System.out.println();
}
```

### ▪ 抽象クラスのインスタンスは生成できない

*Shape* 型のインスタンス **s** の宣言は、コンパイル時エラーとなります（コメントアウトしています）。というのも、次の規則があるからです。

**重要** 抽象クラスのインスタンスを生成することはできない。

理由は単純です。もし抽象クラス *Shape* のインスタンス **s** を生成できるとしたら、実体のないメソッド *draw* を、**s.*draw*()** として呼び出せることになってしまうからです。

### ▪ 抽象クラスと多相性

後半部を理解しましょう。配列 **a** を使って多相性の検証を行っています。

*Shape* 型の配列 **a** の要素 **a[0]** と **a[1]** は *Shape* 型のクラス型変数です。

**Fig.13-3** に示すように、**a[0]** はクラス *Point* 型のインスタンスを参照しており、**a[1]** はクラス *Rectangle* 型のインスタンスを参照しています。

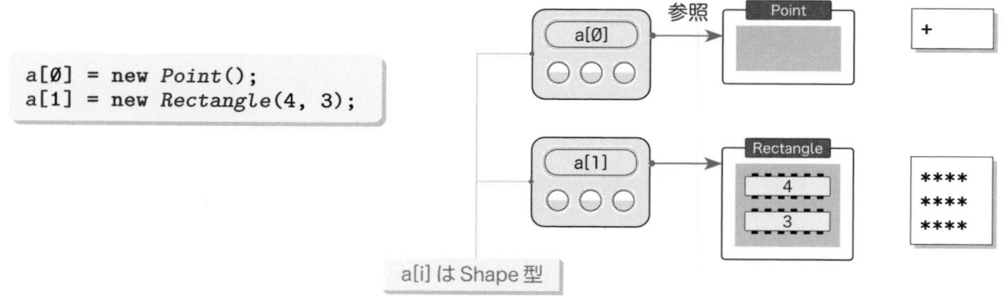


**Fig.13-3　Shape 型の配列と多相性**

プログラム網かけ部の拡張 `for` 文では、配列 `a` の各要素に対してメソッド `draw` を呼び出しています。実行結果から、次のことが確認できます。

---

- 要素 `a[0]` に対しては、クラス *Point* のメソッド `draw` が呼び出される。
- 要素 `a[1]` に対しては、クラス *Rectangle* のメソッド `draw` が呼び出される。

---

▶ 別解に示しているのは、基本 `for` 文によって実現したプログラムです。

抽象クラス *Shape* は、具体的な図形ではなく、図形の**概念**を表すクラスです。実体を生成できない**不完全なクラス**ではあるものの、**自身を含め、派生したクラスに対して、血縁関係をもたせる**役目を果たしていることが分かりました。

**重要** 下位クラスをグループ化して多相性を有効活用するためのクラスに具体的な実体がなければ、抽象クラスとして定義するとよい。

さて、**抽象メソッドは、抽象クラスから派生したサブクラスで実装しなければ、抽象メソッドのまま継承されます。**このことを **Fig.13-4** で理解しましょう。

抽象クラス *A* の二つのメソッド `a` と `b` はいずれも抽象メソッドです。クラス *A* から派生して、メソッド `b` を実装していないクラス *B* も抽象クラスです。

もしクラス *B* の宣言から `abstract` を省略するとコンパイル時エラーとなります。

なお、クラス *B* から派生したクラス *C* はメソッド `b` を実装していますので、抽象クラスではなくなります。

▶ 抽象メソッドをもたないクラスを抽象クラスとすることもできる（p.381）ため、クラス *C* を抽象クラスとして定義することもできます。

　抽象クラスでないクラスは、**具象クラス**（concrete class）とも呼ばれますが、本書では、この用語は使用していません。この用語の定義がプログラミング言語によって微妙に異なること、数百ページにおよぶ『Java 言語仕様』において定義が行われないまま１箇所でしか使われていないこと、がその理由です。

C.java

```
abstract class A {
  abstract void a();
  abstract void b();
}

abstract class B extends A {
  void a() { /*…*/ }
}

class C extends B {
  void b() { /*…*/ }
}
```

メソッド a を実装。
抽象メソッド b を継承しているので、
このクラスも抽象クラス。

メソッド b を実装。
抽象メソッドはないため、抽象クラスと
して宣言しなくてよい。

**Fig.13-4　抽象クラスとメソッドの実装**

# 13-2 抽象的に振る舞うメソッドの設計

前節の例では、抽象クラス内に、抽象メソッドと非抽象メソッドとが混在していました。本節では、抽象メソッドと非抽象メソッドとが入り組んだ複雑な構造のメソッドを学習します。

## 図形クラス群の仕様変更

前節で作成した図形クラス群に対して、次に示す仕様の変更を行うことを考えましょう。

**1 toStringメソッドの追加**

図形の情報を表す文字列を返却する**toString**メソッドを追加します。

クラス***Point***の**toString**メソッドは**"Point"**、クラス***Rectangle***の**toString**メソッドは**"Rectangle(width:4, height:3)"**といった文字列を返却する仕様とします。

**2 直線クラスの追加**

水平直線クラス***HorzLine***と、垂直直線クラス***VertLine***を追加します（斜めに傾いた直線は考えません）。

長さを表す**int**型のフィールド***length***が、両方のクラスに必要です。

**3 情報解説付き描画メソッドの追加**

『**toString**メソッドが返す文字列の表示』と、『メソッド***draw***による描画』を、連続して行うメソッドを***print***として追加します。

たとえば、点であればaのように表示し、幅が4で高さが3の長方形であればbのように表示します。

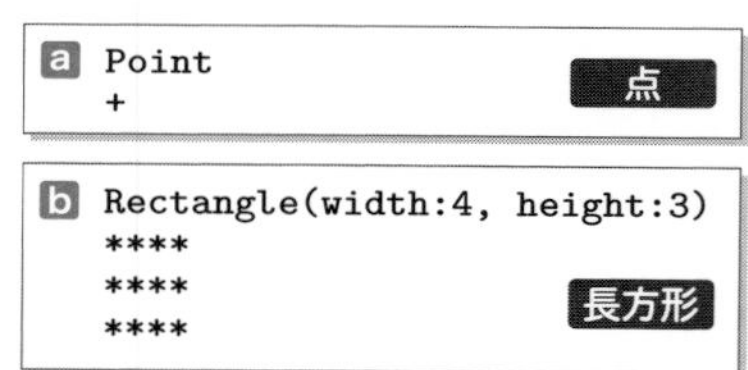


＊

それでは、1～3を順に考えていきましょう。

## toStringメソッドの追加

まずは、1の『文字列表現を返す**toString**メソッドの追加』を考えます。右ページの**Fig.13-5**に示すのが、その宣言です。

**toString**メソッドが**abstract**付きで宣言されています。すなわち：

クラス***Shape***では、**toString**を**抽象メソッド**として宣言している。

その理由は単純です。図形の概念であって、具体的な図形ではないクラス***Shape***は、（状態をもたないため）適切な文字列として表現できないからです。

```
// 図形
abstrcat class Shape {
  public abstract String toString();    ←── あえて抽象メソッドとして宣言
  // ...
}

// 点
class Point extends Shape {
  public String toString() {
    return "Point";
  }
  // ...
}

// 長方形
class Rectangle extends Shape {
  public String toString() {
    return "Rectangle(width:" + width + ", height:" + height + ")";
  }
  // ...
}
```

toStringメソッドを実装。
もし実装しなければ、これらのクラスは抽象クラスとして宣言しなければならなくなる。

**Fig.13-5　図形と点と長方形におけるtoStringメソッドの実装**



さて、**toString**メソッドは、Javaの全クラスの親玉である**Object**クラス内で定義されたメソッドです（p.372）。また、**extends**を与えられずに宣言されたクラスは、暗黙の内に**Object**クラスから派生している（p.353）ため、クラス*Shape*は、**Object**クラスのサブクラスです。

**toString**は、抽象メソッドではないメソッド＝**具象メソッド**（concrete method）です。

そのため、**クラス*Shape*は、スーパークラスである Objectの具象メソッドを、抽象メソッドに変更している**ことになります。

これが可能なのは、次の規則があるからです。

**重要** スーパークラスの**具象メソッド**をオーバライドする際は、**抽象メソッド**に**変更**することが許されている。

**toString**メソッドを**抽象メソッド**と宣言することは、**そのクラスの下位クラスに対して、toStringメソッドの実装を強要する役割をもっています。**

というのも、もしクラス*Shape*から派生した図形クラスで**toString**メソッドを実装しなければ、そのクラスも抽象クラスにしなければならなくなるからです。

そのため、下位クラスで、『**toString**メソッドの実装を、うっかり忘れてしまう』といったミスを回避できます。

▶ 点クラスや長方形クラスの宣言が、**toString**メソッド本体の定義を含まなければ、（クラスを**abstract**宣言しない限り）コンパイル時エラーとなります。すべての抽象メソッドに対して実体を与えてオーバライドしないクラスは、抽象クラスとなるからです（p.381）。

## 直線クラスの追加

次に、2の『直線クラスの追加』について考えましょう。

水平直線クラス *HorzLine* と垂直直線クラス *VertLine* は、クラス *Shape* から派生して作りますので、その宣言は、**Fig.13-6** のようになります。

▶ この図では、toString メソッドは省略しています。

```
// 水平直線
class HorzLine extends Shape {
  private int length;    // 長さ

  HorzLine(int length) {
    this.length = length;
  }

  void draw() {
    for (int i = 1; i <= length; i++)
      System.out.print('-');
    System.out.println();
  }
}
```

```
// 垂直直線
class VertLine extends Shape {
  private int length;    // 長さ

  VertLine(int length) {
    this.length = length;
  }

  void draw() {
    for (int i = 1; i <= length; i++)
      System.out.println('|');
  }
}
```

個別に定義された、よく似た二つのクラス

**Fig.13-6　水平直線クラスと垂直直線クラスを個別に定義**



これらのクラスに対して、長さを表すフィールド *length* のアクセッサ（ゲッタとセッタ）を追加することを考えてみましょう。

値を取得するゲッタ *getLength* と、設定するセッタ *setLength* は、両クラスとも、**Fig.13-7** のようにまったく同じものとなります。

**水平直線と垂直直線の共通部を、直線クラスとして独立させて、そのクラスから水平直線クラスと垂直直線クラスを派生すべきであることが分かりました。**

```
//--- lengthのゲッタ ----//
int getLength() {
  return length;
}

//--- lengthのセッタ ----//
void setLength(int length) {
  this.length = length;
}
```

**Fig.13-7　直線クラスのアクセッサ**

＊

いったん直線クラス *AbstLine* を作り、そのクラスから、水平直線クラスと垂直直線クラスを派生するように方針を変更しましょう。右ページの **Fig.13-8** が、そのプログラムです。

なお、直線クラスは、描画が不可能ですから、**抽象クラス**としています。

▶ クラス *AbstLine* は、メソッド draw の具体的な定義を含んでいないため、クラス *Shape* のメソッド draw を、抽象メソッドのまま継承します。スーパークラスの全抽象メソッドに具体的な定義を与えない限り、そのクラスも抽象クラスとなるため、クラス *AbstLine* は必然的に抽象クラスとなります（クラス *AbstLine* の宣言から abstract を削除すると、コンパイル時エラーとなります）。

クラス *AbstLine* では、フィールド *length* と、そのアクセッサ（セッタとゲッタ）を定義しています。もちろん、これらの資産はすべて、そのサブクラスに継承されます。

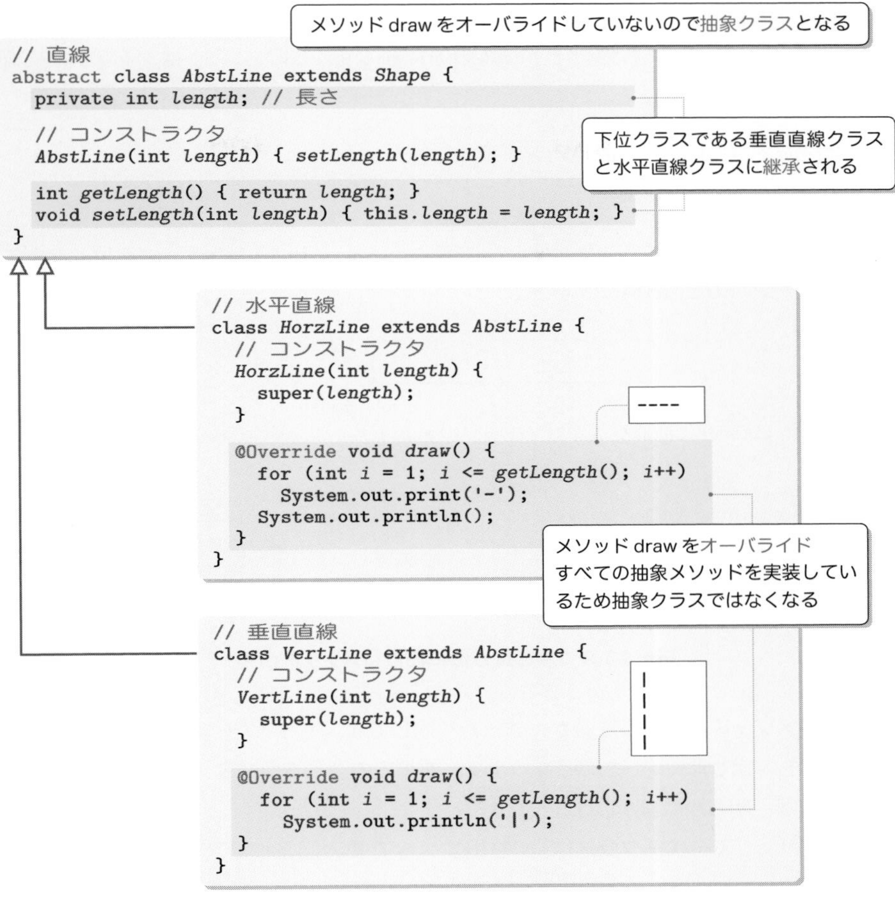


**Fig.13-8　抽象直線クラスから水平直線クラスと垂直直線クラスを派生**

クラス **HorzLine** と **VertLine** は、いずれも、クラス **AbstLine** のサブクラスとして定義されています（コンストラクタとメソッド **draw** のみを宣言しています）。

なお、クラス **HorzLine** と **VertLine** では、メソッド **draw** を**実装**していますので、抽象クラスではなくなっています。念のためにまとめると、次のようになります。

- クラス **AbstLine**：　　　　　：抽象クラス。　インスタンスの生成は行えない。
- クラス **HorzLine** と **VertLine**：非抽象クラス。インスタンスの生成は行える。

次のコードで確認できます。

```
AbstLine a = new AbstLine(3);      // エラー
HorzLine h = new HorzLine(5);      // ＯＫ：長さ5の水平直線
VertLine v = new VertLine(4);      // ＯＫ：長さ4の垂直直線
```

### 情報解説付き描画メソッドの追加

最後に考えるのは、③の『メソッド *print* の追加』です。このメソッドは、次の二つの処理を連続して順番に実行します。

---

① **toString** メソッドが返す文字列を表示する。

② メソッド *draw* による描画を行う。

---

点クラス *Point* と長方形クラス *Rectangle* を例にとると、**Fig.13-9** のように実現できます。

▶ コンストラクタなどは省略しています。

まったく同じ定義のメソッド

```
// 点
class Point extends Shape {
  // ...

  void print() {
    System.out.println(toString());
    draw();
  }
}
```

```
// 長方形
class Rectangle extends Shape {
  // ...

  void print() {
    System.out.println(toString());
    draw();
  }
}
```

**Fig.13-9　点と長方形におけるメソッドprint**



**両クラスのメソッド *print* の定義が、まったく同じです。**もちろん、垂直直線クラスや水平直線クラスでも、まったく同じものとなります。すべての図形クラスで、まったく同じメソッドを宣言するのは、明らかにおかしなことです。

**共通の資産は、スーパークラスにくくり出すべきです。**図形クラス *Shape* の中でメソッド *print* を定義するように書き直すと、**Fig.13-10** のようになります。

▶ 本メソッドは下位クラスに継承されるため、下位クラスでの *print* のオーバライドは不要です。

```
// 図形クラス
abstract class Shape {
  public abstract String toString();  // 文字列（図形情報）

  public abstract void draw();        // 描画

  public void print() {
    System.out.println(toString());
    draw();
  }
}
```

本体をもたない抽象メソッドの呼出し

**Fig.13-10　図形クラスShapeにくくり出したメソッドprint**

**驚くべきことに、具象メソッド *print* の中で、本体をもたない抽象メソッド toString と *draw* を呼び出しています。**このメソッドの挙動はどのようになるのでしょうか。

*p* が *Shape* 型のクラス型変数であるとして、*p.print()* の呼出しを考えましょう。

メソッド *print* の内部では、メソッド **toString** とメソッド *draw* の呼出しが行われます。その際、**Fig.13-11** に示すように、*p* が参照するインスタンスの型（*Point*, *Rectangle*, … ）に応じて適切なメソッドが（**動的結合**によって）選ばれます。

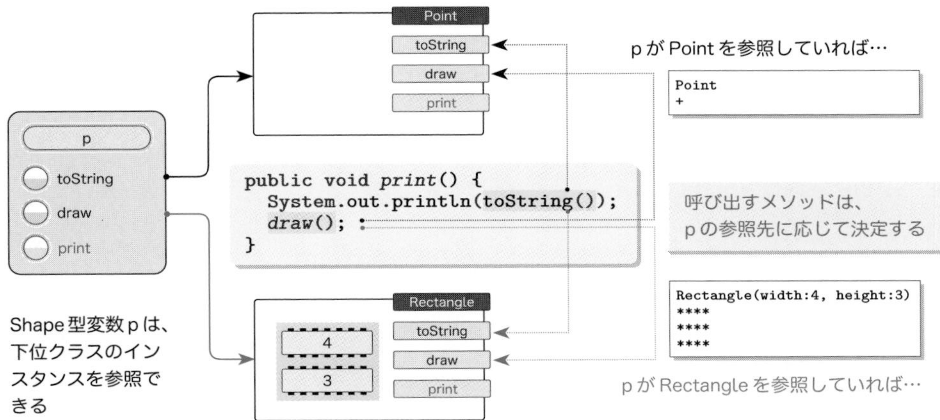


**Fig.13-11　具象メソッドから呼び出される抽象メソッド**

▶　メソッド *print* は、仕様変更にも柔軟に対応できます。

たとえば、『①と②の順番を逆にする。すなわち、まず②の描画を行って、それから①の文字列表示を行う。』という変更を施すとします。もしメソッド *print* を個々の図形クラスで定義していれば、**すべての図形クラスのメソッド *print* を手作業で変更しなければなりません。**

本プログラムであれば、クラス *Shape* のメソッド *print* を、次のように変更するだけですみます。

```
public void print() {
  System.out.println(toString());
  draw();
}
```

➡ 変更

```
public void print() {
  draw();
  System.out.println(toString());
}
```

## 改良した図形クラス

これまでの設計をもとに作成した、第2版の図形クラス群のプログラムを、次ページ以降の **List 13-3** ～ **List 13-8** に示します。クラス *Shape* と *AbstLine* が**抽象クラス**なので、図形クラス群のクラス階層図は、**Fig.13-12**（p.391）のようになります。

▶　各クラスを独立したソースファイルとして実現するとともに、クラスやメソッドやコンストラクタを **public** としています。

**List 13-3** shape2/Shape.java

```
/**
 * クラスShapeは、図形の概念を表す抽象クラスです。
 * 抽象クラスですから、本クラスのインスタンスを生成することはできません。
 * 具体的な図形クラスは、このクラスから派生します。
 * @author 柴田望洋
 * @see Object
*/
public abstract class Shape {

  /**
   * 図形情報を表す文字列を返却する抽象メソッドです。
   * クラスShapeから派生するクラスで、このメソッドの本体を実装します。
   * このメソッドは、java.lang.Objectクラスのメソッドを抽象メソッドとしてオーバ
   * ライドしたメソッドです。
  */
  public abstract String toString();

  /**
   * メソッドdrawは、図形を描画するための抽象メソッドです。
   * クラスShapeから派生するクラスで、このメソッドの本体を実装します。
  */
  public abstract void draw();

  /**
   * メソッドprintは、図形情報の表示と図形の描画を行います。
   * 具体的には、以下の二つのステップを順次行います。<br>
   * Step 1. メソッドtoStringが返却する文字列を表示して改行。<br>
   * Step 2. メソッドdrawを呼び出しての図形の描画。<br>
  */
  public void print() {
    System.out.println(toString());
    draw();
  }
}
```



**List 13-4** shape2/Point.java

```
/**
 * クラスPointは、点を表すクラスです。
 * このクラスは、図形を表す抽象クラスShapeから派生したクラスです。
 * フィールドはありません。
 * @author 柴田望洋
 * @see Shape
*/
public class Point extends Shape {

  /**
   * 点を生成するコンストラクタです。
   * 受け取る引数はありません。
  */
  public Point() {
    // 何も行わない
  }

  /**
   * メソッドtoStringは、点に関する図形情報を表す文字列を返却します。
   * 返却する文字列は、常に"Point"です。
   * @return 文字列"Point"を返却します。
  */
  @Override public String toString() {
    return "Point";
  }
```

```
  /**
   * メソッドdrawは、点を描画するメソッドです。
   * プラス記号'+'を1個だけ表示して改行します。
   */
  @Override public void draw() {
    System.out.println('+');
  }
}
```

List 13-5 shape2/AbstLine.java

```
/**
 * クラスAbstLineは直線を表す抽象クラスです。
 * このクラスは、図形を表す抽象クラスShapeから派生したクラスです。
 * 抽象クラスですから、本クラスのインスタンスを生成することはできません。
 * 具体的な直線クラスは、このクラスから派生します。
 * @author 柴田望洋
 * @see Shape
 * @see HorzLine VertLine
*/
public abstract class AbstLine extends Shape {

  /**
   * 直線の長さを表すint型のフィールドです。
   */
  private int length;

  /**
   * 直線を生成するコンストラクタです。
   * 長さを引数として受け取ります。
   * @param length 生成する直線の長さ。
   */
  public AbstLine(int length) {
    setLength(length);
  }

  /**
   * 直線の長さを取得します。
   * @return 直線の長さ。
   */
  public int getLength() {
    return length;
  }

  /**
   * 直線の長さを設定します。
   * @param length 設定する直線の長さ。
   */
  public void setLength(int length) {
    this.length = length;
  }

  /**
   * メソッドtoStringは、直線に関する図形情報を表す文字列を返却します。
   * @return 文字列"AbstLine(length:3)"を返却します。
   *         3の部分は長さに応じた値です。
   */
  @Override public String toString() {
    return "AbstLine(length:" + length + ")";
  }
}
```

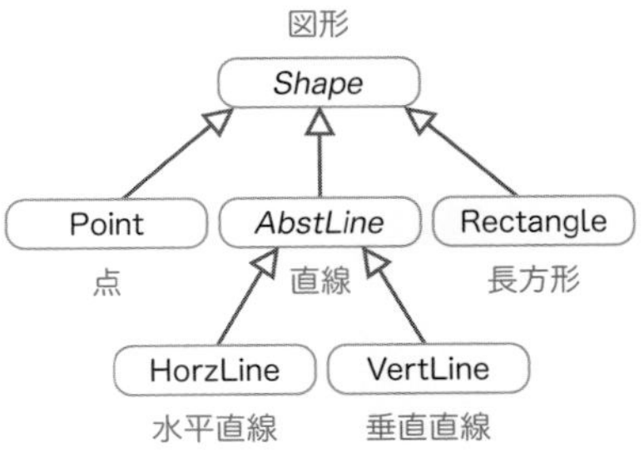

**Fig.13-12 図形クラス群のクラス階層図**

List 13-6 shape2/HorzLine.java

```
/**
 * クラスHorzLineは水平直線を表すクラスです。
 * このクラスは、直線を表す抽象クラスAbstLineから派生したクラスです。
 * @author 柴田望洋
 * @see Shape
 * @see AbstLine
 */
public class HorzLine extends AbstLine {

  /**
   * 水平直線を生成するコンストラクタです。
   * 長さを引数として受け取ります。
   * @param length 生成する直線の長さ。
   */
  public HorzLine(int length) { super(length); }

  /**
   * メソッドtoStringは、水平直線に関する図形情報を表す文字列を返却します。
   * @return 文字列"HorzLine(length:3)"を返却します。
   *         3の部分は長さに応じた値です。
   */
  @Override public String toString() {
    return "HorzLine(length:" + getLength() + ")";
  }

  /**
   * メソッドdrawは、水平直線を描画します。
   * 描画は、マイナス記号'-'を横に並べることによって行います。
   * 長さの個数だけ'-'を連続表示して改行します。
   */
  public void draw() {
    for (int i = 1; i <= getLength(); i++)
      System.out.print('-');
    System.out.println();
  }
}
```

List 13-7 shape2/VertLine.java

```
/**
 * クラスVertLineは垂直直線を表すクラスです。
 * このクラスは、直線を表す抽象クラスAbstLineから派生したクラスです。
 * @author 柴田望洋
 * @see Shape
 * @see AbstLine
 */
public class VertLine extends AbstLine {

  /**
   * 垂直直線を生成するコンストラクタです。
   * 長さを引数として受け取ります。
   * @param length 生成する直線の長さ。
   */
  public VertLine(int length) { super(length); }

  /**
   * メソッドtoStringは、垂直直線に関する図形情報を表す文字列を返却します。
   * @return 文字列"VertLine(length:3)"を返却します。
   *         3の部分は長さに応じた値です。
   */
  @Override public String toString() {
    return "VertLine(length:" + getLength() + ")";
  }
```

```
  /**
   * メソッドdrawは、垂直直線を描画します。
   * 描画は、縦線記号'|'を縦に並べることによって行います。
   * 長さの個数だけ'|'を表示して改行するのを繰り返します。
  */
  @Override public void draw() {
    for (int i = 1; i <= getLength(); i++)
      System.out.println('|');
  }
}
```

List 13-8 shape2/Rectangle.java

```
/**
 * クラスRectangleは、長方形を表すクラスです。
 * このクラスは、図形を表す抽象クラスShapeから派生したクラスです。
 * @author 柴田望洋
 * @see Shape
*/
public class Rectangle extends Shape {

  /**
   * 長方形の幅を表すint型のフィールドです。
  */
  private int width;

  /**
   * 長方形の高さを表すint型のフィールドです。
  */
  private int height;

  /**
   * 長方形を生成するコンストラクタです。
   * 幅と高さを引数として受け取ります。
   * @param width  長方形の幅。
   * @param height 長方形の高さ。
  */
  public Rectangle(int width, int height) {
    this.width = width;
    this.height = height;
  }

  /**
   * メソッドtoStringは、長方形に関する図形情報を表す文字列を返却します。
   * @return 文字列"Rectangle(width:4, height:3)"を返却します。
   *         4と3の部分は、それぞれ幅と高さに応じた値です。
  */
  @Override public String toString() {
    return "Rectangle(width:" + width + ", height:" + height + ")";
  }

  /**
   * メソッドdrawは、長方形を描画します。
   * 描画は、アステリスク記号'*'を並べることによって行います。
   * 幅の個数だけ'*'を表示して改行するのをwidth回だけ繰り返します。
  */
  @Override public void draw() {
    for (int i = 1; i <= height; i++) {
      for (int j = 1; j <= width; j++)
        System.out.print('*');
      System.out.println();
    }
  }
}
```

**List 13-9** に示すのが、図形クラス群を利用するプログラム例です。

**List 13-9** shape2/ShapeTester.java

```
// 図形クラス群【第２版】の利用例

class ShapeTester {

  public static void main(String[] args) {
    Shape[] p = new Shape[4];

    p[0] = new Point();          // 点
    p[1] = new HorzLine(5);      // 水平直線
    p[2] = new VertLine(3);      // 垂直直線
    p[3] = new Rectangle(4, 3); // 長方形

    for (Shape s : p) {
      s.print();
      System.out.println();
    }
  }
}
```

pの参照先の図形に応じたメソッドprintが呼び出される

実行結果

```
Point
+

HorzLine(length:5)
-----

VertLine(length:3)
|
|
|

Rectangle(width:4, height:3)
****
****
****
```

このプログラムでは、クラス **Shape** 型の配列を使うことで多相性の効果を確認しています。

配列の要素 **p[0]** ～ **p[3]** は、それぞれ点 **Point**、水平直線 **HorzLine**、垂直直線 **VertLine**、長方形 **Rectangle** のインスタンスを参照します。

拡張 **for** 文内の網かけ部では、各要素に対して、メソッド **print** を呼び出しています。期待どおり、**参照先の型に応じた振舞いが行われる**ことが、実行結果から確認できます。

＊

このプログラムは、配列の要素数と、各要素の図形の型が固定されています。次のように、キーボードから読み込むように変更したプログラムを作ると、抽象クラスの特徴が、よりよく理解できます（**"shap2/ShapeTester2.java"**）。

```
図形は何個：6↵
1番の図形の種類（1…点／2…水平直線／3…垂直直線／4…長方形）：3↵
長さ：5↵
2番の図形の種類（1…点／2…水平直線／3…垂直直線／4…長方形）：4↵
幅　：4↵
高さ：3↵
… 中略 …
Point
+
… 以下省略 …
```

## 文書化コメントと Javadoc ツール

図形クラス群の第２版では、/** … */ 形式のコメントを記入しています。

これは、プログラムの仕様書ともいえる文書＝ドキュメントを生成するための文書化コメントです（p.10）。

コメントを生成するのは、**javac** コンパイラではなく、Javadoc というツールです。

Javadoc ツールは、ソースプログラムに書かれた文書化コメントの内容を抽出して、ドキュメントを生成します。**Fig.13-13** が、生成したドキュメントの一例です。Web ブラウザで表示できる形式で作られ、各ページ間の遷移や検索も行える、という豪華なものです。

▶ 文書化コメントの記述法と Javadoc ツールの使い方を詳細に解説すると、数十ページになってしまいます。ここでは、基礎的かつ重要な点に絞って学習していきます。

**Fig.13-13** Javadoc ツールによって生成された図形クラス群のドキュメント（一部）

## 文書化コメントの記述法

文書化コメントの記述法を学習しましょう（/** と */ で囲むことは学習ずみです）。

複数行にわたるときは、次のように、中間行の先頭にも * を書くのが慣例です。

```
/**
 * 文書化コメントは、クラス・インタフェース・コンストラクタ・メソッド・
 * フィールドの直前に記述します。
*/
```

なお、中間行の先頭の * と、それより左側の空白とタブは、読み捨てられますので、ドキュメント生成の際に利用されるのは、網かけ部のみです。

＊

**文書化コメントを置く場所は、クラス・インタフェース・コンストラクタ・メソッド・フィールドの宣言の直前に限定されています。**

そのため、次のように、import 宣言の前にコメントを置くと、クラス Day に対する文書化コメントとはみなされません（読み捨てられます）ので、注意しましょう。

✕

```
/** クラスDayは日付を表すクラスです。*/     ←クラスの直前ではない
import java.util.*;

class Day {
  // ...
}
```

＊

文書化コメントの中には、HTML のタグを埋め込むことができます。たとえば、<b> と </b> で囲んだ部分は**太字**となり、<i> と </i> で囲んだ部分は***イタリック体***となります。また、<br> と書いた箇所では**改行**されます。

▶ HTML（hyper text markup language）は、いわゆるホームページ記述に用いられる言語です。HTML のタグや URL などの用語に関しては、HTML 関連の書籍などで学習しましょう。

## 文書化コメントの記述内容

コメントの最初に記述するのが、**主説明**です。主説明には、複数の文を記述できますが、先頭の文は、コメントの対象となるクラスやメソッドなどの**概要**を簡潔にまとめた文書とします。

▶ 先頭の文だけが**概要**として抽出されるからです（**Fig.13-14 a**：右ページ）。

主説明の後ろには、プログラムの著者名・メソッドの戻り値などを、文書化コメント専用の**タグ**を用いて記述します。タグは、@ で始まる特別な命令です。

### @author “著者名”

ドキュメントに著者の項目を追加して、“著者名”を書き込みます。

▶ 一つの @author に、複数の“著者名”を書くこともできますし、個々の“著者名”ごとに @author を与えることもできます。

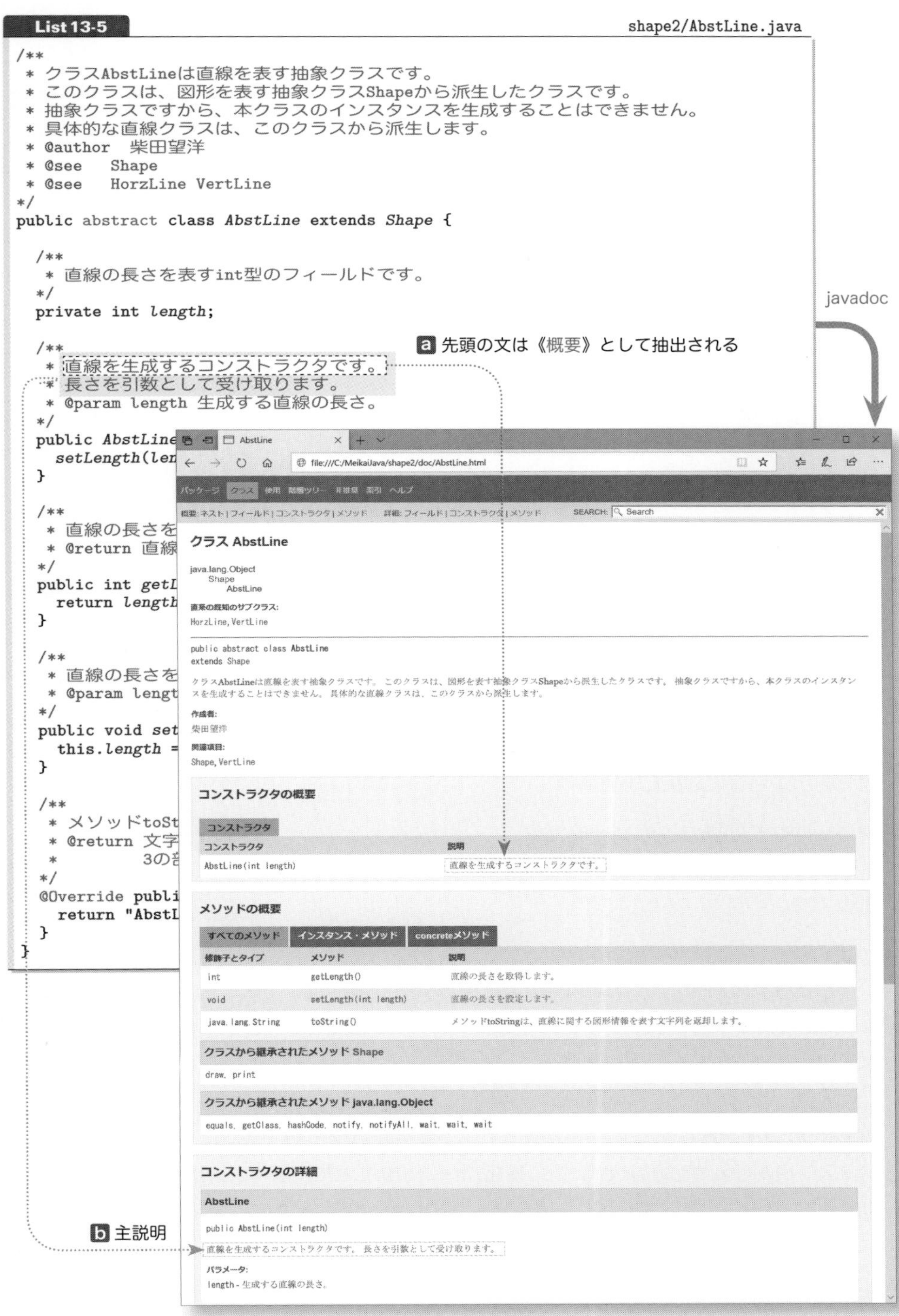


**Fig.13-14** クラス AbstLine のソースとドキュメント

{@code “コード”}

プログラムコードであることを示します。

▶ 生成されたHTMLでは、`<code>`タグと`</code>`タグで囲まれます。そのため、ほとんどのブラウザで**等幅フォント**で表示されます。プログラムのコードや変数名などに利用します。

@return “戻り値”

ドキュメントに戻り値の項目を追加して書き込みます。メソッドの戻り値の型や値に関する情報を記述します。メソッドのコメントでのみ有効です。

▶ 戻り値とは、メソッドの返却値のことです。

@param “引数名”“解説”

ドキュメントにパラメータの項目を追加して“**引数名**”とその“**解説**”を書き込みます。メソッド・コンストラクタ・クラスのコメントでのみ有効です。

▶ パラメータとは、メソッドの仮引数のことです。

@see “参照先”



ドキュメントに関連項目の項目を追加して“**参照先**”を指すリンクあるいは文書を書き込みます。`@see`タグの個数は任意です。

このタグには、次の3種類の形式があります。

`@see "文字列"`

**"文字列"**を追加します。リンクは生成されません。URLではアクセスできない情報の参照先を示す場合に利用します。

`@see <a href="URL#value">label</a>`

**URL#value**で定義されているリンクを追加します。**URL#value**は、相対URLまたは絶対URLです。

`@see package.class#member label`

指定された名前をもつメンバに関するドキュメントを指すリンクを、表示テキスト**label**とともに追加します。**label**は省略可能です。**label**を省略すると、リンク先のメンバの名前が適切に短縮されて表示されます。

### javadocコマンド

ソースプログラム中に記入された文書化コメントをもとに、ドキュメントを作成するのがjavadocコマンドです。このコマンドの起動は次のように行います。

```
javadoc　オプション　パッケージ名　ソースファイル　@引数ファイル
```

詳しくは、**javadoc**コマンドのドキュメントをお読みいただくことにして、ここでは重要な点のみを解説します。

■ オプション

指定できるオプションを **Table 13-1** に示します。

■ パッケージ名

文書を作成するパッケージ名を指定します。

■ ソースファイル

文書を作成するソースファイルの名前を指定します。

■ 引数ファイル

**javadoc** コマンドに対する指示の書かれたファイルの名前を指定します。

＊

MS–Windows 上で **MeikaiJava/shape2** ディレクトリに、各クラス群のソースプログラムが入っていると仮定します。図形クラス群のドキュメント生成の際は、カレントディレクトリを **MeikaiJava/shape2** に移動した上で、次のように行います。

```
▶ javadoc *.java⏎
```



**Table 13-1　javadoc コマンドのオプション**

| | |
|---|---|
| -overview <file> | HTML ファイルから概要ドキュメントを読み込む |
| -public | public クラスとメンバのみを示す |
| -protected | protected ／ public クラスとメンバを示す（デフォルト） |
| -package | package ／ protected ／ public クラスとメンバを示す |
| -private | すべてのクラスとメンバを示す |
| -help | コマンド行オプションを表示して終了する |
| -doclet <class> | 代替 doclet を介して出力を生成する |
| -docletpath <path> | doclet クラスファイルを探す場所を指定する |
| -sourcepath <pathlist> | ソースファイルのある場所を指定する |
| -classpath <pathlist> | ユーザクラスファイルのある場所を指定する |
| -exclude <pkglist> | 除外するパッケージリストを指定する |
| -subpackages <subpkglist> | 再帰的にロードするサブパッケージを指定する |
| -breakiterator | BreakIterator で最初の文を計算する |
| -bootclasspath <pathlist> | ブートストラップクラスローダによりロードされたクラスファイルの位置をオーバライドする |
| -source <release> | 指定されたリリースとソースの互換性が提供される |
| -extdirs <dirlist> | 拡張機能がインストールされた位置をオーバライドする |
| -verbose | javadoc の動作についてメッセージを出力する |
| -locale <name> | en_US や en_US_WIN などの使用するロケールを指定する |
| -encoding <name> | ソースファイルのエンコーディング名を指定する |
| -quiet | 状態メッセージを表示しない |
| -J<flag> | <flag> を実行システムに直接渡す |

# まとめ

- abstract 付きで宣言された、本体をもたないメソッドは、**抽象メソッド**である。前章までに学習した、本体をもつメソッドは、**具象メソッド**と呼ばれる。

- 抽象メソッドを1個でも有するクラスは、**抽象クラス**として定義しなければならない。抽象クラスは、abstract を付けて宣言する。

- 抽象クラスは、具体的な設計図というよりも、概念の設計図である。そのため、抽象クラス型のインスタンスの生成は行えない。

- 抽象クラスのクラス型変数は、そのクラスの下位クラスのインスタンスを参照できるため、多相性を活用できる。

- 抽象クラスは、そのクラスから派生した下位クラス群をグループ化して**血縁関係**をもたせる働きをする。

- スーパークラスの**抽象メソッド**をオーバライドして、本体を定義することを、『**抽象メソッドを実装する**』という。

- メソッドの中では、同一クラスに所属していて本体をもたない**抽象メソッド**を呼び出せる。呼び出されるメソッドは、プログラムの実行時に、動的結合によって決定する（インスタンスの型に応じたメソッドが呼び出される）。

- スーパークラスの**具象メソッド**を、サブクラスで**抽象メソッド**としてオーバライドできるようになっている。

- あるクラスで Object クラスの具象メソッド public String toString() を**抽象メソッド**としてオーバライドしておけば、そのクラスより下位のクラスに対して toString メソッドの実装を強要できる。

- **文書化コメント**の形式は /** … */ である。**Javadoc ツール**によって、プログラムの仕様書ともいうべき**文書＝ドキュメント**を生成できる。

- 文書化コメントの対象は、クラス・インタフェース・コンストラクタ・メソッド・フィールドであり、タグによって、著者名、戻り値、パラメータなどを指定する。

- 文書化コメントには、HTML タグを挿入できる。

抽象クラス

chap13/Animal.java

```
//--- 動物クラス ---//
public abstract class Animal {
  private String name;        // 名前

  public Animal(String name) { this.name = name; }

  public abstract void bark();          // 吠える
  public abstract String toString();  // 文字列表現を返す

  public String getName() { return name; }

  public void introduce() {
    System.out.print(toString() + "だ");
    bark();
  }
}
```

抽象メソッド

抽象メソッドの呼出し

chap13/Dog.java

```
//--- 犬クラス ---//
public class Dog extends Animal {
  private String type;        // 犬種

  public Dog(String name, String type) {
    super(name);  this.type = type;
  }

  public void bark() { System.out.println("ワンワン!!"); }

  public String toString() { return type + "の" + getName(); }
}
```

chap13/Cat.java

```
//--- 猫クラス ---//
public class Cat extends Animal {
  private int age;         // 年齢

  public Cat(String name, int age) { super(name);  this.age = age; }

  public void bark() { System.out.println("ニャ〜ン!!"); }

  public String toString() { return age + "歳の" + getName(); }
}
```

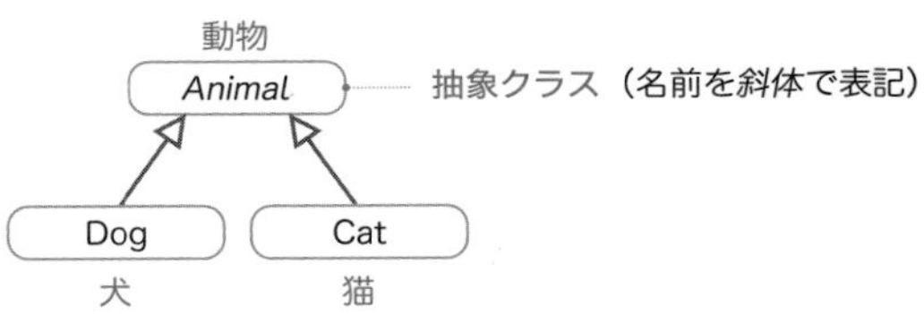


chap13/AnimalTester.java

```
//--- 動物クラスのテスト ---//
public class AnimalTester {

  public static void main(String[] args) {
    Animal[] a = {
      new Dog("タロー", "柴犬"),     // 犬
      new Cat("マイケル", 7),        // 猫
      new Dog("ハチ公", "秋田犬"),  // 犬
    };

    for (Animal k : a) {
      k.introduce();          // kの参照しているインスタンスの型に応じた
      System.out.println(); //                メソッドが呼び出される
    }
  }
}
```

実行結果

```
柴犬のタローだワンワン!!
7歳のマイケルだニャ〜ン!!
秋田犬のハチ公だワンワン!!
```

# 第14章

# インタフェース

本章では、インタフェースについて学習します。そのままでは利用できないインタフェースは、クラスを作る際に“実装”することによって利用します。インタフェースの実装は、派生によるクラスの階層関係とは異なる関係をクラス間に与えます。

- □インタフェース宣言
- □インタフェースのメンバ
- □単一のインタフェースの実装
- □複数のインタフェースの実装
- □クラスの派生とインタフェースの実装
- □インタフェースの継承

# 14-1 インタフェース

本節では、参照型の一種であるインタフェースの基本を学習します。インタフェースは、一見すると抽象クラスに似ているのですが、多くの点で異なります。しっかりと学習しましょう。

## インタフェース

これまで、クラスを『回路の設計図』にたとえて学習してきました。本章で学習するインタフェース（interface）は、『リモコンの設計図』というべきものです。

▶ interfaceは、『境界面』『共有域』といった意味の語句です。

### インタフェース宣言

ここでは、ビデオプレーヤ、CDプレーヤ、DVDプレーヤといった、**プレーヤ（再生機）**を例にとって、インタフェースについて考えていきます。

どのプレーヤも、実際の動作は異なるものの、『再生』や『停止』などの操作が行えますし、リモコンに《再生ボタン》と《停止ボタン》がある点で共通しています。

共通部に着目した『リモコンの設計図』のイメージが、**Fig.14-1 a**です。

『*Player*リモコンは、*play*ボタンと*stop*ボタンの二つで構成される。』というリモコンの設計図を**プログラム**にしたのが、図**b**の**インタフェース宣言**（interface declaration）です。

クラス宣言と似ていますが、先頭のキーワードは、`class`ではなく`interface`です。



a インタフェースの概念図

『二つのボタンがある』という設計図

Player

play

stop

b インタフェースの宣言

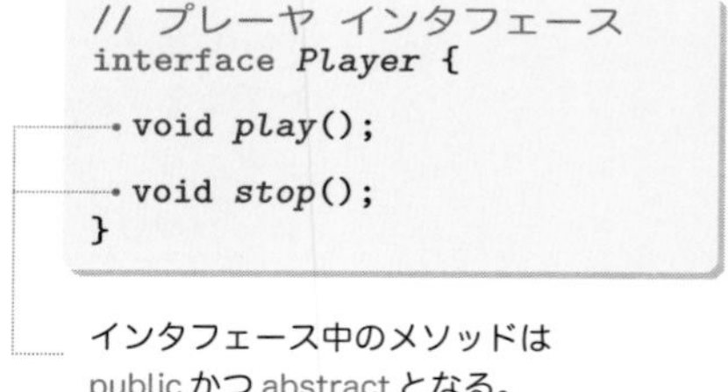


**Fig.14-1 プレーヤインタフェース（リモコンの設計図）**

インタフェース内のメソッドは、`public`かつ`abstract`です（`public`や`abstract`を付けて宣言しても構いませんが、冗長になるだけです）。

しかも、メソッドは本体をもちません。メソッドの宣言で、メソッド本体`{ ... }`の代わりに`;`を置く点は、前章で学習した**抽象メソッド**と同じです（p.380）。

### インタフェースの実装

それでは、インタフェース内で宣言された抽象メソッドの実体はどこで定義するかというと、そのインタフェースを実装する（implement）クラスの中です。

**Fig.14-2** に示すのが、インタフェース *Player* を実装する、ビデオプレーヤクラス *VideoPlayer* です。図aのクラス宣言中の“implements *Player*”の部分が、インタフェース *Player* を**実装する**ことを示します。

▶ 前章で学習したのは、『**抽象メソッドの実装**』でした。ここで学習しているのは、『**インタフェースの実装**』です。

クラス *VideoPlayer* の宣言は、次のイメージです。

---

**このクラスでは、*Player* インタフェース（リモコン）を実装します。そのために、各ボタンで呼び出されるメソッドの本体も実装しますよ!!**

---

インタフェース *Player* と、クラス *VideoPlayer* の関係を表したのが、図bです。

本書では、インタフェースの枠を水色で表します。また、あるクラスがインタフェースを実装することを、クラスからインタフェースに向かって水色の点線で結びます。

a インタフェースを実装するクラス宣言

このクラスは、インタフェース Player を“実装”します

```
class VideoPlayer implements Player {

  public void play() {
    // メソッドの定義
  }

  public void stop() {
    // メソッドの定義
  }
}
```

b インタフェースと実装クラス

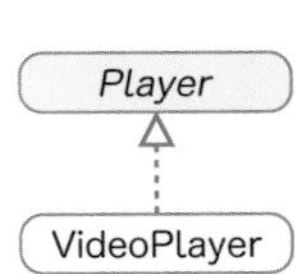


クラス VideoPlayer は
インタフェース Player を実装する

**Fig.14-2 インタフェースの実装**

クラス *VideoPlayer* は、インタフェース *Player* を**実装**するとともに、メソッド *play* と *stop* を**実装**しています（メソッドをオーバライドして本体を定義しています）。

**オーバライドするメソッドは、public 宣言しなければなりません。**インタフェースのメソッドが public であり、それよりもアクセス制限を強めることができないためです。

**重要** インタフェースのメソッドは public かつ abstract である。それを実装するクラスでは、メソッドに public 修飾子を与えて実装する。

これは、クラス派生の際のオーバライドと同じです（p.370）。

インタフェースPlayerを実装した、ビデオプレーヤクラスVideoPlayerと、CDプレーヤクラスCDPlayerを作りましょう。そのプログラムが、**List 14-1** ～ **List 14-3** です。

**List 14-1** player/Player.java

```
// プレーヤ インタフェース
public interface Player {
  void play();         // ○再生
  void stop();         // ○停止
}
```

**List 14-2** player/VideoPlayer.java

```
//===== ビデオプレーヤ =====//
public class VideoPlayer implements Player {
  private int id;                   // 製造番号
  private static int count = 0;     // 現在までに与えた製造番号

  public VideoPlayer() {                          // コンストラクタ
    id = ++count;
  }

  @Override public void play() {                  // ○再生
    System.out.println("++ビデオ再生開始！");
  }

  @Override public void stop() {                  // ○停止
    System.out.println("++ビデオ再生終了！");
  }

  public void printInfo() {                       // 製造番号表示
    System.out.println("++本機の製造番号は[" + id + "]です。");
  }
}
```

**List 14-3** player/CDPlayer.java

```
//===== ＣＤプレーヤ =====//
public class CDPlayer implements Player {

  @Override public void play() {                  // ○再生
    System.out.println("**ＣＤ再生開始！");
  }

  @Override public void stop() {                  // ○停止
    System.out.println("**ＣＤ再生終了！");
  }

  public void cleaning() {                        // クリーニング
    System.out.println("**ヘッドをクリーニングしました。");
  }
}
```

これらのインタフェースとクラスのイメージを表したのが、右ページの**Fig.14-3**です。VideoPlayerのリモコンと、CDPlayerのリモコンは、いずれもPlayerのリモコンのplayボタンとstopボタンを含んでいます。『クラスVideoPlayerとCDPlayerが、インタフェースPlayerを実装している』ことが分かります。

それでは、二つのクラスについて理解していきましょう。

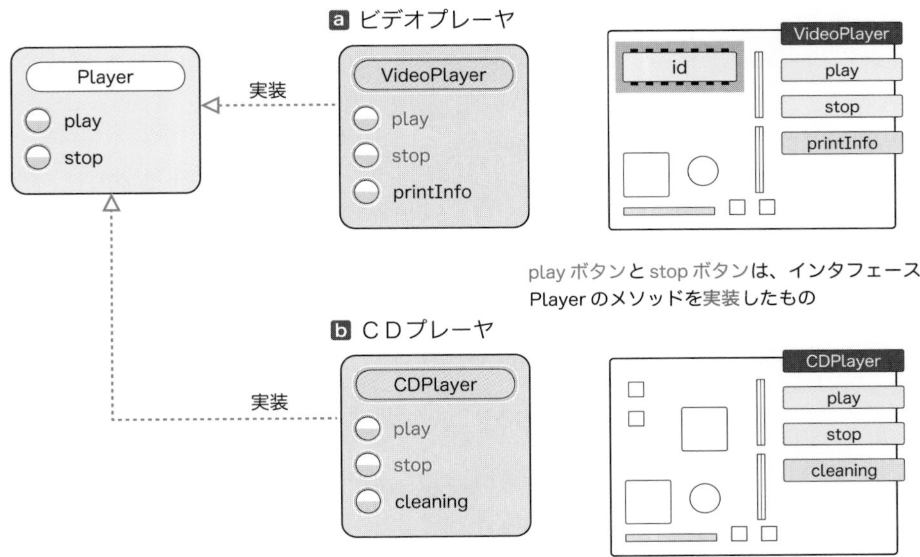


**Fig.14-3　インタフェースを実装したクラス**



▪ クラス VideoPlayer

メソッド **play** は『++ ビデオ再生開始！』と表示し、メソッド **stop** は『++ ビデオ再生終了！』と表示します。

なお、クラスのインスタンスには、生成するたびに 1，2，3，… の製造番号を与えます。

番号の与え方は、第 10 章で学習した《識別番号》と同じ要領です。個々のインスタンスに与える製造番号がインスタンス変数 **id** であって、何番まで与えたのかを表すのがクラス変数 **count** です。

本クラス独自のメソッド **printInfo** は、製造番号の表示を行います。

▪ クラス CDPlayer

このクラスには、フィールドはありません。

メソッド **play** は『** ＣＤ再生開始！』と表示し、メソッド **stop** は『** ＣＤ再生終了！』と表示します。

本クラス独自のメソッド **cleaning** は、『** ヘッドをクリーニングしました。』と表示します。

＊

二つのクラスは、インタフェース **Player** のフィールドやメソッドなどの**資産を継承しているのではない**ことに注意しましょう。受け継いでいるのは、**Player** の**メソッドの仕様**（リモコン上のボタンの仕様）のみです。

▶ スペースの都合上、図ではボタンの**名前**のみを示していますが、**メソッドの仕様**には、**返却型**や**引数の型**なども含まれます。

### インタフェースを使いこなす

インタフェースを使いこなすために、文法的な決まりや制限などを学習していきましょう。

#### ▪ インタフェース型のインスタンスを生成することはできない

インタフェースは、（回路の設計図ではなく）リモコンの設計図に相当しますので、回路の実体（インスタンス）を作ることはできません。次の宣言は、コンパイル時エラーとなります。

```
✕ Player c = new Player();   // エラー：リモコンの設計図から回路の実体は作れない
```

**重要** インタフェース型のインスタンスを生成することはできない。

実体を生成できないという点は、通常のクラスと大きく異なります。

▶ ただし、**抽象クラス**とは共通です。

#### ▪ インタフェース型の変数は、それを実装したクラスのインスタンスを参照できる

インタフェース型の変数は、そのインタフェースを実装したクラスのインスタンスを参照できます。具体的には、次のようなことが可能です。

```
Player p1 = new CDPlayer();       // OK
Player p2 = new VideoPlayer();    // OK
```



すなわち、*Player* リモコンの変数は、それを実装したクラスである *CDPlayer* のインスタンスや *VideoPlayer* のインスタンスを参照できます。

**重要** インタフェース型の変数は、実装クラスのインスタンスを参照できる。

これは、不思議なことでも不自然なことでもありません。というのも、*CDPlayer* の回路も、*VideoPlayer* の回路も、『*play* ボタン』と『*stop* ボタン』で操作できるからです。

この点では、**スーパークラス型の変数が、サブクラス型のインスタンスを参照できるのと同じです。**

▶ クラス型変数の場合と同様に、インタフェース型の変数に対しても instanceof 演算子（p.365）を適用して、参照先のインスタンスの型の判定を行うことができます。

＊

プログラムを作って確認してみましょう。それが **List 14-4** に示すプログラムです。

配列 a は、インタフェース *Player* 型を要素型とする、要素数 2 の配列です。

なお、要素 a[0] は *VideoPlayer* のインスタンスを参照し、要素 a[1] は *CDPlayer* のインスタンスを参照するように初期化されています。

拡張 for 文では、それらの各要素に対して、メソッド *play* とメソッド *stop* を順次呼び出しています。

**Fig.14-4** を見ながら、その挙動を理解しましょう。変数 p は要素そのものですから、その型は、インタフェース *Player* 型です。ただし、参照先インスタンスの型は、要素によって異なります。

**List 14-4** player/PlayerTester.java

```
// インタフェースPlayerの利用例

class PlayerTester {

  public static void main(String[] args) {
    Player[] a = new Player[2];
    a[0] = new VideoPlayer(); // ビデオプレーヤ
    a[1] = new CDPlayer();    // ＣＤプレーヤ

    for (Player p : a) {
      p.play();               // 再生
      p.stop();               // 停止
      System.out.println();
    }
  }
}
```

実行結果

```
++ビデオ再生開始！
++ビデオ再生終了！

**ＣＤ再生開始！
**ＣＤ再生終了！
```

メソッド呼出しでは動的結合（p.362）が行われますので、次のように、参照先のインスタンスに所属するメソッドが呼び出されます。

- p が a[0] のとき … *VideoPlayer* クラスのメソッド
- p が a[1] のとき … *CDPlayer* クラスのメソッド

なお、インタフェース **Player** 型のリモコンがもつボタンは、**play** と **stop** だけです。そのため、a[0] や a[1] を通じて、**printInfo** あるいは **cleaning** のメソッドを呼び出すことはできません。



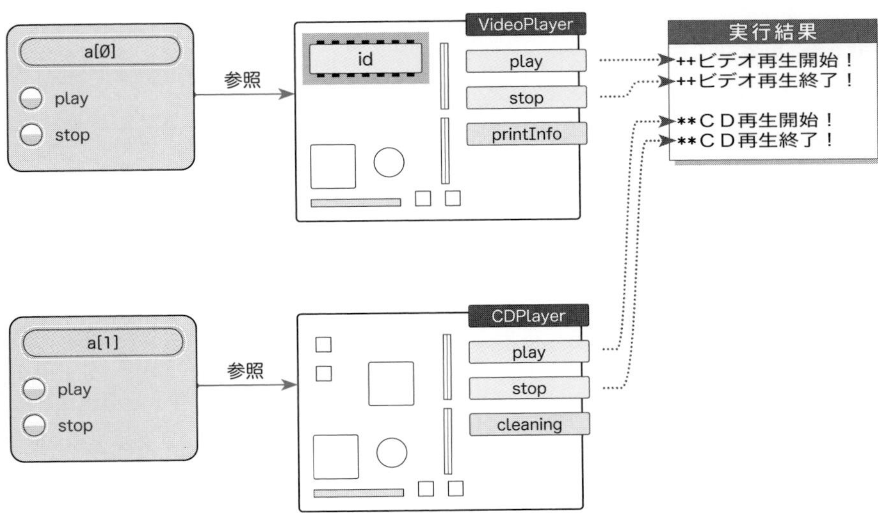


**Fig.14-4　インタフェースを実装したクラス**

### ■ インタフェース実装時は全メソッドを実装しなければならない

インタフェースを実装する際は、リモコンのすべてのボタンの機能を定義する（すべてのメソッドを実装する）のが原則です。というのも、全メソッドの実装を行わなければ、不完全なクラスになるからです。たとえば、**play** ボタンのみを実装して、**stop** ボタンを実装しなければ、プレーヤとしては中途半端なものとなります。

そのため、次の規則があります（**Fig.14-5**）。

> **重要** 実装するインタフェースの全メソッドを実装しないクラスは、**抽象クラス**として宣言しなければならない。

これは、上位クラスのすべての抽象メソッドを実装しないクラスが、抽象クラスになる（p.381）のと同じです。

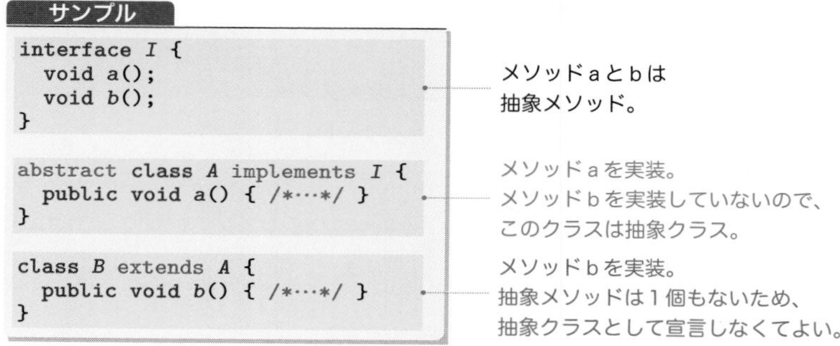


**Fig.14-5　インタフェースの実装とメソッドの実装**

### ■ 定数をもつことができる

インタフェースは、次のメンバをもつことができます。

- クラス
- インタフェース
- 定数　　　　… **public** かつ **static** かつ **final** なフィールド
- 抽象メソッド … **public** かつ **abstract** なメソッド

メンバとして定数をもつことはできますが、定数でないフィールドをもてないことに注意しましょう。インタフェースは回路でなくリモコンですから、定数でないフィールド、すなわち、値を読み書きできる変数はもてません。

▶ インタフェースは、『抽象メソッドと定数のみをメンバとしてもつ抽象クラスに似ている』ことが分かるでしょう。

定数をもつインタフェースの例を **List 14-5** に示します。インタフェース ***Skinnable*** の名前は、『着せかえ可能な』という意味です。

List 14-5 player/Skinnable.java

```
// 着せかえインタフェース

public interface Skinnable {
  int BLACK = 0;                  // 黒
  int RED = 1;                    // 赤
  int GREEN = 2;                  // 緑
  int BLUE = 3;                   // 青
  int LEOPARD = 4;                // 豹柄
  void changeSkin(int skin);      // ★スキン変更
}
```

フィールドは public static final

メソッドは public abstract

▶ ウィンドウやボタンなどのデザインを自由に切り替えることのできるソフトウェアがありますが、そのようなソフトをskinnableと表現します。
　なお、このインタフェースを実装するクラスの例は、p.415で学習します。

着せかえ時に指定する色と柄（がら）が、定数として宣言されています。

インタフェース中のフィールドはすべて`public`かつ`static`かつ`final`となります。すなわち、クラスでいうところの“インスタンス変数”ではなく、“**クラス変数**”です。

**重要** インタフェースで宣言されたフィールドは、`public static final`となる。すなわち、値を書きかえることのできないクラス変数となる。

`static`付きで宣言されたクラス変数が“**クラス名.フィールド名**”でアクセスできるのと同様に、インタフェース中の定数は“**インタフェース名.フィールド名**”でアクセスできます。

この例であれば、黒は*Skinnable.BLACK*、豹柄は*Skinnable.LEOPARD*です。

### ■ 名前の与え方はクラスに準ずる

インタフェースの名前は、クラスと同様に名詞とするのが原則です。ただし、*Skinnable*のように、“…可能な”という趣旨のインタフェースは、語尾が`able`の形容詞とすることが推奨されています（p.256）。

**重要** インタフェースの名前は**名詞**とするのが原則であるが、振舞いを表現する形容詞としてもよい。特に“～可能な”を表すインタフェース名は、～`able`とするとよい。

### ■ インタフェースのアクセス性はクラスと同様である

インタフェースのすべてのメンバは、自動的に`public`となりますが、インタフェース自体のアクセス性は、クラスと同様に、任意に決定できます。

`public`を付ければ公開アクセス性となり、`public`を付けなければパッケージアクセス性となります。

▶ すなわち、第11章に示したクラスのアクセス性と同じです。

## クラスの派生とインタフェースの実装

新しくクラスを作る際に、クラスの**派生**と、インタフェースの**実装**の両方を同時に行うことができます。前章の図形クラス群（第２版）に対して、**List 14-6** のインタフェース *Plane2D* を実装させる例で考えていきましょう。

**List 14-6** shape3/Plane2D.java

```
//===== ２次元インタフェース =====//
public interface Plane2D {
  int getArea();        // ○面積を求める
}
```

インタフェース *Plane2D* で宣言されている *getArea* は、面積を求めて返却するメソッドです。

このインタフェースを実装するのは、面積をもつ長方形クラス *Rectangle* です。面積のない点クラスと直線クラスでは、実装は不要です。

ただし、*Plane2D* を実装するクラスが一つだけだと物足りないので、新たに平行四辺形クラス *Parallelogram* を作り、そのクラスにもインタフェース *Plane2D* を実装させましょう。

そのように作ったプログラムが、**List 14-7** と **List 14-8** です。

**List 14-7** shape3/Rectangle.java

```
//===== 長方形 =====//
public class Rectangle extends Shape implements Plane2D {
  private int width;       // 幅
  private int height;      // 高さ

  // … 中略 …

  @Override public int getArea() { return width * height; }   // ○面積を求める
}
```

Shape から派生するとともに Plane2D を実装

**List 14-8** shape3/Parallelogram.java

```
//===== 平行四辺形 =====//
public class Parallelogram extends Shape implements Plane2D {
  private int width;       // 底辺の幅
  private int height;      // 高さ

  public Parallelogram(int width, int height) {
    this.width = width; this.height = height;
  }

  @Override public String toString() {                  // 文字列表現
    return "Parallelogram(width:" + width + ", height:" + height + ")";
  }

  @Override public void draw() {                        // 描画
    for (int i = 1; i <= height; i++) {
      for (int j = 1; j <= height - i; j++) System.out.print(' ');
      for (int j = 1; j <= width; j++) System.out.print('#');
      System.out.println();
    }
  }

  @Override public int getArea() { return width * height; }   // ○面積を求める
}
```

```
  #######
 #######
#######
```

▶ 長方形クラスは、変更点のみを示しています（スペースの都合上、Javadoc 用の文書化コメントを省略しています）。**shape3** ディレクトリには、ここに示していない第２版の図形クラスが必要です。

クラスとインタフェースの関係を **Fig.14-6** に示します。***Rectangle*** と ***Parallelogram*** はクラス ***Shape*** から派生するとともに、インタフェース ***Plane2D*** を実装しています。

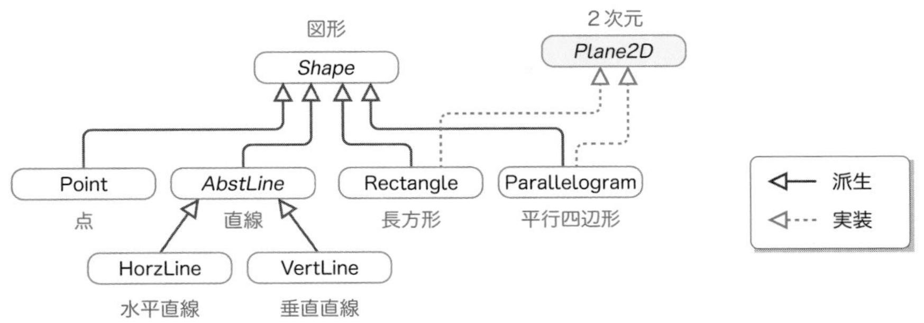


**Fig.14-6　図形クラス群のクラス階層図**

なお、次の規則は、必ず覚えておく必要があります。

**重要** クラスの宣言に、**extends** と **implements** の両方がある場合、**extends** を先頭側に置かなければならない。

***Shape*** を含めたクラス群は、《**血縁関係**》によって結び付けられた “***Shape*** 家 ” あるいは “***Shape*** 一族 ” にたとえられるのでした。

一方、***Plane2D*** と、それを実装するクラス群に与えられるのは、血縁関係ではなくて、同じサークルに所属することによって得られる《**同類関係**》にたとえられます。

***Shape*** 一族であろうが、それとはまったく無関係のクラスであろうが、***Plane2D*** サークルに所属したければ、それを **implements** すればよいのです。

**重要** 同類関係ともいうべきグループ化をクラスに与えるのがインタフェースである。同類関係は、血縁関係である派生とは無関係にもつことができる。

新しい図形クラス群を利用・テストするプログラムは、**"shape3/ShapeTester.java"** です。プログラムを熟読の上、実行して動作を確認しましょう。

＊

なお、***Plan2D*** のように、メソッドが１個のみのインタフェースは、**関数型インタフェース**（functional interface）と呼ばれます。次のように、**@FunctionalInterface** アナテイションを付けて宣言すると、そのことを表明できます。

```
@FunctionalInterface
public interface Plane2D { /*---中略---*/ }
```

## 複数インタフェースの実装

クラスの派生とインタフェースの実装とで、最も大きく異なる点は、複数のクラス／インタフェースを同時に派生／実装できるかどうかということです。

クラスの派生が単一継承しか認められていない（複数のクラスをスーパークラスとしてもつことはできない：p.353）のとは異なって、複数インタフェースの実装は可能です。

**重要** クラスは、複数のインタフェースを同時に実装できる。

▶ すなわち、いろいろなサークルに所属して、複数の《同類関係》を作れるわけです。複数の親とは《血縁関係》を結べない（多重継承できない）のとは異なります。

一般的な形式として示したのが、**Fig.14-7** です。クラス宣言では、**`implements`** の後に実装するインタフェースをコンマ **,** で区切って並べます。なお、複数のインタフェースを実装する際は、それらのインタフェースのすべてのメソッドを実装するのが基本です。

▶ インタフェース *B* と *C* のメソッドのすべてを実装しないのであれば、クラス *A* は抽象クラスとして宣言しなければなりません（p.410）。



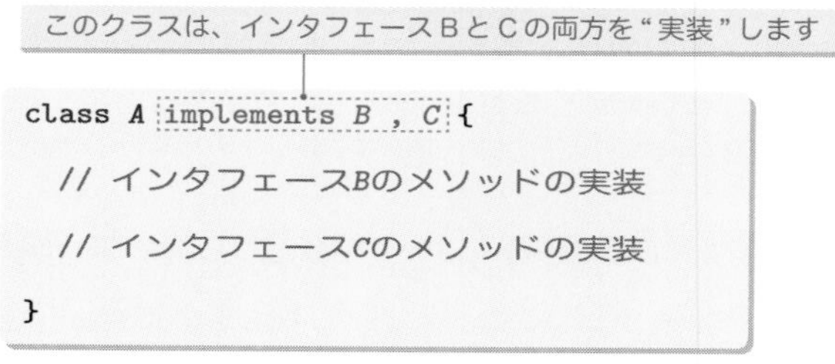


**Fig.14-7　複数のインタフェースの実装**

本章で作成したインタフェース *Player* と *Skinnable* の両方を実装するクラスを作りましょう。それが、右ページの **List 14-9** に示すクラス *PortablePlayer* です。

このクラスは、“着せかえ可能な携帯プレーヤ”であり、インタフェースとクラスの関係を示したのが **Fig.14-8** です。

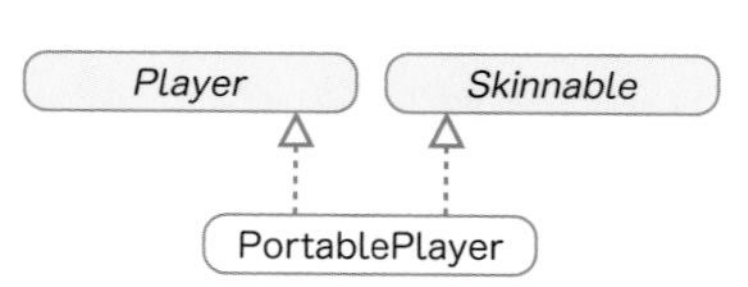


**Fig.14-8　着せかえ可能な携帯プレーヤ**

List 14-9　player/PortablePlayer.java

```
// 着せかえ可能な携帯プレーヤ

class PortablePlayer implements Player, Skinnable {
  private int skin = BLACK;

  public PortablePlayer() { }                       // コンストラクタ

  @Override public void play() {                              // ○再生
    System.out.println("◆再生開始！");
  }

  @Override public void stop() {                              // ○停止
    System.out.println("◆再生終了！");
  }                                          インタフェース Player のメソッドの実装

  @Override public void changeSkin(int skin) {                // ★スキン変更
    System.out.print("スキンを");
    switch (skin) {
     case BLACK:   System.out.print("漆黒");  break;
     case RED:     System.out.print("深紅");  break;
     case GREEN:   System.out.print("柳葉");  break;
     case BLUE:    System.out.print("露草");  break;
     case LEOPARD: System.out.print("豹柄");  break;
     default:      System.out.print("無地");  break;
    }
    System.out.println("に変更しました。");  インタフェース Skinnable のメソッドの実装
  }
}
```

クラス PortablePlayer では、インタフェース Player のメソッド play と stop を実装するとともに、インタフェース Skinnable のメソッド changeSkin を実装しています。

なお、**実装したインタフェース中のフィールドは、クラス内では単純名でアクセスできます。** そのため、Skinnable.BLACK は、単なる BLACK でアクセスしています。

＊

クラス PortablePlayer の利用例を **List 14-10** に示します。インスタンスを生成して、三つのメソッドを順次呼び出すだけの単純なプログラムです。

List 14-10　player/PortablePlayerTester.java

```
// クラスPortablePlayerの利用例

class PortablePlayerTester {

  public static void main(String[] args) {
    PortablePlayer a = new PortablePlayer();
    a.play();                             // 再生
    a.stop();                             // 停止
    a.changeSkin(Skinnable.LEOPARD);      // スキンを豹柄に変更
  }
}
```

実行結果

```
◆再生開始！
◆再生終了！
スキンを豹柄に変更しました。
```

インタフェース Skinnable 中で定義された定数は、クラス変数（静的フィールド）ですから、“**インタフェース名.フィールド名**”でアクセスします（p.411）。

本プログラムで選んでいる Skinnable.LEOPARD は豹柄です。

# 14-2 インタフェースの派生

クラスの派生によって、拡張したクラスを作ることができるのと同様に、インタフェースも、派生によって拡張できます。本節では、インタフェースの派生について学習します。

## インタフェースの派生

クラスが派生による資産の継承を行えるのと同様に、インタフェースも、派生による資産の継承が行えます。すなわち、既存のリモコンの設計図をもとにして、よりパワーアップしたリモコンの設計図を作れるのです。

たとえば、***Player***リモコンに《スロー再生》ボタンを加えた、***ExPlayer***リモコンを作る例を示したのが、**Fig.14-9** です。

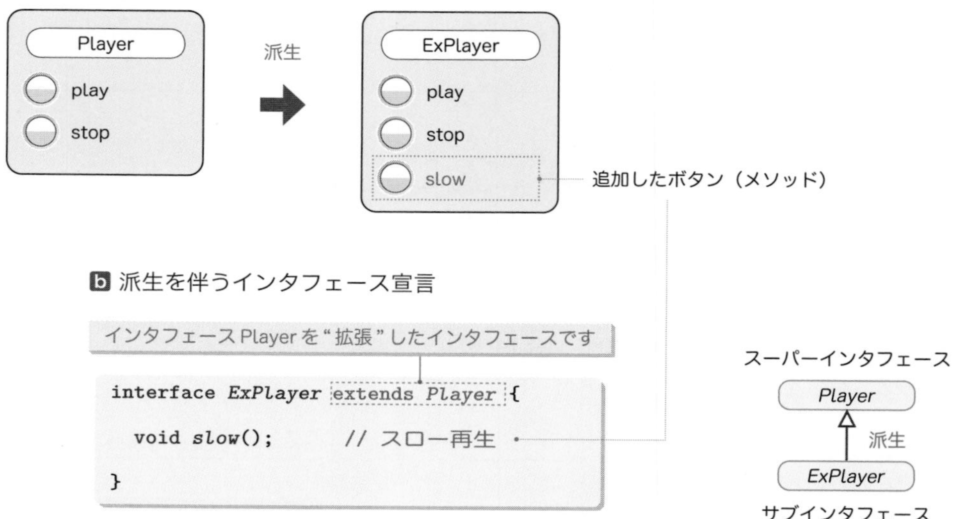


**Fig.14-9　インタフェースの派生**

インタフェース宣言では、インタフェース名の後ろに“**extends** **派生元インタフェース名**”を置き、新しく追加するメソッドやフィールドのみを宣言します。

インタフェース***ExPlayer***は、***Player***の資産である***play***ボタンと***stop***ボタンをそのまま継承するとともに、スロー再生のための***slow***ボタンを新しく追加しています。

クラスの派生と同様に、インタフェースの派生では、親子関係が成立します。そのため、派生元のインタフェースは**スーパーインタフェース**（super interface）と呼ばれ、派生によって作られたインタフェースは**サブインタフェース**（sub interface）と呼ばれます。

**List 14-11** に示すのが、インタフェース ***ExPlayer*** のインタフェース宣言です。

**List 14-11** player/ExPlayer.java

```
// 拡張プレーヤ インタフェース（スロー再生付き）
public interface ExPlayer extends Player {
  void slow();          // ●スロー再生
}
```

インタフェース ***ExPlayer*** では、***slow*** のみが宣言されていますが、インタフェース ***Player*** から ***play*** と ***stop*** を継承しているため、メソッドは全部で3個です。そのため、このインタフェースを実装するクラスでは、3個のメソッドをすべて実装するのが原則となります。

**List 14-12** に示すのは、インタフェース ***ExPlayer*** を実装したクラス DVD プレーヤです。

**List 14-12** player/DVDPlayer.java

```
//===== ＤＶＤプレーヤ =====//
public class DVDPlayer implements ExPlayer {

  @Override public void play() {                  // ○再生
    System.out.println("--ＤＶＤ再生開始！");
  }

  @Override public void stop() {                  // ○停止
    System.out.println("--ＤＶＤ再生終了！");
  }

  @Override public void slow() {                  // ●スロー再生
    System.out.println("--ＤＶＤスロー再生開始！");
  }
}
```

クラス ***DVDPlayer*** では、3個のメソッドをすべてオーバライドして実装しています。

▶ 1個でも実装が欠けると、クラス ***DVDPlayer*** は抽象クラスにしなければなりません。

インタフェース ***Player*** からインタフェース ***ExPlayer*** が派生し、その ***ExPlayer*** を DVD プレーヤクラス ***DVDPlayer*** が実装しています。

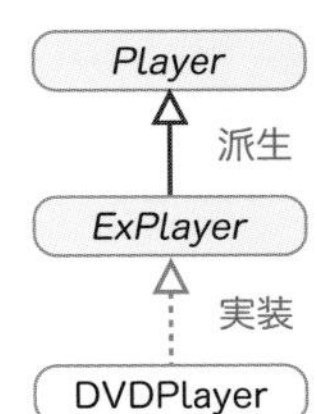


**Fig.14-10　インタフェースの継承と実装**

その関係を表すのが、**Fig.14-10** です。

DVD プレーヤを含めた、プレーヤクラス群を利用・テストするプログラムは、**"player/DVDPlayerTester.java"** です。プログラムを実行して、動作を確認しましょう。

＊

なお、複数のスーパーインタフェースをもったインタフェースを作ることができます。クラスとは違い、**多重継承**が行えます。

## Column 14-1　インタフェースのメソッド

Javaのバージョンアップに伴って、インタフェースの仕様も拡張され続けています。

### ▪静的メソッドの導入

Java 8から、静的メソッドを定義できるようになりました。そのため、メソッド宣言に、**static**を与えて定義できるようになっています。

静的メソッドについては、（第7章で学習したメソッドが、静的メソッドであることを含めて）第10章で学習しました。

インタフェースの静的メソッドは、そのインタフェースを継承したインタフェースやクラスの名前を使って呼び出せない点が、クラスの静的メソッドと異なります。

なお、静的メソッドのアクセス性として、**private**は指定可能ですが、**protected**は指定できません。指定がなければ**public**となります。

### ▪デフォルトメソッドの導入

Java 8から、デフォルトメソッド（default method）と呼ばれる、特別なメソッドを定義できるようになりました。

その宣言では、**default**を与えるとともに、メソッド本体を定義します。

デフォルメソッドは、**メソッド本体**をもつ**抽象メソッドではない具象メソッド**であるという点で、通常のインタフェースのメソッドとは、まったく異なります。

インタフェースを実装するクラスでは、すべてのメソッドをオーバライドしなければならないことを、本文で学習しました。実装するインタフェースに、たとえば、100個といった多数のメソッドがあれば、実装するクラスでは、その100個すべてのメソッドをオーバライドしなければなりません。

しかし、具象メソッドであるデフォルトメソッドは、メソッド本体がありますから、オーバライドは必須ではありません。すなわち、**オーバライドしなかった場合の、デフォルト＝既定の（標準的な）動作を、デフォルトメソッドとして定義しておくわけです。**そうすると、インタフェースを実装したクラスで、オーバライドしても、しなくてもよくなります。

なお、オーバライドしなくても、通常のメソッドと同様に呼び出せます。

例外的に、**toString**や**equals**などは、デフォルトメソッドとして定義できないことになっています。

### ▪非公開メソッドの導入

Java 9から、非公開メソッド（private method）を定義できるようになりました。そのため、メソッド宣言に、**private**を与えて定義できるようになっています。

**非公開**ですから、インタフェースの外部からも、インタフェースを実装したクラスからも呼び出せないのは、当然のことです。

同一インタフェース内の、**static**メソッドやデフォルトメソッドから呼び出される、下請け的なメソッドとして利用します。

これらのメソッドを利用するプログラム例が、右ページの**List 14C-1**です。インタフェース***A***では、4個のメソッドが定義されています。

### ▪メソッド*hello*

『**Hello!**』と表示する**静的メソッド**です。**main**メソッドから、***A.hello*()**、すなわち“**インタフェース名.メソッド名()**”形式で呼び出されています。

14 インタフェース

List 14C-1 chap14/InterfaceTester.java

```
// インタフェース（静的メソッド／デフォルトメソッド／非公開メソッド）

interface A {
  // 静的メソッド（"Hello!"と表示）
  static void hello() {
    System.out.println("Hello!");
  }

  // 非公開メソッド（"s1 : s2"を表示して改行）
  private void print(String s1, String s2) {
    System.out.println(s1 + " : " + s2);
  }

  // デフォルトメソッド
  default void On() {
    print("default", "On!");
  }

  // 通常のメソッド（公開／非静的／非デフォルト）
  void Off();
}

class A1 implements A {        // デフォルトメソッドOnをオーバライドしていない
  @Override public void Off() { System.out.println("A1 : Off!"); }
}

class A2 implements A {
  @Override public void On()  { System.out.println("A2 : On!");  }
  @Override public void Off() { System.out.println("A2 : Off!"); }
}

public class InterfaceTester {

  public static void main(String[] args) {
    A.hello();                  // 静的メソッドの呼出し

    A1 a1 = new A1();
    a1.On();                    // デフォルトメソッドが呼び出される
    a1.Off();

    A2 a2 = new A2();
    a2.On();
    a2.Off();
  }
}
```

実行結果

```
Hello!
default : On!
A1 : Off!
A2 : On!
A2 : Off!
```

▪ メソッド print

引数に受け取った2個の文字列を " : " で区切って表示する（最後に改行文字を出力する）、**非公開メソッド**です。このメソッドは、メソッド On から呼び出されています。

▪ メソッド On

『default : On!』と表示する**デフォルトメソッド**です。このメソッドをオーバライドしていない、クラス A1 では、この動作が、そのまま引き継がれます。そのため、a1.On() では、このメソッドが呼び出されて『default : On!』と表示されています。

▪ メソッド Off

インタフェースの通常のメソッドです。インタフェース A を実装するクラスでは、必ず実装しなければなりませんので、クラス A1 と A2 でオーバライドされています。

# まとめ

- **インタフェース**は、**参照型**の一種である。クラスが《回路の設計図》であるとすれば、インタフェースは、《**リモコンの設計図**》に相当する。
- インタフェースの名前は、名詞とするのが基本である。ただし、“～可能な”を表すインタフェースの名前は～**able**とする。
- インタフェースのメンバは、クラス・インタフェース・定数・抽象メソッドである。
- インタフェースのメソッドは、原則として、**public**かつ**abstract**である。抽象メソッドであるため、その本体は定義できない。
- インタフェースのメソッドは、**default**付きで宣言されると、メソッド本体をもつデフォルトメソッドとなる。また、**static**付きで定義されると静的メソッドとなり、**private**付きで定義されると、非公開メソッドとなる。
- インタフェースを実装するクラスの宣言では、“implements **インタフェース名**”を指定する。複数のインタフェースを同時に実装することもでき、その場合は、インタフェース名をコンマで区切って指定する。
- インタフェースの実装の際は、デフォルトメソッド以外のすべての公開メソッドを**public**修飾子を与えて実装する。実装しないクラスは、抽象クラスとなる。
- インタフェースのフィールドは、**public**かつ**static**かつ**final**である。すなわち、値を書きかえることのできない**クラス変数**である。
- インタフェースのフィールドは、そのインタフェースを実装したクラス内では、フィールドの単純名である“**フィールド名**”でアクセスできる。そうでない外部のクラスからのアクセスは、“**インタフェース名 . フィールド名**”で行う。
- インタフェース型の**インスタンス**を生成することはできない。
- インタフェース型の**変数**は、そのインタフェースを実装したクラス型のインスタンスを参照することができる。
- クラスに血縁関係を与えるのが《**クラスの派生**》であるのに対し、クラスに同類関係を与えるのが《**インタフェースの実装**》である。
- クラスの派生と、インタフェースの実装を同時に行うクラスを定義できる。その宣言では、**extends**の指定を先に置き、**implements**の指定を後ろに置く。
- インタフェースは、派生によって拡張した新しいインタフェースを作ることができる。

chap14/Wearable.java

```
// ウェアラブルインタフェース
public interface Wearable {
  void putOn();      // 着る
  void putOff();     // 脱ぐ
}
```

chap14/Color.java

```
// 色インタフェース
public interface Color {
  int RED = 1;       // 赤
  int GREEN = 2;     // 緑
  int BLUE = 3;      // 青
  void changeColor(int color);     // 色変更
}
```

インタフェースのメンバ

- クラス
- インタフェース
- 定数
  すべてのフィールドは、
  public かつ static かつ final
  となる。
- 抽象メソッド
  メソッドは、原則として
  public かつ abstract
  となる。

chap14/WearableComputer.java

```
//--- ウェアラブルコンピュータ クラス ---//
public class WearableComputer implements Wearable {
  private String name;       // 名前

  public WearableComputer(String name) { this.name = name; }

  @Override public void putOn()  { System.out.println(name + " ON!!"); }
  @Override public void putOff() { System.out.println(name + " OFF!!"); }
}
```

Wearable
実装
WearableComputer

chap14/WearableRobot.java

```
//--- ウェアラブルロボット クラス ---//
public class WearableRobot implements Color, Wearable {
  private int color;         // 色

  public WearableRobot(int color) { changeColor(color); }

  @Override public void changeColor(int color) { this.color = color; }

  @Override public String toString() {
    switch (color) {
     case RED   : return "赤ロボット";
     case GREEN : return "緑ロボット";
     case BLUE  : return "青ロボット";
    }
    return "ロボット";
  }

  @Override public void putOn() {
    System.out.println(toString() + " 装着!!");
  }
  @Override public void putOff() {
    System.out.println(toString() + " 解除!!");
  }
}
```

Wearable　Color
実装　実装
WearableRobot

chap14/Test.java

```
//--- テスト ---//
public class Test {

  public static void main(String[] args) {
    Wearable[] w = {
      new WearableComputer("HAL"),    // コンピュータ
      new WearableRobot(Color.RED),   // ロボット
      new WearableRobot(Color.GREEN), // ロボット
    };

    for (Wearable k : w) {
      k.putOn();
      k.putOff();
      System.out.println();
    }
  }
}
```

実行結果

```
HAL ON!!
HAL OFF!!

赤ロボット 装着!!
赤ロボット 解除!!

緑ロボット 装着!!
緑ロボット 解除!!
```

# 第15章

# 例外処理

プログラム上で想定不能あるいは想定困難な例外的な状況に遭遇した際に、致命的な状況に陥ることなく回復させるのが、例外処理です。

□例外とは
□例外の送出
□throw 文
□例外の捕捉
□try 文
□try ブロック
□catch 節（例外ハンドラ）
□finally 節
□検査例外
□非検査例外

# 15-1 例外とは

プログラムが期待するものとは異なる事態や、想定していない事態に遭遇した際に発生されるのが例外です。本節では、例外の基本を学習します。

## 例外とは

次に示すのは、第2章で学習したプログラム（p.34 の List 2-9）です。ここまで学習を進めてきたみなさんにとって、とても簡単に感じられるでしょう。

**List 2-9** chap02/ArithInt.java

```
// 二つの整数値を読み込んで加減乗除した値を表示

import java.util.Scanner;

class ArithInt {

  public static void main(String[] args) {
    Scanner stdIn = new Scanner(System.in);

    System.out.println("xとyを加減乗除します。");

    System.out.print("xの値：");   // xの値の入力を促す
    int x = stdIn.nextInt();       // xに整数値を読み込む

    System.out.print("yの値：");   // yの値の入力を促す
    int y = stdIn.nextInt();       // yに整数値を読み込む

    System.out.println("x + y = " + (x + y));  // x + yの値を表示
    System.out.println("x - y = " + (x - y));  // x - yの値を表示
    System.out.println("x * y = " + (x * y));  // x * yの値を表示
    System.out.println("x / y = " + (x / y));  // x / yの値を表示（商）
    System.out.println("x % y = " + (x % y));  // x % yの値を表示（剰余）
  }
}
```

実行例

```
xとyを加減乗除します。
xの値：7
yの値：5
x + y = 12
x - y = 2
x * y = 35
x / y = 1
x % y = 2
```

さて、このプログラムの実行に際して、ちょっと意地悪な入力をしてみます。その様子を示したのが、右ページの **Fig.15-1** です。

▪ 実行例①

変数 **y** に対して、数値ではなく、文字列 **"ABC"** を入力しています。プログラム16行目での数値の読込み時に実行時エラーが発生します。加減乗除の演算へと進むことなく、プログラムの実行が中断・終了します。

▪ 実行例②

変数 **y** に対して **0** を入力しています。加算・減算・乗算までは順調に進むものの、除算を行うプログラム21行目で実行時エラーが発生して、プログラムの実行が中断・終了します。

実行例1

```
xとyを加減乗除します。
xの値：7 ↵
yの値：ABC ↵
Exception in thread "main" java.util.InputMismatchException
        at java.base/java.util.Scanner.throwFor(Scanner.java:939)
        at java.base/java.util.Scanner.next(Scanner.java:1594)
        at java.base/java.util.Scanner.nextInt(Scanner.java:2258)
        at java.base/java.util.Scanner.nextInt(Scanner.java:2212)
        at ArithInt.main(ArithInt.java:16)
```

非数値を入力

入力不適合の例外

実行例2

```
xとyを加減乗除します。
xの値：7 ↵
yの値：0 ↵
x + y = 7
x - y = 7
x * y = 0
Exception in thread "main" java.lang.ArithmeticException: / by zero
        at ArithInt.main(ArithInt.java:21)
```

ゼロを入力

ゼロでの除算による算術演算の例外

**Fig.15-1**　List 2-9 の実行における実行時エラー

いずれの実行時エラーも、メッセージが Exception で始まります。exception は、『例外』『特例』『異議』といった意味の語句です。

それぞれの実行例で発生しているのは、次の例外です。

- 実行例1：**入力不適合の例外**
- 実行例2：**ゼロでの除算による算術演算の例外**

エラーメッセージが示すように、例外には型があります。1は **java.util.*InputMismatchException*** クラス型で、2は **java.lang.ArithmeticException** クラス型です。

＊

本プログラムは、学習目的の“テスト的なプログラム”であって、キーボードから（**int** 型で表現できる範囲の）整数値が入力されることを期待しています。また、プログラムの利用者も、ミスをしない限り、整数値を打ち込むはずです。

とはいえ、もしみなさんが有料で購入したソフトウェアを使っていて、このような実行時エラーが突然画面に表示されて、プログラムの実行が中断・終了したら、どのように感じるでしょうか。『金返せ！』と思うかもしれません。

＊

プログラムが期待するものとは異なる事態や、想定していない（あるいは想定できないような）事態で発生するのが、本章で学習する**例外**（exception）です。

大規模なプログラムや、プログラム内で使われるクラスやメソッドなどの部品では、例外を適切に処理することが望まれます。

## 例外の捕捉

例外に対する対処を、プログラムに埋め込みましょう。**List 15-1** が、そのプログラムです。

▶ 入力と表示を何度も繰り返せるように、ループ構造に変更しています。

**List 15-1** chap15/ExceptionSample.java

```
// 二つの整数値を読み込んで加減乗除した値を表示

import java.util.Scanner;
import java.util.InputMismatchException;

class ExceptionSample {

  public static void main(String[] args) {
    Scanner stdIn = new Scanner(System.in);

    System.out.println("xとyを加減乗除します。");

    while (true) {
      try {
        System.out.print("xの値：");  int x = stdIn.nextInt();
        System.out.print("yの値：");  int y = stdIn.nextInt();       1

        System.out.println("x + y = " + (x + y));
        System.out.println("x - y = " + (x - y));
        System.out.println("x * y = " + (x * y));
        System.out.println("x / y = " + (x / y));                     2
        System.out.println("x % y = " + (x % y));
      } catch (InputMismatchException e) {
        System.out.println("入力エラー発生。" + e);
        String s = stdIn.next();
        System.out.println(s + "は無視しました。");
      } catch (ArithmeticException e) {
        System.out.println("算術エラー発生。" + e);
        System.out.println("エラーが出ないような数値をお願いします。");
      } finally {
        System.out.println("--------------------");
        System.out.print("もう一度？ (1…Yes／0…No) ：");
        int retry = stdIn.nextInt();
        if (retry == 0) break;
        System.out.println("--------------------");
      }
    }
  }
}
```

例外に対する対処のおかげで、致命的な状況からの回復が行われています。まずは、二つの実行結果を見ながら、プログラムの流れをおおまかに追っていきましょう。

■ 実行例1

変数 **y** に対して、文字列 **"ABC"** を入力した結果、**nextInt** メソッドの呼出し時に例外が発生します。処理が中断されて、プログラムの流れは青い矢印をたどっていきます。

実行結果では、『入力エラー発生。**java.util.InputMismatchException**』、『**ABC** は無視しました。』が表示されています。

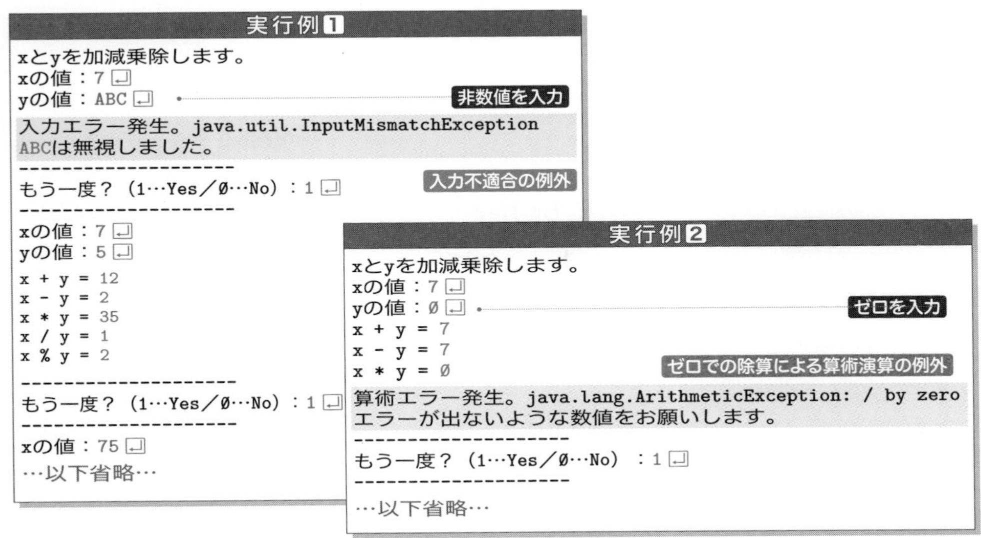


**Fig.15-2　プログラムの実行と実行時エラー**

例外を**e**に受け取っていることが推測できるでしょう。その**e**には、いろいろな情報が埋め込まれています。この後で詳しく学習しますが、**e**を出力すると“**エラー内容を表す簡易的な文字列**（この場合は`"java.util.InputMismatchException"`）”が表示されます。

▶ 黒網部では、*stdIn*`.next()`によって、文字列を読み込んでいます。これは、`nextInt()`に対して`"ABC"`が入力されて例外が発生した際に、処理中断によって読み込まれずに残ったままとなっている、その文字列`"ABC"`を取り出すためです。

引き続き、変数`x`と`y`に整数値を入力します。例外が発生することなく処理が続きます。

■ 実行例②

変数`y`に対して`0`を入力する例です。加算と減算と乗算は順調に終わり、その後の`0`による除算の際に例外が発生します。処理が中断されて、プログラムの流れは赤い矢印をたどっていきます。

『算術エラー発生。`java.lang.ArithmeticException: / by zero`』、『エラーが出ないような数値をお願いします。』の表示が行われます。

▶ **e**の出力で表示されるのは、`"java.lang.ArithmeticException: / by zero"`です。

＊

例外発生の有無にかかわらず、『`--------------------`』が表示され、それから、一連の処理をもう一度行うかどうかが尋ねられます。

▶ `finally { ... }`の箇所が、例外発生の有無にかかわらず実行されることが分かります。ここで行うことは、対処の『後始末（あとしまつ）』です。

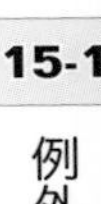

## try文

例外を発生させることを、例外を**送出する**（throw）といいます。まずは、この言葉を覚えておきましょう（後で詳しく学習します）。

さて、送出された例外を検出・捕捉（catch）して、その例外に対する処理を行うのが、**Fig.15-3** の **try文**（try statement）です。

**try**文は、三つのパーツで構成されます。

- **tryブロック**（try block）
- **catch節**（catch clause）
- **finally節**（finally clause）

**catch**節は複数個を置けます。また、**finally**節は省略可能です。

**Fig.15-3　try文の構造**

### tryブロック

キーワード**try**の直後にブロック **{ }** を置いた構造です。**try**ブロックの実行中に例外が送出されると、処理が中断されて、**catch**節へとプログラムの流れが移動します。裏返すと、**try**ブロックがなければ、例外は捕捉されません。

**try**ブロック実行中に、例外が送出されなかった場合は、**try**ブロックは最後まで実行されます。**catch**節は素通りされて、プログラムの流れは3へと移ります。

### catch節（例外ハンドラ）

**catch**節は、**try**ブロック実行中に発生した例外を**捕捉**して、その例外に対する**対処**を行う部分であり、**例外ハンドラ**（exception handler）とも呼ばれます。

キーワード**catch**に続く **( )** の中は、捕捉する例外の種類を示す**型**と、その**仮引数名**の宣言です。関数の仮引数の宣言と似ていますが、宣言できる（受け取れる）引数は、1個に限られます。なお、複数種類の例外を1個の引数に受け取るには、例外を **|** で結んで列挙します。

```
catch (Ex1 | Ex2 e)  { /* Ex1とEx2に対する（同一の）対処 */ }
```

さて、図の1は例外*ExpA*用の例外ハンドラで、2は例外*ExpB*用の例外ハンドラです。例外ハンドラの並びの順が1⇨2であるため、例外が捕捉可能かどうかは、その順に調べられます（そのため、**catch**節の順序によって、結果が異なってしまう可能性があります）。

なお、例外*ExpA*が1で捕捉されたら、その例外に対する対処がハンドラ内で実行されるため、例外ハンドラ2は素通りされます。

▶　例外ハンドラの仮引数名は任意ですが、一般的には、*e*などが使われます（p.257）。

例外ハンドラの実行によって、捕捉した例外に対する**対処**が終了すると、最後の例外ハンドラの次の箇所（**Fig.15-3** の例では3）へとプログラムの流れが移動します。

### finally 節

**finally** 節は、**try** ブロックでの例外発生の有無にかかわらず、必ず実行される箇所です。

**try** ブロック内で確保した資源があれば、その解放処理（たとえば、オープンしたファイルのクローズ処理）を行うといった感じで、**後始末的な処理**を行います。

▶ **finally** 節を省略しない **try** 文は try–catch–finally 文と呼ばれ、**finally** 節を省略した **try** 文は try–catch 文と呼ばれます。

### 例外クラスとインスタンス

**try** 文の構造が、おおむね理解できました。**List 15-1** のプログラムに戻りましょう。次のように、2個の例外ハンドラがあります。

```
catch (InputMismatchException e) {
  System.out.println("入力エラー発生。" + e);
  String s = stdIn.next();
  System.out.println(s + "は無視しました。");
} catch (ArithmeticException e) {
  System.out.println("算術エラー発生。" + e);
  System.out.println("エラーが出ないような数値をお願いします。");
}
```

最初の例外ハンドラは **java.util.*InputMismatchException*** 型の例外を捕捉して、2番目の例外ハンドラは **java.lang.ArithmeticException** 型の例外を捕捉します。

いずれの例外ハンドラも、**例外**を受け取る仮引数は e です。とはいえ、仮引数の型は、**クラス型**です。そのため、e に受け取るのは、例外そのものではなく、**例外クラス型のインスタンスへの参照**です。

*

2箇所の網かけ部は、『文字列 **+** e』の演算です。『文字列 **+** クラス型変数』の演算が、『文字列 **+** クラス型変数 **.toString()**』であることを思い出しましょう。

捕捉した例外 e に対して **toString** メソッドを呼び出すと、例外の内容を簡易的に表す文字列が得られます。

▶ 例外の内容を表す文字列には、“**簡易的**なもの”と“**詳細**なもの”の2種類があります。前者を取得するのが **toString** メソッドです。後者を取得する **getMessage** メソッドは、次節で学習します。

### 例外処理のメリット

**List 15-1** の **try** ブロックの本体（変数に値を読み込んで、四則演算を行って結果を表示するコード）が、**List 2-9** とまったく同じであることに気付きましたか。

例外処理の優れた点の一つが、**本来の処理を行うコードと、エラー発生時の対処のコードを分離できること**です。“もしもエラーが発生したら、○○の処理をする”といった感じで、プログラムの流れを分岐する **if** 文などを、本来の処理内に織り込む必要がありません。

## 例外の伝播

次は、**List 15-2** を例に、例外処理について理解を深めていきます。これは、第 7 章で学習した **List 7-16**（p.218）を改変して、17 行目にバグ（誤り）を埋め込んだプログラムです。

**List 15-2** chap15/ReverseArray1.java

```
 1 // 配列の要素に値を読み込んで並びを反転する（バグあり）
 2 
 3 import java.util.Scanner;
 4 
 5 class ReverseArray1 {
 6 
 7   //--- 配列の要素a[idx1]とa[idx2]を交換 ---//
 8   static void swap(int[] a, int idx1, int idx2) {
 9     int t = a[idx1];
10     a[idx1] = a[idx2];
11     a[idx2] = t;
12   }
13 
14   //--- 配列aの要素の並びを反転（誤り）---//
15   static void reverse(int[] a) {
16     for (int i = 0; i < a.length / 2; i++)
17       swap(a, i, a.length - i);
18   }
19 
20   public static void main(String[] args) {
21     Scanner stdIn = new Scanner(System.in);
22 
23     System.out.print("要素数：");
24     int num = stdIn.nextInt();  // 要素数
25 
26     int[] x = new int[num];     // 要素数numの配列
27 
28     for (int i = 0; i < num; i++) {
29       System.out.print("x[" + i + "] : ");
30       x[i] = stdIn.nextInt();
31     }
32 
33     reverse(x);              // 配列xの要素の並びを反転
34 
35     System.out.println("要素の並びを反転しました。");
36     for (int i = 0; i < num; i++)
37       System.out.println("x[" + i + "] = " + x[i]);
38   }
39 }
```

例外が伝播する

正しくは a.length – i – 1

**実行例**

```
要素数：5
x[0] : 10
x[1] : 73
x[2] : 2
x[3] : -5
x[4] : 42
Exception in thread "main" java.lang.ArrayIndexOutOfBoundsException: Index 5 out of
bounds for length 5
        at ReverseArray1.swap(ReverseArray1.java:10)
        at ReverseArray1.reverse(ReverseArray1.java:17)
        at ReverseArray1.main(ReverseArray1.java:33)
```

発生箇所

プログラムのバグは 17 行目ですが、実際に実行時エラーが発生するのは 10 行目です（実行例の場合は、要素数5の配列の a[5] の値を a[0] に代入しようとします）。

実行例に示すエラーメッセージは、次のことを表しています。

- **発生した例外は ArrayIndexOutOfBoundsException（範囲外の配列インデックス）である。**
  ▶ 不正なインデックス 5 が使われた（インデックスは 0 ～ 4 でなければならない）。
- **例外は、メソッドをまたがって運ばれて伝播（でんぱ）する。**
  ▶ 具体的には：メソッド *swap* の 10 行目で発生した例外が捕捉されなかったため *swap* の実行が中断した。そして、メソッド *reverse* の 17 行目に戻り、そこでも例外が捕捉されなかったためにメソッド *reverse* の実行が中断した。そして、main メソッドの 33 行目に戻ってきた。そこでも例外が捕捉されなかったため、main メソッドの実行が中断・終了した。

例外を呼び出した箇所が、（メソッド呼出しの逆順に）遡って表示されることは、スタックトレース（stack trace）と呼ばれます。

＊

例外に対する対処を埋め込みましょう。**List 15-3** のように実現します。

**List 15-3** chap15/ReverseArray2.java

```
//--- 配列の要素a[idx1]とa[idx2]を交換（例外を捕捉して強制終了）---//
static void swap(int[] a, int idx1, int idx2) {
  try {
    int t = a[idx1];
    a[idx1] = a[idx2];
    a[idx2] = t;
  } catch (ArrayIndexOutOfBoundsException e) {
    System.out.println("メソッドswap内で不正なインデックスを検出しました。");
    System.out.println("プログラムを終了します。");
    System.exit(1);
  }
}
```

実行例

```
要素数：5
x[0] : 10
x[1] : 73
x[2] : 2
x[3] : -5
x[4] : 42
メソッドswap内で不正なインデックスを検出しました。
プログラムを終了します。
```

▶ スペースの都合上、メソッド *swap* のみを示しています。

メソッド *swap* は、*idx1* と *idx2* のいずれか一方あるいは両方のインデックスが範囲外であった場合、その旨のメッセージを表示した上でプログラムを強制終了させます。

▶ **System.exit** は、プログラムを強制終了するメソッドです。引数に与える値は、プログラムの正常終了時は 0 として、異常終了時は 0 以外の値とします。

とはいえ、本メソッドのすべての利用者が、『プログラムを強制終了させる』という解決法を望んでいるとは限りません。

メソッドやクラスなどの《部品》を開発する際は、次のような壁にぶつかります。

---

**例外やエラーの発生を見つけるのは容易だが、その例外やエラーに対して、どのように対処すべきかの決定が、困難あるいは不可能である。**

---

というのも、例外やエラーに対する対処法は、部品の開発者ではなく、利用者によって決められるべき場合が多いからです。部品の利用者が、状況に応じた対処法を決定できるようにすれば、ソフトウェアは柔軟になります。

# 15-2 例外処理

前節では、例外の**捕捉**と**対処**の基礎を学習しました。例外の送出・捕捉を的確に行えるように、学習を進めていきましょう。

## 例外クラス

前節で扱った例外クラスは、全部で3種類でした。それらを含め、数多くの例外クラスが提供されています。その階層関係をまとめたのが、**Fig.15-4** です。

▶ 図内で最上位に位置する`Throwable`クラスは、`Object`クラスのサブクラスです。なお、`Throwable`と`Error`と`Exception`は、いずれも`java.lang`パッケージに所属します。

**Fig.15-4 例外クラスの階層**

### Throwable クラス

例外クラスの階層の頂点に位置するのが`Throwable`です。すなわち、Java のすべての例外クラスは、このクラスの下位クラスです。そのため、

- `catch`節の仮引数の宣言の際に、`Throwable`の下位クラスではない型を指定すると、コンパイル時エラーとなる。
- 例外クラスの自作の際は、`Throwable`の下位クラスとして作らなければならない。

という決まりがあります。

Throwable クラスのサブクラスが、Error クラスと Exception クラスです。

### Error クラス

プログラムとして回復を期待しない（期待できない）ような"重大な"例外です。名前が示すように、例外というよりもエラーです。

通常、プログラムで捕捉して対処する必要はありません。たとえ捕捉しても、対処が不可能、あるいは極めて困難だからです。

### Exception クラス

プログラムとして回復を期待する（期待できる）ような例外です。図に示すように、このクラスのサブクラスに RuntimeException というクラスがあります。

Exception クラスの下位クラスは、検査例外（checked exception）と呼ばれる例外ですが、RuntimeException クラスとその下位クラスに限っては、非検査例外（unchecked exception）となります。

## 検査例外と非検査例外

２種類の例外があることが分かりました。これらには、大きな違いがあります。



### 検査例外

検査例外は、"**対処が必須の例外**"です。**プログラム上で対処されているかどうかが、コンパイル時に検査される例外です。**

そのため、次のいずれかを行わなければ、コンパイル時エラーとなります。

Ⓐ検査例外を送出する可能性のあるコードは、try 文の中に置いて、その例外を捕捉する。

Ⓑメソッドやコンストラクタの宣言において、送出する可能性がある例外を throws 節（throws clause）で明示する。

なお、throws 節については、**List 15-4**（p.436）で学習します。

### 非検査例外

非検査例外は、"**対処が必須ではない例外**"です。**プログラム上で対処するかどうかは任意であって、対処しているかどうかはコンパイル時に検査されない例外です。**

捕捉や対処を行わなくてもコンパイル時エラーとはなりません。

Ⓒ非検査例外を送出する可能性のあるコードは、try 文の中に置かなくてもよい。

Ⓓ非検査例外を送出する可能性があるメソッドやコンストラクタは、その例外を throws 節で明示する必要はない。

## Throwable クラス

Throwable クラスは、すべての例外クラスの親玉ですから、例外処理について理解するには、このクラスについて、（ある程度）きちんと理解しておく必要があります。

### コンストラクタ

Throwable のコンストラクタの概要をまとめたのが、**Table 15-1** です。

インスタンス生成時に、詳細メッセージと原因を設定できる（ただし、両者とも設定の省略が可能である）ことが分かります。

▶ **原因**とは、当の例外を発生させるきっかけを作った例外のことです。例外Aが発生したことがきっかけになって、例外Bが発生したのであれば、例外Bのインスタンスを構築する際に、その原因としてAを設定します。具体例は、**List 15-8**（p.444）で学習します。

**Table 15-1　Throwable クラスのコンストラクタ**

| | |
|---|---|
| 1 | `Throwable()` |
| | 詳細メッセージを `null` に設定した例外オブジェクトを構築。 |
| 2 | `Throwable(String message)` |
| | 詳細メッセージを *message* に設定した例外オブジェクトを構築。 |
| 3 | `Throwable(String message, Throwable cause)` |
| | 詳細メッセージを *message* に設定し、原因を *cause* に設定した例外オブジェクトを構築。 |
| 4 | `Throwable(Throwable cause)` |
| | 原因を *cause* に設定して、詳細メッセージを、*cause* が `null` であれば `null` に、そうでなければ *cause*.`toString()` に設定した例外オブジェクトを構築。 |

▶ この他にも、限定公開アクセス性をもつコンストラクタなどがあります。



### 例外の実体

Java の例外は、**詳細メッセージ**と**原因**という、少なくとも二つの情報を有する、Throwable クラスの下位クラス型の**インスタンス**（実体）です。

例外が発生したら、それらの情報をもったインスタンスが運ばれていきます。

**重要** 例外の実体は、Throwable クラスの下位クラスの**インスタンス**である。その中には詳細メッセージや例外を発生させた原因などの情報が含まれている。

### メソッド

Throwable の主要なメソッド（主として、例外に含まれるメッセージや原因などの情報を取り出すためのメソッド）をまとめたのが、右ページの **Table 15-2** です。

最後の6個は、スタックトレース関連のメソッドです。スタックトレースを画面などに出力するだけでなく、分解して取り出せるようになっています。

**Table 15-2** Throwable クラスの主要メソッド

`String getMessage()`

詳細メッセージを返却する。

`Throwable getLocalizedMessage()`

ローカライズされた詳細メッセージを返却する。Throwableの下位クラスで本メソッドをオーバライドすれば、ロケール（地域）固有のメッセージが作成できる。オーバライドしなければ、getMessageと同じ文字列を返却する。

`Throwable getCause()`

原因を返却する。原因が存在しないか不明な場合はnullを返却する。

`Throwable initCause(Throwable cause)`

原因を設定する。このメソッドは1回しか呼び出せない。コンストラクタ[3]と[4]の内部から自動的に呼び出されるため、それらのコンストラクタで構築した場合は、1回も呼び出せない。

`String toString()`

以下の三つのものを連結した短い記述の文字列を返却する。

- オブジェクトのクラス名
- ": "（コロンとスペース）
- オブジェクトに対してgetLocalizedMessageメソッドを呼び出した結果

getLocalizedMessageがnullを返す場合は、クラス名のみを返却する。

`void printStackTrace()`

オブジェクトと、そのバックトレースを標準エラーストリームに出力する。出力の先頭行には、オブジェクトに対するtoStringメソッドの返却する文字列が含まれる。残りの行は、fillInStackTraceメソッドによって記録されたデータを表す。

`void printStackTrace(PrintStream s)`

オブジェクトと、そのバックトレースを印刷ストリームsに出力する。

`void printStackTrace(PrintWriter s)`

オブジェクトと、そのバックトレースを印刷ライタsに出力する。

`Throwable fillInStackTrace()`

現行スレッドのスタックフレームの現在の状態に関する情報を、オブジェクト内に記録する。ただし、スタックトレースが書込み可能でなければ、何も行わない。

`StackTraceElement[] getStackTrace()`

printStackTraceによって出力されるスタックトレース個々の情報を要素としてもつ配列を返却する。

`void setStackTrace(StackTraceElement[] stackTrace)`

getStackTraceによって返却され、printStackTraceおよび関連メソッドによって出力される、スタックトレース要素を設定する。

▶ 本表には、本書で学習しない用語なども含まれています。

## Exception クラスと RuntimeException クラス

Throwableクラスの直接下位クラスであるExceptionクラスとRuntimeExceptionも、Throwableと同形式の（同じ引数を受け取る）コンストラクタが定義されています。

さらに、**Table 15-2** の主要メソッドも、そのまま継承しています。

## 例外の送出と捕捉

**List 15-4** のプログラムで理解を深めましょう。プログラム上でわざと例外を送出させるという作為的なものですが、いろいろなエッセンスが含まれています。

▶ キーボードから読み込んだ **sw** が 1 であれば**検査例外**を送出し、2 であれば**非検査例外**を送出します。なお、赤網部は、検査例外 **Exception** を発生する可能性のあるコードです。また、ここでの解説における、Ⓐ・Ⓑ・Ⓒ・Ⓓは、p.433 の規則です。

**List 15-4** chap15/ThrowAndCatch.java

```
// 例外処理を理解するためのサンプル

import java.util.Scanner;

class ThrowAndCatch {

  //--- swの値に応じて例外を発生 ---//
  static void check(int sw) throws Exception {
    switch (sw) {
     case 1: throw new Exception("検査例外発生!!");
     case 2: throw new RuntimeException("非検査例外発生!!");
    }
  }

  //--- checkを呼び出す ---//
  static void test(int sw) throws Exception {
    check(sw);   // この呼出しによって検査例外 Exception が発生する可能性がある
  }

  public static void main(String[] args) {
    Scanner stdIn = new Scanner(System.in);

    System.out.print("sw : ");
    int sw = stdIn.nextInt();

    try {
      test(sw);
    } catch (Exception e) {   // 例外 Exception とその下位クラスを捕捉する
      System.out.println(e.getMessage());
    }
  }
}
```

**実行例**

```
1 sw : 1
  検査例外発生!!

2 sw : 2
  非検査例外発生!!
```

## メソッド check

引数 **sw** に受け取った値に応じて、**Exception** 例外あるいは **RuntimeException** 例外を送出するメソッドです。

### ■ throws 節（送出する可能性がある検査例外の宣言）

メソッド宣言の青網部が **throws** 節です。検査例外を送出する可能性があるメソッドは、そのすべての例外を、この **throws** 節で（複数の場合はコンマで区切って）列挙しなければなりません（Ⓑ：**throws** 節での **Exception** の列挙を省略するとコンパイル時エラーとなります）。

▶ 非検査例外の列挙は不要です（Ⓓ）。そのため、次のように非検査例外 **RuntimeException** を列挙しても、コンパイル時エラーにはなりません（コンパイラは無視します）。

```
static void check(int sw) throws Exception, RuntimeException { ... }
```

15 例外処理

■ 例外の送出

メソッド本体の **switch** 文では、***sw*** の値に応じて例外を送出しています。例外を送出するのが **throw 文**（throw statement）であり、その形式は“**throw 式 ;**”です。

指定する**式**は、例外クラス型インスタンスへの参照です。ここでは、**Exception** あるいは **RuntimeException** のインスタンスを **new** で生成した上で（その参照を）送出しています。

▶ **Throwable** の下位クラスでないクラス（のインスタンスへの参照）は指定できません（指定すると、コンパイル時エラーとなります）。

コンストラクタに文字列を引数として与えていますので、**Table 15-1**（p.434）のコンストラクタ②が呼び出され、例外インスタンスに詳細メッセージが埋め込まれます。

## メソッド test

メソッド ***test*** は、メソッド ***check*** を呼び出すだけのメソッドです。呼び出す ***check*** の実行によって検査例外 **Exception** が送出される可能性があるのですから、当然、本メソッド ***test*** の実行時も、検査例外 **Exception** が発生する可能性があります。

そのため、網かけ部の **throws** 節の指定は必須です（Ⓑ：**throws** 節での **Exception** の列挙を省略するとコンパイル時エラーとなります）。

## main メソッド

**main** メソッドでは、例外に対する対処を行っています。

■ 検査例外の捕捉

**try** ブロックの冒頭で、変数 ***sw*** に値を読み込んだ上で、メソッド ***test*** を呼び出しています。このような、検査例外を発生する可能性のあるコード（この場合は ***test(sw)*** の呼出し）は、必ず **try** 文中の **try** ブロック内に置きます（Ⓐ:そうしなければコンパイル時エラーとなります）。

■ 捕捉する例外の階層

**catch** 節の仮引数 ***e*** は **Exception** 型として宣言されています。実行例が示すように、この例外ハンドラでは、**Exception** と **RuntimeException** の両方が捕捉できます。

例外ハンドラは、仮引数の型に対して“代入可能な例外”はすべて受け取る、という規則があるからです。そのため、**catch** 節の仮引数として指定されたクラス型の例外に加えて、その下位クラス型の例外も捕捉されます。

▶ クラス型変数には、そのクラス型のインスタンスへの参照だけでなく、下位クラス型のインスタンスの参照を**代入**できることは、第 12 章で学習しました（p.357）。

■ 例外の詳細メッセージ

例外ハンドラでは、***e*.getMessage()**、すなわち ***e*** の**詳細メッセージ**を出力しています。仮引数 ***e*** の型は **Exception** ですが、**getMessage** メソッドの振舞いが、***e*** の参照先の型（**Exception** あるいは **RuntimeException**）に応じたものとなっていることに注意しましょう。

▶ もちろん、**動的結合**による**多相性**のおかげです。

## 検査例外の取扱い

**List 15-5** に示すのが、検査例外を取り扱うプログラム例です。初回の実行時は、『このプログラムを実行するのは初めてですね。』と表示しますが、２回目以降の実行時は、前回の実行時に入力された"気分"が表示されます。

**List 15-5** chap15/LastTime1.java

```
// 前回の気分を表示

import java.io.*;
import java.util.Scanner;

class LastTime1 {

  //--- 前回の気分を読み込む ---//
  static void init() {
    BufferedReader br = null;

    try {
      br = new BufferedReader(new FileReader("LastTime.txt"));
      String kibun = br.readLine();
      System.out.println("前回の気分は" + kibun + "でした。");
    } catch (IOException e){
      System.out.println("このプログラムを実行するのは初めてですね。");
    } finally {
      if (br != null) {
        try {
          br.close();
        } catch (IOException e){
          System.out.println("ファイルクローズ失敗。");
        }
      }
    }
  }

  //--- 今回の気分を書き込む ---//
  static void term(String kibun) {
    FileWriter fw = null;

    try {
      fw = new FileWriter("LastTime.txt");
      fw.write(kibun);
    } catch (IOException e){
      System.out.println("エラー発生!!");
    } finally {
      if (fw != null) {
        try {
          fw.close();
        } catch (IOException e){
          System.out.println("ファイルクローズ失敗。");
        }
      }
    }
  }

  public static void main(String[] args) {
    Scanner stdIn = new Scanner(System.in);

    init();          // 前回の気分を表示

    System.out.print("今の気分は：");
    String kibun = stdIn.next();

    term(kibun);
  }
}
```

**a** 初めて実行したときの実行例

実行例

```
このプログラムを実行するのは初めてですね。
今の気分は：最高!! ⏎
```

**b** ２回目に実行したときの実行例

実行例

```
前回の気分は最高!!でした。
今の気分は：まあまあ ⏎
```

### ■ メソッドinit

プログラムの最初に実行されるメソッドです。ファイル "LastTime.txt" をオープンし、1行分の文字列を *kibun* に読み込んで、それを前回の気分として表示します。

ただし、初回の実行時（や何らかの理由によってファイルが不正な状態となっているときなど）は、ファイルのオープンや読込みの際に例外が発生します。

例外を捕捉した catch 節で、『このプログラムを実行するのは初めてですね。』と表示します。

▶ ファイル入出力関連のライブラリについては、**Column 15-1**（p.443）で学習します。

### ■ メソッドterm

プログラムの最後に実行されるメソッドです。ファイル "LastTime.txt" をオープンして、文字列 *kibun* を書き込みます。

*

いずれのメソッドも、次の2箇所で *IOException* 例外が発生する可能性があります。

1. ファイルをオープンするとき（それを *BufferedReader* に結び付けるとき）
2. ファイルに対して実際に入出力を行うとき

①が成功して②で例外が発生した場合も、ファイルのクローズ処理は必須です。そのため、ファイルのクローズ処理は、例外発生の有無にかかわらず実行される finally 節の中に置かれています。

finally 節では、*br* や *fw* が null でないとき（ファイルのオープンが成功しているとき）に、close メソッドを呼び出して、ファイルのクローズ処理を行います。

もっとも、クローズ処理自体も例外を発生する可能性がありますので、close メソッドの呼出しのコードは、try 文中の try ブロック内に置かなければなりません。そのため、try 文の中に try 文が入るという複雑な構造になっています。

*

なお、資源付き try 文（try–with–resources statement）と呼ばれる try 文を使うこともできます。次のように、ファイルやメモリなどの**資源の獲得処理**を（）の中に記述します（メソッド *term* の try 文も同様です："chap15/LastTime2.java"）。：

```
try (BufferedReader br = new BufferedReader(new FileReader("LastTime.txt"));
) {
  String kibun = br.readLine();
  System.out.println("前回の気分は" + kibun + "でした。");
} catch (IOException e){
  System.out.println("このプログラムを実行するのは初めてですね。");
}
```

資源付き try 文では、java.lang.AutoClosable インタフェースを実装している型が、自動的にクローズされます。そのため、**資源の解放処理**（この場合は close メソッドの明示的な呼出し）のコードが省略でき、プログラムが極めて簡潔になります。

## 例外クラスの作成

Javaのライブラリでは、数多くの例外クラスが提供されています。それらの例外クラスをそのまま使うだけでなく、例外クラスを自作することも可能です。

その場合、Exceptionクラスあるいは、その下位クラスからの派生を行って、例外クラスを作成します。ただし、作るのが非検査例外であれば、RuntimeExceptionクラスあるいは、その下位クラスからの派生を行います。

▶ Errorクラスは、対処が不可能あるいは極めて困難な致命的エラーですから、このクラスからの派生を行ってクラスを作ることは、(文法的には可能ですが)現実的ではありません。

＊

右ページの**List 15-6**に示すのが、例外クラスを自作して利用するプログラム例です。1桁の数値を加算するだけの単純なプログラムです。ただし、加える数と、演算結果の両方が0～9で収まることを前提としており、そうでない場合に例外を発生します。

このプログラムで作成しているのが、三つの例外クラスです。

| | | |
|---|---|---|
| ① *RangeError* | … | 値が範囲外である(0～9でない)ことを表す例外。 |
| ② *ParameterRangeError* | … | メソッドの仮引数が範囲外であることを表す例外。 |
| ③ *ResultRangeError* | … | 演算結果が範囲外であることを表す例外。 |

なお、②と③は、①から派生するサブクラスです。また、三つのクラスともに、コンストラクタのみを定義しています。

▶ すでに学習したとおり、Throwableクラスのコンストラクタは、String型の**詳細メッセージ**やThrowable型の**原因**を受け取る仕様です。そのため、例外クラスを自作する際は、それらと同じ形式のコンストラクタを作るのが一般的です。

　ここでは、あえてint型を受け取るコンストラクタを定義しています(型破りな仕様としても構わないことを理解するためです)。

クラス*RangeError*は、RuntimeExceptionクラスから派生していますので、**非検査例外**です。コンストラクタでは、superに文字列を与えることで、**Table 15-1**(p.434)のコンストラクタ②を呼び出して、詳細メッセージを設定しています。

残る*ParameterRangeError*と*ResultRangeError*も、RuntimeExceptionの下位クラスですから、**非検査例外**です。コンストラクタでは、superを呼び出していますので、詳細メッセージが設定されます。

▶ superによって*RangeError*クラスのコンストラクタが呼び出され、そこからRuntimeExceptionのコンストラクタが呼び出され、そこからThrowableのコンストラクタが呼び出されます。

本プログラムの中核となるのがメソッドaddであり、引数に受け取ったaとbの和を求めて返却します。なお、引数や加算結果が1桁で収まらなかった場合に、*ParameterRangeError*あるいは*ResultRangeError*の例外を送出します。mainメソッドでは、それらの例外を捕捉しています。

List 15-6 chap15/RangeErrorTester.java

```
// 1桁（0～9）の加算を行う

import java.util.Scanner;

//---- 範囲外例外 ---//
class RangeError extends RuntimeException {
  RangeError(int n) { super("範囲外の値：" + n); }
}

//---- 範囲外例外（仮引数）---//
class ParameterRangeError extends RangeError {
  ParameterRangeError(int n) { super(n); }
}

//---- 範囲外例外（返却値）---//
class ResultRangeError extends RangeError {
  ResultRangeError(int n) { super(n); }
}

public class RangeErrorTester {

  /*--- nは1桁（0～9）か？ ---*/
  static boolean isValid(int n) {
    return n >= 0 && n <= 9;
  }

  /*--- 1桁（0～9）の整数aとbの和を求める ---*/
  static int add(int a, int b) throws ParameterRangeError, ResultRangeError {
    if (!isValid(a)) throw new ParameterRangeError(a);
    if (!isValid(b)) throw new ParameterRangeError(b);
    int result = a + b;
    if (!isValid(result)) throw new ResultRangeError(result);
    return result;
  }

  public static void main(String[] args) {
    Scanner stdIn = new Scanner(System.in);

    System.out.print("整数a："); int a = stdIn.nextInt();
    System.out.print("整数b："); int b = stdIn.nextInt();

    try {
      System.out.println("それらの和は" + add(a, b) + "です。");
    } catch (ParameterRangeError e) {
      System.out.println("加える数が範囲外です。" + e.getMessage());
    } catch (ResultRangeError e) {
      System.out.println("計算結果が範囲外です。" + e.toString());
    }
  }
}
```

非検査例外にするためにRuntimeExceptionから派生

省略可（不要）

実行例1

```
整数a：52
整数b：5
加える数が範囲外です。範囲外の値：52
```

実行例2

```
整数a：7
整数b：5
計算結果が範囲外です。ResultRangeError: 範囲外の値：12
```

ParameterRangeErrorを捕捉したときは、**getMessage**メソッドによって詳細文字列を取得・表示し、ResultRangeErrorを捕捉したときは、**toString**によって簡易メッセージを取得・表示しています。

## 例外の丸投げ

再び **List 15-2**（p.430）のプログラムを考えましょう。**main** メソッドから呼び出されているのが、配列を反転する（バグが埋め込まれた）メソッド ***reverse*** です。そのメソッド ***reverse*** から、配列の2要素を交換するメソッド ***swap*** が呼び出されている構造です。規模の大きなプログラムであれば、メソッド呼出しの階層は、さらに深くなる可能性があります。

すべての階層のメソッドで、配列のインデックスが正しいかどうか、（あるいは、このプログラムでは省略しているものの、受け取った配列変数が **null** でないかどうか）に対する例外処理を行うと、**本質的に同じチェックを何度も行ってしまうことになり、プログラムが煩雑になる上に、ソフトウェアのパフォーマンスも低下します。**

どの（階層の）メソッドで、例外への対処を行うべきかについて、絶対的な指針はありません（ソフトウェアによって異なるからです）。ここでは、メソッド ***swap*** では対処を行わずに、メソッド ***reverse*** で対処することにしましょう。**List 15-7** に示すのが、そのプログラムです。

**List 15-7** chap15/ReverseArray3.java

```
// 配列の要素に値を読み込んで並びを反転する（バグあり：reverseで例外を捕捉）

import java.util.Scanner;

class ReverseArray3 {

  //--- 配列の要素a[idx1]とa[idx2]を交換 ---//
  static void swap(int[] a, int idx1, int idx2) {
    int t = a[idx1];
    a[idx1] = a[idx2];
    a[idx2] = t;
  }

  //--- 配列aの要素の並びを反転（誤り）---//
  static void reverse(int[] a) {
    try {
      for (int i = 0; i < a.length / 2; i++)
        swap(a, i, a.length - i);
    } catch (ArrayIndexOutOfBoundsException e) {
      e.printStackTrace();
      System.exit(1);
    }
  }

  public static void main(String[] args) {
    // … 中略（mainメソッドはReverseArray1と同じ）…
  }
}
```

実行例

```
要素数：5
x[0] : 10
x[1] : 73
x[2] : 2
x[3] : -5
x[4] : 42
java.lang.ArrayIndexOutOfBoundsException: Index 5 out
of bounds for length 5
        at ReverseArray3.swap(ReverseArray3.java:10)
        at ReverseArray3.reverse(ReverseArray3.java:18)
        at ReverseArray3.main(ReverseArray3.java:38)
```

メソッド ***swap*** の中では、例外に対する**対処**を行っていないため、**ArrayIndexOutOfBoundsException** 例外が発生した場合、呼出し元であるメソッド ***reverse*** に例外が伝播します。

すなわち、例外に対する対処を行わずに、**丸投げ**しているわけです。

なお、ここで丸投げしているのは非検査例外です。**もし丸投げするのが検査例外であれば、メソッド宣言に throws 節が必要となります。**

例外に対する対処を行っているメソッド *reverse* に着目しましょう。メソッド swap の呼出しを try ブロック中に入れて例外を捕捉しています。

捕捉した例外の対処のために、例外ハンドラで行っているのは次のことです。

- printStackTrace メソッドの呼出しによるスタックトレースの表示。
- System.exit メソッドの呼出しによるプログラムの強制終了。

### Column 15-1 ファイルの入出力

java.io.*FileReader* と java.io.*FileWriter* は、テキストファイルへの文字の入出力に利用するクラスです。コンストラクタに対して、オープンするファイルのファイル名を渡すことで、ファイルをオープンします。

オープンしたファイルに対する読み書きが終了したら、ファイルをクローズする必要があります。それを行うのが、close メソッドです。

なお、*FileReader* からの読込みは、（バッファリングが行われないため）効率がよくありません。文字、配列、行をバッファリングすることによって、文字型入力ストリームからテキストを効率よく読み込むために使うのが、java.io.*BufferedReader* クラスです。read メソッドで１文字の読込みが行え、readLine メソッドで１行分の文字列の読込みが行えます。

これらのライブラリの詳細については、API のドキュメントで調べてみましょう。

## 例外の再送出

引き続き、別の対処法を考えましょう。メソッド *reverse* で例外を受け取ったら、**別の例外として送出する**ことにします。**List 15-8** に示すのが、そのプログラムです。

**List 15-8** chap15/ReverseArray4.java

```
// 配列の要素に値を読み込んで並びを反転する（バグあり：reverseで例外を再送出）

import java.util.Scanner;

class ReverseArray4 {

  //--- 配列の要素a[idx1]とa[idx2]を交換 ---//
  static void swap(int[] a, int idx1, int idx2) {
    int t = a[idx1];
    a[idx1] = a[idx2];
    a[idx2] = t;
  }

  //--- 配列aの要素の並びを反転（誤り）---//
  static void reverse(int[] a) {
    try {
      for (int i = 0; i < a.length / 2; i++)
        swap(a, i, a.length - i);
    } catch (ArrayIndexOutOfBoundsException e) {
      throw new RuntimeException("reverseのバグ？", e);
    }
  }

  public static void main(String[] args) {
    Scanner stdIn = new Scanner(System.in);

    System.out.print("要素数：");
    int num = stdIn.nextInt();     // 要素数

    int[] x = new int[num];      // 要素数numの配列

    for (int i = 0; i < num; i++) {
      System.out.print("x[" + i + "] : ");
      x[i] = stdIn.nextInt();
    }

    try {
      reverse(x);              // 配列xの要素の並びを反転

      System.out.println("要素の並びを反転しました。");
      for (int i = 0; i < num; i++)
        System.out.println("x[" + i + "] = " + x[i]);
    } catch (RuntimeException e) {
      System.out.println("例外       ：" + e);
      System.out.println("例外の原因：" + e.getCause());
    }
  }
}
```

実行例

```
要素数：5
x[0] : 10
x[1] : 73
x[2] : 2
x[3] : -5
x[4] : 42
例外       ：java.lang.RuntimeException: reverseのバグ？
例外の原因：java.lang.ArrayIndexOutOfBoundsException:
            Index 5 out of bounds for length 5
```

メソッド *reverse* では、**ArrayIndexOutOfBoundsException** 例外を受け取った場合の対処として、**RuntimeException** 例外を新しく生成して送出します。

新しい例外の生成と送出を行っているのが、青網部です。

15 例外処理

```
throw new RuntimeException("reverseのバグ？", e)
```

ここでは、コンストラクタに対して２個の引数を与えています。第１引数は**詳細メッセージ**で、第２引数は**原因**です（**Table 15-1** ③：p.434)。

第２引数として e すなわち ArrayIndexOutOfBoundsException 例外への参照を与えることで、RuntimeException 例外が発生した**原因**が ArrayIndexOutOfBoundsException 例外であることが分かるようにしているわけです。

▶ 例外ハンドラでは、ArrayIndexOutOfBoundsException 例外を捕捉しているため、その例外に対する対処は完了します（この例外が、そのまま丸投げされて伝播されることはありません）。
　メソッド呼出し元に伝わるのは、新たに生成した RuntimeException です。

メソッド *reverse* が送出した例外は、main メソッド内の、下記の部分で捕捉されます。

```
catch (RuntimeException e) {
  System.out.println("例外        : " + e);
  System.out.println("例外の原因 : " + e.getCause());
}
```

getCause は、例外の**原因**を調べるメソッドです（**Table 15-2**：p.435）ので、最初の行では捕捉した**例外**を出力し、２番目の行で**例外の原因**を表示します。

捕捉した例外が RuntimeException であること、その例外の原因が（不正なインデックス 5 を利用したことによる）ArrayIndexOutOfBoundsException 例外であることが、実行例として表示されます。

このプログラムは、原理を理解するためのサンプルですから、少々わざとらしいものでした。捕捉した例外に対して、“何らかの対処を行ったものの、それでも対処しきれない”といった場合などに、例外の再送出を行います。



## Column 15-2　非検査例外

標準で提供される非検査例外には、次のようなものがあります。

▪ NullPointerException

空参照となっている参照を通じた、フィールドのアクセスやメソッド呼出しなどを行おうとしたときや、空参照を例外として送出しようとしたときなどに送出される例外です（p.270）。

▪ ClassCastException

あるオブジェクトを、継承関係にないクラスへとキャストしようとしたときなどに送出される例外です。

▪ StringIndexOutOfBoundsException

String 型文字列に対して、不正なインデックスを適用したときに送出される例外です。この例外と、ArrayIndexOutOfBoundsException は、いずれも IndexOutOfBoundsException のサブクラスです。

▪ IllegalArgumentException

不正な引数や不適切な引数がメソッドに渡されたときに送出される例外です。

# まとめ

- 例外は、プログラムが期待するものとは異なる事態や、通常の範囲では想定していない（あるいは想定できないような）事態である。例外を無視すると、プログラムの強制終了などの致命的な状況になり得る。

- **例外**やエラーに対する対処は、部品の開発者ではなく、利用者によって決められるべき場合が多い。

- 例外処理、すなわち例外に対する対処を行うことで、致命的になり得る状況からの回復が行える。なお、例外処理の優れた点の一つが、本来の処理を行うコードと、エラー発生時の対処のコードを分離できることである。

- 例外を送出するのが throw 文である。

- 送出された例外を捕捉して対処するのが try 文である。

- 送出された例外を検出する必要があるコードは、try ブロックの中に入れる。**try** ブロックで検出された例外を捕捉するのが、例外ハンドラとも呼ばれる catch 節である。

- **try** 文の末尾に位置する finally 節は、**try** ブロック中の例外の発生の有無とは無関係に実行される。なお、**finally** 節は省略してもよい。

- 例外の実体は、Throwable クラスの下位クラスのインスタンスである。その中には詳細メッセージや、例外を発生させた原因などの情報が含まれている。

- 検査例外は、“**対処が必須の例外**”であり、プログラム上で対処されている（捕捉する、あるいは、throws 節に列挙する）かどうかが、コンパイル時に検査される。

- メソッドが検査例外を送出する可能性がある場合は、その例外を throws 節に列挙しなければならない。

- 非検査例外は、“**対処が必須でない例外**”であり、対処されているかどうかがコンパイル時に検査されることはない。

- **Throwable** クラスのサブクラスとして、Exception クラスと RuntimeException クラスとがある。

- **Exception** クラスを含め、その下位クラスは**検査例外**である。ただし、**RuntimeException** およびその下位クラスは**非検査例外**となる。

- 捕捉した例外に対して、“何らかの対処を行っても、それでも対処しきれない”といった場合は、例外を（そのまま、あるいは形をかえて）再送出するとよい。

chap15/Abc.java

```
import java.util.Scanner;

//---- 自作の検査例外 ---//
class CheckedException extends Exception {
  CheckedException(String s, Throwable e) { super(s, e); }
}

//---- 自作の非検査例外 ---//
class UncheckedException extends RuntimeException {
  UncheckedException(String s, Throwable e) { super(s, e); }
}

public class Abc {

  //--- swの値に応じて例外を発生 ---//
  static void work(int sw) throws Exception {
    switch (sw) {
     case 1: throw new RuntimeException("非検査例外発生!!");
     case 2: throw new Exception("検査例外発生!!");
    }
  }

  //--- workを呼び出す ---//
  static void test(int sw) throws CheckedException {
    try {
      work(sw);
    } catch (RuntimeException e) {
      /* 対処を試みたが対処しきれなかった */
      throw new UncheckedException("非検査例外対処不能!!", e);
    } catch (Exception e) {
      /* 対処を試みたが対処しきれなかった */
      throw new CheckedException("検査例外対処不能!!", e);
    }
  }

  public static void main(String[] args) {
    Scanner stdIn = new Scanner(System.in);

    System.out.print("sw : ");
    int sw = stdIn.nextInt();

    try {
      test(sw);
    } catch (Exception e) {
      System.out.println("例外        : " + e);
      System.out.println("例外の原因 : " + e.getCause());
      e.printStackTrace();
    }
  }
}
```

実行例1

```
sw : 1
例外        : UncheckedException: 非検査例外対処不能!!
例外の原因 : java.lang.RuntimeException: 非検査例外発生!!
UncheckedException: 非検査例外対処不能!!
        at Abc.test(Abc.java:29)
        at Abc.main(Abc.java:43)
Caused by: java.lang.RuntimeException: 非検査例外発生!!
        at Abc.work(Abc.java:18)
        at Abc.test(Abc.java:26)
        ... 1 more
```

実行例2

```
sw : 2
例外        : CheckedException: 検査例外対処不能!!
例外の原因 : java.lang.Exception: 検査例外発生!!
CheckedException: 検査例外対処不能!!
        at Abc.test(Abc.java:32)
        at Abc.main(Abc.java:43)
Caused by: java.lang.Exception: 検査例外発生!!
        at Abc.work(Abc.java:19)
        at Abc.test(Abc.java:26)
        ... 1 more
```

# 第16章

# 文字と文字列

人間とプログラムとのあいだでの情報の受渡しの際に必要となるのが、文字と文字列です。文字はchar型で表現され、文字列はString型で表現されます。本章では、文字と文字列について学習します。

- □ char型
- □ 文字と文字リテラル
- □ UnicodeとASCIIコード
- □ Unicode拡張
- □ Stringクラス
- □ 文字列と文字列リテラル
- □ 同じ綴りの文字列リテラル
- □ 文字列ビルダとStringBuilderクラス
- □ コマンドライン引数

# 16-1 文字

ここまでのすべてのプログラムで、**文字**と**文字列**を使ってきました。それらについて理解を深めるのが、本章の目的です。本節では、文字について学習します。

## 文字

人間とコンピュータの情報のやり取りで、文字が必要不可欠であることは、いうまでもありません。

私たち人間は、**見た目**や**発音**で、文字の識別を行います。その一方で、コンピュータが、文字の識別に使うのは、各文字に与えられた整数値である**コード**です。

**重要** 文字は、整数値のコードで表されて識別される。

### Unicode

文字に与えるコードの割振り方を、**コード体系**といいます。何種類ものコード体系があるのですが、Java が採用しているのは、Unicode（ユニコード）という文字コード体系です。

その Unicode は、次に示す方針のもとで作られています。

- すべての文字に固有の番号を与える。
- プラットフォームに依存しない。
- プログラムに依存しない。
- 言語に依存しない。

▶ Unicode の策定は、Unicode Consortium で行われています。
https://www.unicode.org/

さて、Java プログラムの開発環境や実行環境で、必ずしも Unicode が採用されているわけではありません。とはいえ、文字コードの違いについて、私たちは、それほど意識する必要はありません。

というのも、Java のコンパイラが、文字コードの変換を自動的に行った上でコンパイル作業にとりかかるからです。

▶ たとえば、日本語 MS-Windows の場合は、ソースプログラムに **MS932** という**文字コード**（エンコーディング）が使われているものとしてコンパイルされます。
なお、次のプログラムを実行すると、システムで使われているエンコーディングが表示されます。実行して、確認してみましょう（**"chap16/PrintEncoding.java"**）。

```
class PrintEncoding {
  public static void main(String[] args){
    System.out.println(System.getProperty("file.encoding"));
  }
}
```

### ASCII コード

Unicode では、各文字を、16 ビットのコードで表すのが基本です。そのため、文字コードの範囲は、`0` ～ `65,535` となっています（**Column 16-1**）。

6万を超える文字のうち、先頭の 128 個のコードは、長い歴史をもつ ASCII（アスキー）コードに由来します。**Table 16-1** に示すのが、ASCII コード表です。

▶ ASCII の正式名称は、American Standard Code for Information Interchange です。
　この表では、**制御文字**と呼ばれる一部の文字を、`\b` や `\t` など、Java の拡張表記で表しています。

**Table 16-1　ASCII コード表**

<table>
<tr><td>下位＼上位</td><td>0</td><td>1</td><td>2</td><td>3</td><td>4</td><td>5</td><td>6</td><td>7</td></tr>
<tr><td>0</td><td></td><td></td><td></td><td>0</td><td>@</td><td>P</td><td>`</td><td>p</td></tr>
<tr><td>1</td><td></td><td></td><td>!</td><td>1</td><td>A</td><td>Q</td><td>a</td><td>q</td></tr>
<tr><td>2</td><td></td><td></td><td>"</td><td>2</td><td>B</td><td>R</td><td>b</td><td>r</td></tr>
<tr><td>3</td><td></td><td></td><td>#</td><td>3</td><td>C</td><td>S</td><td>c</td><td>s</td></tr>
<tr><td>4</td><td></td><td></td><td>$</td><td>4</td><td>D</td><td>T</td><td>d</td><td>t</td></tr>
<tr><td>5</td><td></td><td></td><td>%</td><td>5</td><td>E</td><td>U</td><td>e</td><td>u</td></tr>
<tr><td>6</td><td></td><td></td><td>&</td><td>6</td><td>F</td><td>V</td><td>f</td><td>v</td></tr>
<tr><td>7</td><td></td><td></td><td>'</td><td>7</td><td>G</td><td>W</td><td>g</td><td>w</td></tr>
<tr><td>8</td><td>\b</td><td></td><td>(</td><td>8</td><td>H</td><td>X</td><td>h</td><td>x</td></tr>
<tr><td>9</td><td>\t</td><td></td><td>)</td><td>9</td><td>I</td><td>Y</td><td>i</td><td>y</td></tr>
<tr><td>A</td><td>\n</td><td></td><td>*</td><td>:</td><td>J</td><td>Z</td><td>j</td><td>z</td></tr>
<tr><td>B</td><td>\v</td><td></td><td>+</td><td>;</td><td>K</td><td>[</td><td>k</td><td>{</td></tr>
<tr><td>C</td><td>\f</td><td></td><td>,</td><td><</td><td>L</td><td>¥</td><td>l</td><td>|</td></tr>
<tr><td>D</td><td>\r</td><td></td><td>-</td><td>=</td><td>M</td><td>]</td><td>m</td><td>}</td></tr>
<tr><td>E</td><td></td><td></td><td>.</td><td>></td><td>N</td><td>^</td><td>n</td><td>‾</td></tr>
<tr><td>F</td><td></td><td></td><td>/</td><td>?</td><td>O</td><td>_</td><td>o</td><td></td></tr>
</table>

ASCII 文字コードは、10 進数では `0` ～ `127` であって、2桁の 16 進数で表すと `0x00` ～ `0x7F` です。

表の縦横の `0` ～ `F` は、16 進数表記での各桁の値です。文字 `'R'` と `'g'` を例にとると、次のようになります。

- 文字 `'R'` の文字コードは `0x52`。
- 文字 `'g'` の文字コードは `0x67`。

なお、**数値**と**数字文字**を混同しないようにしましょう。

たとえば、数字文字 `'1'` の文字コードは、16 進数では `0x31`、10 進数では `49` です。決して `1` ではありません。

**重要** 数字文字の `'0'`, `'1'`, …, `'9'` の文字コードは、`0`, `1`, …, `9` ではない。

さて、Unicode は 16 ビットですから、文字 `'R'` は `0x0052` で、文字 `'g'` は `0x0067` です。また、数字文字は `'0'` ～ `'9'` は、`0x0030` ～ `0x0039` です。



**Column 16-1　Unicode について**

Unicode は改訂が続けられています。初期の頃は、文字を 16 ビットで表現していましたが、最大で 65,535 文字しか表せないため、現在は 16 ビットを超える文字が表現できるように拡張されています。

16 進数で `0000` ～ `FFFF` の範囲の文字については、基本多言語プレーン＝BMP（Basic Multilingual Plane）と呼ばれ、16 ビットで表せるようになっています。この範囲の文字を Java で使う際は、1 文字が 16 ビットの `char` 型となります。

そして、BMP に入らない補助文字（supplementary character）に関しては、16 ビットを超えるビットを使って表されます。その範囲の文字を Java で使う際は、1 文字を2個の `char` で表します（それに対応するために、Java では変換用の API が用意されています）。

＊

Unicode のエンコーディング（符号化）方式には、**UTF-8**、**UTF-16**、**UTF-32** など、数多くの種類があります。Java で用いられているのは、UTF-16 です。UTF-16 では、BMP は 16 ビットを利用し、その他はサロゲートペアという方式で 32 ビットを利用します。

## char 型

文字を表す **char** 型は、第 5 章でも学習したように、16 ビットの符号無し整数型であって、表現できる値の範囲は **0** ～ **65,535** です（p.130）。

**重要** 文字を表す char 型は、16 ビットの符号無し整数型である。

**char** 型の変数に、コードや文字を入れて表示してみましょう。**List 16-1** に示すのが、そのプログラム例です。

**List 16-1** chap16/CharTester.java

```
// 文字と文字リテラル

class CharTester {

  public static void main(String[] args) {
    char c1 = 50;
    char c2 = 'A';
    char c3 = '字';

    System.out.println("c1 = " + c1);
    System.out.println("c2 = " + c2);
    System.out.println("c3 = " + c3);
  }
}
```

実行結果

```
c1 = 2
c2 = A
c3 = 字
```

変数 *c1* に与えられている初期化子は、整数リテラル **50** です。10 進数の **50** を 16 進数で表すと **0x32** です。それでは、前ページの **Table 16-1** で調べてみましょう。文字コード **0x32** の文字は、数字の **'2'** です。

変数 *c1* は、数字文字 **'2'** を表すように初期化されていることが分かりました。



### 文字リテラル

変数 *c2* と *c3* に与えられている初期化子は、**'A'** と **'字'** です。文字を単一引用符 **'** で囲んだ**文字リテラル**については、p.97 で簡単に学習しました。

変数 *c2* は、**'A'** の文字コードで初期化されて、変数 *c3* は、**'字'** の文字コードで初期化されます。

さて、次に示すのが、文字リテラルの一例です。

| | |
|---|---|
| 'A' | アルファベットの《A》 |
| '字' | 漢字の《字》 |
| '\'' | 単一引用符（p.154） |
| '\n' | 改行文字 |

なお、中身が空の **""** が許される**文字列リテラル**とは異なり、中身が空の文字リテラル **''** は許されません。コンパイル時エラーとなります。

### Unicode拡張

第5章で簡単に学習したUnicode拡張（Unicode escape）は、\uに続く4桁の16進数で文字を表す表記です。先ほどの四つの文字をUnicode拡張で表記すると、次のようになります（16進数のa～fは、大文字A～Fでも構いません）。

| | | |
|---|---|---|
| \u0041 | アルファベットの《A》 | ※ ASCIIコードでは0x41 |
| \u5b57 | 漢字の《字》 | |
| \u0060 | 単一引用符 | |
| \u000a | 改行文字 | |

なお、ASCIIコードに含まれる文字に限っては、**Table 16-1**の16進数のコードの前に\u00を置くだけでUnicode拡張となります。

＊

さて、Javaプログラムのコンパイルは、何段階かに分けて行われます。その最初の段階で、**Unicode拡張は、該当する文字へと置換されます。**

置換の結果として、まずいことが生じる一例が、次に示すコードです。

✕
```
System.out.println("ABC\u000aDEF");
```

実質的なコンパイル作業の前の置換の段階で、次のように、\u000aが、**本当の改行文字に置換されてしまう**のです。

✕
```
System.out.println("ABC
DEF");
```

Unicode拡張は、**8進拡張表記の基数を8から16に変えたものではありません。**

外国語の文字や、特殊な記号文字などを表す際にのみ利用するのが原則です。改行文字や復帰文字を\u000aや\u000dと表記しないようにしましょう。

▶ Unicode拡張では、\の後に複数個のuを置けることになっています。たとえば、アルファベットのAは\uu0041や\uuu0041と表記できます（コンパイルの過程で置換された文字と、そうでない文字とを区別するための文法上の仕様です）。



**Column 16-2** charを“キャラ”と読むのは日本人だけ？

charがcharacterの略であることを根拠に、charを『キャラ』と読む人を見かけますが、このような発音は、①日本人特有の②カタカナ読みであることを知っておきましょう。

① 略語と同じ綴り（つづ）りの単語がある場合、その単語の発音を借りるのが一般的です。英語には、“雑用”などの意味をもつchar（チャー）という単語（発音はtʃáər）がありますので、その発音を借ります。単語の途中までを発音しようとするのは、非英語圏的発想です。

② 単語の途中まで発音するという方針を許容したとしても奇異に感じられるのが、『キャラ』のラの発音です。同様の読み方を他の単語にも適用するのでしたら、integerの略であるintは『インテ』と読むことになり、floatingの略であるfloatは、『フローティ』と読むことになります。

# 16-2 文字列とStringクラス

前節で学習したのは、char型で表される、単一の（1個の）**文字**でした。0個以上の文字の並びで構成される**文字列**は、JavaではString型で表されます。

## 文字列と文字列リテラル

本書のほとんどのプログラムで、**文字列リテラル**あるいは**String型の変数**として文字列を使ってきました。まずは簡単に復習しましょう。

### ▪ 文字列リテラル

文字列リテラルは、文字の並びを二重引用符"で囲んだものであり、文字の並びを、綴りどおりに表します。たとえば、**"ABC"**は、3個の文字**'A'**と**'B'**と**'C'**の並びを表します。

なお、"と"のあいだに文字がなくても構いません。文字が1個もない**""**は、0個の文字で構成される、空の文字列リテラルです。

▶ 3個の二重引用符**"""**で囲む形式のテキストブロックと呼ばれる文字列が、Java 15から正式導入される予定です。

### ▪ String型の変数

String型の変数で文字列を表す方法は、第2章で学習しました（p.41）。たとえば、次に示すのが、初期化を伴う宣言の例です。

```
String s = "ABC";
```

**String**型は、基本型（**int**や**double**などの組込み型）ではなく、**java.lang**パッケージに所属する**クラス**であり、その完全限定名は**java.lang.String**です。

▶ **String**をインポートすることなく単純名で利用できるのは、この型が、**java.lang**パッケージに所属するクラスだからです（p.323）。

## Stringクラス

復習が終わりましたので、文字列について詳しく学習していきましょう。まず最初に学習するのは、次のことです。

> **重要** 文字列リテラルは、Stringクラス型の**インスタンス**であり、評価によって得られるのは、そのインスタンスへの**参照**である。

すなわち、文字列リテラルは、（**String**クラス型として明示的に宣言していないにもかかわらず）、**String**クラス型のインスタンスとして、暗黙裏に生成されるのです。

▶ stringは、『糸』『ひも』『一隊』『一列』といった意味の語句です。

左ページに示した**String**クラス型の変数*s*を例に、考えていきましょう。この変数に与えられている初期化子は、文字列リテラル**"ABC"**です。その《文字列リテラル**"ABC"**》のイメージを表したのが、**Fig.16-1** ⓐの右側の図です。

これは、『文字の並びを配列として内部にもつ、**String**クラス型のインスタンス』であって、次のデータ（フィールド）が含まれています。

---

**final char[]**型の配列（先頭から順に文字**'A'**, **'B'**, **'C'**が格納されている）

---

もちろん、この配列は、非公開です。この他にも、ハッシュ用のフィールド、コンストラクタ、メソッドなどが含まれています。

このインスタンスを参照するように、変数*s*は初期化されます。変数*s*の参照先が、単なる『文字の並び』ではなく、**String**クラス型のインスタンスであることが分かりました。

```
String s = "ABC";
```

ⓐ Stringクラス型の変数とインスタンス

文字列リテラル"ABC"
"ABC"
s
参照
ABC
文字の配列（private final char[]）

ⓑ Stringクラス型の変数とインスタンスの概略図

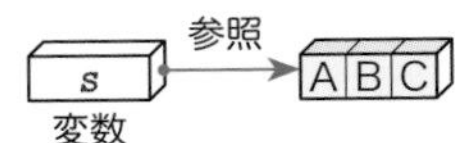


**Fig.16-1　String クラス型の変数とインスタンス**

スペース節約のために、本章のこれ以降では、図ⓑのように、クラス型変数とインスタンスの両方を、単なる**箱**で表記します。

▶ また、『文字列リテラルを参照する』という表現を使うことがあります。もちろん、この表現は、『その文字列を内部に含んでいる**String**クラス型インスタンスを参照する』を簡略化したものです。

＊

さて、変数*s*は、クラス型であるにもかかわらず、明示的に**new**演算子でインスタンスを生成していません。このようなことが行えるのは、**String**クラス型に特権が与えられているからです。

▶ 明示的にコンストラクタを呼び出すこともできます（p.461）。

### String クラス型変数の参照先

それでは、**String** クラス型の変数が、何も参照していない、あるいは、空の文字列を参照していると、どうなるでしょうか。**List 16-2** のプログラムで検証します。

**List 16-2** chap16/StringTester.java

```
// 空参照と空文字列

class StringTester {

  public static void main(String[] args) {
    String s1 = null;    // 空参照（何も参照しない）
    String s2 = "";      // ""を参照

    System.out.println("文字列s1 = " + s1);
    System.out.println("文字列s2 = " + s2);
  }
}
```

実行結果

```
文字列s1 : null
文字列s2 :
```

本プログラムでは、二つの **String** クラス型変数 ***s1*** と ***s2*** が宣言されています。

#### ■ s1 … null（空参照）

変数 ***s1*** は **null** で初期化されています（**Fig.16-2** ⓐ）。空リテラルと呼ばれる **null** は、何も参照しない空参照です。

▶ 空参照を出力すると「**null**」と表示されることや、本書では空参照を黒い箱で表すことなどを、p.179 で学習しました。

ⓐ `String s1 = null;`

s1

#### ■ s2 … 空の文字列を参照する

変数 ***s2*** は、文字が1個もない文字列 **""**、すなわち、構成文字が 0 個の文字列を参照するように初期化されています（図ⓑ）。

実行結果からも分かるように、空の文字列を表示しても、何も表示されません。

ⓑ `String s2 = "";`

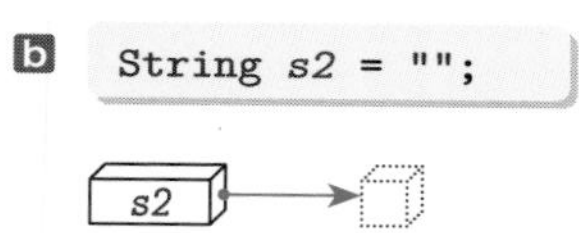


**Fig.16-2　空参照と空の文字列**

**Column 16-3　空参照と空の文字列の違い**

空参照 ***s1*** と、空の文字列を参照する ***s2*** の違いは、この後で学習する、文字列の長さ（文字数）を取得する **String#length** メソッドを呼び出すことによって、簡単に確認できます。

```
System.out.println("文字列s1の長さ = " + s1.length());     // 実行時エラー
```

を実行すると、“**java.lang.NullPointerException**”という**実行時エラー**が発生します。参照先がなければ、文字列の長さを調べられないのは、当然のことです。なお、

```
System.out.println("文字列s2の長さ = " + s2.length());     // ＯＫ
```

を実行すると、『文字列 **s2** の長さ **= 0**』と表示されます。

※『**クラス名 # メソッド名**』は、**インスタンスメソッド**の解説上の表記です（p.301）。

### ▪ 文字列リテラルの代入（参照先の変更）

ある文字列リテラルを参照しているStringクラス型変数に、別の文字列リテラルを代入すると、どうなるでしょうか。**List 16-3** のプログラムで検証しましょう。

**List 16-3** chap16/AssignString.java

```
// 文字列の代入（参照先の変更）

class AssignString {

  public static void main(String[] args) {
    String s1 = "ABC";     // "ABC"を参照
    String s2 = "XYZ";     // "XYZ"を参照

    s1 = "XYZ";            // "XYZ"を参照                              ―1
    System.out.println("文字列s1 = " + s1);
    System.out.println("文字列s2 = " + s2);
    System.out.println("s1とs2は同じ文字列リテラルを参照" +           ―2
                 ((s1 == s2) ? "している。" : "していない。"));
  }
}
```

実行結果

```
文字列s1 = XYZ
文字列s2 = XYZ
s1とs2は同じ文字列リテラル
を参照している。
```

mainメソッドの冒頭で、変数*s1*は"ABC"を、変数*s2*は"XYZ"を参照するように初期化されています（**Fig.16-3 a**）。それ以降の部分を理解していきましょう。

**1** まず*s1*に"XYZ"を代入して、それから*s1*を表示します。実行結果から、代入後の*s1*の参照先文字列が、"XYZ"であることが分かります。

**2** ここでは、*s1*と*s2*の等価性を判定・表示しています。式*s1* == *s2*を評価した値がtrueであることが、実行結果から確認できます。

さて、**1**の代入によって、文字列の中身が"ABC"から"XYZ"に書きかえられたように見えますが、実は、そうではありません。

代入後の*s1*と*s2*を示したのが図**b**です。この図は、*s1*の参照する**文字列の中身が"XYZ"に変更されたのではなく、"XYZ"への参照が*s1*に代入されたことを示しています。**

代入後の変数*s1*は、もともと*s2*が参照していた"XYZ"を参照することになります。そのため、**2**では、二つの変数*s1*と*s2*の参照先が等価と判断されるのです。

▶ 代入によってコピーされるのが、参照先であることは、配列（p.174）でも、クラス（p.267）でも確認していました。なお、文字列リテラル"ABC"はどこからも参照されなくなってしまいます。

代入によって同一の文字列リテラルを参照するようになる

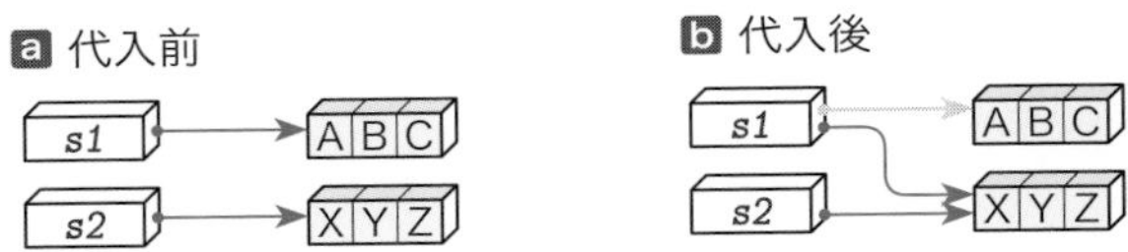


**Fig.16-3 文字列への参照の代入**

### キーボードからの読込み

キーボードから文字列を読み込む方法は、第2章で学習しました。たとえば、次のように行うのでした。

```
System.out.print("お名前は：");
String s1 = stdIn.next();          // 文字列を読み込む

System.out.print("お名前は：");
String s2 = stdIn.nextLine();      // 1行分の文字列を読み込む
```

```
お名前は：福岡 太郎⏎
こんにちは福岡さん。
お名前は：福岡 太郎⏎
こんにちは福岡 太郎さん。
```

**next()** によるキーボードからの読込みでは、空白文字やタブ文字が、文字列の区切りとみなされます。そのため、途中にスペース文字を入れて入力する実行例では、**"福岡"** のみが *s1* に読み込まれます。

スペースも含めた1行分の入力を文字列として読み込む際に利用するのが、**nextLine()** でした。

*

さて、**next** メソッドと **nextLine** メソッドは、キーボードから読み込んだ文字列を内部にもつ **String** クラス型インスタンスを**新しく生成して、そのインスタンスへの参照を返却します。**

つまり、読み込んだ文字列を格納した **String** 型のインスタンスが暗黙裏に新しく生成されて、その参照が返却されるわけです。変数 ***s1*** と ***s2*** は、その参照で初期化されます。

> **重要** *Scanner* クラスの **next** メソッドと **nextLine** メソッドは、キーボードから読み込んだ文字列を内部にもつ **String** クラス型のインスタンスを**生成**して、そのインスタンスへの参照を返却する。

コンストラクタを明示的に呼び出すことなく **String** クラス型の文字列を利用できたのは、**next** メソッドと **nextLine** メソッドが、インスタンスを生成していたおかげでした。



### Column 16-4 文字列の表示とString#toStringメソッド

次のコードを考えましょう（変数 *s* は、**String** クラス型の変数であるとします）。

```
System.out.println("文字列s = " + s);
```

変数 *s* は**クラス型変数**ですから、式 *s* の評価で得られるのは、**参照先**です。変数名 *s* のみを記述するだけで、**『参照先』**ではなく、**『文字列の中身』**が表示されるのは、どうしてでしょうか。

文字列とクラス型変数を **+** 演算子で結ぶと、クラス型変数に対して **toString** メソッドが呼び出された上で連結されること（p.281）を思い出しましょう。実は、**String** クラスの **toString** メソッドは、自身のインスタンスが保有している文字列を返します。

上記のコードで文字列が表示されるのは、暗黙の内に呼び出される **toString** メソッドが、**String** 型の文字列を返すからです。

当然、上のプログラムの *s* を *s*.**toString()** に変更して、次のようにしても同じ結果が得られます。

```
System.out.println("文字列s = " + s.toString());
```

## Column 16-5 同じ綴りの文字列リテラルとインターン

文字列について、次のような規則があります。

① 同じ綴りの文字列リテラルは、同一の String 型インスタンスへの参照となる。
② 定数式によって生成される文字列は、コンパイル時に計算され、リテラルのように扱われる。
③ 実行時に生成される文字列は、新規に生成されるものであり、異なったものとして扱われる。
④ 実行時に生成される文字列を明示的にインターン（intern）すると、その結果は同じ内容を保有している既存の文字列リテラルと同じ文字列になる。

まずは、規則①と②に着目しましょう。同じ綴りの文字列リテラルは、**同じインスタンス**となることが分かります。このことは、次のコードで検証できます（"chap16/StringLiteral.java"）。

```
String s1 = "ABC"
String s2 = "ABC";

if (s1 == s2) // 参照先を比較
  System.out.println("s1とs2は同じ文字列を参照。");
else
  System.out.println("s1とs2は違う文字列を参照。");
```

s1とs2は同じ文字列を参照。

s1 s2 ABC

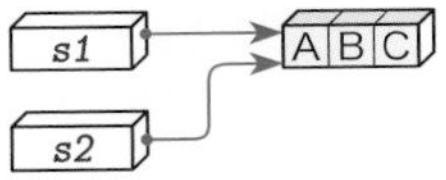

**Fig.16C-1 文字列リテラル**

文字列リテラル "ABC" は、コード中で2回使われていますが、作られるインスタンスは1個です。

そのため、Fig.16C-1 に示すように、変数 *s1* と *s2* は同一インスタンスを参照することになります。

次は、規則③と④に注目します。実行時に生成した文字列は、たとえ同じ綴りであっても、別個に作られるものの、**インターン**という作業によって同じ文字列へと集約化される、ということです。

インターンを行うのは、String クラスの intern メソッドです。このメソッドを使って検証しましょう。それが、次のコードです（"chap16/StringIntern.java"）。

```
String s  = "DEF";
String s1 = "ABC" + s;
String s2 = "ABC" + s;

System.out.println("s1 : " + s1);
System.out.println("s2 : " + s2);

if (s1 == s2)                              // a
  System.out.println("s1 == s2 です。");
else
  System.out.println("s1 != s2 です。");

s1 = s1.intern();
s2 = s2.intern();

if (s1 == s2)                              // b
  System.out.println("s1 == s2 です。");
else
  System.out.println("s1 != s2 です。");
```

```
s1 : ABCDEF
s2 : ABCDEF
a s1 != s2 です。
b s1 == s2 です。
```

a インターン前

s1 ABCDEF
s2 ABCDEF

b インターン後

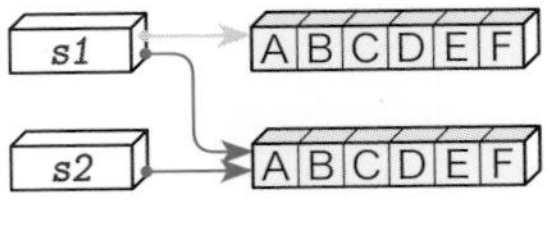

s1 ABCDEF
s2 ABCDEF

**Fig.16C-2 文字列のインターン**

生成された *s1* と *s2* は、いずれも "ABCDEF" です。同一の綴りですが、実行時に生成されているため、別個のインスタンスです（Fig.16C-2 a）。

網かけ部ではインターンを行っています。そのため、同一の綴りの文字列が一つのインスタンスへと集約化される結果、*s1* と *s2* の参照先は同じものとなります（図b）。

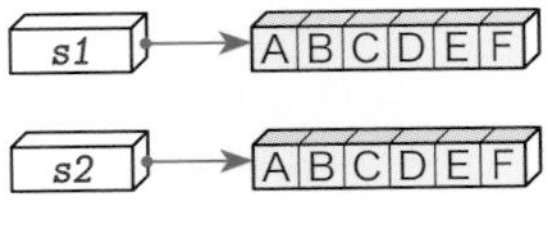

## コンストラクタ

これまでのプログラムでは、**String** 型の文字列を、コンストラクタを明示的に呼び出すことなく使ってきました。**String** はクラスですから、当然コンストラクタが提供されています。

**Table 16-2** に示すのが、**String** クラスのコンストラクタの概要です。数多くのコンストラクタが多重定義されています。

**Table 16-2　String クラスのコンストラクタ**

| |
|---|
| ① String() |
| 空の文字列を表す、新しい String を構築する。 |
| ② String(byte[] *bytes*) |
| プラットフォームのデフォルトの文字セットを使用して、バイト配列 *bytes* を復号化することによって、新しい String を構築する。 |
| ③ String(byte[] *bytes*, *Charset charset*) |
| 文字セット *charset* を使用して、バイト配列 *bytes* を復号化することによって、新しい String を構築する。 |
| ④ String(byte[] *bytes*, int *offset*, int *length*) |
| プラットフォームのデフォルトの文字セットを使用して、バイト配列 *bytes* の部分配列を復号化することによって、新しい String を構築する。 |
| ⑤ String(byte[] *bytes*, int *offset*, int *length*, *Charset charset*) |
| 文字セット *charset* を使用して、バイト配列 *bytes* の部分配列を復号化することによって、新しい String を構築する。 |
| ⑥ String(byte[] *bytes*, int *offset*, int *length*, String *charsetName*) |
| 文字セット *charsetName* を使用して、バイト配列 *bytes* の部分配列を復号化することによって、新しい String を構築する。 |
| ⑦ String(byte[] *bytes*, String *charsetName*) |
| 文字セット*charsetName*を使用して、バイト配列 *bytes* を復号化することによって、新しい String を構築する。 |
| ⑧ String(char[] *value*) |
| 文字配列 *value* に含まれている文字列を表す、新しい String を構築する。 |
| ⑨ String(char[] *value*, int *offset*, int *count*) |
| 文字配列 *value* の部分配列からなる文字列を表す、新しい String を構築する。 |
| ⑩ String(int[] *codePoints*, int *offset*, int *count*) |
| Unicode コードポイント配列 *codePoints* の部分配列からなる文字列を表す、新しい String を構築する。 |
| ⑪ String(String *original*) |
| 文字列 *original* と同じ綴りの文字列をもつ、新しい String を構築する。 |
| ⑫ String(StringBuffer *buffer*) |
| 文字列バッファ *buffer* に含まれている文字列をもつ、新しい String を構築する。 |
| ⑬ String(StringBuilder *builder*) |
| 文字列ビルダ *builder* に含まれている文字列をもつ、新しい String を構築する。 |

▶　本表には、本書で学習しない用語なども含まれています。本表の解説は概略ですから、各コンストラクタの詳細は、API のドキュメントを参照するようにしましょう。なお、この表では、“利用が推奨されない”コンストラクタは省略しています。

コンストラクタを明示的に呼び出して、文字列を生成してみましょう。**List 16-4** に示すのが、そのプログラム例です。

**List 16-4** chap16/StringConstructor.java

```
// String型コンストラクタによる文字列の生成

class StringConstructor {

  public static void main(String[] args) {
    char[] c = {'A', 'B', 'C', 'D', 'E', 'F', 'G', 'H', 'I', 'J'};
    String s1 = new String();          // String()
    String s2 = new String(c);         // String(char[])
    String s3 = new String(c, 5, 3);   // String(char[], int, int)
    String s4 = new String("XYZ");     // String(String)
    System.out.println("s1 = " + s1);
    System.out.println("s2 = " + s2);
    System.out.println("s3 = " + s3);
    System.out.println("s4 = " + s4);
  }
}
```

実行結果

```
s1 = 
s2 = ABCDEFGHIJ
s3 = FGH
s4 = XYZ
```

本プログラムには、４個の **String** 型変数があり、それぞれ異なった形式のコンストラクタで文字列を生成しています。

■ 変数 s1 … コンストラクタ ①

0 個の文字で構成される、空の文字列を生成しています（空の文字列であって、空参照ではないことに注意しましょう）。

■ 変数 s2 … コンストラクタ ⑧

**char** 型の配列 *c* に含まれるすべての文字 **'A'**, **'B'**, …, **'J'** をもとにして、文字列を生成しています。*s2* が参照する文字列は、**"ABCDEFGHIJ"** です。

■ 変数 s3 … コンストラクタ ⑨

**char** 型の配列 *c* 中の *c*[5] を先頭とする３文字の文字 **'F'**, **'G'**, **'H'** をもとに文字列を生成しています。*s3* が参照する文字列は、**"FGH"** です。

■ 変数 s4 … コンストラクタ ⑪

ここで利用しているコンストラクタは、コピーコンストラクタ（p.277）です。文字列リテラル **"XYZ"** をもとにして、同じ綴りの文字列を新しく生成します。

▶ **Column 16-5**（p.459）の規則③により、実行時に生成する文字列は、たとえ同じ綴りであっても、新しいインスタンスとして作られます。

次の二つは、まったく異なりますので、注意しましょう（**"chap16/StringNew.java"**）。

```
String x = "ABC";                // xは文字列リテラル"ABC"用インスタンスを参照
String y = new String("ABC");    // yは新しく作られるインスタンスを参照
```

## メソッド

String クラスでは、数多くのメソッドが提供されます。プログラムを作りながら、基礎的なメソッドを学習していきましょう。まずは、文字列内の**個々の文字**を扱うプログラムを作ります。

**List 16-5** に示すのは、読み込んだ文字列内の文字を、先頭から1文字ずつ走査して、それを順に表示するプログラムです。

**List 16-5** chap16/ScanString.java

```
// 文字列を１文字ずつ走査して表示

import java.util.Scanner;

class ScanString {

  public static void main(String[] args) {
    Scanner stdIn = new Scanner(System.in);

    System.out.print("文字列s：");
    String s = stdIn.next();

    for (int i = 0; i < s.length(); i++)
      System.out.println("s[" + i + "] = " + s.charAt(i));
  }
}
```

文字列の長さ（s.length()）

先頭からi個後ろの文字（s.charAt(i)）

実行例

```
文字列s：AB漢字⏎
s[0] = A
s[1] = B
s[2] = 漢
s[3] = 字
```

### String#length メソッド … 文字列の長さの取得

文字列の長さ、すなわち、文字列に含まれている文字数を調べるメソッドです。引数を受け取らない仕様であって、次の形式で呼び出します（**Fig.16-4**）。

```
変数名.length()
```

このメソッドは、文字列の長さを int 型の値として返却します。

▶ 配列の要素数を取得する式“**配列名.length**”とは、まったく異なります。
配列の length の後に () が不要なのは、length が、クラスでいうところの、メソッドではなく、final int 型のフィールドに相当するからです（p.373）。

### String#charAt メソッド … 文字列内の任意の文字の取出し

文字列中の任意の位置の文字を取得するのが charAt メソッドです。インデックスが *n* の文字を取得するのは、次の式です。

```
変数名.charAt(n)
```

返却値の型は、もちろん char 型です。

▶ 配列のインデックスと同様に、先頭を 0 番目として数えます。そのため、『文字列内の *n* 番目の文字』というよりも、『先頭から *n* 個後ろの文字』と表現したほうが正確です。

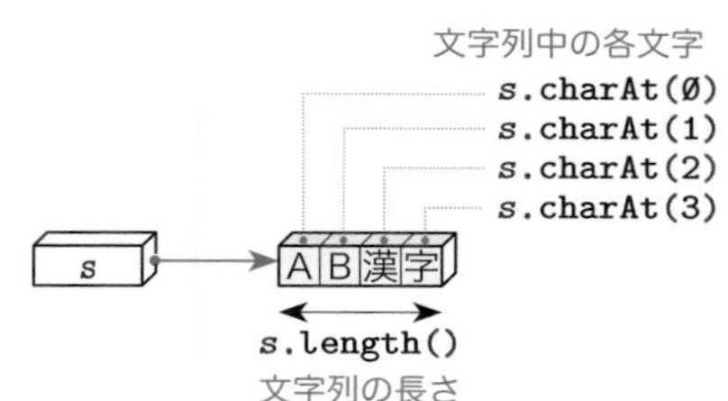


**Fig.16-4　文字列の長さと任意の文字**

### String#substring メソッド … 部分文字列の取出し

**List 16-6** に示すのは、読み込んだ文字列から、任意の**部分文字列**を取り出して表示するプログラムです。

**List 16-6** chap16/Substring.java

```
// 部分文字列の取出し

import java.util.Scanner;

class Substring {

  public static void main(String[] args) {
    Scanner stdIn = new Scanner(System.in);

    System.out.print("文字列s : ");  String s = stdIn.next();
    System.out.print("開始インデックスbegin : ");  int begin = stdIn.nextInt();
    System.out.print("終了インデックスend   : ");  int end = stdIn.nextInt();

    System.out.println("s.substring(begin)      = " + s.substring(begin));
    System.out.println("s.substring(begin, end) = " + s.substring(begin, end));
  }
}
```

実行例

```
文字列s : ABCDEFGHIJ⏎
開始インデックスbegin : 5⏎
終了インデックスend   : 8⏎
s.substring(begin)      = FGHIJ
s.substring(begin, end) = FGH
```

2箇所の網かけ部で呼び出しているのが、文字列中の指定された位置の部分文字列を返却するメソッド **substring** です。

受け取る引数が1個のものと、2個のものが多重定義されています。

**変数名** .substring(***begin***)

**変数名** .substring(***begin***, ***end***)

前者が返却するのは、インデックスが ***begin*** の文字から、末尾までの文字列です。そのため、実行例の場合、**s.substring(*begin*)** は、文字列 **"FGHIJ"** を返却します（**Fig.16-5**）。

後者が返却するのは、インデックスが ***begin*** の文字から、インデックスが ***end*** の直前の文字までの文字列です。そのため、実行例の場合、**s.substring(*begin*, *end*)** は、文字列 **"FGH"** を返却します。

もちろん、両者とも、返却するのは、**新しく生成した文字列用インスタンス**です。

▶ すなわち、前者では、文字列 **"FGHIJ"** を格納する **String** 型インスタンスを新しく生成して返却し、後者では、**"FGH"** を格納する **String** 型インスタンスを新しく生成して返却します。

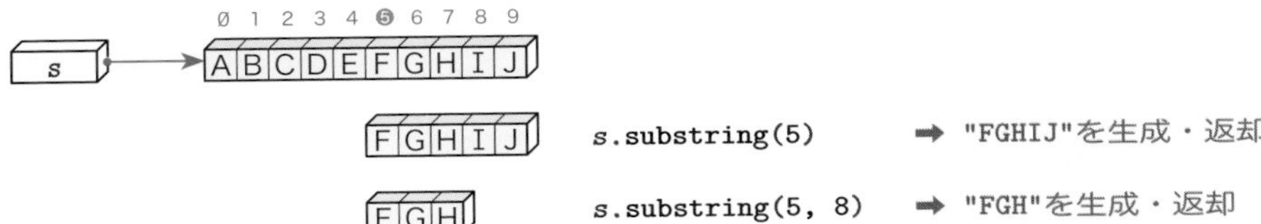


**Fig.16-5　文字列の長さと任意の文字**

16-2 文字列と String クラス

### String#indexOf メソッド … 文字列からの文字列の探索

次は、文字列の中に、別の文字列が含まれるかどうかを調べます。**List 16-7** に示すのが、そのプログラムです。

**List 16-7** chap16/SearchString.java

```
// 文字列探索

import java.util.Scanner;

class SearchString {

  public static void main(String[] args) {
    Scanner stdIn = new Scanner(System.in);

    System.out.print("文字列s1 : ");  String s1 = stdIn.next();
    System.out.print("文字列s2 : ");  String s2 = stdIn.next();

    int idx = s1.indexOf(s2);              // s1 に s2 は含まれるか
    if (idx == -1)
      System.out.println("s1中にs2は含まれません。");
    else
      System.out.println("s1の" + (idx + 1) + "文字目にs2が含まれます。");
  }
}
```

実行例

```
文字列s1 : ABCDEFGHIJ⏎
文字列s2 : EFG⏎
s1の5文字目にs2が含まれます。
```

このプログラムで利用している **indexOf** メソッドは、引数として受け取った文字列が、内部に含まれているかどうかを調べるメソッドです。

含まれなければ **-1** を返し、含まれていれば、その位置のインデックスを返します。

**変数名** .indexOf(*s*)

実行例の場合、**Fig.16-6** に示すように、文字列 **"EFG"** は、文字列 **"ABCDEFGHIJ"** のインデックス **4** の位置を先頭にして含まれますので、このメソッドは **4** を返却します（ただし、表示の際は、人間向けに **1** を加えた **5** としています）。

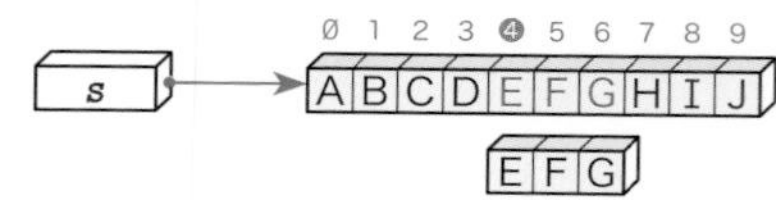


**Fig.16-6　文字列の探索**

▶ 次の形式のメソッドも提供されます。

**変数名** .indexOf(*s*, *begin*)

この形式のメソッドは、探索を開始するインデックスが、***begin*** となる点が異なります。さらに、探索を末尾側から行う **lastIndexOf** メソッドも提供されます（**Fig.16-8**："**chap16/IndexOf.java**"）。

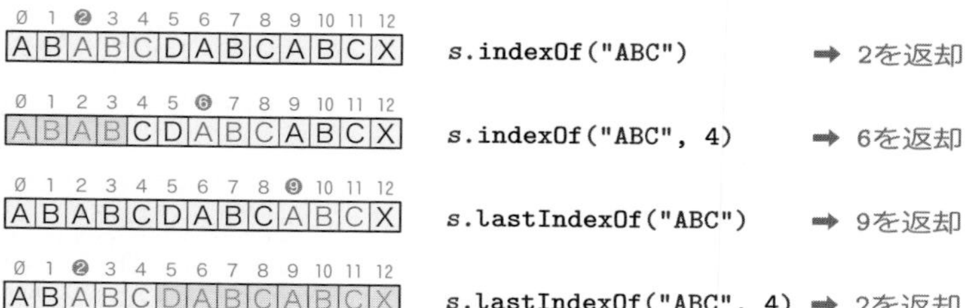


**Fig.16-7　文字列の探索**

### String.format メソッド … 書式化された文字列の返却

String.format メソッドが、printf メソッドの出力先をコンソール画面から文字列に変更したメソッドであることを第４章で学習し（**Column 4-6**：p.123）、第９章の日付クラスでも利用しました（p.278）。

このメソッドは、String クラスの**静的メソッド**であり、インスタンスに対して起動するものではありません。すでに学習したように、呼出しの形式は String.format(...) です。

呼び出されたメソッドは、書式化を行った文字列を生成した上で返却します。たとえば、

```
String.format("%5d", 123)
```

と呼び出された format メソッドは、文字列 "  123" を生成して返却します。

**Column 16-6** **補助文字の取扱い**

**Column 16-1** で学習したように、16 ビットでは表現できない**補助文字**は、記憶域上に2文字分の領域を使って格納されます。そのため、補助文字を含む文字列に対して、length メソッドや charAt メソッドを適用しても、期待する結果は得られません。

プログラムで確認しましょう（"chap16/SurrogatePair1.java"）。

```
String s = "ABC𠮷𠀋𡈽XYZ";
System.out.println("s.length() = " + s.length());
for (int i = 0; i < s.length(); i++)
  System.out.print(s.charAt(i) + " ");
```

```
s.length() = 12
A B C ? ? ? ? ? ? X Y Z
```

文字列 s に含まれる3個の漢字は、いずれも補助文字であって、32 ビット（2個の char）を使って表される文字です。length メソッドと charAt メソッドの動作が期待するものではないことは、実行結果から、一目瞭然です。

これらのメソッドの代わりに使うのが、codePointCount メソッドと、codePointAt メソッドです。

codePointCount メソッドは、第１引数のインデックスから第２引数のインデックスの直前までの範囲の Unicode のコードポイント（**文字集合内での位置**）の個数を返却します。また、codePointAt メソッドは、指定されたインデックスの Unicode コードポイントを int 型で返却します。

codePointCount メソッドを利用して、先ほどのプログラムを書きかえたのが、次に示すプログラムです（"chap16/SurrogatePair2.java"）。

```
String s = "ABC𠮷𠀋𡈽XYZ";
int len = s.codePointCount(0, s.length());
System.out.println("文字数 = " + len);
for (int i = 0; i < len; i++)
  System.out.print(s.substring(
                    s.offsetByCodePoints(0, i), s.offsetByCodePoints(0, i + 1)
                  ) + " ");
```

```
文字数 = 9
A B C 𠮷 𠀋 𡈽 X Y Z
```

ここでは、offsetByCodePoints というメソッドを利用しています。この API を調べて、解読にチャレンジしてみましょう。

## 文字列の等価性の判定

次は、文字列が等しいかどうかの判定を行います。**List 16-8** がそのプログラム例です。判定を `equals` メソッドで行っています。

**List 16-8** chap16/CompareString1.java

```
// 文字列の比較

import java.util.Scanner;

class CompareString1 {

  public static void main(String[] args) {
    Scanner stdIn = new Scanner(System.in);

    System.out.print("文字列s1 : ");  String s1 = stdIn.next();
    System.out.print("文字列s2 : ");  String s2 = stdIn.next();

    if (s1 == s2)                                       // 参照先の比較
      System.out.println("s1 == s2 です。");            // 実行されない。
    else
      System.out.println("s1 != s2 です。");            // 必ず実行される。

    if (s1.equals(s2))                                  // 文字列の比較
      System.out.println("s1とs2の中身は等しい。");
    else
      System.out.println("s1とs2の中身は等しくない。");
  }
}
```

実行例

```
文字列s1 : ABC⏎
文字列s2 : ABC⏎
s1 != s2です。
s1とs2の中身は等しい。
```

実行例では、*s1* と *s2* の両方に文字列 `"ABC"` が入力されています。各インスタンスは個別に生成されますので、**Fig.16-8** に示すように、異なる文字列インスタンスを参照します。

そのため、*s1* == *s2* の判定は、*s1* と *s2* に対して、たとえ同じ綴りの文字列が入力されたとしても、必ず `false` となります。

▶ 同じ綴りの文字列がインスタンスを共有するのは、文字列リテラルおよび定数式に限られます。コンストラクタなどで新しく文字列を生成した場合は、そのたびに新しいインスタンスが生成されます（p.458 でも学習したように、キーボードからの読込みの場合も同様です）。

### String#equals メソッド … 他の文字列と等しいかを調べる

引数に受け取った文字列と等しいか（文字列のすべての文字が等しいか）どうかを調べるのが `equals` メソッドです。次の形式で呼び出します。

```
変数名 . equals(s)
```

文字列が `s` と等しければ `true`、等しくなければ `false` が返却されます。

▶ `String` 型のメソッド `equals` は、`Object` クラスの `equals` メソッド（**Column 12-5**：p.372）をオーバライドしたメソッドです。

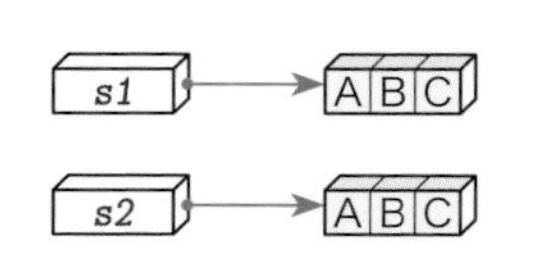


**Fig.16-8　別々に生成された文字列**

## 文字列の大小関係の判定

次は、文字列の大小関係の判定を行います。**List 16-9** がそのプログラム例です。

**List 16-9** chap16/CompareString2.java

```
// 文字列の大小関係の判定

import java.util.Scanner;

class CompareString2 {

  public static void main(String[] args) {
    Scanner stdIn = new Scanner(System.in);

    System.out.print("文字列s1："); String s1 = stdIn.next();
    System.out.print("文字列s2："); String s2 = stdIn.next();

    int comp = s1.compareTo(s2);
    if (comp < 0)
      System.out.println("s1 < s2です。");
    else if (comp > 0)
      System.out.println("s1 > s2です。");
    else
      System.out.println("s1 == s2です。");
  }
}
```

実行例

```
文字列s1：ABC⏎
文字列s2：XYZ⏎
s1 < s2です。
```

*s1* と *s2* は参照ですから、`<`, `<=`, `>`, `>=` などの関係演算子での比較は行えません。大小関係（辞書順で並べたときの前後関係）を調べるときに利用するのが、`compareTo` メソッドです。



### String#compareTo メソッド … 他の文字列との比較（大小関係の判定）を行う

引数に受け取った文字列との比較（大小関係の判定）を行うのが `compareTo` メソッドです。

**変数名** `.compareTo(s)`

文字列と **s** との比較を行います。その比較は、いわゆる《辞書の順序》に基づいて行われます。たとえば、`"ABC"` は、`"XYZ"` よりも**前**に位置するため、**小さい**と判定されます。

返却される値は、次のとおりです。

文字列が **s** よりも小さければ：負の整数値
文字列が **s** よりも大きければ：正の整数値
文字列が **s** と等しければ　　：`0`

▶ 文字列の比較（大小関係の判定）は、先頭文字から順に文字コードを比較していき、それが同じであれば、次の文字を比較する、という手順の繰返しで行われます。もちろん、いずれかの文字コードのほうが大きければ、そちらの文字列のほうが大きいと判定されます。

たとえば、`"ABCD"` と `"ABCE"` だと、４文字目まで比較が進んだ段階で、後者のほうが大きいと判定されます。なお、`"ABC"` と `"ABCD"` のように、先頭側の３文字が同一で、一方の文字数が多い場合は、文字数の多いほうの文字列が大きいと判定されます。

## Column 16-7　StringBuilder クラス

**String** クラスのインスタンスに含まれる文字列は変更できません。このような、生成時に決められた**状態**＝**フィールドの値**を変更できないインスタンスは、**変更不能**＝**イミュータブル**（immutable）と呼ばれます。**String** クラスは、イミュータブルな型の代表ともいえるクラスです。

**String** クラスの文字列の更新を行うと、別のインスタンスが新しく生成され、それを参照するように更新されることは、本文で学習したとおりです。

状態を変更できる**変更可能**＝**ミュータブル**（mutable）な文字列を効率よく実現するのが、**文字列ビルダ**を表す **StringBuilder** クラスです（**java.lang** パッケージに所属するクラスです）。いったん生成された文字列に対して、追加や置換などの処理を、高速かつ自由に行えることが特徴です。

ここでは、**StringBuilder** クラスの主要なコンストラクタとメソッドを学習します。

### ■ コンストラクタ

文字列ビルダのインスタンスを構築するには、（**String** クラスとは異なり）コンストラクタの明示的な呼出しが必要です。

引数なしのコンストラクタでインスタンス化すると、空の文字列を格納する、バッファ容量 16 の文字列ビルダが構築されます（**Fig.16C-3 a**）。

```
StringBuilder s1 = new StringBuilder();
```

整数値を与えるコンストラクタでインスタンス化すると、空の文字列を格納する、指定された容量の文字列ビルダが構築されます（図**b**）。

```
StringBuilder s2 = new StringBuilder(12);
```

文字列を与えるコンストラクタでインスタンス化すると、その文字列を格納する、文字列の長さに 16 を加えた容量の文字列ビルダが構築されます（図**c**）。

```
StringBuilder s3 = new StringBuilder("ABC");
```

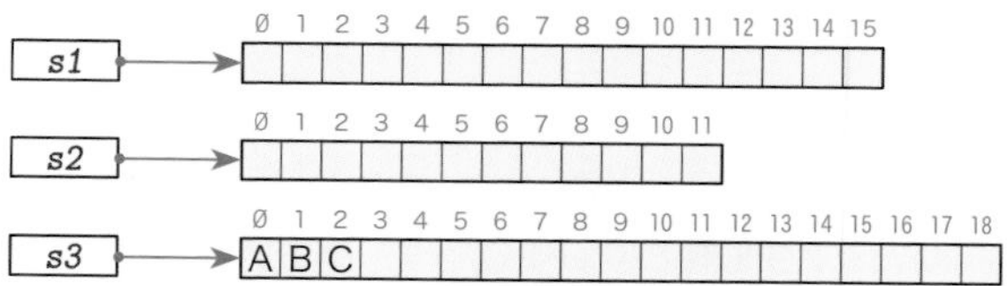


**Fig.16C-3　StringBuilder インスタンスの構築**

図に示すように、文字列ビルダは、文字列を格納する**バッファ領域**が、あらかじめ（少し多めに）確保されます。文字列の更新などによって文字列の長さが変わっても、領域内で収まる限りは、このバッファが使い回される仕組みです。プログラムの実行中に、頻繁に変更する文字列は、**String** 型ではなく、**StringBuilder** クラス型を使うのが基本である、と考えてよいでしょう。

ちなみに、**StringBuffer** というクラスが、Java の初期の頃から提供されていました。マルチスレッド（一つのプログラム中で複数の処理を同時並行的に行うこと）に対応できる、という長所が、そのまま効率の低下につながっていました。そのため、『マルチスレッドに対応しないかわりに高効率』という特徴が与えられた **StringBuilder** クラスが、Java 5 で導入されました。

■ メソッド

数多くのメソッドが提供されます。代表的なものを学習しましょう。

■ 末尾への追加：**append** メソッド

引数に渡された値を、末尾に追加するメソッドです。

先ほどの *s3* への追加を行ってみます。

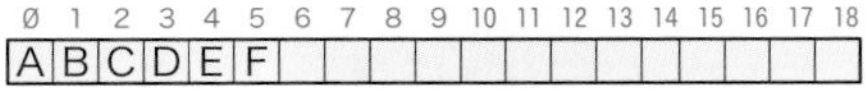

| 0 | 1 | 2 | 3 | 4 | 5 | 6 | 7 | 8 | 9 | 10 | 11 | 12 | 13 | 14 | 15 | 16 | 17 | 18 |
|---|---|---|---|---|---|---|---|---|---|---|---|---|---|---|---|---|---|---|
| A | B | C | D | E | F | | | | | | | | | | | | | |

```
s3.append("DEF");
```

文字列 **"ABC"** の後ろに **"DEF"** が追加される結果、**"ABCDEF"** となります（バッファの容量は、19 のままです）。

なお、追加できるのは、**String** 型の文字列に限りません。文字列ビルダ、数値（整数値および浮動小数点数値）、論理値、文字、文字の配列、クラス型インスタンスの追加が可能です。このとき、数値や論理値は、文字列に変換されて追加されますし、クラス型インスタンスは、**toString** メソッドによって返却される文字列が追加されます。

■ 任意の位置への挿入：**insert** メソッド

第1引数の位置に、第2引数を挿入するメソッドです。*s3* への挿入を行ってみます。

| 0 | 1 | 2 | 3 | 4 | 5 | 6 | 7 | 8 | 9 | 10 | 11 | 12 | 13 | 14 | 15 | 16 | 17 | 18 |
|---|---|---|---|---|---|---|---|---|---|---|---|---|---|---|---|---|---|---|
| A | B | C | D | 3 | . | 1 | 4 | E | F | | | | | | | | | |

```
s3.insert(4, 3.14);    // 3.14の文字列表現"3.14"を挿入
```

挿入できるのが、任意の型の値である点は、**append** メソッドと同様です。

■ 任意の範囲の削除：**delete** メソッド

第1引数のインデックスの位置の文字から、第2引数の直前のインデックスの位置の文字までを削除するメソッドです。

*s3* からの削除を行ってみます。

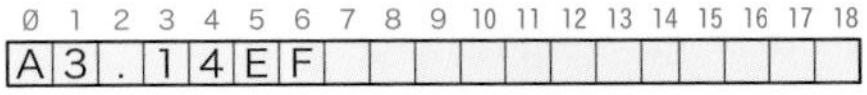

| 0 | 1 | 2 | 3 | 4 | 5 | 6 | 7 | 8 | 9 | 10 | 11 | 12 | 13 | 14 | 15 | 16 | 17 | 18 |
|---|---|---|---|---|---|---|---|---|---|---|---|---|---|---|---|---|---|---|
| A | 3 | . | 1 | 4 | E | F | | | | | | | | | | | | |

```
s3.delete(1, 4);       // インデックス1〜3の文字を削除
```

■ 容量と長さに関するメソッド：**capacity** メソッド／**length** メソッド

バッファの容量を返却するのが **capacity** メソッドで、文字列の長さ返却するのが **length** メソッドです。

※ ここまで学習してきた、コンストラクタとメソッドを呼び出すコードを含むソースプログラムは、**"chap16/StringBuilderTester.java"** です。

■ 文字列化：**toString** メソッド

おなじみの **toString** メソッドは、バッファに格納されている文字列を、"**String** 型の文字列"として返却します。

■ **String** 型と同等なメソッド

次のメソッドは、**String** と同等な機能をもっています。

**charAt**、**indexOf**、**lastIndexOF**、**codePointCount**、**codePointAt**、**offsetByCodePoints**

■ その他のメソッド

**setCharAt** メソッド：任意のインデックスの文字を書きかえます。

**replace** メソッド：文字列の一部を、他の文字列に置きかえます。

**reverse** メソッド：文字列の並びを反転します。

# 16-3 コマンドライン引数

同一型の変数が集まった配列は、第 6 章からずっと利用してきました。本節では、main メソッドが文字列の配列として受け取るコマンドライン引数について学習します。

## コマンドライン引数

Java のプログラムは、起動時に与えられた**コマンドライン引数**（command-line argument）を受け取れるようになっています。プログラムが起動して、**main** メソッドの実行が開始する直前に、コマンドライン引数が **main** メソッドに対して渡される、という仕組みです。

**List 16-10** に示すのが、受け取ったコマンドライン引数を表示するプログラムです。

**List 16-10** chap16/PrintArgs.java

```
// コマンドライン引数を表示する

class PrintArgs {

  public static void main(String[] args) {
    for (int i = 0; i < args.length; i++)
      System.out.println("args[" + i + "] = " + args[i]);
  }
}
```

まずは、プログラムの挙動を確認します。**Fig.16-9** に示すように、**java** コマンドによるクラス *PrintArgs* の**実行**に際して、3個のコマンドライン引数 **"Turbo"**, **"NA"**, **"DOHC"** を与えます。このとき、次のことが行われます。

① 文字列 **"Turbo"**, **"NA"**, **"DOHC"** 用の **String** 型インスタンスが、それぞれ作られる。
② それらのインスタンスへの参照を要素としてもつ、要素型が **String** 型で、要素数 **3** の配列が生成される。
③ 生成された配列への参照が、**main** メソッドの引数 ***args*** に渡される。

**main** メソッドの実行開始時には、これらの処理が完了しています。

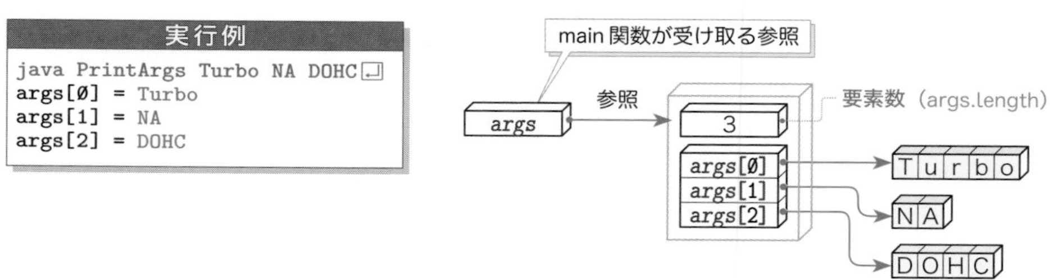


**Fig.16-9** コマンドライン引数

図に示すように、main メソッド内では、コマンドラインから与えられた個々の引数を、String 型の配列 args の要素として扱えます。

もちろん、コマンドライン引数の個数は、args.length によって取得できます（args が配列だからです。length() ではないことに注意しましょう）。

**重要** コマンドライン引数は、String[] 型の仮引数として main メソッドが受け取る。

▶ プログラム起動時にコマンドライン引数が与えられなかった場合、要素数が 0 の配列が生成され、その参照を受け取ります。

仮引数名を args とするのは、C言語の慣習にならったものです（C言語では、文字列の配列へのポインタ（参照）の仮引数名を argv とし、その個数を表す仮引数名を argc とするのが一般的です）。C言語でも Java でも、自分の好きな名前に変えられます。

## 文字列から数値への変換

原理が分かりましたので、実用的なプログラムを作りましょう。コマンドライン引数から与えられたすべての数値を加算して、その総和を表示するプログラムを **List 16-11** に示します。

**List 16-11** chap16/SumOfArgs.java

```
// コマンドライン引数で与えられたすべての数値を加算して表示

class SumOfArgs {

  public static void main(String[] args) {
    double sum = 0.0;
    for (int i = 0; i < args.length; i++)
      sum += Double.parseDouble(args[i]);
    System.out.println("合計は" + sum + "です。");
  }
}
```

実行例

```
java SumOfArgs 3.2 5.5
合計は8.7です。
```

for 文の繰返しでは、String 型のコマンドライン引数 args[i] を、double 型の実数に**変換**した上で、その値を変数 sum に**加算**しています。

文字列から実数への変換を行うのが網かけ部であり、次の形式です。

Double.parseDouble( **文字列** )

これは、Double クラスに所属するクラスメソッド parseDouble の呼出しです。引数として与えられた "123.5" や "52.5346" といった文字列を、double 型の数値としての 123.5 や 52.5346 に変換して返却します。

この他にも、次に示すメソッドがあります（**Column 16-8**：次ページ）。

Integer.parseInt( **文字列** )
Long.parseLong( **文字列** )

for 文による繰返しが終了すると、加算結果を表示します。

## Column 16-8 ラッパクラス

Character、Byte、Short、Integer、Long の各クラスで、char 型、byte 型、short 型、int 型、long 型で表現できる最小値と最大値が、MIN_VALUE および MAX_VALUE という名前のクラス変数として定義されていることを、第 10 章で学習しました（p.311）。

これらのクラスと、Boolean クラス、Float クラス、Double クラスとを合わせて、ラッパクラス（wrapper class）と呼びます。

包装することをラッピングというように、wrap は『包む』という意味の語句です。各型は、基本型と 1 対 1 で対応しており、対応する基本型の値をラップしています（対応表は **Table 16C-1**）。

**Table 16C-1 基本型とラッパクラス**

| 基本型 | ラッパクラス |
|---|---|
| byte | Byte |
| short | Short |
| int | Integer |
| long | Long |
| float | Float |
| double | Double |
| char | Character |
| boolean | Boolean |

ラッパクラスは、主として、三つの目的で用意されるクラスです。

### ① 基本型の特性をクラス変数として提供する

対応する基本型で表現できる最小値が MIN_VALUE、最大値が MAX_VALUE というクラス変数で提供されること（Boolean 型を除く）は、すでに学習しました。

この他にも、基本型が占有するビット数などを表すクラス変数がラッパクラス内で定義されています。

### ② 対応する基本型の値をもったクラス型インスタンスを生成できるようにする

各ラッパクラスは、対応する基本型の値をフィールドとしてもちます。たとえば、Integer クラスは int 型のフィールドを、Double クラスは double 型のフィールドをもっています。

各クラスには、対応する基本型の引数を受け取るコンストラクタが用意されています。それを使うと、ラッパクラス型のインスタンスの生成は、次のように行えます。

```
Integer i = new Integer(75);
Double d = new Double(3.14);
```

**Fig.16C-4** に示すように、クラス型変数 i は、参照型であって、Integer クラス型のインスタンスを参照します。そして、参照されているインスタンスの中に、基本型である int 型の値がラップされている（包まれている）という仕組みです。

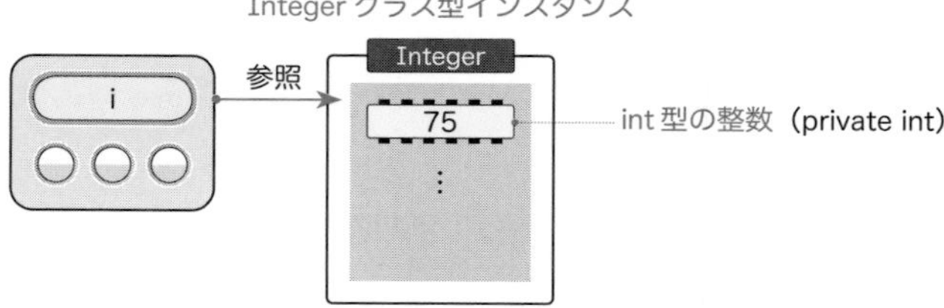


**Fig.16C-4 ラッパクラス型のインスタンス**

ラッパクラスを含めて、Java のクラスは、すべて **Object** クラスの子孫です。そのことを利用すると、参照型に対してのみ適用できる操作を、整数値や実数値（を包んでいるラップクラス型のインスタンス）に対して行えます。

▶ 入門書の範囲を越えるため詳しくは解説しませんが、コンテナに対して整数や実数を格納する際などに有効活用できます。

なお、オートボクシング（auto boxing）と呼ばれる働きを利用すると、先ほどのプログラムは、次のように実現することもできます。

```
Integer i = 75;    // intからIntegerへのオートボクシング
Double d = 3.14;   // doubleからDoubleへのオートボクシング
```

③ 各種の操作をメソッドとして提供する

これは、上記の②と関連します。たとえば、整数値 75 や実数値 3.14 に対して **toString** メソッドを呼び出すことはできません。当たり前のことですが、**75.toString()** や **3.14.toString()** といった式は、コンパイル時エラーとなります。

しかし、上のように宣言された *i* や *d* に対しては、*i*.**toString()** あるいは *d*.**toString()** という形で **toString** メソッドを呼び出せます。

ここで、次のコードを考えましょう（変数 *n* は **int** 型であるとします）。

```
System.out.println("n = " + n);
```

『“文字列 + 数値”の演算では、数値が文字列に変換された上で、“文字列 + 文字列”として文字列の連結が行われる。』と説明していました。実は、この説明は、少し言葉足らずのものでした。本当は、以下のようになるのです。

```
System.out.println("n = " + Integer(n).toString());
```

すなわち、次のようになっています。

“文字列 + 数値”の演算が行われると、次の処理が順に行われる：

- **その数値をもつラッパクラスのインスタンスが生成され、それに対して toString メソッドが適用されて文字列が生成される。**
- **文字列どうしの連結（文字列と変換された文字列の連結）が行われる。**

もちろん、すべてのラッパクラスに対して、ラップされている値を文字列に変換する **toString** メソッドが提供されています。

＊

**toString** メソッドの逆の変換、すなわち、文字列を数値に変換するのが、**parse...** メソッドです。これは、クラスメソッドであり、**...** の部分には、基本型の型名の先頭を大文字としたものがそのまま入ります。**Integer** クラスでは **parseInt** メソッドが提供され、**Float** クラスでは **parseFloat** メソッドが提供されます。

たとえば、**Integer.parseInt("3154")** は整数値 3154 を返却し、**Long.parseLong("1234567")** は **long** 型の整数値 1234567L を返却します。

**List 16-11** で利用したのは、クラス **Double** の **parseDouble** メソッドです。引数として受け取った文字列を **double** 型表現に変換した値を返します。

# まとめ

- 文字は、見た目や発音ではなく、文字コードで識別される。
- Java で採用されている文字コードは、Unicode である。文字は、0 ～ 65,535 の符号無し整数値を表現する char 型で表される。
- 文字を単一引用符で囲んだ式 'X' は、文字リテラルである。文字 '1' と数値 1 は、まったく異なるものであり、混同してはならない。
- 文字列を表す型は、java.lang パッケージに所属する String クラス型である。
- 文字の並びを二重引用符で囲んだ "..." という形式の文字列リテラルは、String 型インスタンスであり、評価すると参照が得られる。同じ綴りの文字列リテラルは、同一インスタンスとなる。
- 文字列の代入は、文字列のコピーではなく、参照のコピーである。
- String クラスは、文字列を格納するための char 型の配列などのフィールドと、数多くのコンストラクタおよびメソッドを有している。

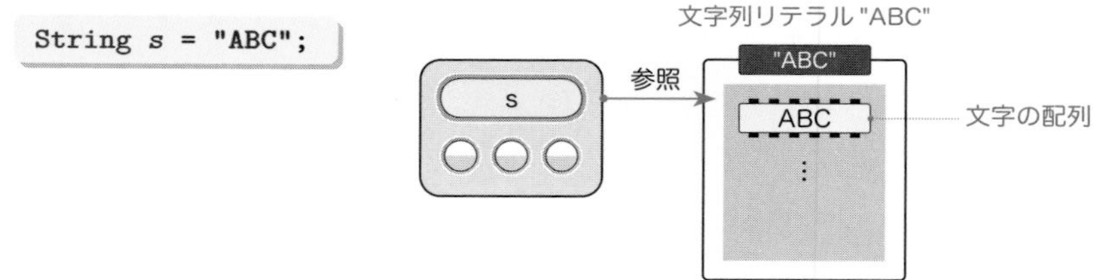


- String クラスのインスタンスメソッドには、文字列の長さを取得する length、任意の文字を取り出す charAt、部分文字列を取り出す substring などがあり、クラスメソッドには、与えられた引数をもとに書式化を行った文字列を返却する format などがある。
- 実行時に生成した文字列は、たとえ同じ綴りであっても、別個に作られる。ただし、インターン処理を行うことによって、同じ文字列へと集約化できる。
- 基本型のラッパクラスの parse... メソッドを利用すると、文字列から基本型の値への変換を行える。
- プログラム起動時にコマンドラインから与えられた文字列の配列は、main メソッドの引数として受け取ることができる。
- 内容を頻繁に変更する文字列は、文字列ビルダを表す StringBuilder クラスを使うとよい。

chap16/Test1.java

```
// 文字列を扱うプログラム

import java.util.Scanner;

class Test1 {

  public static void main(String[] args) {
    Scanner stdIn = new Scanner(System.in);

    System.out.print("文字列s1："); String s1 = stdIn.next();
    System.out.print("文字列s2："); String s2 = stdIn.next();

    for (int i = 0; i < s1.length(); i++)
      System.out.println("s1[" + i + "] = " + s1.charAt(i));

    for (int i = 0; i < s2.length(); i++)
      System.out.println("s2[" + i + "] = " + s2.charAt(i));

    int idx = s1.indexOf(s2);
    if (idx == -1)
      System.out.println("s1中にs2は含まれません。");
    else
      System.out.println("s1の" + (idx + 1) + "文字目にs2が含まれます。");

    if (s1.equals(s2))
      System.out.println("s1とs2の中身は等しい。");
    else
      System.out.println("s1とs2の中身は等しくない。");

    for (int i = 1; i <= 4; i++) {
      System.out.printf(String.format("%%%dd\n", i), 5);
    }

    System.out.println("文字列\"123\"を整数値に変換した結果：" +
                       Integer.parseInt("123"));
    System.out.println("文字列\"123.45\"を浮動小数点値に変換した結果：" +
                       Double.parseDouble("123.45"));
  }
}
```

文字列内の文字の走査

文字列内に含まれる文字列の検索

文字列の等価性の判定

書式化を伴う文字列生成

文字列から基本型への変換

▶ スペースの都合上、プログラムの実行結果は省略します。

chap16/Test2.java

```
// コマンドライン引数と文字列の配列を表示する

class Test2 {

  static void printStringArray(String[] s) {
    for (int i = 0; i < s.length; i++)
      System.out.println("No." + i + " = " + s[i]);
  }

  public static void main(String[] args) {
    String[] hands = {
      "グー", "チョキ", "パー"
    };

    System.out.println("コマンドライン引数");
    printStringArray(args);

    System.out.println("ジャンケンの手");
    printStringArray(hands);
  }
}
```

実行例

```
java Test2 Turbo NA DOHC⏎
コマンドライン引数
No.0 = Turbo
No.1 = NA
No.2 = DOHC
ジャンケンの手
No.0 = グー
No.1 = チョキ
No.2 = パー
```

16 まとめ

# 参考文献

1) James Gosling, Bill Joy, Guy Steele, Gilad Bracha／村上 雅章 翻訳
『Java 言語仕様 第 3 版』
ピアソン・エデュケーション, 2006

2) James Gosling, Bill Joy, Guy Steele, Gilad Bracha, Alex Buckley, Daniel Smith, Gavin Bierman
『The Java® Language Specification Java SE 14 Edition』
https://docs.oracle.com/javase/specs/jls/se14/jls14.pdf, 2020

3) 日本工業規格
『JIS X0001–1994 情報処理用語 ― 基本用語』, 1994

4) 日本工業規格
『JIS X0121–1986 情報処理用流れ図・プログラム網図・システム資源図記号』, 1986

5) 日本工業規格
『JIS X3010–1993　プログラム言語C』, 1993

6) 日本工業規格
『JIS X3010–2003　プログラム言語C』, 2003

7) 日本工業規格
『JIS X3014–2003 プログラム言語 C++』, 2003

8) Mary Campione, Kathy Walrath, Alison Huml／安藤慶一 翻訳
『Java チュートリアル 第3版』
ピアソン・エデュケーション, 2001

9) Kathy Sierra, Bert Bates／島田秋雄・高坂一城・神戸博之 監修／夏目大 翻訳
『Head First Java 第2版－頭とからだで覚える Java の基本』
オライリー・ジャパン, 2006

# 索引

## 記号

## 数字



## A



## B



## C



## D

## M



## N



## O



## P



## R



## S



## T



## U

索引

## お



## か



索引

## き

## く



## け



## こ

## さ



## し

## す



## せ



索引

## そ



## た

## ひ



## ふ

## へ



## ほ



## ま



## み



## む

## れ



## ろ



## わ

# 謝辞

本書をまとめるにあたり、ＳＢクリエイティブ株式会社の野沢喜美男編集長には、随分とお世話になりました。

この場をお借りして感謝の意を表します。

# 著者紹介


## 柴田（しばた） 望洋（ぼうよう）

工学博士

福岡工業大学 情報工学部 情報工学科 准教授

福岡陳氏太極拳研究会 会長


- 1963年、福岡県に生まれる。九州大学工学部卒業、同大学院工学研究科修士課程・博士後期課程修了後、九州大学助手、国立特殊教育総合研究所研究員を歴任して、1994年より現職。2000年には、分かりやすいC言語教科書・参考書の執筆の業績が認められて、㈳日本工学教育協会より著作賞を授与される。大学での教育研究活動だけでなく、プログラミングや武術（1990年～1992年に全日本武術選手権大会陳式太極拳の部優勝）、健康法の研究や指導に明け暮れる毎日を過ごす。

- **主な著書**（*は共著／★は翻訳書）

『秘伝C言語問答ポインタ編』，ソフトバンク，1991（第2版：2001）
『C：98スーパーライブラリ』，ソフトバンク，1991（新版：1994）
『Cプログラマのための C++ 入門』，ソフトバンク，1992（新装版：1999）
『超過去問 基本情報技術者 午前試験』，ソフトバンクパブリッシング，2004
『新版 明解 C++ 入門編』，ソフトバンククリエイティブ，2009
『解きながら学ぶ C++ 入門編*』，ソフトバンククリエイティブ，2010
『新・明解C言語入門編』，ＳＢクリエイティブ，2014
『プログラミング言語 C++ 第4版★』，ビャーネ・ストラウストラップ（著），ＳＢクリエイティブ，2015
『新・明解C言語中級編』，ＳＢクリエイティブ，2015
『C++ のエッセンス★』，ビャーネ・ストラウストラップ（著），ＳＢクリエイティブ，2015
『新・明解C言語実践編』，ＳＢクリエイティブ，2015
『新・解きながら学ぶC言語*』，ＳＢクリエイティブ，2016
『新・明解 Java 入門』，ＳＢクリエイティブ，2016
『新・明解C言語 ポインタ完全攻略』，ＳＢクリエイティブ，2016
『新・明解C言語で学ぶアルゴリズムとデータ構造』，ＳＢクリエイティブ，2017
『新・明解 Java で学ぶアルゴリズムとデータ構造』，ＳＢクリエイティブ，2017
『新・解きながら学ぶ Java*』，ＳＢクリエイティブ，2017
『新・明解 C++ 入門』，ＳＢクリエイティブ，2017
『新・明解 C++ で学ぶオブジェクト指向プログラミング』，ＳＢクリエイティブ，2018
『新・明解 Python 入門』，ＳＢクリエイティブ，2019
『新・明解 Python で学ぶアルゴリズムとデータ構造』，ＳＢクリエイティブ，2020

本書をお読みいただいたご意見、ご感想を以下の QR コード、URL よりお寄せください。

https://isbn2.sbcr.jp/06015/


# 新・明解 Java 入門 第2版

2020 年 9 月 18 日　初版発行
2024 年 2 月 19 日　第 6 刷発行

著　者 … 柴田 望洋
編　集 … 野沢 喜美男
発行者 … 小川 淳
発行所 … ＳＢクリエイティブ株式会社
〒 105-0001　東京都港区虎ノ門 2-2-1
https://www.sbcr.jp/
印　刷 … 昭和情報プロセス株式会社
装　丁 … bookwall

落丁本、乱丁本は小社営業部（03-5549-1201）にてお取り替えいたします。
定価はカバーに記載されております。

Printed In Japan　　ISBN978-4-8156-0601-5

## ＳＢクリエイティブの柴田望洋の著作

アルゴリズムとデータ構造学習の決定版 !!

# 新・明解C言語で学ぶアルゴリズムとデータ構造 第2版

**２色刷**

アルゴリズム体験学習ソフトウェアで
アルゴリズムとデータ構造の基本を完全制覇！

B5 変形判、432 ページ

三値の最大値を求める初歩的なアルゴリズムに始まって、探索、ソート、再帰、スタック、キュー、線形リスト、２分木などを、学習するためのテキストです。

**アルゴリズムの動きが手に取るように分かる**〔アルゴリズム体験学習ソフトウェア※〕が、学習を強力にサポートします。数多くの演習問題を解き進めることで、学習内容が身につくように配慮しています。

Ｃ言語プログラミング技術の向上だけでなく、**情報処理技術者試験対策**のための一冊としても最適です。

※購入者特典として、出版社サポートサイトからダウンロードできます。

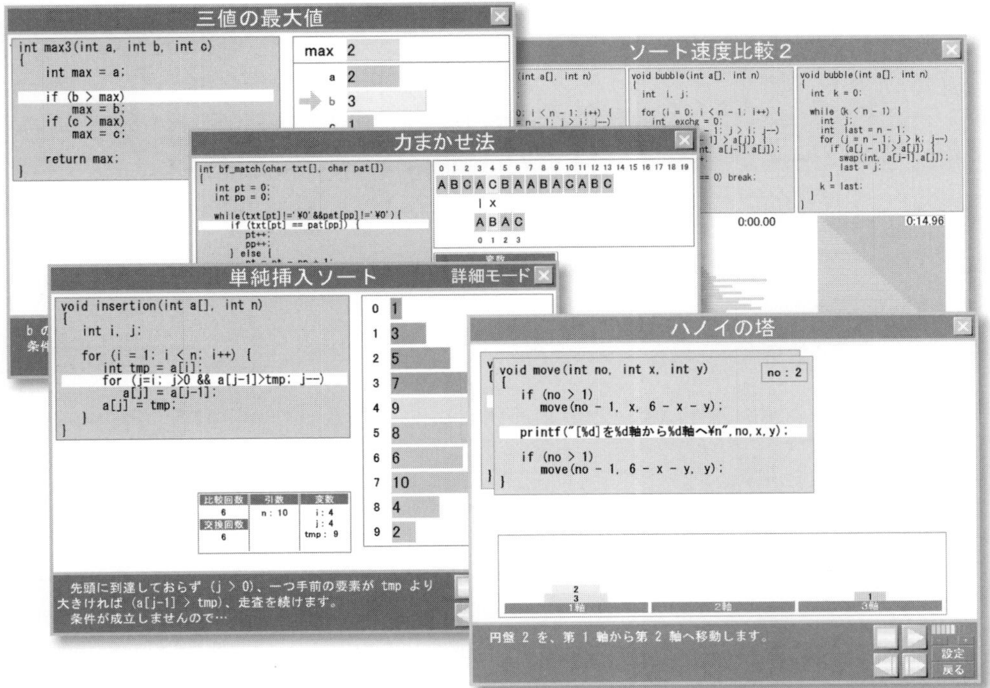


《アルゴリズム体験学習ソフトウェア》の実行画面例

・・　ホームページのお知らせ　・・・・・・・・・・・・・・・・・・・・・・・・・・・

ご紹介いたしました、すべての著作について、本文の一部やソースプログラムなどを、インターネット上で閲覧したり、ダウンロードしたりできます。

以下のホームページをご覧ください。

柴田望洋後援会オフィシャルホームページ
https://www.bohyoh.com/